o mito
da beleza

Naomi Wolf

o mito da beleza

Como as imagens de beleza são usadas contra as mulheres

Tradução
Waldéa Barcellos

17ª edição

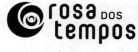

Rio de Janeiro
2021

Copyright © 2002, 1991 by Naomi Wolf. All rights reserved.

Título original em inglês: *The Beauty Myth – How Images of Beauty Are Used Against Women*

Capa: Laura Daviña

CIP-BRASIL. CATALOGAÇÃO NA PUBLICAÇÃO
SINDICATO NACIONAL DOS EDITORES DE LIVROS,RJ

W837m
17ª ed.

Wolf, Naomi
O mito da beleza: como as imagens de beleza são usadas contra as mulheres/ Naomi Wolf; tradução Waldéa Barcellos. – 17ª ed. – Rio de Janeiro: Rosa dos Tempos, 2021.
il.; 23 cm.

Tradução de: The beauty myth: how images of beauty are used against women
Inclui bibliografia e índice
ISBN 978-85-01-11352-8

1.Beleza feminina (Estética). 2. Imagem corporal – Aspectos sociais. 3. Mulheres – Condições sociais. 4. Papel sexual. I. Barcellos, Waldéa. II. Título.

CDD: 305.42
CDU: 316.346.2-055-2

18-48924

Meri Gleice Rodrigues de Souza – Bibliotecária CRB-7/6439

Todos os direitos reservados. É proibido reproduzir, armazenar ou transmitir partes deste livro, através de quaisquer meios, sem prévia autorização por escrito.

Texto revisado segundo o novo Acordo Ortográfico da Língua Portuguesa.

Direitos desta tradução adquiridos pela
EDITORA ROSA DOS TEMPOS
Um selo da
EDITORA RECORD LTDA.
Rua Argentina, 171 – Rio de Janeiro, RJ – 20921-380 – Tel.: (21) 2585-2000.

Seja um leitor preferencial Record.
Cadastre-se no site www.record.com.br e receba
informações sobre nossos lançamentos e nossas promoções.

Atendimento e venda direta ao leitor:
sac@record.com.br

Impresso no Brasil
2021

Para meus pais
Deborah e Leonard Wolf

É muito mais difícil destruir o impalpável do que o real.

— Virginia Woolf

SUMÁRIO

Apresentação	9
Introdução	13
O mito da beleza	25
O trabalho	39
A cultura	92
A religião	130
O sexo	193
A fome	261
A violência	316
Para além do mito da beleza	388
Agradecimentos	419
Notas	421
Bibliografia	463
Índice remissivo	471

APRESENTAÇÃO

Quando escrevi *O mito da beleza*, em 1991, até certo ponto eu tinha a impressão de estar escrevendo num vazio. Muitas vozes na mídia proclamavam que o feminismo – o feminismo de Betty Friedan e Gloria Steinem, da NOW [Organização Nacional pelas Mulheres] – tinha morrido. As mulheres de classe média no Ocidente estavam, de qualquer forma, focadas na entrada no mercado de trabalho, não na revolução social. As questões das mulheres pobres e da classe operária eram remotas, distantes do centro das atenções. Os meios de comunicação não paravam de repetir que as jovens rejeitavam o feminismo e que "todas as batalhas já tinham sido ganhas", um lugar-comum da época.

Só de olhar para as colegas da minha idade – eu estava com 26 anos quando o livro foi escrito –, eu sabia que de fato as batalhas não tinham sido ganhas, mas muitas tinham sido internalizadas. Apesar de minhas colegas já não se importarem muito em demonstrar serem perfeitas donas de casa – o ideal de feminilidade contra o qual a geração de nossas mães tinha se rebelado –, elas sofriam a obsessão por outro tipo de perfeição: a perfeição física, em comparação com modelos de alta moda e estrelas do cinema. As jovens ao meu redor, que deveriam ter sido as mais brilhantes, mais ambiciosas e mais competentes a terem habitado o planeta – por haverem herdado as conquistas e a capacidade de análise do feminismo –, costumavam estar presas na armadilha de um ciclo desesperado de inanição compulsiva, exercícios compulsivos ou "ataques" incontroláveis de comilança e vômitos.

O MITO DA BELEZA

Além dos danos físicos que esses comportamentos acarretavam, eu via o preço que essas obsessões cobravam sobre sua capacidade de se sentirem livres em seu próprio íntimo, para desbravarem a si mesmas e a seu mundo, para travarem suas próprias batalhas. Vi que a epidemia de transtornos alimentares no *campus* da faculdade em que eu estudava, nos *campi* universitários do mundo inteiro, e no Ocidente como um todo, era um sedativo político.

Como eu tinha tido a sorte de estudar a história do feminismo, percebi que, a cada geração em que houvesse um forte avanço por parte das mulheres, algum ideal surgia para sugar as energias e assim garantir que elas não progredissem demais. E então eu via que, a cada geração em que ocorria um despertar dessa natureza, dizia-se à geração seguinte que voltasse para casa – que aquele era um tempo do "pós-feminismo" –, que todas as batalhas tinham sido ganhas. Pareceu-me claro que era essa a dinâmica envolvida na qualidade da perfeição cada-vez-mais-inatingível, cada-vez--mais-magra, cada-vez-mais-aperfeiçoada-por-cirurgias que bombardeava a sensibilidade das mulheres em todas as direções, agora que as mulheres tinham a oportunidade de ser realmente livres.

A primeira edição de *O mito da beleza* teve muita sorte. Era uma argumentação que se apresentava no exato momento em que uma geração de mulheres jovens queria de fato adotar uma nova versão do feminismo, queria de fato analisar as condições singulares que as cercavam e levar a sério a própria opressão que as atingia, e queria de fato revitalizar o discurso do feminismo para mais uma vez entrar em ação, nos âmbitos coletivo e individual.

O livro foi um sucesso de vendas em 14 países, mas, de modo ainda mais importante, ele fez parte de um novo despertar de discussões e debates sobre uma série de tópicos feministas por parte de muitas vozes do feminismo – um despertar que a escritora Rebecca Walker e eu, em trabalhos independentes, chegamos a identificar com uma expressão recém-cunhada, a Terceira Onda. Desde os

APRESENTAÇÃO

anos 1990, o feminismo no Ocidente vem mantendo seu frescor, vigor e diversidade. Já houve uma Quarta Onda, e eu diria que estamos apreciando o surgimento de uma quinta.

Sob certos aspectos, os novos feminismos são muito diferentes do feminismo icônico das décadas de 1960 e 1970. Eles são mais pluralistas, mais tolerantes, mais inclusivos quanto aos homens, mais conscientes de questões relacionadas aos movimentos LGBT, mais sofisticados quanto à interseção de raça, classe e gênero, mais atentos para as questões feministas no mundo em desenvolvimento. Tudo isso representa um grande avanço, e eu sinto orgulho pelo fato de *O mito da beleza,* que continua a ser lido, ter sido uma pequena contribuição para esse reavivamento de debates e ações. No entanto, embora as ações e a conscientização, em geral, estejam muito melhores para as mulheres, sob alguns aspectos, as questões do "mito da beleza" levantadas neste livro continuam iguais ou se agravaram. Sob outros aspectos, algumas melhoraram.

No momento em que estou escrevendo, as estatísticas referentes à anorexia e à bulimia estão exatamente como estavam em 1991. Em alguns *campi,* 30% das universitárias que moram em repúblicas sofrem de bulimia, fazendo com que esse seja um dos poucos problemas de saúde mental de transmissão social. A obsessão por exercícios e a dismorfia de imagem – condição em que a pessoa não vê o próprio corpo como ele de fato se apresenta – estão, no mínimo, mais disseminadas e frequentes. Em alguns grupos de mulheres, o medo de envelhecer mantém a mesma força de sempre. Novas técnicas cirúrgicas e preços mais acessíveis tornaram essas intervenções muito mais comuns. E, em consequência de campanhas globalizadas de marketing com a promoção de ideais ocidentais, cirurgias de pálpebras, cirurgias de "refinamento" do nariz, perigosos cremes para clareamento da pele, entre outros procedimentos, grassam no mundo em desenvolvimento. Por fim, a onipresença da pornografia, que em 1991 não existia num formato digitalizado, com transmissão ao vivo, garante que esses ideais se aprofundem mais do que naquela época, uma vez que, com demasiada frequência, jovens de ambos os sexos sentem que a perfeição física é a porta de acesso a uma sexualidade aceitável.

Por outro lado, o que melhorou muito foi a percepção generalizada entre mulheres e homens de que esses ideais da mídia são falsos – na realidade, mais falsos do que quando escrevi este livro em 1991, já que, na época, as imagens eram retocadas, enquanto hoje as imagens da beleza são simplesmente inventadas por técnicas digitais –, além de serem destrutivos. É muito mais comum que escoteiras, bandeirantes – e revistas femininas – examinem a artificialidade e o impacto psicológico negativo dessas ideias; e é mais comum que as próprias mulheres procurem estabelecer meios para resgatar seu próprio corpo e sua própria beleza segundo formas que elas mesmas definem – desde músicas como "I Am Beautiful" a campanhas publicitárias, como a da Dove, sobre a Real Beleza.

Editores de revistas femininas também tentam destacar imagens mais inclusivas, embora continuem sob a forte pressão dos anunciantes. E as mídias sociais – apesar de haver quem diga que elas intensificam a pressão sobre as jovens para se sentirem inseguras quanto ao físico – também derrubam a barreira entre o consumidor e o produtor da mídia, expondo uma quantidade muito maior de modelos do que é estiloso, bacana e charmoso.

Considerando-se todos os aspectos, creio que avançamos muito. É extraordinário que hoje jovens cresçam tendo como líquido e certo seu direito de analisar e criticar os ideais que lhes são apresentados pela mídia de massa, e para definir por si mesmos o que é beleza, *glamour* e estilo. E é uma bênção fantástica que ambos os gêneros possam definir um feminismo próprio para tanto. Com isso em mente, espero que apreciem esta edição de *O mito da beleza* e a partir dela façam seu próprio uso singular, criativo e insubstituível.

Naomi Wolf
(Publicado originalmente como introdução
à edição condensada da Vintage Classics, de 2015)

INTRODUÇÃO

Quando *O mito da beleza* foi publicado pela primeira vez, há mais de dez anos, tive a oportunidade de ouvir milhares de histórias. Por cartas e pessoalmente, mulheres me fizeram confidências sobre o isolamento desesperador da luta que tinham empreendido — algumas, desde suas recordações mais antigas — para resgatar uma identidade a partir daquilo que tinham reconhecido de imediato como o mito da beleza. Não havia um traço comum que unisse essas mulheres em termos da aparência: tanto as mais jovens quanto as mais velhas me falaram do medo de envelhecer; mulheres esbeltas e mulheres acima do peso comentaram o sofrimento decorrente de tentativas de atingir os ditames da magreza ideal; negras, não brancas e brancas — mulheres que pareciam ser modelos — admitiam saber, desde seus primeiros pensamentos conscientes, que o ideal era ser alta, magra, branca e loura, com um rosto sem poros, sem assimetrias nem defeitos; uma mulher totalmente "perfeita", alguém que elas de algum modo percebiam que não eram.

Fiquei grata por ter tido a sorte de escrever um livro que ligou minha experiência à de mulheres de toda parte — na realidade, às experiências de mulheres em 17 países no mundo inteiro. E ainda mais grata pela forma como minhas leitoras o estavam usando. "Esse livro me ajudou a superar meu transtorno alimentar", costumavam me dizer. "Agora leio revistas com um olhar diferente",

O MITO DA BELEZA

"Parei de odiar meus pés de galinha". Para muitas mulheres, o livro foi um instrumento de empoderamento. Como investigadoras e críticas, elas estavam desconstruindo seus mitos pessoais da beleza.

O livro foi acolhido de diversos modos por leitoras de diferentes contextos, e também provocou um debate acirrado no âmbito público. Comentaristas de televisão se encolerizaram com minha argumentação de que as mulheres na televisão eram remuneradas considerando a aparência e com minha alegação da existência de um sistema de dois pesos e duas medidas que não avaliava seus colegas do sexo masculino, em termos de aparência, de modo tão direto. Apresentadores de programas de rádio com viés de direita sugeriam que, se eu tinha alguma dificuldade em aceitar a expectativa da sociedade de eu estar à altura da aparência ideal que as mulheres deveriam ter, isso devia ser decorrente de algum problema pessoal meu. Entrevistadores insinuavam que minha preocupação com a anorexia não passava de um psicodrama equivocado de uma jovem branca privilegiada. E nos programas da tarde, um atrás do outro, as perguntas que me eram dirigidas muitas vezes se tornavam quase hostis — muito possivelmente influenciadas pelos comerciais que vinham em seguida, contratados pela multibilionária indústria das dietas, com alegações infundadas e que atualmente são ilegais. Afirmavam, com frequência, de forma deliberada ou inadvertida, embora sempre incorreta, que eu teria declarado que as mulheres agiam errado ao depilar as pernas ou usar batom. Esse é, de fato, um equívoco, pois o que defendo neste livro é o direito de que a mulher escolha a aparência que deseja ter e o que ela deseja ser, em vez de obedecer ao que impõem as forças do mercado e a indústria multibilionária da propaganda.

Em geral, porém, as plateias (mais em público do que em particular) davam a impressão de acreditar que o questionamento dos ideais

INTRODUÇÃO

de beleza era não só pouco feminino, mas também antiamericano. Para quem está lendo este livro no século XXI, pode parecer difícil acreditar, mas nos idos de 1991 era considerada uma heresia total a atitude de desafiar ou questionar o ideal de beleza que, na época, era muito rígido. Nós acabávamos de sair do que chamei de "terríveis anos 1980", uma época em que um conservadorismo exacerbado tinha se aliado a um forte antifeminismo em nossa cultura, fazendo com que argumentos sobre ideais femininos parecessem grosseiros, até mesmo descontrolados. Havia terminado o longo período de Reagan no poder; a Emenda da Igualdade de Direitos estava perdendo fôlego; ativistas pelos direitos das mulheres estavam recuando; dizia-se para as mulheres que "não se pode ter tudo". Como Susan Faludi demonstrou com tanta propriedade em seu livro *Backlash — o contra-ataque na guerra não declarada contra as mulheres,* que foi publicado praticamente na mesma ocasião que *O mito da beleza*, a *Newsweek* estava dizendo às mulheres que a probabilidade de elas serem mortas por terroristas era maior do que a de conseguirem se casar no meio da carreira profissional. O feminismo tinha se tornado um palavrão. Partia-se do pressuposto de que mulheres que reclamavam do mito da beleza tinham, elas sim, algum defeito: provavelmente eram gordas, feias, incapazes de satisfazer um homem, "feminazis", ou — horror dos horrores — lésbicas. A mídia de massa, e muitas vezes também quem lia revistas e assistia a filmes, supunha que o ideal da época — uma caucasiana cadavérica, mas com seios generosos, raramente encontrada na natureza — era eterno, transcendente. Parecia ter uma importância acima de qualquer questionamento tentar de algum modo estar à altura daquele ideal.

Quando eu falava em palestras sobre a epidemia de transtornos alimentares, por exemplo, ou sobre os perigos dos implantes mamários de silicone, muitas vezes recebia uma resposta saída direto de *O banquete* de Platão, o famoso diálogo sobre ideais eternos e imutáveis: algo como "As mulheres sempre sofreram pela beleza". Em suma, não era sabido naquela ocasião que os ideais não caíam simplesmente dos céus, que eles, de fato, provinham de algum lugar e que serviam a algum projeto. Esse propósito, como eu então explicava, costumava ser de ordem financeira, ou seja, o de aumentar os lucros daqueles anunciantes cujos dólares de patrocínio na realidade movimentavam a mídia, que, por sua vez, criava os ideais. O ideal, eu sustentava, também servia a um fim político. Quanto mais fortes as mulheres se tornassem em termos políticos, maior seria o peso do ideal de beleza sobre seus ombros, principalmente para desviar sua energia e solapar seu desenvolvimento.

Cerca de dez anos depois, o que mudou? Onde está o mito da beleza hoje? Ele se transformou um pouco; e, por isso, é bom examiná-lo sob novo olhar.

Bem, é muito gratificante hoje ser difícil encontrar uma menina de 12 anos que não esteja mais do que familiarizada com a noção de que os "ideais" são exigentes demais para com as meninas, que eles não são naturais e que segui-los com total submissão não é saudável nem legal. A revista *American Girl*, voltada para meninas de 9 anos, discorre sobre os benefícios de amar o próprio corpo e sobre como é ilusório procurar ser parecida com Britney Spears para ser feliz. Escolas do ensino fundamental II convidam palestrantes para falar sobre transtornos alimentares e expõem nos corredores colagens com imagens de ideais de beleza destrutivos. Eu diria que, quando o que começou como uma argumentação alternativa passa a fazer parte do conhecimento convencional de qualquer tropa de bandeirantes, esse é um sinal de uma evolução na consciência. Era aquela a hora. Meninas e mulheres estavam prontas para dizer não a alguma coisa que consideravam uma opressão. Isso é progresso.

INTRODUÇÃO

Apesar do recente desenvolvimento dessa competência na mídia, também percebo que agora meninas cada vez mais novas começam a sentir que devem estar à altura de um ideal cada vez mais sexualizado. Quando eu era adolescente, as infames campanhas publicitárias da Calvin Klein erotizavam garotas de 16 anos. Depois, no início da década de 1990, elas erotizavam modelos de 14 anos; e, então, de 12 anos, em fins da década de 1990. Anúncios da GUESS Jeans agora apresentam o que parecem ser meninas de 9 anos em ambientes provocantes. E a última moda para meninas de 7 e 8 anos reproduz os trajes de estrelas do pop que se vestem como profissionais do sexo. Isso é progresso? Duvido.

Grande quantidade de trabalhos de ensino médio e de faculdade que vi — desde um CD sobre a "aparência perfeita" até uma tese de conclusão de curso a respeito do mito da beleza afro-americana no relacionado a cabelo — analisou imagens de mulheres na mídia e desmontou ideais. Até a cultura pop correspondeu às preocupações das mulheres: veja o clipe do TLC para a música "Unpretty" [Feia], por exemplo, que mostra uma mulher se sentindo tentada a fazer um implante nos seios simplesmente para atender ao pedido de um namorado, mas acaba decidindo não fazer a cirurgia. Mesmo assim, embora *O mito da beleza* tenha decididamente capacitado muitas jovens e mulheres a criticar os ideais da cultura de massa, existem muitas formas pelas quais aquele passo adiante foi prejudicado por vários passos atrás.

Quando este livro foi escrito, em 1991, era rotineiro que implantes mamários de silicone fossem inseridos no corpo das mulheres, e a pornografia influenciava a cultura popular a tal modo que as mulheres começavam a demonstrar ansiedade com o tamanho e o formato dos seios. Se parece estranho que uma ansiedade, como por exemplo a relacionada ao formato dos seios, possa surgir e se desenvolver entre milhões de mulheres

O MITO DA BELEZA

de uma vez, pense em como é poderoso o imaginário sexual. Por causa da recente influência da pornografia na moda, milhões de mulheres de repente estavam vendo "os seios perfeitos" por toda parte e, consequentemente, começaram a se preocupar com seus seios naturalmente "imperfeitos". O fenômeno perdurou até que o foco do mito da beleza se voltou para a ansiedade seguinte. Muitas mulheres reagiram a esse novo ideal dos seios, marcando cirurgias para implantes mamários, enquanto os anúncios dessa cirurgia se tornavam um novo mercado publicitário para as revistas femininas, que, em consequência disso, publicavam uma matéria atrás da outra para "promover" essas operações. Quando *O mito da beleza* soou o alarme quanto aos efeitos colaterais do silicone — e da cirurgia —, era baixíssima a percepção geral desses perigos.

Agora, mais de uma década depois, os perigos do silicone já estão mais do que bem documentados. Os fabricantes de implantes mamários enfrentaram processos significativos, e milhares de artigos que expunham os perigos dos implantes de silicone foram publicados desde meados da década de 1990. No ano 2000, os implantes mamários de silicone já tinham sido retirados do mercado geral. E não é por coincidência que hoje em dia raramente se leia algo a respeito da preocupação com o tamanho dos seios. Por quê? Porque um exame mais profundo do procedimento levou a ações na Justiça, o que extinguiu esse mercado em expansão. As revistas já não dispõem de um orçamento publicitário destinado a artigos a respeito da ansiedade sobre o tamanho dos seios, artigos que no passado alimentavam essa ansiedade e criavam ainda mais procura pelo produto.

Esse é o copo meio cheio.

Agora, o copo meio vazio. A influência da pornografia sobre o sentido de identidade sexual das mulheres — que apenas começava a se firmar quando este livro foi escrito — agora se tornou

INTRODUÇÃO

tão abrangente que é quase impossível para mulheres mais jovens distinguirem o papel que a pornografia desempenha na criação de sua ideia de como ser, de que aparência ter, de como se movimentar no sexo, separando-o de seu sentido inato de identidade sexual. Isso é progresso? Acho que não.

Quando este livro foi lançado, a opinião pública considerava a anorexia e a bulimia um comportamento marginal anômalo; e não se partia do pressuposto de que a causa fosse responsabilidade da sociedade — na medida em que esta criava ideais e exercia pressão para a conformidade a eles —, mas, sim, de que o comportamento decorria de crises pessoais, perfeccionismo, atuação falha por parte dos pais e outras formas de desajustes psicológicos individuais. Na realidade, porém, esses transtornos atingiam grande quantidade de jovens comuns, provenientes de ambientes sem nada de extraordinário, mulheres e moças que estavam simplesmente tentando manter um peso e um formato de corpo "ideais" e antinaturais. Só de olhar ao meu redor no ensino médio e na faculdade, eu sabia que os transtornos alimentares eram muito disseminados entre as jovens que, se não fosse por eles, seriam perfeitamente equilibradas; e sabia que a simples pressão social básica para serem magras era um fator importante no desenvolvimento dessas doenças. A Associação Nacional dos Transtornos Alimentares [National Eating Disorders Association] confirma a estatística dos Institutos Nacionais da Saúde [National Institutes of Health — NIH] ao salientar que 1% a 2% das mulheres norte-americanas são anoréxicas — entre 1,5 e 3 milhões de mulheres — e que, entre elas, é típico que a anorexia tenha se instalado na adolescência. Os NIH também apontam que a incidência de morte por anorexia, 0,56% por década, é cerca de 12 vezes maior do que a incidência de morte anual por todas as causas entre mulheres dos 15 aos 24 anos. A anorexia é o que mais mata as adolescentes norte-americanas.

Devido a minha experiência pessoal, e por observar as mulheres a minha volta, eu sabia que os transtornos alimentares eram um círculo vicioso: passar fome ou vomitar tornava-se um comportamento de dependência, uma vez que tivessem começado. Eu sabia que a expectativa social de ser tão magra a ponto de ser improvável que se menstruasse era um ideal doentio; e que muitas vezes era preciso adoecer para estar em conformidade com ele. O transtorno da alimentação, que era adotado para que a pessoa se encaixasse em um ideal desvirtuado, era uma das causas da doença, e não necessariamente, como a opinião popular da época dizia, uma manifestação de uma neurose subjacente.

Agora, naturalmente, a informação sobre os perigos da obsessão por dietas ou por exercício está amplamente disseminada. Textos sobre transtornos alimentares, sua tendência a provocar dependência e como tratá-los estão disponíveis em todas as livrarias, bem como em escolas de ensino fundamental II, consultórios médicos, academias, escolas secundárias e agremiações acadêmicas femininas. Bem, *isso* é progresso.

No entanto, o outro lado da moeda é que esses mesmos transtornos estão agora tão disseminados — e, de fato, quase desestigmatizados por conta dessa exposição muito intensa — que praticamente se tornaram normais. Não apenas agremiações femininas inteiras acham natural que a bulimia seja um comportamento generalizado, mas modelos agora falam abertamente à revista *Glamour* sobre seu regime de fome. Uma matéria de jornal sobre um grupo de mulheres jovens, ambiciosas e magras, em uma conversa sobre o peso, cita as palavras de uma delas: "Ora, qual é o problema em vomitar?" E surgiram websites "pró-ana", indicando a existência de uma subcultura de jovens que são favoráveis à anorexia, consideram a aparência anoréxica atraente e a endossam. Decididamente, isso *não* é progresso.

INTRODUÇÃO

Quando *O mito da beleza* foi analisado no início da década de 1990, como já salientei, o ideal era muito rígido. O rosto de mulheres mais velhas quase nunca era mostrado em revistas; e se fosse, precisava ser retocado para parecer mais jovem. Era raro que mulheres não brancas fossem apresentadas como modelos a seguir, a menos que tivessem, como Beverly Johnson, feições praticamente caucasianas. Agora há muito mais pluralismo no mito; quase se pode dizer que hoje há muitos mitos da beleza. Uma modelo afro-americana de 17 anos, com feições africanas e pele escura é apresentada no jornal *The New York Times* como o rosto do momento. Na mesma linha, anúncios da Benetton mostram modelos em um arco-íris de tons de pele e com uma grande variedade de traços raciais e étnicos. Uma Cybill Shepherd cinquentona aparece na capa de revistas e a adorada modelo *plus-size* Emme apresenta o programa *Fashion Emergency* do canal E!. Mulheres negras sentem-se mais livres para usar trajes e penteados afro tradicionais em ambientes profissionais, e a chapinha alisadora não é o fardo obrigatório que foi no início da década de 1990. Até mesmo a Barbie foi redesenhada com um tipo de corpo mais realista, e agora é oferecida em muitas cores. Olhando por esse ângulo, hoje há um pouco mais de espaço para cada uma ser ela mesma.

Há também maior proteção ao consumidor contra as piores alegações da indústria da beleza do que havia quando este livro foi lançado. Hoje, os cremes antienvelhecimento, por exemplo, já não podem fazer promessas absurdas como faziam uma década atrás. Há dez anos, fabricantes de cosméticos costumavam declarar que seus cremes de rejuvenescimento "apagavam" sinais da idade, "reestruturavam" a pele no nível "celular" e "renovavam" o tecido "de dentro para fora" — todas essas alegações eram impossíveis em termos físicos, já que os ingredientes não tinham como penetrar na epiderme. Essas descrições enganosas chegaram a tal ponto que a Agência Federal de

O MITO DA BELEZA

Alimentos e Medicamentos [Food and Drug Administration — FDA] por fim tomou providências. Há dez anos, também, em consequência da pressão da publicidade de fabricantes de cosméticos, as revistas femininas raramente apresentavam o rosto de mulheres com mais de 25 anos; e era difícil ver o menor sinal de ruga. Em outra frente, a Comissão Federal de Comércio [Federal Trade Commission] reprimiu o excesso de propaganda de programas de dieta da década de 1990. A Comissão advertiu os responsáveis pelos programas de dieta para que não enganassem o público com promessas de perda de peso permanente sem que houvesse estudos suficientes que comprovassem esses resultados. A proteção ao consumidor chegou a tirar do mercado um medicamento para perda de peso chamado Fen-Phen [à base de fenfluramina e fentermina], por ter causado mortes relacionadas a problemas cardíacos.

As atividades da FDA e de proteção aos consumidores fizeram com que as mulheres não perdessem dinheiro, e também deram início a uma nova era, mais livre de estresse, para mulheres preocupadas com o envelhecimento. Agora, como a pressão publicitária está sendo impulsionada menos por cremes antienvelhecimento do que pelo novo poder aquisitivo das mulheres mais velhas — segmento de consumidores emergentes que mais cresce no país —, revistas femininas, programas de TV e até mesmo cineastas de Hollywood descobriram que há um excesso, não uma falta, de mulheres maravilhosas e carismáticas com mais de 40 anos para serem glamorizadas. Devido ao fato de o envelhecimento ser um modelo positivo, as mulheres, de todas as idades, parecem um pouco menos paralisadas diante da temida chegada do aniversário de 40 ou de 50 anos. E não é por coincidência que hoje as mulheres não associem o envelhecimento à imediata extinção de sua identidade como mulheres sensuais e vibrantes, merecedoras de amor e de grande estilo. A influência e a visibilidade de modelos *plus-size* nas indústrias da moda e dos cosméticos estão crescendo rapidamente. Mulheres não brancas estão entre os ícones de beleza mais admirados.

INTRODUÇÃO

Quer dizer que o pluralismo do mito da beleza saiu vitorioso? Nem de longe. O mito da beleza, como muitas ideologias da feminilidade, muda para se adaptar a novas circunstâncias e põe em xeque o esforço que as mulheres fazem para aumentar seu próprio poder. Na seção "Style" de *The New York Times*, Kate Betts confessou ter retirado a talentosa atriz Renée Zellweger da capa de *Vogue* porque ela estava "gorda demais" depois de ter ganhado peso — ou seja, de ter adquirido o tamanho médio das mulheres — para seu papel em *O diário de Bridget Jones*. Jornais especularam que a modelo Elizabeth Hurley teria sido dispensada como porta-voz da Estée Lauder porque, aos 36 anos, estava "muito velha". E, em média, as modelos de agora são ainda mais magras do que as amazonas das décadas de 1980 e 1990.

Além disso, a mutação do mito da beleza não para nas mulheres, embora, com os homens, a motivação esteja menos embasada em um revide cultural e mais em uma simples oportunidade de mercado. Como previ que aconteceria, um mito da beleza masculina estabeleceu-se na última década, partindo do interior da subcultura gay masculina para chegar às bancas de jornais do país inteiro e atingir papais do subúrbio com uma preocupação novinha em folha acerca da barriga que até então não os incomodava. Hoje, o Minoxidil uniu-se ao creme dental no armário do banheiro dos homens de classe média. Em movimento paralelo ao crescimento do poder econômico e social das mulheres, o desnível de poder entre os sexos continua a se reduzir, deslocando os homens de sua posição arraigada como árbitros da atração sexual e da beleza, em vez de exemplos dessas qualidades. Como era inevitável, surgiu um enorme mercado para o Viagra. Tornaram-se populares revistas masculinas de moda, saúde e cuidados com a aparência. O recurso à cirurgia estética para homens atingiu novos recordes. Agora os homens compõem um terço do mercado para procedimentos cirúrgicos, e 10% dos estudantes universitários que apresentam transtornos alimentares são do sexo masculino. Homens de todas as idades, circunstâncias econômicas e orientações sexuais estão mais preocupados — alguns só um pouco, outros de modo mais significativo — do que estavam apenas dez anos atrás. Está ocorrendo algum progresso quando os dois gêneros podem ser transformados em mercadoria e avaliados como objetos? Apenas o de natureza mais ambígua.

Caso se possa tirar uma única conclusão, é que, passados dez anos, as mulheres têm um pouco mais de espaço vital para fazer o que recomendei no final de *O mito da beleza* — tornar o mito da beleza algo só delas. Hoje, muitas mulheres têm uma noção de certa liberdade para se vestir com maior ou menor elegância, para usar batom ou não, para se exibir ou usar conjuntos de moletom — até mesmo, às vezes, para ganhar ou perder peso — sem recear que seu valor como mulher ou sua seriedade como pessoa esteja em jogo. Havia não muito tempo, nós fazíamos essas escolhas com um pouco mais de apreensão. É incrível agora pensar que, uma década atrás, tantas de nós nos fizéssemos perguntas como "Será que vão me levar a sério no trabalho se eu parecer 'feminina demais'?", "Será que vão me dar ouvidos se eu parecer 'feia demais'?", "Não 'sirvo' se ganhar peso? 'Sirvo' só se perder cada grama a mais?". Se as mulheres já não pensam assim — ou, se pelo menos sabem que alguma coisa está terrivelmente errada se forem forçadas a pensar desse modo —, esse é um testemunho do poder de uma ideia na mente de muitas mulheres ao mesmo tempo; é prova da capacidade de as mulheres criarem uma mudança duradoura e até mesmo um pouco mais de liberdade.

Você tem o poder de levar essa liberdade ainda mais longe. Espero que use este livro de uma forma totalmente nova — uma forma na qual ninguém, a não ser você, chegou a pensar.

Naomi Wolf
Nova York, abril de 2002
(Publicado originalmente como introdução
à edição da Harper Perennial, de 2002)

O mito da beleza

Afinal, após um longo silêncio, as mulheres ganharam as ruas. Nas duas décadas de atividade radical que se seguiram ao renascimento do feminismo no início dos anos 1970, as mulheres ocidentais conquistaram direitos legais e reprodutivos, alcançaram a educação superior, entraram para o mundo dos negócios e das profissões liberais e derrubaram crenças antigas e respeitadas quanto a seu papel social. Uma geração depois, será que as mulheres se sentem livres?

As mulheres prósperas, instruídas e liberadas do Primeiro Mundo, que têm acesso a liberdades inatingíveis para qualquer outra mulher até agora, não se sentem tão livres quanto querem ser. E já não podem restringir ao subconsciente sua sensação de que essa falta de liberdade tem algo a ver com questões aparentemente fúteis, que na realidade não deveriam fazer diferença. Muitas sentem vergonha de admitir que essas preocupações triviais — relacionadas à aparência física, ao corpo, ao rosto, ao cabelo, às roupas — têm tanta importância. No entanto, apesar da vergonha, da culpa e da negação, é cada vez maior o número de mulheres que se pergunta se elas são mesmo totalmente neuróticas e solitárias ou se o que está em jogo tem a ver com a relação entre a liberação da mulher e a beleza feminina. Quanto mais numerosos foram os obstáculos legais e materiais vencidos pelas mulheres, mais rígidas, pesadas e cruéis foram as imagens da beleza feminina a nós impostas. Mui-

O MITO DA BELEZA

tas mulheres percebem que nosso avanço coletivo foi detido. Em comparação com o ímpeto vertiginoso de tempos passados, existe hoje um clima desanimador de confusão, divisão, cinismo e, acima de tudo, exaustão. Depois de anos de muita luta e pouco reconhecimento, muitas mulheres mais velhas sentem que sua chama está extinta. Após anos em que essa luz foi tida como certa, poucas entre as mais jovens demonstram interesse em reavivar essa chama.

Durante a última década, as mulheres abriram uma brecha na estrutura do poder. Enquanto isso, cresceram em ritmo acelerado os transtornos alimentares, e a cirurgia plástica de natureza estética se tornou uma das especialidades médicas de mais rápida expansão. Nos últimos cinco anos, as despesas com o consumo duplicaram, a pornografia se tornou o gênero de maior expressão, à frente dos discos e filmes convencionais somados, e 33 mil norte-americanas afirmaram a pesquisadores que preferiam perder de 5 a 7 quilos do que alcançar qualquer outro objetivo. Um maior número de mulheres dispõe de mais dinheiro, poder, maior campo de ação e reconhecimento legal do que nunca antes. Mesmo assim, em termos de como nos sentimos do ponto de vista *físico,* podemos realmente estar em pior situação do que nossas avós não liberadas. Pesquisas recentes revelam com consistência que, no mundo ocidental, entre a maioria das mulheres que trabalham, têm sucesso, são atraentes e equilibradas, existe uma "subvida" secreta que envenena nossa liberdade: impregnada de conceitos de beleza, ela é um escuro filão de ódio a nós mesmas, obsessões com o físico, pânico de envelhecer e pavor de perder o controle.

Não é por acaso que tantas mulheres potencialmente poderosas se sentem dessa forma. Estamos em meio a uma violenta reação contra o feminismo que emprega imagens da beleza feminina como uma arma política contra a evolução da mulher: o mito da beleza. Ele é a versão moderna de um reflexo social em vigor desde a Revolução Industrial. À medida que as mulheres se liberaram da Mística Feminina da domesticidade, o mito da beleza invadiu esse terreno perdido, expandindo-se enquanto a mística definhava, para assumir sua tarefa de controle social.

A reação contemporânea é tão violenta porque a ideologia da beleza é a última remanescente das antigas ideologias do feminino que ainda tem o poder de controlar aquelas mulheres que a segunda onda do feminismo teria tornado relativamente incontroláveis. Ela se fortaleceu para assumir a função de coerção social que os mitos da maternidade, domesticidade, castidade e passividade já não conseguem impor. Ela procura neste instante destruir às ocultas e em termos psicológicos tudo de positivo que o movimento proporcionou às mulheres abertamente e em termos tangíveis.

Essa reação opera com a finalidade de eliminar a herança deixada pelo feminismo, em todos os níveis, na vida da mulher ocidental. Ele nos deu leis contra a discriminação no trabalho com base no sexo. Imediatamente, criou-se jurisprudência no Reino Unido e nos Estados Unidos institucionalizando a discriminação com base na aparência da mulher. A religião patriarcal cedeu. Novos dogmas religiosos, fazendo uso das técnicas de lavagem cerebral de seitas e cultos antigos, surgiram para tratar a idade e o peso de forma a suplantar no nível funcional os ritos tradicionais. Feministas inspiradas por Friedan destruíram, na imprensa popular destinada às mulheres, o monopólio dos anunciantes de produtos para o lar que promoviam a Mística Feminina. De imediato, as indústrias das dietas e dos cosméticos passaram a ser os novos censores culturais do espaço intelectual das mulheres. Em consequência de suas pressões, a modelo jovem e esquelética tomou o lugar da feliz dona de casa como parâmetro da feminilidade bem-sucedida. A revolução sexual propiciou a descoberta da sexualidade feminina. A "pornografia da beleza" — que pela primeira vez na história da mulher associa à sexualidade, de forma direta e explícita, uma beleza "produzida" — está em toda parte, minando o sentido recém-adquirido e vulnerável do amor-próprio sexual. Os direitos reprodutivos deram à mulher ocidental o domínio sobre o próprio corpo. Paralelamente, o peso das modelos despencou para 23% abaixo do peso das mulheres normais, a incidência de transtornos alimentares aumentou exponencialmente e foi promovida uma neurose em massa, que recorreu aos alimentos para privar as mulheres daquela sensação de controle sobre o próprio corpo. As mulheres insistiram em dar um caráter político à saúde. Novas tecnologias de cirurgias "estéticas" invasivas e potencialmente fatais foram desenvolvidas com o objetivo de voltar a exercer sobre as mulheres antigas formas de controle médico.

Todas as gerações desde cerca de 1830 tiveram de enfrentar sua versão do mito da beleza. "Significa muito pouco para mim", disse a sufragista Lucy Stone em 1855, "ter o direito ao voto, a possuir propriedades etc., se eu não puder ter o pleno direito sobre o meu corpo e seus usos." Oitenta anos mais tarde, depois que as mulheres conquistaram o direito ao voto e que a primeira onda do movimento feminino organizado se acalmara, Virginia Woolf escreveu que ainda se passariam décadas até as mulheres poderem contar a verdade sobre seu corpo. Em 1962, Betty Friedan citou as palavras de uma jovem presa à Mística Feminina: "Ultimamente, olho no espelho e tenho tanto medo de ficar parecida com minha mãe." Oito anos depois, anunciando a cataclísmica segunda onda do feminismo, Germaine Greer descreveu o "Estereótipo": "A ela cabe tudo que é belo, até mesmo a própria palavra beleza [...] é uma boneca [...] estou cansada dessa farsa." Apesar da grande revolução da segunda onda, não estamos livres. Agora, podemos olhar por cima das barricadas destruídas. Uma revolução passou por nós e mudou tudo que estava em seu caminho, o tempo decorrido desde então foi suficiente para que pequenos bebês se tornassem mulheres adultas, mas ainda resta um direito final que não foi totalmente reivindicado.

O MITO DA BELEZA

O mito da beleza tem a seguinte história a contar. A qualidade chamada "beleza" existe de forma objetiva e universal. As mulheres devem querer encarná-la, e os homens devem querer possuir mulheres que a encarnem. Encarnar a beleza é uma obrigação para as mulheres, não para os homens, situação esta necessária e natural por ser biológica, sexual e evolutiva. Os homens fortes lutam pelas mulheres belas, e as mulheres belas têm maior sucesso na reprodução. A beleza da mulher precisa corresponder à sua fertilidade; e, como esse sistema se baseia na seleção sexual, ele é inevitável e imutável.

Nada disso é verdade. A "beleza" é um sistema monetário semelhante ao padrão-ouro. Como qualquer sistema, ele é determinado pela política e, na era moderna no mundo ocidental, consiste no último e melhor conjunto de crenças a manter intacto o domínio masculino. Ao atribuir valor às mulheres numa hierarquia vertical, de acordo com um padrão físico imposto culturalmente, ele expressa relações de poder segundo as quais as mulheres precisam competir de forma antinatural por recursos dos quais os homens se apropriaram.

A "beleza" não é universal, nem imutável, embora o mundo ocidental finja que todos os ideais de beleza feminina se originam de uma Mulher Ideal Platônica. O povo maori admira uma vulva gorda, e o povo padung, seios caídos. Tampouco é a "beleza" uma função da evolução das espécies: seus ideais mudam a uma velocidade muito maior do que a da evolução das espécies, e o próprio Charles Darwin não estava convencido de sua afirmação de que a "beleza" resultaria de uma "seleção sexual" que se desviava da norma da seleção natural. O fato de as mulheres competirem entre si através da "beleza" é o inverso da forma pela qual a seleção natural afeta outros mamíferos. A antropologia derrubou a teoria de que as fêmeas teriam de ser "belas" para serem selecionadas para reprodução. Evelyn Reed, Elaine Morgan e outros autores refutaram afirmativas da sociobiologia quanto a serem inatas a poligamia masculina e a monogamia feminina. São as fêmeas dos primatas superiores que tomam a iniciativa sexual. Elas não só procuram e desfrutam do sexo com muitos parceiros, como também "toda fêmea não prenhe tem sua vez de ser a mais desejável de todo o grupo. Esse ciclo não para enquanto ela estiver viva". Especialistas masculinos em sociobiologia dizem que os órgãos sexuais cor-de-rosa e inflamados das primatas seriam análogos às atitudes humanas relacionadas à beleza feminina, quando na verdade essa característica da fêmea primata é não hierárquica e universal.

O mito da beleza não foi sempre como é atualmente. Embora a aproximação entre homens ricos mais velhos e mulheres jovens e "belas" seja considerada de certa forma inevitável, nas religiões matriarcais que dominaram o Mediterrâneo de cerca de 25.000 a.C. até cerca de 700 a.C., a situação era inversa. "Em cada cultura, a Deusa tem muitos amantes [...] Há um nítido padrão de uma mulher mais velha com um rapaz bonito, porém descartável — Ishtar e Tammuz, Vênus e Adônis, Cibele e Átis, Isis e Osíris [...] sendo sua única função a de servir ao 'ventre' divino." Nem se trata de algo a que somente as mulheres se dedicam e que os homens apenas observam. Entre o povo wodaabe da Nigéria, as mulheres detêm o poder econômico, e a tribo tem uma obsessão pela beleza masculina. Os homens do povo wodaabe passam horas juntos em complicadas sessões de maquiagem e competem — usando trajes e pinturas provocantes, requebrando os quadris e fazendo expressões sedutoras — em concursos de beleza julgados por mulheres. Não existe nenhuma justificativa legítima de natureza biológica ou histórica para o mito da beleza. O que ele está fazendo às mulheres hoje em dia é consequência de algo não mais elevado do que a necessidade da cultura, da economia e da estrutura do poder contemporâneo de criar uma contraofensiva contra as mulheres.

Se o mito da beleza não se baseia na evolução, no sexo, no gênero, na estética, nem em Deus, no que se baseia então? Ele alega dizer respeito à intimidade, ao sexo e à vida, um louvor às mulheres. Na realidade, ele é composto de distanciamento emocional, política, finanças e repressão sexual. O mito da beleza não tem absolutamente nada a ver com as mulheres. Ele gira em torno das instituições masculinas e do poder institucional dos homens.

As qualidades que um determinado período considera belas nas mulheres são apenas símbolos do comportamento feminino que aquele período julga ser desejável. *O mito da beleza de fato sempre determina o comportamento, não a aparência.* A competição entre as mulheres foi incorporada ao mito para promover a divisão entre elas. A juventude e (até recentemente) a virgindade são "belas" nas mulheres por representarem a ignorância sexual e a falta de experiência. O envelhecimento na mulher é "feio" porque as mulheres, com o passar do tempo, adquirem poder e porque os elos entre as gerações de mulheres devem sempre ser rompidos. As mulheres mais velhas temem as jovens, as jovens temem as velhas, e o mito da beleza mutila o curso da vida de todas. E o que é mais instigante, nossa identidade deve ter como base nossa "beleza", de tal forma que permaneçamos vulneráveis à aprovação externa, trazendo nossa autoestima, esse órgão sensível e vital, exposto a todos.

Embora, evidentemente, sempre tenha havido um mito da beleza sob alguma forma desde os primórdios do patriarcado, o mito da beleza em sua forma moderna é uma invenção bem recente. O mito viceja quando ocorre uma perigosa libertação das mulheres de repressões de natureza material. Antes da Revolução Industrial, a mulher comum não poderia ter sentido o que sente a mulher moderna com relação à beleza, já que esta última vivencia o mito como uma contínua comparação com um ideal físico amplamente difundido. Antes da invenção de tecnologias de produção em massa — daguerreótipos, fotografias etc. — uma mulher comum era exposta a poucas imagens dessa natureza fora da igreja. Como

O MITO DA BELEZA

a família era uma unidade de produção e o trabalho da mulher complementava o do homem, o valor das mulheres que não fossem aristocratas ou prostitutas residia em sua capacidade de trabalho, sagacidade econômica, força física e fertilidade. É óbvio que a atração física também desempenhava seu papel; mas a "beleza", como a entendemos, não era, para as mulheres do povo, uma questão séria no mercado matrimonial. O mito da beleza, em sua forma atual, ganhou terreno após as convulsões sociais da industrialização, quando foi destruída a unidade de trabalho da família e a urbanização e o incipiente sistema fabril exigiam o que os técnicos em ciências sociais da época chamaram de "esfera isolada" da domesticidade, que respaldava a nova categoria do "provedor", aquele que saía de casa para o local de trabalho todos os dias. Houve uma expansão da classe média, um progresso no estilo de vida e nos índices de alfabetização, uma redução no tamanho das famílias. Surgiu uma nova classe de mulheres alfabetizadas e ociosas. Da submissão dessas mulheres à domesticidade forçada dependia a evolução do capitalismo industrial. A maioria de nossas hipóteses sobre a forma pela qual as mulheres sempre pensaram na "beleza" remonta no máximo a 1830, quando se consolidou o culto à domesticidade e se inventou o código da beleza.

Pela primeira vez, novas tecnologias tinham condição de reproduzir — em figurinos, daguerreótipos, ferrotipias e rotogravuras — imagens de como deveria ser a aparência das mulheres. Na década de 1840, foram tiradas as primeiras fotografias de prostitutas nuas. Anúncios com imagens de "belas" mulheres apareceram pela primeira vez em meados do século. Reproduções de obras de arte clássicas, cartões-postais com beldades da sociedade e amantes de reis, gravuras da Currier and Ives e bibelôs de porcelana invadiram a esfera isolada à qual estavam confinadas as mulheres da classe média.

O MITO DA BELEZA

Desde a Revolução Industrial, as mulheres ocidentais da classe média vêm sendo controladas tanto por ideais e estereótipos quanto por restrições de ordem material. Tal situação, exclusiva desse grupo, revela que as análises que investigam as "conspirações culturais" são plausíveis apenas em relação a elas. A ascensão do mito da beleza foi somente uma dentre as várias ficções sociais incipientes que se disfarçavam como componentes naturais da esfera feminina para melhor encerrar as mulheres que ali estavam. Surgiram simultaneamente outras ficções: uma visão da infância que exigia permanente supervisão materna; uma concepção da biologia feminina que forçava as mulheres da classe média a fazer o papel de histéricas e hipocondríacas; uma convicção de que as mulheres respeitáveis não tinham sensibilidade sexual; e uma definição do trabalho feminino que ocupava as mulheres com tarefas repetitivas, demoradas e trabalhosas como, por exemplo, o bordado e a renda feita à mão. Todas as criações vitorianas semelhantes a essas tinham uma dupla função — embora fossem estimuladas por serem um meio de gastar a energia e a inteligência feminina de forma inócua, as mulheres muitas vezes usavam essas tarefas para expressar criatividade e paixão autênticas.

No entanto, apesar da criatividade das mulheres da classe média no que diz respeito à moda, ao bordado e à educação infantil e, um século mais tarde, ao papel de dona de casa de subúrbio rico que se originou dessas ficções sociais, o principal propósito daquelas ficções tinha sido atingido. Durante um século e meio de agitação feminista sem precedentes, elas neutralizaram com eficácia o perigo do novo lazer, da alfabetização e da relativa isenção de restrições de ordem material da mulher da classe média.

Embora essas ficções trabalhosas e absorventes quanto ao papel natural da mulher tenham se adaptado para ressurgir na Mística Feminina do pós-guerra, quando a segunda onda do movimento

O MITO DA BELEZA

das mulheres desmontou aquilo que as revistas femininas retratavam como o "romance", a "ciência" e a "aventura" dos afazeres domésticos e da próspera vida em família, elas por um tempo foram derrotadas. A enjoativa ficção doméstica da "família reunida" perdeu seu sentido, e as mulheres da classe média saíram em massa de dentro de casa.

Foi assim que as lendas simplesmente se transformaram mais uma vez. Como o movimento das mulheres conseguira desfazer a maioria das outras ficções necessárias da feminilidade, a função de controle social, que antes se distribuía por toda a trama dessas lendas, precisou ser realocada para o único fio que permanecia intacto, o que o reforçou imensamente. Voltaram a ser impostos ao corpo e ao rosto das mulheres liberadas todas as limitações, os tabus e as penas das leis repressoras, das injunções religiosas e da escravidão reprodutiva que já não exerciam influência suficiente. A ocupação com a beleza, trabalho inesgotável porém efêmero, assumiu o lugar das tarefas domésticas, também inesgotáveis e efêmeras. Como a economia, a lei, a religião, os costumes sexuais, a educação e a cultura foram forçados a abrir um espaço mais justo para as mulheres, uma realidade de natureza pessoal veio colonizar a consciência feminina. Recorrendo a conceitos de "beleza", ela construiu um mundo feminino alternativo, com as próprias leis, economia, religião, sexualidade, educação e cultura, sendo cada um desses elementos tão repressor quanto os de qualquer época passada.

Como pode ser mais fácil enfraquecer a mulher ocidental de classe média sob o ponto de vista psicológico agora que estamos mais fortes sob o aspecto material, o mito da beleza, na forma em que ressurgiu na última geração, teve de recorrer a sofisticação tecnológica e fervor reacionário maiores do que anteriormente. O atual arsenal do mito consiste na disseminação de milhões de

O MITO DA BELEZA

imagens do ideal em voga. Embora esse fogo cerrado geralmente seja considerado uma fantasia sexual coletiva, há nele, na verdade, muito pouco de sexual. Ele atende ao chamado do temor político por parte de instituições dominadas pelos homens, instituições ameaçadas pela liberdade das mulheres. Ele explora a culpa e a apreensão quanto a nossa própria liberação — medos latentes de que talvez estejamos nos excedendo. Essa frenética acumulação de imagens é uma alucinação coletiva reacionária originada pela vontade de homens e mulheres desnorteados e atordoados com a rapidez com a qual se transformam as relações entre os sexos: um baluarte de segurança contra a enxurrada de mudanças. Retratar em massa a mulher moderna como uma "beldade" é uma contra-dição. Enquanto a mulher moderna está crescendo, mudando e exprimindo sua individualidade, como o próprio mito sustenta, a "beleza" é por definição inerte, atemporal e genérica. O fato de essa alucinação ser necessária e deliberada fica evidente na forma pela qual a "beleza" contradiz de forma tão direta a verdadeira situação das mulheres.

E a alucinação inconsciente adquire influência e abrangência cada vez maiores por conta do que hoje se tornou uma manipulação consciente do mercado: indústrias poderosas — a das dietas, que gera US$ 33 bilhões por ano; a dos cosméticos, US$ 20 bilhões; a da cirurgia plástica estética, US$ 300 milhões; e a da pornografia, com seus US$ 7 bilhões — cresceram a partir do capital composto por ansiedades inconscientes e conseguem por sua vez, através de sua influência sobre a cultura de massa, usar, estimular e reforçar a alucinação numa espiral econômica ascendente.

Esta não é uma teoria da conspiração. Não precisa ser. As so-ciedades contam para si mesmas as lendas necessárias, da mesma forma que o fazem os indivíduos e as famílias. Henrik Ibsen as chamou de "mentiras vitais", e o psicólogo Daniel Goleman descreve que desempenham no nível social função igual à operada no nível familiar. "A cumplicidade é mantida pelo redirecionamento da atenção, desviando-a do fato assustador, ou pela transformação de seu significado em algum formato aceitável." Segundo Goleman, os custos desses pontos cegos no campo social são ilusões coletivas de natureza destrutiva. As possibilidades para as mulheres se tornaram tão ilimitadas que ameaçam desestabilizar as instituições das quais depende uma cultura dominada pelos homens; e uma reação coletiva de pânico por parte de ambos os sexos forçou a busca de imagens que se contraponham a elas.

A alucinação resultante se materializa para as mulheres como algo extremamente real. Por já não ser apenas uma ideia, ela se torna tridimensional, encarnando em si a forma pela qual as mulheres vivem e não vivem. Ela se transforma na Donzela de Ferro. A Donzela de Ferro original era um instrumento de tortura da Alemanha medieval, uma espécie de caixão com a forma de um corpo, que trazia pintados os membros e o rosto de uma jovem bela e sorridente. A pobre vítima era ali encerrada sem pressa. Quando a tampa se fechava, a vítima ficava imobilizada e morria de inanição ou, de modo menos cruel, morria perfurada pelos espigões de ferro encravados na parte interna do caixão. A alucinação moderna que prende as mulheres, ou na qual elas mesmas se prendem, é, da mesma forma, cruel, rígida e adornada de eufemismos. A cultura contemporânea dirige a atenção para as metáforas da Donzela de Ferro enquanto censura o rosto e o corpo das mulheres de verdade.

Por que motivo a ordem social sente necessidade de se defender evitando a realidade das mulheres, nosso rosto, nosso corpo, nossa voz, e reduzindo o significado das mulheres a essas "belas" imagens formuladas e reproduzidas infinitamente? Embora ansiedades pessoais e inconscientes possam representar uma força poderosa na criação de uma mentira vital, a necessidade econômica prati-

O MITO DA BELEZA

camente garante sua existência. Uma economia que depende da escravidão precisa promover imagens de pessoas escravizadas que "justifiquem" a instituição da escravidão. As economias ocidentais são agora inteiramente dependentes da continuidade dos baixos salários pagos às mulheres. Uma ideologia que fizesse com que sentíssemos que temos menos valor tornou-se urgente e necessária para se contrapor à forma pela qual o feminismo começava a fazer com que nos valorizássemos mais. Isso não exigia uma conspiração; bastava uma atmosfera. A economia contemporânea depende neste exato momento da representação das mulheres dentro dos limites do mito da beleza. O economista John Kenneth Galbraith apresenta uma explicação econômica para a "persistência da opinião de que ser dona de casa é uma vocação 'maior'". Para ele, o conceito de que as mulheres estão por natureza presas à Mística Feminina "nos foi forçado pela sociologia popular, pelas revistas e pela ficção, para disfarçar o fato de ser a mulher, em seu papel de consumidora, essencial ao desenvolvimento de nossa sociedade industrial. [...] Um comportamento que seja essencial por motivos econômicos é transformado em virtude social". Assim que o valor social básico da mulher já não pôde ser definido pela encarnação da domesticidade virtuosa, o mito da beleza o redefiniu como a realização da beleza virtuosa. Tal redefinição criou um novo imperativo de consumo e uma nova justificativa para a desigualdade econômica no local de trabalho, que substituíram os que já não exerciam influência sobre a mulher recém-liberada.

Outra alucinação surgiu para acompanhar a da Donzela de Ferro. Foi ressuscitada a caricatura da Feminista Feia para atacar o movimento das mulheres. A caricatura não é original. Foi criada para ridicularizar as feministas do século XIX. A própria Lucy Stone, que seus simpatizantes viam como "um modelo de graça feminina [...] bela como o frescor da manhã" foi achincalhada por seus detratores com os "habituais comentários" sobre as feministas vitorianas: "mulher grande e masculina, de botas e charuto, dizendo palavrões como um soldado". Betty Friedan já afirmava em 1960, com grande premonição, antes mesmo da brutal redescoberta da velha caricatura: "A imagem desagradável das feministas hoje em dia lembra menos as próprias feministas do que a imagem lançada pelos interesses que se opunham tão acirradamente ao voto feminino num estado após o outro." Trinta anos depois, sua conclusão está mais próxima da verdade do que em qualquer outra época. A caricatura recuperada, que procurava penalizar as mulheres por seus atos públicos, prejudicando seu sentido de individualidade, tornou-se o paradigma de novos limites impostos por toda parte às mulheres em ascensão. Depois do sucesso da segunda onda do movimento das mulheres, o mito da beleza foi aperfeiçoado de forma a impedir o avanço do poder em todos os níveis na vida individual da mulher. As neuroses modernas da vida num corpo feminino se espalham de mulher para mulher em ritmo epidêmico. O mito está solapando — de forma lenta, imperceptível, sem que percebamos a verdadeira força da erosão — o terreno conquistado pelas mulheres em luta árdua, longa e honrosa.

O mito da beleza no momento é mais insidioso do que qualquer mística da feminilidade surgida até agora. Há um século, Nora bateu a porta da casa de bonecas. Há uma geração, as mulheres viraram as costas ao paraíso de consumo do lar isolado e cheio de aparelhos domésticos. No entanto, no lugar em que as mulheres estão presas hoje, não há porta a ser batida com violência. Os estragos contemporâneos provocados pela reação do sistema estão destruindo nosso físico e nos exaurindo psicologicamente. Se quisermos nos livrar do peso morto em que mais uma vez transformaram nossa feminilidade, não é de eleições, grupos de pressão ou cartazes que vamos precisar primeiro, mas, sim, de uma nova forma de ver.

O trabalho

Desde que os homens passaram a usar a "beleza" das mulheres como moeda de troca entre eles, ideias acerca da "beleza" evoluíram a partir da Revolução Industrial lado a lado com ideias relacionadas ao dinheiro, de tal forma que as duas noções são praticamente paralelas em nossa economia de consumo. Uma mulher linda como US$ 1 milhão, uma beleza de primeira classe, seu rosto é sua fortuna. No mercado dos casamentos burgueses do século passado, as mulheres aprenderam a considerar sua beleza como parte desse sistema econômico.

Na época em que o movimento das mulheres abria caminhos no mercado de trabalho, tanto elas quanto os homens já tinham se acostumado com o fato de a beleza ser avaliada como um bem. Ambos os sexos estavam preparados para o desdobramento surpreendente que se seguiu. À medida que as mulheres iam exigindo acesso ao poder, esta estrutura recorreu ao mito da beleza para prejudicar de modo substancial o progresso das mulheres.

Um transformador é ligado de um lado a um equipamento e do outro a uma fonte de energia para transformar uma voltagem inadequada numa que seja compatível com o equipamento. O mito da beleza foi institucionalizado nas duas últimas décadas como um transformador entre as mulheres e a vida pública. Ele liga a energia feminina à máquina do poder, alterando essa máquina o mínimo possível para aceitar a energia. Ao mesmo tempo, da mesma forma que o transformador, ele reduz a energia feminina em seu ponto de origem. Age assim para garantir que a máquina do sistema de fato receba a energia das mulheres de uma forma conveniente à estrutura do poder.

Com o declínio da Mística Feminina, as mulheres invadiram o mercado de trabalho. O percentual de mulheres com empregos nos Estados Unidos subiu de 31,8% após a Segunda Guerra Mundial para 53,4% em 1984. Entre aquelas de idade entre 25 e 54 anos, dois terços trabalhavam fora. Na Suécia, 77% das mulheres tinham emprego, assim como 55% das francesas. Já em 1986, 63% das mulheres britânicas tinham trabalho remunerado. À medida que as mulheres ocidentais foram entrando no mercado de trabalho moderno, o sistema de valores do mercado matrimonial foi assumido intacto pela economia trabalhista, para ser usado contra as exigências de oportunidades das próprias mulheres. O entusiasmo com o qual o mercado de empregos atribuiu valor financeiro a qualificações pertinentes ao mercado matrimonial prova que o uso do mito da beleza é político e não sexual. O mercado de trabalho refinou o mito da beleza como uma forma de legitimar a discriminação das mulheres no emprego.

Quando as mulheres abriram brechas na estrutura do poder na década de 1980, os dois aspectos afinal se fundiram. A beleza deixou de ser apenas uma forma simbólica de moeda. Ela passou a ser *o próprio* dinheiro. O sistema monetário informal do mercado matrimonial, formalizado no local de trabalho, foi sacramentado pela lei. No momento em que as mulheres escapavam da venda de sua sexualidade num mercado matrimonial ao qual estavam confinadas pela dependência econômica, sua nova busca de independência econômica se defrontou com um sistema de permuta quase idêntico. E quanto mais as mulheres galgaram nesse período

O TRABALHO

os degraus das hierarquias profissionais, tanto mais o mito da beleza se encarregou de atrapalhar cada passo.

Nunca houve um grupo de "imigrantes" de potencial tão desestabilizador pedindo uma oportunidade justa de disputar o acesso ao poder. Examinemos o que ameaça a estrutura do poder nos estereótipos de outros recém-chegados. Os judeus são temidos por sua tradição de instrução e (para aqueles provenientes da Europa Ocidental) por suas recordações da alta burguesia. Os asiáticos nos Estados Unidos e na Grã-Bretanha, os argelinos na França e os turcos na Alemanha são temidos por seus hábitos terceiro-mundistas de trabalho estafante por pagamento vil. A subclasse dos norte-americanos de origem africana nos Estados Unidos é temida pela explosiva combinação de raiva e consciência minoritária. Na familiaridade das mulheres com a cultura dominante, nas expectativas burguesas daquelas que pertencem à classe média, em seus hábitos de trabalho típicos do Terceiro Mundo e em seu potencial de combinação da fúria e das lealdades de uma subclasse galvanizada, a estrutura do poder identifica acertadamente um composto frankensteiniano dos piores temores que nutre diante das minorias. A discriminação pela beleza se tornou necessária, não pela impressão de que as mulheres ficariam sempre aquém do esperado, mas, sim, pela impressão de que elas seriam, como vêm sendo, ainda melhores.

E a rede de corporativismo masculino enfrenta neste grupo de "imigrantes" um monstro em escala muitíssimo maior do que os que atribui a outras minorias étnicas, porque as mulheres não são uma minoria. Por somarem 52,4% da população, elas compõem a maioria.

Esses números explicam a natureza feroz da reação do sistema. Eles esclarecem por que seu desenvolvimento se tornou totalitário com tanta rapidez. A pressão sobre a elite no poder pode ser

O MITO DA BELEZA

compreendida por qualquer governo de minoria com uma maioria inquieta que começa a avaliar sua própria força considerável. Numa meritocracia digna desse nome, a gravidade crescente dos acontecimentos alteraria em breve e para sempre não só quem são os detentores do poder mas também como seria o poder e a que objetivos ele poderia se dedicar.

Os empregadores não criaram a reação do sistema baseada na beleza simplesmente por desejarem ter escritórios bem decorados. Ela se originou do medo. Esse medo, do ponto de vista da estrutura do poder, tem bases firmes. A reação do sistema é na realidade absolutamente necessária para a sobrevivência da estrutura do poder.

As mulheres trabalham muito — duas vezes mais do que os homens.

Essa afirmação vale para o mundo inteiro e remonta a tempos anteriores aos primeiros registros sobre o assunto. A historiadora Rosalind Miles ressalta que nas sociedades pré-históricas "as tarefas das mulheres eram árduas, incessantes, variadas e opressivas. Se fosse elaborada uma relação do trabalho primitivo, a conclusão seria a de que as mulheres cumpriam cinco tarefas enquanto os homens cumpriam uma". Ela acrescenta que, nas modernas sociedades tribais, "trabalhando sem parar durante as horas do dia, as mulheres regularmente produzem até 80% do total de alimentos consumidos pela tribo, dia após dia [...] os homens faziam, e fazem, apenas um quinto do trabalho necessário à sobrevivência do grupo, enquanto os quatro quintos restantes são de inteira responsabilidade das mulheres". Na Inglaterra do século XVII, a duquesa de Newcastle escreveu que as mulheres "trabalham como bestas de carga". Antes da Revolução Industrial, "nenhum trabalho era árduo demais, pesado demais para elas". Durante a exploração do sistema fabril no século XIX, "as mulheres eram universalmente forçadas a trabalhar mais [...] e a receber menos" do que os homens, "com os empregadores em

O TRABALHO

toda parte concordando que 'era mais fácil induzir as mulheres a suportar excessos de fadiga física do que os homens'". Hoje a proporção "primitiva" de cinco para um na comparação entre o trabalho feminino e o masculino baixou para um valor "civilizado" de dois para um. Essa proporção é fixa e internacional. De acordo com o Instituto Humphrey de Questões Públicas, "embora as mulheres representem 50% da população mundial, elas cumprem quase dois terços do total das horas de trabalho, recebem apenas um décimo da renda mundial e possuem menos de 1% das propriedades". O "Relatório da Conferência Internacional das Nações Unidas para a Década das Mulheres" corrobora o fato. Quando são levadas em conta as tarefas domésticas, "as mulheres do mundo inteiro acabam trabalhando o dobro de horas dos homens".

As mulheres trabalham mais, sejam elas orientais ou ocidentais; sejam donas de casa ou tenham empregos remunerados. Uma mulher paquistanesa gasta 63 horas por semana apenas nas tarefas domésticas, enquanto uma dona de casa ocidental, apesar dos aparelhos modernos, trabalha somente seis horas a menos. Na opinião de Ann Oakley, "o *status* moderno das tarefas domésticas é o de não serem trabalho". Um estudo recente revela que, se o trabalho doméstico realizado pelas mulheres casadas fosse remunerado, a renda familiar subiria em 60%. O trabalho doméstico consome 40 bilhões de horas da mão de obra francesa. Nos Estados Unidos, o trabalho voluntário das mulheres atinge o valor de US$ 18 bilhões por ano. A economia dos países industrializados estaria arrasada se as mulheres não trabalhassem de graça. Segundo a economista Marilyn Waring, em todo o Ocidente ele gera entre 25% e 40% do produto nacional bruto.

E a Nova Mulher, com seu emprego em tempo integral, cheio de responsabilidade? A economista Nancy Barrett diz não haver "sinal de mudanças radicais na divisão das tarefas, nos lares, que correspondam à maior participação da mulher no mercado de trabalho". Ou seja, embora uma mulher tenha um emprego remunerado em horário integral, ela ainda faz todo ou quase todo o trabalho não remunerado que fazia antes. Nos Estados Unidos, os companheiros de mulheres que trabalham fora ajudam *menos* do que os companheiros de donas de casa. O marido da dona de casa de dedicação total ajuda nos afazeres domésticos uma hora e quinze minutos por dia, enquanto o marido da mulher que trabalha fora ajuda menos da metade desse tempo: trinta e seis minutos. Noventa por cento das esposas e 85% dos maridos nos Estados Unidos afirmam que a mulher faz "todos" os serviços domésticos ou a maioria deles. As profissionais liberais nos Estados Unidos não se saem muito melhor. A socióloga Arlie Hochschild revelou que em casos em que os dois parceiros trabalham fora, as mulheres voltavam para casa para fazer 75% do trabalho doméstico. Os norte-americanos casados fazem hoje só 10% a mais do que faziam há vinte anos. A semana de trabalho da mulher norte-americana tem 21 horas a mais do que a dos homens. A economista Heidi Hartmann demonstra que "os homens na realidade requerem oito horas a mais de trabalho do que as que eles oferecem". Na Itália, 85% das mães com empregos em horário integral são casadas com homens que não fazem absolutamente nenhuma tarefa doméstica. A europeia média com um emprego remunerado dispõe de 33% menos lazer do que o marido. No Quênia, com recursos agrícolas desiguais, as mulheres colheram o mesmo que os homens. Com recursos iguais, elas produziram maiores colheitas com maior eficiência.

O Chase Manhattan Bank estima que a mulher norte-americana trabalhe 99,6 horas por semana. No Ocidente, onde o trabalho remunerado gira em torno de 40 horas, o fato inevitável com que se depara a estrutura do poder é o de que as mulheres recém-chegadas vêm de um grupo acostumado a trabalhar mais do que o dobro em

O TRABALHO

tempo e produção do que os homens. E não apenas por salários menores; por salário nenhum.

Até a década de 1960, a convenção de se fazer referência ao trabalho não remunerado em casa como algo que não era realmente trabalho ajudou a destruir o conhecimento que as mulheres tinham de sua tradição de labuta. Essa tática passou a ser inútil quando as mulheres começaram a realizar tarefas que os homens reconheciam como masculinas, ou seja, trabalho digno de ser remunerado.

Durante a última geração no Ocidente, muitas dessas grandes trabalhadoras também alcançaram um nível de instrução mais alto. Na década de 1950, somente 20% dos estudantes universitários nos Estados Unidos eram mulheres (dentre as quais somente um terço se formava) em comparação com 54% nos dias de hoje. Já em 1986, dois quintos dos estudantes universitários no Reino Unido eram mulheres. Com que se defronta um sistema supostamente meritocrático quando as mulheres lhe batem às portas?

Se estivesse entremeado numa trama resistente que cobrisse gerações, o duro trabalho feminino multiplicaria desproporcionalmente a excelência das mulheres. A reação violenta foi provocada pelo fato de que, mesmo sobrecarregadas com a "dupla jornada" do trabalho doméstico, as mulheres ainda conseguiram abrir brechas na estrutura do poder. Ela também resultou da constatação de que, se o amor-próprio feminino recém-inflado viesse a cobrar afinal o pagamento tão postergado pela "dupla jornada", os custos aos empregadores e ao governo seriam assustadoramente altos.

Nos Estados Unidos, entre 1960 e 1990, o número de advogadas e juízas subiu de 7.500 para 180 mil; o de médicas, de 15.672 para 108.200; o de engenheiras, de 7.404 para 174 mil. Nos últimos 15 anos, a quantidade de mulheres eleitas para cargos públicos municipais triplicou, atingindo o número de 18 mil. Hoje, nos Estados Unidos, as mulheres preenchem 50% dos níveis iniciais de gerência,

O MITO DA BELEZA

25% do nível médio, representam a metade dos contadores que se formam, um terço dos que obtêm mestrado em administração de empresas, metade dos advogados e um quarto dos médicos que se formam, e metade dos diretores e gerentes nos cinquenta maiores bancos comerciais. Sessenta por cento das diretoras das maiores empresas numa pesquisa realizada por *Fortune* ganham US$ 117 mil por ano. Mesmo com a dupla jornada, a esse ritmo, elas ainda seriam uma ameaça ao *status quo*. *Alguém tinha de inventar uma tripla jornada bem depressa.*

A probabilidade de uma reação violenta por parte do sistema foi subestimada porque a mentalidade norte-americana celebra a vitória e evita lançar os olhos sobre seu corolário: o de que alguém só ganha o que outros perdem. A economista Marilyn Waring admite que "os homens não renunciarão facilmente a um sistema em que metade da população do mundo trabalha por quase nada" e reconhece que "exatamente porque essa metade trabalha por tão pouco, pode não lhe restar nenhuma energia para lutar por seja lá o que for". Patricia Ireland da Organização Nacional pelas Mulheres (National Organization for Women — NOW) é da mesma opinião. Uma verdadeira meritocracia significa para os homens "mais concorrência no local de trabalho e mais trabalho em casa". O que a mensagem esperançosa ignora é a reação daquela metade da elite que tem empregos que por mérito pertenceriam a mulheres e que, se as mulheres pudessem galgar postos sem qualquer obstáculo, iria inevitavelmente perdê-los.

O impressionante potencial desse grupo de "imigrantes" precisa ser solapado ou a tradicional elite no poder ficará em desvantagem. Um filho branco da classe alta é por definição alguém que não precisa de dois ou três empregos de uma só vez, que não sente a voracidade pela educação resultante de uma tradição de analfabetismo tão longa quanto a da história escrita e que não sente raiva por ser ignorado.

O TRABALHO

De que recursos dispõe a estrutura do poder para se defender dessa investida? Em primeiro lugar, ela pode tentar reforçar a dupla jornada. Sessenta e oito por cento das mulheres com filhos de menos de 18 anos estão no mercado de trabalho norte-americano, em comparação com apenas 28% em 1960. No Reino Unido, 51% das mulheres na mesma situação exercem trabalho remunerado. Quarenta e cinco por cento das trabalhadoras nos Estados Unidos são solteiras, divorciadas, viúvas ou separadas, sendo a única fonte de sustento para seus filhos. O fracasso dos esforços no sentido de fornecer creches com recursos do Estado nos Estados Unidos e mesmo na Europa funciona como um freio eficaz à investida desse grupo de "imigrantes". No entanto, aquelas que têm condições vêm contratando mulheres mais pobres para assumir seu trabalho doméstico e cuidar de seus filhos. Com isso, a tática de obstrução pela falta de creches veio a se revelar inadequada para deter a classe de mulheres de quem a estrutura do poder tinha mais a temer. Tornaram-se necessários outros grilhões, um novo fardo concreto que lhes sugasse o excesso de energia e lhes reduzisse a confiança, uma ideologia que formasse as trabalhadoras de que o sistema precisa, mas somente no molde que ele determina.

Por todo o Ocidente, o emprego das mulheres foi estimulado pela ampla erosão da base industrial e pela tendência na direção das tecnologias da informação e dos serviços. A redução nas taxas de nascimento do pós-guerra e a consequente falta de mão de obra qualificada resulta no fato de as mulheres serem de fato bem-vindas ao mercado de trabalho, como burras de carga descartáveis, sem sindicatos, com baixos salários e restritas a um gueto de funções "femininas". O economista Marvin Harris descreveu as mulheres como mão de obra "dócil e instruída", logo "candidatas desejáveis aos empregos das áreas de informação e de atendimento a clientes, criadas pelas modernas indústrias de serviços". As qualidades que mais convêm aos empregadores nas trabalhadoras dessa categoria são amor-próprio reduzido, tolerância para com tarefas repetitivas e monótonas, falta de ambição, alto nível de conformidade, maior respeito pelos homens (que são seus superiores) do que pelas mulheres (que trabalham a seu lado) e pouca sensação de controle sobre a própria vida. Num estágio superior, as gerentes de nível médio são aceitáveis, desde que se identifiquem com o mundo masculino e não se esforcem demais para subir. É útil ter no topo da corporação, só para constar, algumas poucas mulheres nas quais a tradição feminina esteja totalmente extinta. O mito da beleza é a última e melhor técnica de treinamento para forjar uma força de trabalho dessa natureza. Ele cumpre todas essas funções durante o expediente e ainda acrescenta uma tripla jornada para reduzir seu tempo livre.

A Supermulher, sem perceber todas as implicações, teve de acrescentar a seus compromissos *profissionais* o trabalho sério no campo da "beleza". Essa nova responsabilidade foi se tornando cada vez mais rigorosa. As somas em dinheiro, a dedicação e o talento que ela devia investir não poderiam ficar abaixo do que anteriormente — ou seja, antes de as mulheres atacarem a estrutura do poder — se esperaria apenas de belezas profissionais nas carreiras de alto nível de visibilidade. As mulheres assumiram ao mesmo tempo os papéis de dona de casa, de profissional que faz carreira e de profissional da beleza.

A QUALIFICAÇÃO DE BELEZA PROFISSIONAL

Antes que as mulheres entrassem para a força de trabalho em grandes contingentes, havia uma classe bem definida daquelas remuneradas explicitamente por sua "beleza": trabalhadoras nas profissões

O TRABALHO

de grande visibilidade, como as modelos, as atrizes, as bailarinas e as que se dedicavam ao sexo por remuneração mais alta, como as *escorts*. Até a emancipação das mulheres, as profissionais da beleza eram geralmente anônimas, de baixo *status* e não merecedoras de respeito. Quanto mais fortes ficaram as mulheres, maior o prestígio, a fama e o dinheiro dispensados a essas profissões. Elas são mantidas cada vez mais acima da cabeça das mulheres que desejam subir na vida, para que estas as imitem.

O que está acontecendo hoje em dia é que todas as profissões em que as mulheres estão abrindo caminho vêm sendo rapidamente reclassificadas — *no que diz respeito às mulheres que as exercem* — como profissões de grande visibilidade. Em profissões cada vez mais distantes das profissões de grande visibilidade de antes, a "beleza" está sendo incluída como uma versão do que a lei de discriminação sexual dos Estados Unidos chama de QOBF (qualificação ocupacional de boa-fé) e a Grã-Bretanha denomina QOG (qualificação ocupacional genuína), como, por exemplo, o sexo feminino numa ama de leite ou o sexo masculino num doador de esperma.

A legislação da igualdade sexual realça a QOBF ou a QOG como um caso *excepcional* no qual a discriminação sexual para a contratação é legítima porque a própria função exige um dos sexos. Como exceção consciente da lei de igualdade de oportunidades, ela tem uma definição extremamente minuciosa. O que está agora acontecendo é que uma paródia da QOBF — (que chamarei mais exatamente de QBP, qualificação de beleza profissional) — está sendo institucionalizada *extensamente* como condição para contratação e promoção de mulheres. Ao assumir de má-fé a linguagem de boa-fé da QOBF, aqueles que manipulam a qualificação de beleza profissional podem alegar não ser ela discriminatória, sob o pretexto de consistir em requisito necessário para que a função seja realizada de forma adequada. Tendo em vista que a QBP, de expansão incessante, até hoje foi aplicada na grande maioria dos casos às mulheres que trabalham e não aos homens, seu uso para contratar e promover (ou molestar e despedir) constitui de fato uma discriminação sexual e deveria ser considerado uma violação ao parágrafo VII da Lei dos Direitos Civis de 1964 nos Estados Unidos e à Lei da Discriminação Sexual de 1975 na Grã-Bretanha. Contudo, três novas mentiras vitais surgiram na ideologia da "beleza" durante esse período com a finalidade de disfarçar o fato de a função real da QBP no trabalho ser a de criar um meio, sem riscos e sem perigo de questões judiciais, para exercer discriminação contra as mulheres.

Essas três mentiras vitais são as seguintes: (1) A "beleza" teve de ser definida como uma qualificação legítima e necessária para a ascensão de uma mulher ao poder. (2) O objetivo discriminatório da mentira número um teve de ser disfarçado (especialmente nos Estados Unidos, com sua receptividade à retórica da igualdade de oportunidade) por meio de sua firme inserção no sonho norte-americano: com criatividade e dedicação, a "beleza" pode ser atingida por todas as mulheres. Essas duas mentiras vitais operaram em conjunto para permitir que o uso da QBP por parte de empregadores parecesse ser um teste legítimo do mérito e da extensão de obrigações profissionais da mulher. (3) Disseram à mulher que trabalhava ser necessário pensar na "beleza" de forma a desmontar, passo a passo, a mentalidade que ela conseguira atingir em consequência do sucesso do movimento das mulheres. Essa última mentira vital aplicou à vida de cada mulher a regra central do mito: para cada ação feminista há uma reação contrária e de igual intensidade por parte do mito da beleza. Na década de 1980, ficou evidente que, à medida que as mulheres foram se tornando mais importantes, também a beleza foi adquirindo maior importância. Quanto mais perto do poder as mulheres chegam, maiores são as exigências de sacrifício e preocupação com o físico.

O TRABALHO

A "beleza" passa a ser a condição para que a mulher dê o próximo passo. Vocês agora estão ricas demais. Logo, nunca chegarão a estar magras o bastante.

A fixação na "beleza" da década de 1980 foi consequência direta da ascensão das mulheres a posições de poder, além de representar um controle individual dessa ascensão. As vitórias das ideologias da "beleza" nos anos 1980 resultaram do temor verdadeiro, por parte das instituições centrais de nossa sociedade, quanto ao que poderia acontecer se mulheres livres avançassem livremente com seus corpos livres em meio a um sistema que se autodenomina uma meritocracia. Voltando à metáfora do transformador, trata-se do medo de que a força de uma corrente direta de energia feminina, numa *frequência feminina,* destrua o delicado equilíbrio do sistema.

A ligação central do transformador é a ideologia esperançosa das revistas para mulheres. Ao fornecer uma linguagem onírica da meritocracia ("tenha o corpo que merece"; "não se tem um corpo maravilhoso sem esforço"), do espírito empreendedor ("tire o melhor partido de seus atributos naturais"), da absoluta responsabilidade pessoal pela forma do corpo e pelo envelhecimento ("é claro que você *pode* moldar seu corpo"; "suas rugas estão agora sob seu controle") e até mesmo confissões francas ("afinal você também pode conhecer o segredo que as mulheres belas guardam há anos"), essas revistas mantêm as mulheres consumindo os produtos de seus anunciantes na busca da total transformação pessoal em *status* que a sociedade de consumo oferece aos homens sob a forma de dinheiro. Por um lado, a promessa otimista das revistas femininas de que elas podem fazer tudo sozinhas é sedutora para mulheres que até recentemente só ouviam dizer que não sabiam fazer nada sozinhas. Por outro lado, como salienta a socióloga Ruth Sidel, o Sonho Norte-Americano, em última análise, protege o *status quo.* "Ele desestimula os que estão por baixo de fazerem uma análise política e econômica viável do sistema norte-americano [substituir por: do mito da beleza], estimulando, sim, uma mentalidade de que a vítima seria culpada [...] uma crença de que, se ao menos cada um trabalhasse mais, se esforçasse mais, ele [ou ela] 'chegaria lá'." O mito da beleza pelo próprio esforço, da mulher contra a natureza, prejudica as mulheres da mesma forma que o modelo original prejudica os homens — ao omitir a expressão "desde que todas as outras circunstâncias sejam iguais".

A transferência é completa — e coincidentemente maléfica — quando, com esse sonho, a mente das mulheres se convence da necessidade de podar seus desejos e seu amor-próprio exatamente de acordo com as exigências discriminatórias do local de trabalho, ao mesmo tempo em que a culpa dos fracassos do sistema recai somente sobre elas mesmas.

As mulheres aceitaram a qualificação de beleza profissional com menor reação do que outros grupos de trabalhadores diante de exigências irracionais, vingativas e autoritárias por parte de seus empregadores. A qualificação de beleza profissional se alimenta de um reservatório de culpas que não teve tempo de ser esvaziado. Para as profissionais mais afortunadas, pode-se tratar de culpa referente à administração do poder ou ao prazer "egoísta" da dedicação ao trabalho criativo. Para a grande maioria, que recebe baixos salários, que sustenta completamente ou em parte os filhos, pode ser a culpa por não conseguir dar mais; o desejo de fazer todo e qualquer esforço pela família. A QBP canaliza medos residuais. Para a mulher de classe média, ainda recentemente valorizada por sua disposição de aceitar o isolamento do lar, a vida na rua e no escritório apresenta ansiedades desconhecidas, submetendo-a a um exame em público, que sua mãe e sua avó evitavam a qualquer preço. A mulher da classe trabalhadora sabe, há muito tempo, da brutal exploração no trabalho que a "beleza" poderia evitar. As mulheres

O TRABALHO

de todas as classes sabem que o sucesso é considerado feio e acarreta a devida punição. Além disso poucas mulheres de qualquer classe estão acostumadas a controlar muito dinheiro próprio.

Acostumadas a considerar a beleza um bem, as mulheres estavam abertas à aceitação de um sistema direto de remuneração financeira que veio substituir o sistema indireto do mercado matrimonial. A equiparação da beleza com o dinheiro não foi examinada cuidadosamente, e a beleza como placebo do poder foi redefinida de forma a prometer às mulheres o tipo de poder que o dinheiro, de fato, dá aos homens. Empregando um raciocínio semelhante ao que as donas de casa da década de 1970 usavam para calcular o valor de mercado dos trabalhos domésticos, as mulheres viram que o sistema "meritocrático" era por demais desequilibrado para que uma mulher sozinha pudesse desafiá-lo. Uma parte da psique feminina pode ter se sentido ansiosa para obter o reconhecimento pelo trabalho, talento e dinheiro já exigidos dela para a formação de sua imagem. Outra parte pode ter percebido que, tendo em vista a natureza monótona e ingrata da maioria das tarefas "femininas", a QBP injeta doses de criatividade, prazer e orgulho que normalmente não são inerentes ao emprego em si.

Na década de 1980, a beleza já desempenhava na busca de *status* das mulheres o mesmo papel que o dinheiro representa para os homens: uma comprovação defensiva diante de concorrentes agressivos no que diz respeito à masculinidade ou à feminilidade. Como os dois sistemas de valores são *redutivos,* nenhuma das duas recompensas jamais chega a ser suficiente, e cada uma delas logo perde toda e qualquer relação com os valores da vida real. Durante toda a década, à medida que foi sendo abandonada a capacidade de o dinheiro proporcionar tempo para o descanso e o lazer, na busca estratosférica da riqueza pela riqueza, a procura da "beleza" apresentou uma inflação paralela. Os prazeres materiais que anteriormente eram apresentados como suas metas — o sexo, o amor, a intimidade, a autoexpressão — ficaram para trás numa luta desesperada dentro de um sistema estanque, tornando-se recordações distantes e meio antiquadas.

OS ANTECEDENTES DA QBP

Onde teve início a QBP? Ela surgiu, como o próprio mito da beleza, lado a lado com a emancipação feminina, propagando-se de forma a acompanhar a liberação profissional das mulheres. Com a profissionalização das mulheres, ela se espalha a partir das cidades norte-americanas e da Europa Ocidental para as cidades menores, do Primeiro Mundo para o Terceiro, do Ocidente para o Oriente. Com a abertura da Cortina de Ferro, devemos observar uma aceleração de seus efeitos nos países do bloco oriental. Seu epicentro se localiza em Manhattan, onde estão concentradas muitas das mulheres que subiram mais alto nas hierarquias profissionais.

Ela teve início na década de 1960, à medida que grandes contingentes de jovens instruídas da classe média começaram a trabalhar nas cidades e a morar sozinhas, entre a formatura e o casamento. Simultaneamente promoveu-se uma sexualizada mística comercial da comissária de bordo, da modelo e da secretária executiva. A jovem mulher que trabalhava foi restrita a um estereótipo que usava a beleza para abalar tanto a seriedade do trabalho desempenhado quanto as implicações de sua recente independência. O *best-seller* de 1962 de Helen Gurley Brown, *Sex and the Single Girl* [O sexo e a jovem solteira], era um guia de sobrevivência para lidar com essa independência. Seu título, porém, tornou-se uma expressão capciosa em que o primeiro termo cancelava o segundo. A jovem solteira que trabalhava tinha de ser considerada *sexy* para que seu

O TRABALHO

trabalho e seu estado civil não aparentassem ser o que realmente eram: sérios, perigosos e sísmicos. Se a jovem que trabalhava fosse *sexy*, essa sua capacidade de atração forçosamente faria seu trabalho parecer ridículo porque logo, logo, a jovem se tornaria mulher.

Em junho de 1966, a NOW foi fundada nos Estados Unidos, e no mesmo ano seus membros fizeram manifestações contrárias à demissão de comissárias de bordo aos 32 anos e quando se casassem. Em 1967 a Comissão de Igualdade de Oportunidade no Emprego [Equal Employment Opportunity Commission] começou a realizar audiências sobre a discriminação sexual. Mulheres de Nova York invadiram o Oak Room, salão exclusivo para homens no Plaza Hotel, em fevereiro de 1969. Em 1970, as revistas *Time* e *Newsweek* foram acusadas de discriminação, e 12 comissárias da TWA entraram com uma ação multimilionária contra a empresa de aviação. Começaram a se formar grupos de conscientização. Mulheres que tinham se politizado na época da universidade entravam no mercado de trabalho determinadas a ter como prioridade as questões femininas, em vez das questões pacifistas e relacionadas à liberdade de expressão.

Longe da efervescência, mas bem informada quanto a ela, a jurisprudência foi se formando em silêncio. Em 1971, um juiz sentenciou uma mulher a perder 1,5 quilo por semana ou ser presa. Em 1972, foi estabelecido que a "beleza" era algo que podia, sob o ponto de vista legal, fazer com que as mulheres ganhassem ou perdessem um emprego. O Tribunal de Recursos dos Direitos Humanos do Estado de Nova York determinou em *St. Cross* versus *Playboy Club of New York* que, numa profissão de alta visibilidade, a "beleza" de uma mulher era qualificação legítima para o emprego.

Margarita St. Cross era uma garçonete do Playboy Club, despedida "por ter perdido sua Imagem de Coelhinha". As normas de recrutamento do clube classificavam as garçonetes de acordo com a seguinte hierarquia:

O MITO DA BELEZA

1. Beleza impecável (rosto, corpo e apresentação).
2. Moça de beleza excepcional.
3. Marginal (em processo de envelhecimento ou por ter surgido algum problema de aparência corrigível).
4. Perda da Imagem de Coelhinha (seja por envelhecimento, seja por um problema de aparência incorrigível).

Os homens na mesma função de St. Cross, que exerciam as mesmas tarefas no mesmo local, não eram "submetidos a avaliações de nenhuma natureza".

Margarita St. Cross solicitou ao tribunal que decidisse ter ela ainda beleza suficiente para manter o emprego por ter atingido, disse ela, "uma transição fisiológica da aparência bonitinha e de frescor juvenil para uma aparência madura, de mulher". Os porta-vozes de Hefner declararam que ela não era bonita o suficiente. O tribunal chegou ao veredicto aceitando a palavra de Hefner em detrimento da de St. Cross — partindo do pressuposto de que, por definição, o empregador tem maior credibilidade para falar da beleza de uma mulher do que ela própria —, de que esse tipo de avaliação estava "inteiramente dentro da competência" de decisão do Playboy Club.

Não levaram em consideração o conhecimento de St. Cross sobre o que constitui a "Imagem de Coelhinha". Em disputas trabalhistas normais, o empregador tenta provar que o empregado mereceu ser demitido enquanto o empregado tenta provar que ele ou ela merece continuar no emprego. Quando a "beleza" é a QOBF, no entanto, uma mulher pode dizer que está desempenhando sua função, o empregador pode alegar que ela não está; e, a partir dessa decisão, o empregador automaticamente ganha a causa.

O Tribunal de Recursos identificou nesse veredicto o que chamou de "padrões próximos à perfeição". Num tribunal, falar de algo imaginário como se fosse real *o torna real*. Desde 1971, a lei reco-

O TRABALHO

nhece que pode existir no local de trabalho um padrão de perfeição em comparação com o qual o corpo de uma mulher deve ser julgado — e que, se esse objetivo não for atingido, ela pode ser demitida. Um "padrão de perfeição" para o corpo masculino jamais chegou a ser determinado legalmente dessa forma. Embora se considere que ele tem existência material, o próprio padrão feminino nunca foi definido. Esse caso assentou as bases do labirinto legal em que se transformaria a Qualificação de Beleza Profissional. Uma mulher pode ser demitida por não ter a aparência correta, mas a questão da aparência correta permanece aberta a interpretação.

Gloria Steinem afirmou que todas as mulheres são coelhinhas. O caso St. Cross iria ressoar como uma alegoria do futuro. Embora seja até possível argumentar que a "beleza" seja necessária para que uma Coelhinha cumpra suas funções, esse *conceito* de emprego feminino foi generalizado como o arquétipo para todas as mulheres que trabalham. A exatidão do comentário de Gloria Steinem foi se aprofundando durante as duas décadas seguintes, onde quer que as mulheres tentassem conseguir e manter empregos remunerados.

Em 1971 foi publicado um protótipo de revista *Ms.* Em 1972 foi promulgada nos Estados Unidos a Lei de Igualdade de Oportunidade no Emprego [Equal Employment Opportunity Act]. O parágrafo IX tornava ilegal a discriminação sexual na educação. Em 1972, 20% dos cargos gerenciais nos Estados Unidos já estavam nas mãos de mulheres. Em 1975, Catherine McDermott teve de processar a Xerox Corporation porque a empresa retirou uma proposta de emprego usando seu peso como justificativa. A década de 1970 presenciou o avanço das mulheres nas profissões liberais de uma forma que não mais podia ser considerada intermitente, ocasional ou secundária com relação a seu papel principal de esposas e mães. Em 1978, nos Estados Unidos, um sexto dos candidatos ao mestrado em administração e um quarto dos contadores formandos eram

O MITO DA BELEZA

mulheres. A National Airlines demitiu a comissária Ingrid Fee por ser "gorda demais" — 2 quilos acima do limite. Em 1977, Rosalynn Carter e duas ex-primeiras-damas discursaram na convenção da NOW em Houston. Em 1979, foi criada a Política Nacional para Empresas de Mulheres [National Women's Business Enterprise Policy], com a finalidade de dar apoio a essas empresas. Naquele mesmo ano, um juiz federal decidiu que os empregadores tinham o direito de fixar padrões de aparência. Na década seguinte, a política do governo dos Estados Unidos já determinava que a mulher trabalhadora devia ser levada a sério, e a lei determinava que sua aparência devia ser levada a sério. A função política do mito da beleza fica evidente no ritmo de formação da jurisprudência. Foi somente depois que as mulheres invadiram o terreno público que proliferaram leis acerca da aparência no local de trabalho.

Que aparência deve ter essa criatura, a mulher profissional séria?

O telejornalismo propôs uma resposta vigorosa. Ao paternal apresentador reuniu-se uma locutora muito mais jovem com um nível de beleza profissional.

Essa imagem dupla — a do homem mais velho, distinto e com rugas, sentado ao lado de uma companheira jovem e muito maquiada — veio a se tornar o paradigma para o relacionamento entre homens e mulheres no local de trabalho. Sua força alegórica era e ainda é muito disseminada. A qualificação de beleza profissional, que tinha como primeira finalidade amenizar o fato desagradável de uma mulher assumir posição de autoridade em público, ganhou vida própria até profissionais da beleza serem contratadas para serem transformadas em apresentadoras de telejornal. Na década de 1980, as agências que procuravam apresentadores para telejornais continuavam classificando as fitas dos testes com rótulos como "âncoras masculinos: de 40 a 50 anos", sem nenhuma categoria correspondente para as mulheres, enquanto davam maior impor-

O TRABALHO

tância à aparência física das apresentadoras do que a sua experiência ou a sua elocução.

A mensagem da equipe do noticiário, nada difícil de compreender, é a de que um homem poderoso é um indivíduo, quer essa individualidade se expresse em traços assimétricos, rugas, cabelos grisalhos, peruca, calvície, pele irregular, formas atarracadas, quer em tiques ou papadas; e que sua maturidade faz parte de seu poder. Se um padrão único fosse aplicado aos homens, como é às mulheres, no telejornalismo, a maioria deles perderia o emprego. As mulheres a seu lado precisam, porém, de juventude e beleza para chegar ao mesmo estúdio. A juventude e a beleza, recobertas de uma sólida maquiagem, fazem da apresentadora um ser genérico — um "clone de âncora" como diz o jargão do setor. O que é genérico é substituível. Com a beleza e a juventude, portanto, a mulher que trabalha fica visível mas insegura, com a percepção de que suas qualidades não lhe são exclusivas. Contudo, sem essas qualidades, ela se torna invisível e sai literalmente "do ar".

A situação das mulheres na televisão simboliza e ao mesmo tempo reforça a qualificação de beleza profissional no âmbito geral. A antiguidade não traz o prestígio mas a eliminação. Dos apresentadores de telejornais com mais de 40 anos, 97% são homens, segundo afirmação da apresentadora Christine Craft, e "os 3% restantes são mulheres na casa dos quarenta que não aparentam a idade que têm". As apresentadoras mais velhas passam por um "verdadeiro pesadelo" porque logo não serão "bonitas o suficiente para continuar nos telejornais". Ou ainda, se uma apresentadora é "linda", ela sofre constante perseguição "por ser o tipo de pessoa que conseguiu o emprego somente pela aparência que tem".

A mensagem foi bem-acabada. As trabalhadoras mais emblemáticas do Ocidente continuavam visíveis se fossem "lindas", mesmo que não realizassem bem seu trabalho. Poderiam realizar um bom trabalho e ser "lindas", portanto visíveis, mas sem receber nenhum crédito pela competência. Ou poderiam, ainda, ser competentes e "sem beleza", portanto invisíveis, de tal forma que a competência de nada lhes valia. Num último caso, podiam ser tão competentes e bonitas quanto se poderia querer — por um período longo demais, após o qual, ao envelhecerem, desapareceriam. Essa situação atualmente se disseminou por todas as ocupações.

Esse padrão duplo quanto à aparência aplicado a homens e mulheres era transmitido todos os dias pela manhã e à noite aos contingentes de mulheres trabalhadoras sempre que elas queriam se pôr a par dos acontecimentos de "seu" mundo. Sua janela de acesso aos acontecimentos históricos tinha como moldura seu próprio dilema. A descoberta do que vai pelo mundo sempre envolve, para as mulheres, o lembrete de que é *isso* o que está acontecendo no mundo.

Em 1983, as mulheres que trabalham receberam um veredicto decisivo sobre como a QBP estava firmemente estabelecida e até onde ela podia se estender sob o aspecto legal. Christine Craft, de 36 anos, abriu um processo contra seus ex-patrões, MetroMedia, Inc., do Kansas, por discriminação sexual. Ela fora demitida sob a alegação de que era "velha demais, muito pouco atraente e desrespeitosa para com os homens", nas palavras de Christine.

Sua demissão encerrou meses de exigências de QBP que lhe tomavam tempo e dinheiro fora do contrato e representavam um insulto a sua individualidade. Ela era submetida a provas de roupas e remodelagens a toda hora e recebia uma lista de trajes que não teriam sido de sua escolha e que depois lhe eram cobrados. Nenhum de seus colegas de trabalho do sexo masculino tinha de se submeter a isso. Depoimentos de outras apresentadoras de telejornais revelaram que elas haviam se sentido forçadas a sair do emprego em razão da "fanática obsessão" da MetroMedia com a aparência.

O TRABALHO

Outras mulheres receberam a incumbência de cobrir o julgamento. Christine Craft foi humilhada pelas companheiras durante as entrevistas. Uma sugeriu que ela era lésbica. Diane Sawyer (que seis anos depois, ao conquistar um salário de seis dígitos, teria sua aparência avaliada na capa da revista *Time* com a manchete ELA VALE TUDO ISSO?) perguntou a Christine Craft numa entrevista em rede nacional se ela era realmente "'única entre as mulheres' pela falta de talento para melhorar a aparência". Seus empregadores não contavam com uma contestação de sua parte em virtude da reação normalmente instilada na vítima por esse tipo de discriminação: uma vergonha que garante o silêncio. Ela, porém, escreveu em tom desafiador que a MetroMedia errou se pensou que "uma mulher jamais admitiria ter sido chamada de feia".

Seu relato comprova como essa discriminação vai se infiltrando até onde outras não chegam, envenenando a fonte pessoal de onde se extrai o amor-próprio. "Embora intelectualmente eu possa ter descartado a afirmação de minha feiura, mesmo assim no centro da psique eu tinha a impressão de que havia no meu rosto algo desagradável, se não monstruoso de se olhar. É difícil alguém se sentir minimamente sedutora quando se está perturbada por uma ideia tão castradora." Um patrão não pode provar que um empregado é incompetente só por anunciar que ele o é. No entanto, como a "beleza" reside tão fundo na mente, onde a sexualidade se funde com o amor-próprio, e como é proveitosamente definida como algo que é sempre reconhecido de fora, concessão que sempre pode ser retirada, dizer a uma mulher que ela é feia pode fazer com que ela se sinta feia, aja como se fosse feia e, no que toca a sua vivência, *seja* realmente feia, enquanto a sensação de ser bonita a mantém inteira.

Nenhuma mulher — por definição — é tão bonita que possa ter a confiança de sobreviver a um novo processo judicial que submete a vítima a uma tortura conhecida pelas mulheres já de outros julgamentos: ela é examinada de todos os ângulos para que se descubra de que forma o que lhe aconteceu foi sua culpa. Como não há nada de "objetivo" no que diz respeito à beleza, a elite do poder vai, sempre que necessário, criar um consenso para destituir alguém de sua "beleza". Fazer isso com uma mulher em público no banco das testemunhas equivale a convidar todos os olhos a confirmarem sua feiura, que então se torna a realidade que todos veem. Esse processo de coação legal propicia a realização de um espetáculo degradante contra a mulher à própria custa de qualquer uma, de qualquer profissão, que denuncie a discriminação pela beleza.

A moral do julgamento de Christine Craft foi a de que ela perdeu. Embora dois júris lhe fossem favoráveis, um juiz *derrubou* suas decisões. Ela aparentemente foi para uma lista de boicote profissional em consequência do processo. Seu exemplo teria afetado outras mulheres na profissão? Uma repórter me disse que existem milhares de Christines Craft. "Ficamos caladas. Quem consegue sobreviver a uma lista de boicote?"

Defensores do veredicto do juiz Stevens recorreram à justificativa de não se tratar de discriminação sexual mas de lógica de mercado. Se um apresentador não conquista o público, ele ou ela não está trabalhando certo. A preciosidade oculta nessa expressão ao se referir às mulheres — conquistar o público, aumentar as vendas, o número de clientes ou de alunos *com sua "beleza"*— veio a se tornar o legado do caso Christine Craft para as mulheres que trabalham em todo o mundo.

O resultado desse julgamento foi um dos acontecimentos marcantes na década de 1980 que qualquer mulher pode ter testemunhado, sentindo um aperto em volta do pescoço e sabendo que não poderia falar desse assunto. Ao ler o sumário, ela percebeu que devia se distanciar do conhecimento do quanto ela era igual a Christine Craft. Ela poderia talvez reagir iniciando uma nova dieta, comprando roupas caríssimas ou marcando uma cirurgia plástica

O TRABALHO

para os olhos. De forma consciente ou não, ela provavelmente teve uma reação. A profissão de "consultor de imagem" cresceu oito vezes nesses dez anos. No dia em que Christine Craft perdeu a causa, fundiram-se os conceitos de mulher, trabalho e "beleza" fora das profissões diretamente ligadas ao sexo, e teve início um ciclo mais amplo de enfermidade. Qualquer mulher poderia ter dito a si mesma que aquilo não aconteceria com ela.

A LEI APOIA A REAÇÃO DO SISTEMA

Poderia acontecer e voltou a acontecer a mulheres que trabalhavam, na medida em que a lei favorecia os patrões com uma série de decisões bizantinas que garantiam o fortalecimento cada vez maior da QBP como instrumento de discriminação. A lei criou um emaranhado de inconsistências no qual as mulheres ficavam paralisadas. Enquanto veredicto, *Miller* versus *Bank of America*, confundia atração sexual com assédio sexual e declarava que não cabia à lei papel algum em disputas trabalhistas que girassem em torno dela (o tribunal declarou em sua decisão que a atração era um "fenômeno sexual natural" que "desempenha no mínimo um papel sutil na maioria das decisões de recursos humanos" e que, sendo assim, o tribunal não deveria se aprofundar em "tais questões"). Em outro caso, *Barnes* versus *Costle*, a conclusão foi a de que se as características físicas exclusivas de uma mulher — digamos, cabelo ruivo, ou seios grandes — fossem os motivos alegados pelo patrão para molestá-la sexualmente, a questão girava em torno de sua aparência pessoal, não de seu sexo, caso em que ela não podia procurar proteção sob o parágrafo VII da Lei de Direitos Civis de 1964. Com esses veredictos, a beleza de uma mulher passou a ser ao mesmo tempo sua função e sua culpa.

A jurisprudência nos Estados Unidos desenvolveu-se com o objetivo de proteger os interesses da estrutura do poder por meio de um labirinto legal onde o mito da beleza bloqueia todos os caminhos de forma tal que nenhuma mulher possa ter a aparência "correta" e vencer. St. Cross perdeu o emprego por ser "velha" e "feia" demais. Craft perdeu o dela por ser "velha", "feia", "pouco feminina" e por não saber se vestir. Qualquer mulher poderia, portanto, pensar que a lei a trataria com justiça em questões trabalhistas se ao menos ela cumprisse seu papel, tivesse uma boa aparência e usasse roupas femininas.

Ela estaria, porém, perigosamente enganada. Observemos uma trabalhadora norte-americana diante do guarda-roupa e imaginemos a voz incorpórea do advogado que lhe dá conselhos a cada escolha que ela faz.

— Feminina, não é? — pergunta ela. — De acordo com o veredicto do caso Craft?

— Você estaria se metendo em maus lençóis. Em 1986, Mechelle Vinson abriu um processo por discriminação sexual no distrito de Columbia contra seu empregador, o Meritor Savings Bank, porque o chefe a molestava sexualmente, submetendo-a a carícias, exibicionismo e estupro. Vinson era jovem, "bonita" e bem-vestida. O tribunal local decidiu que sua aparência a prejudicava. Depoimentos sobre seus trajes "provocantes" foram aceitos para decidir se ela foi "receptiva" ao assédio.

— E ela usava roupas provocantes?

— Como alegou exasperado seu advogado, "Mechelle Vinson usava *roupas*". Sua beleza vestida foi considerada comprovação de que ela aceitou o estupro.

— Bem, feminina, mas não feminina demais, certo?

— Cuidado. Em *Hopkins* versus *Price-Waterhouse,* foi recusada a Hopkins uma participação societária porque ela precisava apren-

O TRABALHO

der a caminhar, falar e se vestir "com mais feminilidade" e a "usar maquiagem".

— Talvez ela não fizesse jus a uma participação.

— Entre todos os funcionários, era ela quem gerava mais negócios.

— Hum... Bem, talvez um pouquinho mais feminina.

— Não tão rápido assim. A policial Nancy Fahdl foi demitida porque parecia "demais com uma dama".

— Está bem, menos feminina. Já tirei o *blush*.

— Você pode perder o emprego se não usar maquiagem. Veja *Tamini* versus *Howard Johnson Company, Inc.*

— Que tal, assim, mais mulher?

— Desculpe. Você pode perder o emprego se se vestir como uma mulher. Em *Andre* versus *Bendix Corporation,* foi declarado "inadequado para uma supervisora" de mulheres se vestir como "uma mulher".

— O que vou fazer então? Usar um saco?

— Bem, as mulheres em *Buren* versus *City of East Chicago* tiveram de se vestir "de forma que se cobrissem do pescoço aos pés" porque os homens no local de trabalho eram "meio inconvenientes".

— Será que um código de vestimenta não me tiraria dessa situação?

— Não conte com isso. Em *Diaz* versus *Coleman*, um uniforme de saias curtas foi imposto por um empregador que supostamente molestou suas funcionárias do sexo feminino porque elas aceitaram usá-lo.

Seria cômico se não fosse trágico. Quando percebemos que a lei britânica desenvolveu uma situação legal sem saída, muito semelhante a essa, um padrão começa a surgir.

Podemos poupar a mulher britânica dessa frustrante excursão por seu guarda-roupa. A situação é a mesma, se não for pior. Na definição da Qualificação Ocupacional Genuína está a permissão

O MITO DA BELEZA

para a "discriminação sexual" quando o emprego exige entre outras coisas "forma física ou autenticidade — por exemplo, uma modelo ou um ator". Desde 1977, porém, *M. Schmidt* versus *Austicks Bookshops, Ltd.* teve sua decisão amplamente interpretada de forma a tornar legal a admissão ou a demissão em geral com base na aparência física. A Srta. Schmidt perdeu o emprego e a causa porque usava calças para trabalhar numa livraria. O Tribunal Trabalhista de Recursos negou-se a considerar o caso, que se baseava no fato de o código de vestimenta ser mais restritivo para as mulheres do que para os homens, dispondo que o empregador "tem direito a uma grande área de escolha ao controlar a imagem de seu estabelecimento", e ainda declarando a questão insignificante. Concluíram que dizer a uma mulher como deve se vestir é uma questão nada mais do que trivial. Em *Jeremiah* versus *Ministério da Defesa,* os empregadores evitavam contratar mulheres para um trabalho de maior remuneração no solo por ele ser sujo e porque prejudicaria a aparência delas. Em sua exposição, lorde Denning refletia: "O cabelo de uma mulher é sua glória máxima [...] Ela não gosta de vê-lo em desordem, especialmente quando acabou de fazer um penteado." Os advogados dos empregadores afirmaram que forçar mulheres a desmanchar o penteado por salários maiores levaria a agitações na indústria.

A Dan Air foi acusada em 1987 de só contratar mulheres jovens e bonitas para o serviço de bordo. Eles defenderam sua posição discriminatória com base na preferência dos viajantes por moças bonitas. (Dois anos depois o jornal *USA Today* publicava um editorial com a mesma lógica, no qual clamava pela volta dos bons tempos em que as comissárias de bordo eram contratadas jovens e bonitas e dispensadas assim que amadurecessem.)

Em *Maureen Murphy e Eileen Davidson* versus *Stakis Leisure, Ltd.* podemos ver a onda do futuro. As garçonetes fizeram objeção

O TRABALHO

a uma mudança de "imagem" que as vestia num uniforme "mais revelador" e as obrigava a usar maquiagem e esmalte de unhas. Uma garçonete descreveu os trajes como "inspirados diretamente na *Histoire d'O*", consistindo numa minissaia e um grande decote sobre um espartilho tão justo que as mulheres chegavam a sangrar debaixo dos braços. Uma das litigantes estava grávida quando foi forçada a usá-lo. A gerência do estabelecimento admitiu que a mudança fora imposta às mulheres com o objetivo de atrair fregueses do sexo masculino. Nada semelhante foi exigido dos garçons. (Por sinal, a obrigação de as garçonetes se exibirem num estado de nudez relativa diante do sexo oposto desrespeita *Sisley* versus *Britannia Security Systems,* que determinou que a Lei de Discriminação Sexual de 1975 poderia ser aplicada para "preservar a decência ou a privacidade" diante do sexo oposto enquanto a pessoa estivesse "num estado de nudez".) O advogado das mulheres não teve sucesso ao ressaltar que a maquiagem, os trajes reveladores e o esmalte de unhas sexualizam a indumentária de uma pessoa de uma forma que não encontra paralelo entre os homens. Também esse caso foi considerado *de minimis* — muito trivial para ser julgado. As mulheres perderam a causa mas mantiveram o emprego, por um mês e meio. As duas foram demitidas. Agora entraram com uma ação denunciando a demissão injusta. Portanto, se você se recusar a usar roupas sensuais na Grã-Bretanha, pode perder seu emprego. No entanto em *Snowball* versus *Gardner Merchant, Ltd.* e *Wileman* versus *Minilec Engineering, Ltd.,* a percepção da sexualidade de uma mulher foi declarada pertinente para minimizar o mal feito a ela por quem a molestava sexualmente. No segundo caso, a Srta. Wileman recebeu a soma irrisória de £ 50, por quatro anos e meio em que foi molestada, com base no fato de que ela não podia se sentir muito ofendida se usava "roupas sumárias e provocantes" para ir trabalhar. O tribunal declarou que "se uma moça passeia pela fábrica usando

O MITO DA BELEZA

roupas provocantes e se exibindo, não é improvável" que ela seja alvo de inconveniências. O tribunal aceitou os depoimentos dos homens que definiam as roupas da Srta. Wileman como excitantes. A repetição queixosa da Srta. Wileman das palavras do advogado de Mechelle Vinson, ao protestar que suas roupas decididamente *não* eram "sumárias e provocantes", foi ignorada no veredicto.

Com essas decisões, concedeu-se a permissão social para o efeito de infiltração da QBP. Ela se espalhou para recepcionistas e funcionárias de galerias de arte e leiloeiras; para as mulheres na publicidade, marketing, desenho industrial e no ramo imobiliário, para as indústrias do cinema e do disco, para as mulheres no setor jornalístico e editorial.

Passa-se então para as indústrias de serviços: garçonetes de classe, atendentes em bares e em serviços de bufê, recepcionistas. São esses os empregos que exigem beleza e proporcionam a base para as ambições das beldades locais, regionais e rurais que invadem os centros urbanos do país com o objetivo de "fazer sucesso" nas profissões de grande visibilidade. Seu ideal é o de se tornar uma das 450 modelos em tempo integral que constituem o corpo de elite engajado para manter 150 milhões de norte-americanas na linha. (A fantasia de ser modelo talvez seja o sonho contemporâneo mais disseminado entre as jovens de todas as procedências.)

A partir daí, a QBP foi aplicada a qualquer trabalho que mantenha a mulher em contato com o público. Uma gerente de uma das lojas britânicas da John Lewis Partnership que dedicou "a vida" ao emprego foi chamada por seu supervisor para ouvir que ele estava muito satisfeito com seu trabalho, mas que "ela precisava melhorar do pescoço para cima". Ele queria que a mulher usasse o que ela chamou de "máscara" de maquiagem, que descolorisse o cabelo e o cacheasse. Ela disse a uma amiga que aquilo fez com ela sentisse como se todo o trabalho não tivesse tanta importância quanto sua

O TRABALHO

aparência, parada na loja, enfeitada como uma árvore de Natal. "Senti que de nada adiantava eu realizar bem meu trabalho." Ela acrescentou que aos homens não foi pedido nada de semelhante.

E então a qualificação da beleza passou a ser aplicada a qualquer emprego em que uma mulher se depare com um homem. Uma norte-americana de 54 anos citada em *The Sexuality of Organization* [A sexualidade da organização] disse que seu chefe a substituiu um dia sem qualquer aviso prévio. "Ele lhe dissera que 'queria olhar para uma mulher mais nova' para 'levantar seu ânimo'. Segundo ela, 'sua idade [...] nunca a incomodara até ele mencioná-la'." Agora a QBP se expandiu a qualquer emprego em que a mulher não trabalhe em total isolamento.

Infelizmente as mulheres que trabalham não têm acesso a uma consultoria legal quando se vestem pela manhã. Elas têm, porém, uma intuição de que esse labirinto existe. É então de surpreender que, duas décadas depois do surgimento da qualificação de beleza profissional em termos jurídicos, as mulheres continuem tensas a ponto de atingirem a insanidade com relação a sua aparência? Suas neuroses não são fruto do desequilíbrio da mente feminina, mas são reações normais a uma situação deliberadamente manipulada de se-correr-o-bicho-pega-se-ficar-o-bicho-come. Do ponto de vista legal, as mulheres *não* têm mesmo nada para usar.

Sociólogos descreveram o efeito sobre as mulheres daquilo que essas leis legitimam. A socióloga Deborah L. Sheppard, em *The Sexuality of Organization,* descreve sua descoberta de que "as regras e diretrizes informais quanto à adequação da aparência não param de mudar, o que ajuda a explicar o constante surgimento de livros e revistas que ensinam às mulheres que aparência e que comportamento ter no trabalho". Os sociólogos organizacionais não se dedicaram ao estudo da ideia de que elas não param de mudar *porque foram criadas para não parar de mudar.* Sheppard acrescenta

O MITO DA BELEZA

que "as mulheres percebem a si mesmas e a outras mulheres num constante confronto com a experiência dualística de ser, ao mesmo tempo, 'feminina' e 'eficiente', enquanto não observam nos homens essa mesma contradição". "Eficiente porém feminina" é uma das descrições preferidas em catálogos de mala direta para a venda de roupas destinadas às mulheres que trabalham. Foi essa dualidade impalpável que detonou nos Estados Unidos a forte reação a uma série de anúncios de um fabricante de lingerie que mostrava trajes de trabalho abrindo-se com violência para revelar uma nudez envolta em rendas. Como vimos, porém, os termos "eficiente" e "feminina" são usados para manipular um ao outro, bem como a mulher que está no meio. Sheppard concluiu que "as mulheres têm a percepção de estarem constantemente vulneráveis a imprevisíveis violações do equilíbrio [...] A área da aparência parece ser aquela na qual as mulheres sentem poder exercer mais facilmente algum controle sobre as reações que suscitam". Contudo, elas "também percebem que em geral precisam assumir a responsabilidade por terem provocado essas violações".

As mulheres se culpam por provocar "violações". Quais seriam elas? Uma pesquisa em *Redbook* revelou que 88% das pesquisadas haviam sido molestadas sexualmente no emprego. No Reino Unido, 86% das gerentes e 66% das empregadas tinham se deparado com essa situação. O serviço público britânico descobriu que 70% das pesquisadas haviam passado pela experiência. Dezessete por cento das mulheres sindicalizadas na Suécia foram molestadas, número este que projeta em todo o país 300 mil suecas vítimas de assédios sexuais. Descobriu-se que as mulheres molestadas sentem culpa por recearem que "possivelmente provocaram os comentários por não estarem vestidas adequadamente". Outra pesquisa revela que as vítimas de assédios sexuais raramente se encontram em posição de dizer ao importuno que pare.

O TRABALHO

E assim as mulheres se vestem para serem eficientes porém femininas, tentam acompanhar uma norma em constante transformação e fracassam inevitavelmente. De 65% a quase 90% delas são molestadas e põem a culpa em si mesmas e no controle insuficiente sobre a própria aparência. Pela forma como se apresentam no trabalho, as mulheres têm condição de dizer o que pretendem? Não. De acordo com *The Sexuality of Organization,* cinco estudos concluíram que o comportamento de uma mulher "é percebido e rotulado de sexual mesmo quando a intenção não é essa". Gestos simpáticos por parte de uma mulher são muitas vezes interpretados como de natureza sexual, especialmente quando "sugestões não verbais são ambíguas ou quando seus trajes são reveladores". Como vimos, as definições de "revelador" dadas por homens e por mulheres são diferentes. Tem fundamento a sensação de perda de controle quando as mulheres tentam "falar por meio das roupas".

A QBP e o veredicto de que o traje de uma mulher é um convite a que seja molestada dependem do fato de as mulheres não usarem uniforme nos mesmos locais de trabalho em que os homens os usam. Em 1977, quando as mulheres davam seus primeiros passos nas profissões liberais, John Molloy escreveu um *best-seller, The Woman's Dress for Success Book* [Como a mulher deve se vestir para ter sucesso]. Molloy fizera uma pesquisa profunda, concluindo que, sem trajes profissionais reconhecíveis, as mulheres enfrentavam dificuldades para inspirar respeito e autoridade. Um ano depois que seu grupo de teste adotou um "uniforme", a atitude geral dos chefes das mulheres para com elas "melhorara de forma dramática", e um número duas vezes superior de mulheres fora recomendado para promoção. No grupo de controle não houve mudanças. Molloy testou extensamente o "uniforme" e concluiu que um terno com saia era o "traje do sucesso". Recomendou enfaticamente que as mulheres profissionais o adotassem. "Sem uniforme, não existe uma igualdade de imagem." Evidentemente dedicado ao progresso das mulheres, Molloy insistia para que elas usassem o uniforme em solidariedade umas para com as outras. Ele cita um compromisso assinado por mulheres que trabalham: "Estou fazendo isso para que as mulheres possam ter um uniforme de trabalho tão eficaz quanto o dos homens, tendo, portanto, maior capacidade para concorrer em pé de igualdade."

Molloy advertiu para o que poderia acontecer se as mulheres adotassem um traje de trabalho. "Toda a indústria da moda vai ficar alarmada com essa perspectiva [...] Eles considerarão essa ideia uma ameaça a sua dominação sobre as mulheres. E estarão certos. Se as mulheres adotarem o uniforme e, ao selecioná-lo, ignorarem os pronunciamentos absurdos motivados pelo lucro da indústria da moda, elas já não serão maleáveis." Ele ainda previu as estratégias às quais a indústria poderia recorrer para abalar a adoção de um uniforme profissional pelas mulheres.

Com o tempo, *The New York Times Magazine* publicou um artigo declarando ultrapassada a estratégia de Molloy e afirmando que as mulheres estavam agora tão confiantes que podiam abandonar o terno e expressar sua "feminilidade" novamente. Muitas publicações para as quais a indústria da moda representava uma porção considerável de suas rendas de publicidade logo seguiram o exemplo. A beleza, a magreza, a alta costura e o bom gosto tinham de constituir a autoridade de uma mulher, agora que o uniforme de trabalho já não podia fazer isso por ela. Infelizmente para a mulher, de acordo com Molloy, tudo indica que vestir-se para o sucesso na carreira e vestir-se para exercer atração sexual são modalidades quase mutuamente exclusivas, pois a percepção da sexualidade de uma mulher pode "ofuscar" todas as outras características. Espera-se hoje em dia que as mulheres que trabalham imitem as modelos da moda. No estudo de Molloy, porém, entre 100 profissionais do

O TRABALHO

sexo masculino e feminino, 94 escolheram a mulher trajada como profissional, em detrimento da modelo, como exemplo de competência profissional.

A década de 1980 execrou o movimento liderado por Molloy com base na alegação de que forçaria as mulheres a se vestirem como homens, muito embora a imagem proposta, com seus *scarpins* de salto alto, meias finas, ampla escolha de cores, maquiagem e joias fosse masculina somente por estabelecer para as mulheres algo reconhecível como um traje profissional. A indústria da moda, entretanto, criou entraves à experiência de criação de roupas de trabalho para as mulheres, fazendo com que elas perdessem o reconhecimento instantâneo do *status* profissional e a moderada camuflagem sexual que o uniforme masculino oferece. As mudanças na moda protegiam do prejuízo a indústria da confecção, ao mesmo tempo em que garantiam que as mulheres teriam de se esforçar mais para serem "lindas" e se esforçar mais para serem levadas a sério.

Diz a lei que a beleza provoca o assédio, mas ela recorre aos olhos masculinos para decidir qual é a causa. Uma empresária pode considerar uma provocação enlouquecedora uma sarja europeia com padronagem espinha de peixe, bem talhada, cobrindo caprichosamente os músculos retesados de um homem, especialmente por sugerir o *status* e o poder masculinos que nossa cultura erotiza. A lei, porém, dificilmente verá o bom feitio do alfaiate da mesma forma que ela, caso diga ao subordinado que deve servi-la sexualmente ou perder o emprego.

Se no trabalho as mulheres não sofressem nenhuma pressão maior para terem função decorativa do que seus colegas bem-vestidos em risca de giz e gabardine, o local de trabalho poderia ser menos agradável; mas também se reduziria uma surrada área de discriminação. Como a aparência das mulheres é usada para

O MITO DA BELEZA

justificar o fato de elas serem molestadas, bem como o de serem demitidas, o que os trajes das mulheres tentam dizer é interpretado erroneamente de forma contínua e deliberada. Como as roupas de trabalho das mulheres — saltos altos, meias finas, joias, maquiagem, para não falar em cabelos, seios, pernas e quadris — já foram encampadas como acessórios pornográficos, um juiz pode olhar para qualquer mulher e acreditar estar vendo uma prostituta molestável, da mesma forma que pode olhar para qualquer mulher mais velha e acreditar que está diante de uma megera digna de ser demitida.

Imitar o uniforme masculino é mesmo difícil para as mulheres. Sua determinação a tomar o espaço tradicionalmente masculino menos cinzento, menos assexuado e mais animado é um desejo sedutor. Sua contribuição, porém, não chegou a relaxar as normas. Os homens não retribuíram com suas próprias extravagâncias, cores ou trajes. O resultado dessa situação em que os homens usam uniforme onde as mulheres não o usam significa, simplesmente, que elas recebem a responsabilidade total pelas vantagens e desvantagens do encanto físico no local de trabalho, podendo, do ponto de vista legal, ser punidas ou promovidas, insultadas ou até mesmo estupradas de acordo com essa responsabilidade.

As mulheres ainda não ousam abdicar da "vantagem" proporcionada por essa desigualdade de trajes. As pessoas adotam uniformes voluntariamente só quando têm confiança na justiça do sistema. É compreensível que não se disponham a renunciar à proteção de sua "beleza" antes de terem certeza de que o sistema de remuneração esteja em perfeito funcionamento. As profissões não se disporão a abandonar a função controladora da qualificação de beleza profissional enquanto não se certificarem de que as mulheres ficaram tão desmoralizadas por ela a ponto de não oferecerem nenhuma ameaça verdadeira à forma como o mundo gira. É uma trégua incômoda em que os dois lados tentam ganhar tempo; mas,

O TRABALHO

quando se trata de ganhar tempo sob o domínio do mito da beleza, as mulheres saem perdendo.

E o que dizer da opinião corrente de que as mulheres usam a "beleza" para progredir? Na realidade, a socióloga Barbara A. Gutek demonstra não existir muita comprovação de que as mulheres, mesmo ocasionalmente, usem sua sexualidade para conseguir alguma recompensa na organização. Ela descobriu que são os homens que usam sua sexualidade para se promover. "Uma considerável parcela de homens afirma se vestir de maneira atraente no trabalho", enquanto 1 mulher em 800 disse ter usado sua sexualidade para ser promovida. Em outro estudo, 35% dos homens e apenas 15% das mulheres dizem usar sua aparência para obter vantagens no local de trabalho.

A cumplicidade existe, é claro. Isso quer dizer que as mulheres têm culpa? Eu mesma já ouvi administradores das melhores universidades dos Estados Unidos, juízes falando de advogadas, membros de comissões julgadoras para a concessão de bolsas de estudo e outros homens, cuja função é acreditar em conceitos de justiça e fazer com que eles vigorem, falar com complacência dos usos de "ardis femininos" — um eufemismo para a beleza utilizada como arma para a obtenção de alguma vantagem. Homens poderosos falam desses ardis com uma admiração relutante, como se o poder da "beleza" fosse uma força irresistível que atordoasse e imobilizasse homens eminentes, transformando-os em massa amorfa nas mãos da sedutora. Essa atitude faz com que as mulheres precisem continuar a empregar recursos que às vezes utilizam para tentar obter o que raramente conseguem.

As convenções desse tipo de galanteio são véus sobre uma inscrição gravada na pedra. São os poderosos que ditam os termos. Homens adultos, quando brincam de luta corpo a corpo com uma criança, gostam de deixar que a criança tenha a sensação de ter vencido.

Esse ponto, onde a beleza forma a ponte entre as mulheres e as instituições, é aquilo a que as mulheres aprenderam a se agarrar, sendo depois usado como comprovação de que elas no fundo são culpadas. No entanto, ao agarrar-se a uma oportunidade, uma mulher tem de reprimir o que ela já sabe, que os poderosos querem que as mulheres se exponham dessa forma. Quando o poder brinca com a beleza, a solicitação do comportamento exibicionista foi orquestrada antes mesmo que a mulher tivesse a chance de entrar na sala onde ela será avaliada.

Essa solicitação de comportamento exibicionista é tácita. Ela é impalpável o suficiente para que a mulher não possa apontá-la com credibilidade como exemplo de assédio (seja como for, para ter credibilidade quanto a ter sido alvo de assédios, uma mulher deve parecer molestável, o que derruba sua credibilidade). Ela geralmente não deixa à mulher, fora um retraimento tão óbvio a ponto de causar ofensa, opção que não seja dançar conforme á música. Ela pode ter de forçar o corpo a relaxar e não se retesar diante de um cumprimento inconveniente, ou simplesmente pode ter de se sentar mais ereta, exibindo melhor seu corpo, ou afastando o cabelo dos olhos de uma forma que ela sabe favorecer seu rosto. Não importa o que ela precise fazer, ela sabe sem que lhe digam, pela expressão facial e corporal do homem poderoso em cujos olhos está seu futuro.

Quando uma personalidade brilhante, bela mulher (essa é minha ordem de prioridades, não necessariamente a de seus professores), calça sapatos pretos de camurça de salto alto e põe um batom vermelho antes de pedir a um catedrático influente que oriente sua tese, ela está sendo uma vagabunda? Ou não estará ela cumprindo um dever para consigo mesma, numa avaliação desapaixonada de um meio hostil ou indiferente, cuidando de proteger seu talento verdadeiro sob as asas de um talento casual? Quando sua mão dá a forma sedutora aos lábios, esse gesto é de seu livre-arbítrio?

O TRABALHO

Ela não precisa agir dessa forma.

Essa é a reação que o mito da beleza gostaria de ver nas mulheres, porque nesse caso a Outra Mulher é o inimigo. Na realidade ela precisa mesmo agir assim?

A mulher ambiciosa não precisaria agir assim se ela tivesse escolha. Ela terá escolha quando uma infinidade de faculdades em seu campo, dirigidas por mulheres e financiadas por doações de gerações de magnatas do sexo feminino e de exploradoras do capitalismo abrirem suas portas para ela; quando multinacionais dirigidas por mulheres procurarem ávidas pelas qualidades das jovens recém-formadas; quando existirem *outras* universidades, com bustos em bronze das grandes figuras femininas de meio milênio de erudição; quando houver *outras* comissões de financiamento da pesquisa mantidas pelas doações polpudas proporcionadas pelas altas rendas de inventoras, nas quais metade dos lugares seja preenchida por cientistas do sexo feminino. Ela terá escolha quando sua proposta for avaliada incondicionalmente.

No momento em que puderem contar com oportunidades iguais, ou seja, quando 52% das posições de maior nível estiverem a seu alcance, as mulheres terão a escolha de nunca se sujeitarem a considerar quais serão os requisitos que uma comissão investida de poder possa ter com relação a sua "beleza", merecendo então a censura quando o fizerem. Elas merecerão a culpa, que hoje em dia já lhes é mesmo imputada, somente quando souberem que seu sonho mais alto não será comprimido à força numa pirâmide invertida, jogado de encontro a um teto de vidro, isolado num sufocante gueto de funções cor-de-rosa, devolvido com violência para o fundo de um beco sem saída.

AS CONSEQUÊNCIAS SOCIAIS DA QBP

A qualificação de beleza profissional funciona sutilmente de forma a devolver às relações de trabalho os motivos para exploração ameaçados pela recente legislação de oportunidades iguais. Ela proporciona aos empregadores o que eles precisam, em termos *econômicos*, de uma mão de obra feminina, afetando as mulheres, em termos *psicológicos*, em diversos níveis.

A QBP reforça a política de dois pesos, duas medidas. As mulheres sempre receberam menos do que os homens pelo mesmo trabalho, e a QBP fornece a esse fato uma nova justificativa racional ali onde a antiga se tornou ilegal.

O corpo dos homens e o das mulheres são comparados de um modo que simboliza para ambos os sexos a comparação entre a carreira dos homens e a das mulheres. Não se espera também dos homens que mantenham uma aparência profissional? Sem sombra de dúvida. Eles devem se inserir num certo padrão de boa apresentação, habitualmente trajados num estilo uniforme e adequado ao contexto. Entretanto, fingir que a existência de padrões para a aparência masculina significa que os dois sexos recebem tratamento igual é ignorar o fato de que na contratação, bem como na promoção, a aparência dos homens e a das mulheres são avaliadas de forma diferente; e que o mito da beleza se estende para muito além das normas de vestimenta, penetrando num outro campo. De acordo com diretrizes de contratação das televisões citadas pela jurista Suzanne Levitt, os âncoras devem fazer lembrar sua "imagem profissional" enquanto é sugerido a suas companheiras de trabalho que façam lembrar a "elegância profissional". As duas medidas com relação à aparência são um lembrete constante de que os homens valem mais e não precisam se esforçar tanto.

O TRABALHO

Segundo Rosalind Miles, "em todos os registros remanescentes dos salários pagos aos trabalhadores, revela-se que as mulheres ou recebem menos do que os homens ou não recebem absolutamente nada". Isso ainda vale para os nossos dias. Em 1984, nos Estados Unidos, mulheres que trabalhavam o ano inteiro em emprego de tempo integral ainda ganhavam em média apenas US$ 14.780 — 64% da média de salário dos homens empregados em tempo integral (US$ 23.220). Estimativas do que elas estariam ganhando hoje demonstram que a diferença se reduziu em apenas 10 centavos nos últimos 20 anos. Considerando-se o valor mais alto, ainda se trata de uma diferença que se reduziu em apenas 10 centavos ao longo dos últimos 20 anos. No Reino Unido, as mulheres ganham 65,7% da renda bruta dos homens. A diferença de remuneração nos Estados Unidos é mantida dentro da mesma função em todos os níveis da estrutura social. Em média, os advogados entre 25 e 34 anos ganham US$ 27.563 por ano, enquanto as advogadas da mesma faixa etária ganham US$ 20.573 por ano. Vendedores no comércio ganham US$ 13.002, enquanto suas colegas, US$ 7.479. Motoristas de ônibus recebem US$ 15.611, enquanto as mulheres na mesma função têm um ordenado de US$ 9.903 por ano. Cabeleireiras ganham US$ 7.603 a menos do que seus colegas do sexo masculino. Um fogo cerrado de imagens que faz com que as mulheres tenham a sensação de valer menos do que os homens, ou de que valem somente por sua aparência, ajuda a manter e reforçar essa situação.

Essa é mais uma prova da característica política, e não sexual, do mito. O dinheiro movimenta a história com maior eficácia do que o sexo. Um reduzido amor-próprio na mulher pode ter um valor sexual para alguns indivíduos, mas tem um valor financeiro para toda a sociedade. A imagem insatisfatória que as mulheres têm de seu físico nos dias de hoje é muito menos consequência da concorrência entre os sexos do que das necessidades do mercado.

Muitos economistas concordam que as mulheres não esperam promoções e aumentos de salários por terem sido condicionadas por sua vivência a não esperarem progresso em sua carreira no trabalho. Sidel afirma que as mulheres "muitas vezes não têm certeza de seu valor intrínseco no mercado". Em 1984–1985, na greve declarada pelo sindicato de trabalhadores do setor de administração da Yale University, sindicato no qual 85% dos membros eram do sexo feminino, uma questão básica, segundo um dos organizadores, era fazer com que as mulheres se perguntassem, "Quanto nós valemos?" O maior obstáculo foi uma "profunda falta de confiança em si mesmas". O mito da beleza gera nas mulheres uma redução do amor-próprio, com o resultado de altos lucros para as empresas.

A ideologia da beleza ensina às mulheres que elas têm pouco controle e pouca escolha. As imagens da mulher segundo o mito da beleza são simplistas e estereotipadas; A qualquer momento existe um número limitado de rostos "lindos" reconhecíveis. Através de percepções tão limitadas do universo feminino, as mulheres concluem serem suas opções igualmente limitadas. As mulheres nos Estados Unidos estão agrupadas em 20 dentre as 420 ocupações relacionadas pelo Serviço de Estatísticas Trabalhistas. Setenta e cinco por cento das mulheres norte-americanas ainda estão trabalhando em funções tradicionalmente femininas, a maioria das quais é mal remunerada. Arlie Hochschild concluiu que as mulheres estão concentradas em "empregos que realçam seus atrativos físicos".

Com poucos papéis nos quais elas se veem e são vistas, um total de dois terços das mulheres norte-americanas trabalham no setor de serviços, no comércio ou em cargos burocráticos na administração municipal, empregos de salários baixos e pouca oportunidade de progresso. Os escassos papéis imaginados para as mulheres remuneram mal. Os secretários, 99% dos quais pertencem ao sexo feminino, ganham um salário médio de US$ 13 mil por ano;

O TRABALHO

professores da educação infantil, 97% do sexo feminino, ganham US$ 14 mil por ano; caixas de banco, 94% do sexo feminino, US$ 10.500; trabalhadores no setor de alimentação, 75% do sexo feminino, US$ 8.200.

É verdade, sim, que as mulheres ganham mais ao vender seu corpo do que ao vender sua capacidade. "Nesse contexto", escreveu a jurista Catharine A. MacKinnon, "é de interesse instrutivo perguntar qual é a melhor opção econômica para a mulher." Ela menciona provas de que, em comparação com os salários das mulheres "respeitáveis", que acabamos de descrever, uma prostituta de rua em Manhattan fatura em média entre US$ 500 e US$ 1 mil por semana. Outra pesquisa sua revela que a única diferença entre prostitutas num grupo de amostragem e outras mulheres de origem semelhante reside no fato de as prostitutas ganharem o dobro das outras. Um terceiro estudo seu demonstra que somente nas profissões de modelo e de prostituta as mulheres ganham regularmente mais do que os homens. Uma mulher em cada quatro ganha menos de US$ 10 mil por ano mesmo trabalhando em tempo integral. Em 1989, a Miss América recebeu US$ 150 mil, uma bolsa de estudos de US$ 42 mil e um automóvel de US$ 30 mil.

Como pode uma mulher acreditar no sistema do mérito numa realidade como essa? Um mercado de trabalho que a remunera de forma indireta como se ela estivesse vendendo o corpo simplesmente perpetua as tradicionais opções principais de emprego para as mulheres — o casamento compulsório ou a prostituição — com mais gentileza e pela metade do salário. A proporção entre o esforço despendido e a remuneração paga à elite das profissões de alta visibilidade, sobre a qual as mulheres são mantidas informadas ("É realmente uma tortura ficar debaixo daquelas luzes escaldantes") é uma caricatura da relação verdadeira entre o trabalho feminino e sua remuneração. Os altos salários brutos pagos às profissionais da beleza são um falso verniz a encobrir a verdadeira situação econômica das mulheres. Ao incentivar as fantasias de uma descoberta nas profissões supervalorizadas, a cultura dominante ajuda os empregadores a evitar a resistência organizada contra a repetitividade e os baixos salários das mulheres de verdade em empregos de verdade. Com a intermediação da mensagem esperançosa das revistas femininas, as mulheres aprendem seu pouco valor. A sensação de *direito* profissional que o trabalhador tem ao esperar uma remuneração justa por um trabalho bem-feito continua, assim, a uma distância conveniente das expectativas da mulher que trabalha.

Os recrutadores admitem que "uma forma de eliminar as candidatas a um emprego é reanunciá-lo com um salário mais alto". Um estudo conclui que "quando se trata de definir nosso valor sob o aspecto financeiro, temos grandes dúvidas sobre nós mesmas". Em estudos a respeito da autopercepção, as mulheres normalmente superestimam o tamanho de seu corpo. Numa pesquisa sobre a autopercepção econômica, elas normalmente subestimam suas despesas profissionais. A questão reside no fato de haver uma relação causal entre essas duas percepções enganosas. Ao avaliar a capacidade das mulheres em níveis artificialmente baixos e ao trazer para dentro do local de trabalho seu valor físico, o mercado defende o acesso à mão de obra feminina barata.

A insegurança profissional gerada por essa situação atinge todo o sistema biológico de castas que a QBP estabelece. Ela é encontrada em mulheres "lindas" já que com frequência, por maior que seja seu sucesso profissional, não se convencem de que foram elas mesmas, e não sua "beleza", que conquistaram essa posição. Encontra-se, também, nas "feias", que aprendem a se desvalorizar.

A exposição de fotos de modelos atraentes no local de trabalho é uma metáfora da questão maior de como as imagens da Donzela de Ferro são usadas para manter as mulheres por baixo no trabalho.

O TRABALHO

Na mina Shoemaker nos Estados Unidos, quando foram admitidas mulheres como mineiras, apareceram grafites que procuravam ridicularizar os seios e os órgãos genitais das colegas. Uma mulher de seios pequenos era, por exemplo, chamada de "mamilos invertidos". Diante de um exame dessa natureza, relata a jurista Rosemarie Tong, "as mineiras achavam cada vez mais difícil manter o amor-próprio, e sua vida pessoal e profissional começou a se deteriorar". Mesmo assim, a decisão de um tribunal norte-americano, *Rabidue* versus *Osceola Refining Co.* (1986), manteve o direito dos trabalhadores do sexo masculino de exibir pornografia no local de trabalho, por mais ofensiva que fosse às colegas do sexo feminino, com base no fato de a paisagem estar mesmo impregnada desse tipo de imagens.

Na Grã-Bretanha, o Conselho Nacional pelas Liberdades Civis [National Council for Civil Liberties] reconhece que a exibição de cartazes de garotas atraentes constitui assédio sexual, pois ela "prejudica de forma direta a visão que uma mulher tem de si mesma e de sua capacidade para realizar seu trabalho". Quando sindicatos formaram grupos de debates para tratar da questão da exibição de imagens de garotas, 47 dos 54 grupos classificaram essas imagens como exemplos de assédio sexual que perturbava as mulheres. A Sociedade Britânica de Funcionários Públicos considera assédio sexual os olhares de avaliação sexual, da mesma forma que a exibição de imagens. Mulheres entrevistadas afirmaram que, quando essas imagens estão penduradas na parede, elas sentem que "está sendo feita uma comparação direta". Essas imagens são usadas abertamente para desvalorizar a mulher. Em *Strathclyde Regional Council* [Assembleia Regional de Strathclyde] versus *Porcelli*, a Sra. Porcelli afirmou em seu depoimento que os homens que a molestavam muitas vezes "faziam comentários a respeito de minha aparência física em comparação com a da mulher nua no cartaz". No entanto, nem o sistema judiciário norte-americano, nem o britânico, demonstra ter a percepção de que esse tipo de assédio no local de trabalho se destina a fazer com que a mulher se sinta desvalorizada sob o ponto de vista físico, especialmente em comparação com os homens. Ele tem como objetivo restabelecer as desigualdades eliminadas quando da entrada das mulheres naquele local de trabalho. Ao incentivar nas mulheres a sensação de feiura — ou se o alvo for sua "beleza", sua sensação de vulnerabilidade e tolice — esse assédio não deveria levar a outras ofensas, como a lei agora define, para ser classificado como discriminatório. Ele em si já é uma ofensa.

A QBP empobrece as mulheres sob o ponto de vista material e psicológico. Ela suga dinheiro daquelas mesmas mulheres que representariam a maior ameaça se aprendessem a ter a sensação de direito adquirido proporcionada pela segurança econômica. Através da QBP, mesmo as mulheres mais ricas ficam afastadas da vivência masculina da prosperidade. Sua parcialidade de fato empobrece as mulheres em comparação com os colegas do sexo oposto, por exigir uma fatia maior da renda dessas mulheres, e isso faz parte de sua finalidade. "As mulheres são punidas pela aparência que têm, enquanto os homens podem ir longe só com um terno de lã cinza", queixa-se, irônica, uma antiga editora de moda da revista *Vogue,* que estima suas despesas de manutenção com beleza em torno de US$ 8 mil por ano. Profissionais liberais do meio urbano dedicam um terço de sua renda à "manutenção da beleza" e consideram ser esse um investimento necessário. Seus contratos de trabalho estão alocando uma parcela de seu salário para roupas de alta moda e para dispendiosos tratamentos de beleza. A revista *New York Woman* descreve uma típica profissional ambiciosa, uma mulher de 32 anos que gasta "praticamente um quarto de sua renda anual de US$ 60 mil [...] na manutenção pessoal". Outra mulher "gasta de boa vontade mais de US$ 20 mil por ano" em aulas de ginástica com um *personal*

O TRABALHO

trainer famoso. As poucas mulheres que estão afinal ganhando tanto quanto os homens são forçadas, pela QBP, a se permitirem substancialmente menos em valor líquido do que seus colegas homens recebem. A QBP engendrou uma discriminação pela renda aplicada pela própria vítima da discriminação.

Sempre que é usada contra mulheres de riqueza recente, a QBP ajuda a pôr em vigor e a racionalizar a discriminação nos níveis mais altos. Um relatório da Câmara de Comércio dos Estados Unidos, de 1987, concluiu que mulheres em altas posições, de vice-presidente para cima, ganham 42% a menos do que seus colegas do sexo oposto. Ruth Sidel afirma que os homens nas 20 profissões mais bem remuneradas ganham substancialmente mais do que suas colegas. Essa discrepância é mantida através da forma pela qual a QBP drena as finanças, o lazer e a *confiança* dessa classe em ascensão, permitindo, assim, às empresas fazer uso do conhecimento das mulheres nos níveis superiores ao mesmo tempo em que defendem as estruturas de organizações dominadas pelos homens contra a potencial invasão de mulheres que pararam de pensar pequeno.

Ela deixa as mulheres exaustas. À medida que vai se aproximando o fim do século, as mulheres estão cansadas, exaustas de uma forma que seus colegas do sexo oposto talvez não consigam imaginar. Uma recente série de pesquisas resumidas na imprensa feminina "indicam, todas, uma coisa só: as mulheres modernas estão exaustas". Setenta por cento das executivas de alto nível nos Estados Unidos citam o cansaço como seu problema principal; quase metade das norte-americanas entre os 18 e os 35 anos se sentem "cansadas a maior parte do tempo"; 41% das mil mulheres dinamarquesas pesquisadas responderam que estão se sentindo "cansadas no presente momento". Na Grã-Bretanha, 95% das mulheres que trabalham fora colocaram a sensação de um "cansaço extraordinário" no topo de uma lista de seus problemas. É esse tipo

O MITO DA BELEZA

de exaustão que pode emperrar o futuro progresso coletivo das mulheres, e é essa sua finalidade. Com um cansaço intensificado pelos rigores da QBP, mantido pela fome perpétua e renovado por sua interminável rotina eletrônica, a QBP pode acabar alcançando o que a discriminação direta não conseguiu. Em decorrência dela, as profissionais de grande sucesso têm o tempo, a energia e a concentração suficientes apenas para realizar seu trabalho muito bem, sem sobrar nada para o tipo de ativismo social ou raciocínio espontâneo que lhes permitiria questionar e tentar mudar a própria estrutura do sistema. Se as exigências se intensificarem de forma a levar as mulheres a um ponto de colapso físico, elas podem começar a só ter vontade de voltar para casa. Nos Estados Unidos, já há rumores entre executivas exaustas sobre uma saudade da vida anterior a essas escadas rolantes que não levam a lugar nenhum.

Todos os sistemas de trabalho que dependem da coação de uma mão de obra, forçando-a a aceitar condições más e remuneração injusta, reconheceram a eficácia de manter essa mão de obra exausta para impedir que ela se rebele.

Ela inverte para as mulheres os estágios das carreiras masculinas. A QBP ensina às mulheres que elas deverão perder poder no mesmo ritmo em que os homens o ganham. Das mulheres com mais de 75 anos, o segmento da população norte-americana que mais cresce, uma em cada cinco vive na pobreza. Um terço das pessoas que vivem sós nos Estados Unidos é composto por mulheres idosas, a metade das quais tem menos de US$ 1 mil de poupança. Um economista escreveu que "se você for mulher, existe uma probabilidade de 60% de você ser pobre na velhice". A renda média de uma norte-americana idosa era 58% da renda dos homens da mesma idade. Na Grã-Bretanha, as idosas sozinhas somam quatro para cada homem idoso sozinho; e dentre elas, mais do dobro, em relação aos homens, precisa de auxílio financeiro oficial. A alemã

O TRABALHO

ocidental média que se aposenta recebe apenas metade da pensão total. Das norte-americanas que se aposentam somente 20% têm plano de previdência privada. No mundo inteiro, apenas 6% das mulheres que trabalham fora estarão recebendo pensão no ano 2000. Se é apavorante ficar velha em nossa cultura, não é só porque se perde a beleza. As mulheres se agarram à QBP porque sua ameaça é verdadeira. Uma mulher jovem pode na realidade se sair melhor, do ponto de vista econômico, investindo em sua sexualidade enquanto ela tem o valor máximo, do que trabalhando sério por uma vida inteira.

As "mulheres lindas" alcançam o topo das possibilidades na juventude. O mesmo acontece com as mulheres na economia. A QBP reproduz na economia a inversão de estágios da vida útil de uma "mulher linda". Apesar dos vinte anos da segunda onda do movimento das mulheres, as carreiras das mulheres ainda não atingem seu ápice na meia-idade ou depois, como as carreiras masculinas. Muito embora as mulheres começassem a ser contratadas no início da década de 1970, tempo suficiente, portanto, para que houvesse um significativo progresso profissional, apenas 1% a 2% das posições de alto nível em empresas norte-americanas são preenchidas por mulheres. Embora metade dos formandos em direito seja do sexo feminino e 30% dos associados em escritórios de advocacia sejam mulheres, apenas 5% dos sócios desses escritórios são mulheres. Nas melhores universidades dos Estados Unidos e do Canadá, o número de catedráticas também está na faixa dos 5%. O teto de vidro funciona em proveito da elite tradicional, e sua eficácia é mantida e reforçada pelo mito da beleza.

Uma das reações a essa situação é que as norte-americanas mais velhas que tiveram sucesso dentro de todas as profissões estão sendo forçadas a encarar os sinais da idade (que acompanham o sucesso masculino) como uma "necessidade" de cirurgia plástica.

O MITO DA BELEZA

Elas reconhecem essa "necessidade" como uma obrigação de natureza profissional e não pessoal. Enquanto seus colegas do sexo masculino têm o exemplo de uma geração anterior, de homens mais velhos e bem-sucedidos que aparentam a idade que têm, as mulheres contemporâneas dispõem de poucos modelos semelhantes.

Essa exigência profissional de uma cirurgia estética conduz as mulheres a uma realidade alternativa no mercado de trabalho, embasada em ideias a respeito do uso de seres humanos como trabalhadores, ideias que não são aplicadas aos homens desde a abolição da escravatura, pois antes dela um senhor de escravos tinha o direito de submeter sua mão de obra a mutilações físicas. É claro que o sistema cirúrgico não tem nenhuma relação com o sistema escravocrata, mas com sua crescente procura por alterações corporais permanentes, dolorosas e arriscadas, ele constitui uma categoria — como a tatuagem, a marcação e a escarificação em outros lugares e em outras épocas — que se situa em algum ponto entre um sistema escravocrata e um mercado livre. O senhor de escravos podia amputar o pé de uma pessoa escravizada que resistisse ao controle; o empregador, com esse novo recurso, pode de fato eliminar partes do rosto de uma mulher. Num mercado livre, o que é vendido ao empregador é o *trabalho*; o *corpo* continua a pertencer à mulher.

A cirurgia estética e a ideologia do aperfeiçoamento pessoal podem ter tornado obsoleta a esperança das mulheres de recorrerem à justiça. Podemos compreender melhor como é insidiosa essa situação se tentarmos imaginar um processo contra discriminação racial instaurado em desafio a uma tecnologia poderosa que transforma, com muita dor, pessoas não brancas para que pareçam ser mais brancas. Atualmente, um empregado de cor negra pode alegar que *não quer* parecer mais branco e que não deveria ter de ser mais branco para manter seu emprego. Ainda não começamos a pressionar pelos direitos civis das mulheres que permitirão a

O TRABALHO

qualquer mulher dizer que prefere se parecer consigo mesma a se parecer com alguma desconhecida jovem e "linda". Embora a QBP classifique as mulheres num sistema semelhante de castas biológicas, a identidade feminina ainda não é reconhecida nem de longe como tão legítima quanto a identidade racial (embora essa seja escassamente reconhecida). Para a cultura dominante é inconcebível que ela deva respeitar como um compromisso político, tão profundo quanto qualquer orgulho étnico ou racial, a determinação de uma mulher de demonstrar sua lealdade para com sua idade, seu corpo, sua pessoa e sua vida, em desafio a um mito da beleza tão poderoso quanto os mitos sobre a supremacia dos brancos.

Ela mantém as mulheres isoladas. A solidariedade entre as mulheres no local de trabalho forçaria a estrutura do poder a atacar o problema das concessões dispendiosas que muitos economistas creem hoje serem necessárias se quisermos que as mulheres realmente tenham igualdade de oportunidade: creches, horários flexíveis, manutenção do emprego após o parto e licença-maternidade. Ela também poderia alterar o foco do trabalho e a própria estrutura da organização. A sindicalização das trabalhadoras em escritórios e em vendas forçaria as economias ocidentais a reconhecer com seriedade a contribuição da mão de obra feminina. Cinquenta por cento das trabalhadoras no Reino Unido não são sindicalizadas, segundo a Comissão pela Igualdade de Oportunidades. Nos Estados Unidos, 86% não são sindicalizadas. Muitos economistas acreditam que o futuro dos sindicatos está nas mulheres e que eles representam a solução para a "feminilização da pobreza" nos últimos vinte anos. Segundo um deles, "o fato de as mulheres sindicalizadas receberem em média 30% a mais do que as não sindicalizadas fala por si mesmo". "Coletivamente, as mulheres trabalhadoras saem ganhando." As funcionárias de escritório, um terço da mão de obra feminina remunerada, e as trabalhadoras nos setores de vendas e serviços, que compõem mais de um quarto dessa mão de obra, sempre foram os grupos mais refratários à sindicalização. É mais difícil encontrar a solidariedade quando as mulheres aprendem a se ver mutuamente em primeiro lugar como beldades. O mito faz com que as mulheres acreditem que é cada uma por si.

Ela faz uso do corpo da mulher para transmitir seu papel econômico. Quando uma mulher diz que uma situação nunca será justa mesmo que ela siga as regras do jogo, ela demonstra perceber o funcionamento interno do mito. Por mais que trabalhe, ela nunca receberá uma remuneração adequada. Por mais que se esforce, ela nunca fará fortuna. Seu berço não é o berço de uma aristocrata da beleza, essa espécie mítica. Simplesmente não é justo. E é por isso que existe.

Os esforços das mulheres pela beleza, e sua avaliação segundo a beleza e não segundo seu trabalho, proporcionam às mulheres, a cada dia, metáforas das verdadeiras injustiças econômicas que lhes são aplicadas no local de trabalho: benefícios só para algumas, favorecimentos nas promoções, nenhuma segurança no emprego, um plano de aposentadoria que distribui apenas uma fração do capital recolhido pela trabalhadora, um duvidoso fundo de ações administrado por consultores sem escrúpulos que lucram com as perdas de seus investidores, falsas promessas e contratos sem valor por parte da gerência, uma política em que as primeiras a serem demitidas são as funcionárias mais antigas, a falta de sindicatos, uma rigorosa sabotagem dos sindicatos e mão de obra barata à vontade, pronta para ser contratada.

Numa experiência de comportamento citada por Catharine MacKinnon, um grupo de pintinhos era alimentado sempre que ciscava; outro grupo, de duas em duas vezes; e um terceiro grupo, aleatoriamente. Quando a alimentação foi cortada, o primeiro grupo parou de imediato. Logo o segundo também parou. O terceiro grupo *"nunca parava de tentar"*.

O TRABALHO

Da forma pela qual a beleza e o trabalho as recompensam e as castigam, as mulheres jamais chegam a esperar pela coerência, mas pode-se contar que não pararão de tentar. Os esforços pela beleza e a qualificação de beleza profissional no local de trabalho agem em conjunto para ensinar as mulheres que, no que lhes diz respeito, a justiça não se aplica. Essa injustiça é apresentada às mulheres como algo imutável, eterno, correto e que tem origem nelas mesmas, que lhes pertence tanto quanto sua altura, a cor de seu cabelo, seu sexo e o formato de seu rosto.

A cultura

Como as mulheres de classe média foram isoladas do mundo, separadas umas das outras, tendo sua tradição submersa a cada geração, elas dependem mais do que os homens dos modelos culturais à disposição, e é mais provável que sejam influenciadas por eles. *Monuments and Maidens* [Monumentos e donzelas], obra de Marina Warner, esclarece como acontece de nomes e rostos de indivíduos do sexo masculino serem homenageados em monumentos, sustentados por mulheres de pedra, idênticas, anônimas (e "lindas"). Essa situação vale para a cultura em geral. Por terem poucos modelos a imitar no mundo real, as mulheres as procuram nas telas e nas revistas femininas.

Esse padrão, que descarta as mulheres enquanto indivíduos, se estende desde a cultura de elite até a mitologia popular. "Os homens olham as mulheres. As mulheres se observam sendo olhadas. Isso determina não só as relações entre os homens e as mulheres, mas também a relação das mulheres consigo mesmas." A famosa citação do crítico John Berger vale para toda a história da cultura ocidental, e nos nossos dias é mais verdadeira do que nunca.

Os homens são expostos a modelos de *moda* masculina, mas não os consideram figuras-*modelo*. Por que as mulheres têm uma reação tão intensa ao que no fundo não é nada — imagens, recortes de papel? Será sua identidade tão fraca assim? Por que elas acham

A CULTURA

que devem tratar "modelos" — manequins — como se fossem "modelos" — paradigmas? Por que as mulheres reagem diante do "ideal", qualquer que seja a forma que esse ideal assuma no momento, como se se tratasse de um mandamento inquestionável?

HEROÍNAS

Não se trata de as identidades das mulheres serem fracas por natureza. Foi a imagem "ideal" que adquiriu uma importância obsessiva para as mulheres porque era esse seu objetivo. As mulheres não passam de "beldades" na cultura masculina para que essa cultura possa continuar sendo masculina. Quando as mulheres na cultura demonstram personalidade, elas não são desejáveis, em contraste com a imagem desejável da ingênua sem malícia. Uma linda heroína é uma espécie de contradição, pois o heroísmo trata da individualidade, é interessante e dinâmico, enquanto a "beleza" é genérica, monótona e inerte. Enquanto a cultura resolve dilemas de natureza moral, a "beleza" é amoral. Se uma mulher nasce parecendo ser um objeto de arte, trata-se de um acidente da natureza, um fugaz consenso da percepção da massa, uma coincidência especial, mas não se trata de um ato moral. A partir das "beldades" na cultura masculina, as mulheres aprendem uma amarga lição amoral — que as lições morais de sua cultura as excluem.

Desde o século XIV, a cultura masculina silenciou as mulheres decompondo-as maravilhosamente. A lista de características, criada pelos menestréis, primeiro paralisava a mulher amada no silêncio da beleza. O poeta Edmund Spenser aperfeiçoou a lista de características em seu hino, o *Epithalamion*. Nós herdamos essa lista em formas que vão desde os artigos de revistas femininas, que sugerem que se faça uma lista dos próprios pontos positivos, até fantasias da cultura de massa, que tentam criar a mulher perfeita.

O MITO DA BELEZA

A cultura estereotipa as mulheres para que se adequem ao mito, nivelando o que é feminino em beleza-sem-inteligência ou inteligência-sem-beleza. É permitido às mulheres uma mente ou um corpo, mas não os dois ao mesmo tempo. Uma alegoria comum que ensina esse fato às mulheres é a ligação entre uma feia e uma bonita: Lia e Raquel no Antigo Testamento, Maria e Marta no Novo Testamento; Helena e Hérmia em *Sonho de uma noite de verão;* Anya e Dunyasha em *O jardim das cerejeiras* de Tchecov; Violeta e Dulçura Suíno em *Família Buscapé*; Glinda e a Bruxa Má do Oeste em *O Mágico de Oz;* Veronica e Ethel em *Riverdale;* Ginger e Mary Ann em *A ilha dos birutas*; Janet e Chrissie em *Um é pouco, dois é bom, três é demais*; Mary e Rhoda em *The Mary Tyler Moore Show;* e assim por diante. A cultura machista parece se sentir melhor ao imaginar duas mulheres juntas se elas puderem ser definidas como um fracasso e um sucesso de acordo com o mito da beleza.

Já as obras escritas por mulheres viram o mito de cabeça para baixo. Os maiores expoentes da literatura feminina têm em comum a procura pela beleza radiante, uma beleza com significado. O combate entre a beleza supervalorizada e a heroína desvalorizada, pouco atraente mas cheia de vida, é a estrutura central do romance das mulheres. Essa estrutura vem desde *Jane Eyre* até os romances em brochuras dos nossos dias, nos quais a rival maravilhosa e detestável tem uma bela cabeleira e seios prodigiosos, enquanto a heroína só dispõe de olhos vivazes. A capacidade de o herói perceber a verdadeira beleza da heroína é seu teste principal.

Essa tradição opõe a bela e enfadonha Jane Fairfax ("Não consigo isolar a Srta. Fairfax de sua aparência") contra a maior sutileza de Emma Woodhouse em *Emma* de Jane Austen; a loura frívola Rosamond Vincy ("De que vale ser linda se não se é vista pelos melhores críticos?") contra Dorothea Casaubon, "que lembra uma freira" em *Middlemarch, um estudo da vida provinciana*, de George

A CULTURA

Eliot; Isabella Crawford, "extraordinariamente bonita" e calculista contra a tímida Fanny Price em *Mansfield Park* de Jane Austen; a elegante e insensível Isabella Thorpe contra Catherine Morland, insegura quanto "à beleza de seu próprio sexo", em *A abadia de Northanger*, de Austen; a narcisista Ginevra Fanshawe ("Como estou hoje? [...] Sei que estou linda") contra a invisível Lucy Snow ("Eu me vi no espelho [...] Não me impressionou essa imagem abatida") em *Villette*, de Charlotte Brontë; e em *Mulherzinhas*, de Louisa May Alcott, a fútil Amy March, "uma estátua graciosa" contra Jo, menina quase masculinizada, que vende sua única beleza, o cabelo, para ajudar a família. Essa tradição chega até os nossos dias nos romances de Alison Lurie, Fay Weldon, Anita Brookner. As obras escritas por mulheres estão repletas das injustiças perpetradas pela beleza — tanto por sua presença quanto por sua ausência.

Quando uma jovem lê os livros da cultura masculina, porém, o mito subverte o que essas histórias parecem contar. Histórias contadas a crianças como parábolas de valores corretos perdem o sentido para as meninas à medida que o mito inicia seu trabalho. Consideremos a lenda de Prometeu, que é apresentada às crianças norte-americanas na terceira série primária sob o formato de história em quadrinhos. Para uma criança em processo de socialização na cultura ocidental, ela ensina que um grande homem arrisca tudo pela audácia intelectual, pelo progresso e pelo bem comum. No entanto, como uma futura mulher, a menina aprende que a mulher mais linda do mundo foi criada pelo homem, e que a audácia intelectual *dela* trouxe aos homens a primeira doença e a morte. O mito torna a menina que lê cética no que diz respeito à coerência moral das histórias de sua cultura.

À medida que ela for crescendo, a duplicidade dessa sua visão se intensifica. Se ler *Retrato do artista quando jovem*, de James Joyce, ela não deverá se perguntar por que motivo Stephen Dedalus é o

O MITO DA BELEZA

herói de sua história. Já em *Tess dos d'Urbervilles,* de Thomas Hardy, por que o foco da descrição caiu sobre ela, e não sobre qualquer outra das lavradoras de Wessex, saudáveis e ignorantes, que dançavam em círculos naquela manhã de maio? Ela foi vista e considerada bonita; por isso, *tudo aconteceu a ela* — a riqueza, a indigência, a prostituição, o verdadeiro amor e a forca. Sua vida, no mínimo, se tornou interessante, enquanto as outras garotas de mãos calejadas que malhavam cereais a sua volta, amigas suas, que não dispunham do dom ou da maldição de sua beleza, continuaram nas províncias lamacentas, na labuta agrícola que não é o tema de romances. Stephen está em sua história porque ele é um assunto excepcional que deve ser conhecido e o será. E Tess? Sem sua beleza, ela teria sido poupada da violência e do horror dos grandes acontecimentos. A menina aprende que as histórias acontecem a mulheres "lindas", sejam elas interessantes ou não. E, interessantes ou não, as histórias não acontecem a mulheres que não sejam "lindas".

Esses primeiros passos na educação da menina sobre o mito a torna suscetível às heroínas da cultura de massa da mulher adulta — as modelos nas revistas femininas. São essas modelos que as mulheres geralmente mencionam primeiro quando pensam no mito.

AS REVISTAS FEMININAS

A maioria dos críticos, como o que escreveu essa sátira em *Private Eye*, ridiculariza as preocupações "banais" e o tom editorial das revistas femininas. "A banalidade das revistas femininas [...] combina papo sério sobre felação com grandes estoques de sentimentalismo." As mulheres também acreditam que elas transmitem os piores aspectos do mito da beleza. As próprias leitoras muitas vezes têm sentimentos ambivalentes quanto ao prazer mesclado com ansie-

A CULTURA

dade que essas revistas proporcionam. "Eu compro", disse uma jovem, "como uma espécie de ultraje a mim mesma. Elas me dão uma sensação estranha, um misto de expectativa e pavor, um tipo de euforia artificial. Sim! Uau! Posso melhorar a partir deste exato instante! Olhem para ela! Olhem só para ela! Mas, logo em seguida, tenho vontade de jogar fora toda a minha roupa e tudo o que estiver dentro da geladeira; de dizer ao meu namorado que não me telefone mais; e de destruir toda a minha vida. Tenho vergonha de confessar que leio essas revistas todos os meses."

As revistas femininas acompanharam o avanço das mulheres e a simultânea evolução do mito da beleza. Durante as décadas de 1860 e de 1870, foram fundadas Vassar e Radcliffe, as faculdades de Girton e Newnham, bem como outras instituições de educação superior para mulheres; e, como escreveu o historiador Peter Gay, "a emancipação das mulheres estava fugindo ao controle". Enquanto isso, foi aperfeiçoada a produção em massa de imagens de beleza dirigidas às mulheres, além de terem sido lançadas as revistas *The Queen* e *Harper's Bazaar*. A circulação de *English Women's Domestic Magazine*, de Beeton, duplicou, atingindo 50 mil exemplares. A ascensão das revistas femininas resultou de grandes investimentos de capital, aliados à expansão da alfabetização e ao aumento do poder aquisitivo das mulheres da classe trabalhadora e da baixa classe média. Tinha se iniciado a democratização da beleza.

As revistas começaram a publicar anúncios na virada do século. Enquanto as sufragistas se acorrentavam aos portões da Casa Branca e do Parlamento, a circulação das revistas femininas duplicou mais uma vez. Antes de 1920, a era da Nova Mulher, seu estilo já se firmara na forma que tem até hoje: aconchegante, despreocupado e íntimo.

Outros escritores demonstraram que as revistas refletem mudanças no *status* feminino. As revistas vitorianas "atendiam a

O MITO DA BELEZA

um sexo feminino em virtual servidão doméstica", mas, com a Primeira Guerra Mundial e a participação das mulheres nela, as publicações "rapidamente desenvolveram um grau proporcional de conscientização social". Quando a mão de obra masculina retornou das trincheiras, as revistas voltaram novamente a atenção para o lar. Mais uma vez, na década de 1940, elas mostraram como era fascinante o mundo do trabalho remunerado na indústria da guerra e o trabalho voluntário no esforço da guerra. "A imprensa colaborou", afirma John Costello em *Love, Sex and War, 1939–1945* [O amor, o sexo e a guerra, 1939–1945], quando "a Comissão de Recursos Humanos para a Guerra se voltou para [...] o mundo da publicidade para fortalecer sua campanha nacional no sentido de atrair mulheres para seus primeiros empregos." Esse autor alega que o charme era uma das principais ferramentas nas campanhas de alistamento da época, exatamente como o mito da beleza nos nossos dias serve aos interesses do governo e do sistema econômico.

À medida que as mulheres reagiam favoravelmente e assumiam funções masculinas de melhor remuneração, uma nova sensação de competência e confiança as estimulava. Ao mesmo tempo, diz Costello, a propaganda "tentava preservar a imagem feminina socialmente aceitável das trabalhadoras do tempo de guerra". Um anúncio de creme de limpeza da Pond's apresentava o seguinte texto: "Gostamos de sentir que parecemos femininas mesmo que estejamos desempenhando uma tarefa talhada para um homem [...] por isso usamos flores e fitas no cabelo e tentamos manter o rosto o mais bonito possível." Costello menciona um anúncio de uma indústria de cosméticos que admitia que, embora o batom não possa ganhar uma guerra, "ele simboliza uma das razões pelas quais lutamos [...] o precioso direito de as mulheres serem femininas e lindas". Diante de uma enorme revolução social que estava dando às mulheres responsabilidade, autonomia, creches

A CULTURA

públicas e pagamento compensador, os anunciantes precisavam se certificar de que ainda restaria um mercado para seus produtos. Costello observa que "não eram só os anúncios [...] os artigos das revistas concentravam a atenção das leitoras na necessidade de manter alto seu QF [Quociente de Feminilidade]". As revistas precisavam se assegurar de que suas leitoras não se liberariam ao ponto de perderem o interesse pelas revistas femininas.

Quando houve a desmobilização, as economias ocidentais enfrentaram uma crise. Nos Estados Unidos, o governo precisou "combater temores de que os soldados norte-americanos voltariam para um mercado de trabalho saturado pelas mulheres". Consternada, a Comissão de Recursos Humanos percebeu ter se enganado ao ter esperanças de que poderia explorar o trabalho feminino como um quebra-galho. "Nos bastidores, a burocracia dominada por homens fazia projetos para o pós-guerra, partindo do pressuposto de que a maioria das mulheres voltaria humildemente para sua eterna missão de esposa e mãe. Estavam errados." Muito errados. Na realidade, uma pesquisa de 1944 revelou que de 61% a 85% das mulheres "não queriam voltar para o trabalho doméstico depois da guerra". O que a comissão viu nessa decisão das trabalhadoras foi a ameaça aos veteranos de guerra, que ficariam desempregados devido às trabalhadoras mal remuneradas, o que levaria a perturbações políticas, talvez mesmo a uma repetição da Depressão. Um ano após o final da guerra, as revistas mais uma vez se voltaram — com maior exagero do que antes — para a domesticidade, enquanto 3 milhões de norte-americanas e 1 milhão de britânicas eram demitidas ou pediam demissão de seus empregos.

Embora muitos escritores tenham ressaltado que as revistas femininas refletem a evolução da história, poucos examinam a forma pela qual parte de sua função consiste em determinar a evolução da história. Editores trabalham bem interpretando o *zeitgeist,*

O MITO DA BELEZA

editores de revistas femininas — e cada vez mais, da imprensa em geral — precisam estar alerta para os papéis sociais exigidos das mulheres para servir aos interesses daqueles que anunciam em suas publicações. As revistas femininas há mais de um século vêm sendo uma das forças mais atuantes no sentido de alterar os papéis das mulheres, e durante todo esse período — hoje mais do que nunca — elas sempre emprestaram charme àquilo que o sistema econômico, seus anunciantes e, durante a guerra, o governo precisavam obter das mulheres naquele momento.

Na década de 1950, o papel tradicional das revistas femininas já estava restabelecido. "Em termos psicológicos", afirma Ann Oakley em *Housewife* [Dona de casa], "elas permitiam à mãe assoberbada, à dona de casa sobrecarregada, entrar em contato com seu eu ideal: aquele eu que tem a aspiração de ser uma boa esposa, boa mãe e dona de casa eficiente [...] O papel esperado da mulher na sociedade [era] o de procurar a perfeição em todos esses três papéis." A definição da perfeição, entretanto, muda de acordo com as necessidades dos empregadores, dos políticos e, na economia do pós-guerra que dependia de um crescimento exponencial do consumo, dos anunciantes.

Nos anos 1950, as rendas com publicidade aumentaram extraordinariamente, alterando o equilíbrio entre o departamento editorial e o de publicidade. As revistas femininas passaram a interessar às "companhias que, com a guerra a ponto de terminar, teriam de fazer com que as vendas ao consumidor tomassem o lugar dos contratos de materiais bélicos". Os principais anunciantes nas revistas femininas responsáveis pela Mística Feminina procuravam vender produtos domésticos.

Um capítulo de *A mística feminina*, de Betty Friedan, intitulado "Sexo e comércio", esclarece como a "falta de identidade" e a "falta de objetivo" da dona de casa norte-americana são "manipuladas

A CULTURA

para se transformarem em dólares". Friedan investigou um serviço de marketing e descobriu que, das três categorias de mulheres, a Mulher Profissional não era saudável, segundo o ponto de vista dos anunciantes — que eles sairiam ganhando se impedissem que "esse grupo crescesse [...] elas não são o tipo ideal de consumidor. *São excessivamente críticas."*

Os relatórios dos especialistas em marketing descreviam formas de manipular as donas de casa para que se tornassem consumidoras inseguras de produtos para o lar. "É preciso realizar uma transferência de culpa. Capitalizar [...] na 'culpa pela sujeira escondida'." Sugeriam que fosse realçado o "valor terapêutico" de assar bolos e pães: "Com a mistura X em casa, você será outra mulher." Insistiam para que se desse à dona de casa uma "sensação de realização" para compensá-la por uma função "interminável" e "trabalhosa". Recomendavam aos fabricantes que lhes fornecessem "produtos específicos" para "tarefas específicas" e tornassem o trabalho doméstico "uma questão de conhecimento e capacidade, em vez de um esforço monótono, árduo e incessante". Identifiquem seus produtos com "compensações espirituais", uma "sensação quase religiosa", uma "fé quase religiosa". O relatório concluía que, para objetos "acrescidos de valor psicológico", "o preço em si praticamente não importa". Os anunciantes dos nossos dias estão vendendo alimentos dietéticos, cosméticos "específicos" e cremes contra o envelhecimento em vez de produtos para o lar. Em 1989, a renda da publicidade de "cosméticos/artigos de toalete" proporcionou às revistas US$ 650 milhões, enquanto "sabões, produtos de limpeza e de polimento" atingiram apenas um décimo daquele valor. É que as revistas femininas modernas concentram sua atenção nos esforços pela beleza, não no serviço doméstico. Podem-se inserir facilmente nas citações feitas acima, datadas da década de 1950, todos os substitutos modernos originados pelo mito da beleza.

O MITO DA BELEZA

Se os anúncios e comerciais são um "nítido caso de '*o comprador que assuma os riscos*'", Friedan concluiu que

> a mesma venda sexual disfarçada no conteúdo editorial é menos ridícula e mais insidiosa [...]. Ninguém precisa escrever nenhum memorando, nenhuma frase precisa ser dita numa conferência de editoração. Homens e mulheres que tomam as decisões editoriais costumam fazer concessões quanto a seus próprios padrões elevados em benefício do dólar de anunciantes.

Isso ainda vale para os nossos dias.

Nada de estrutural mudou a não ser os detalhes do sonho. Betty Friedan perguntou:

> Por que nunca se diz que a função realmente crucial que as mulheres cumprem como donas de casa é a de *comprar mais coisas para a casa*? [...] De alguma forma, alguém em algum lugar deve ter imaginado que mulheres comprarão mais se forem mantidas no estado de subutilização, de anseios indefinidos, de energia de sobra em que vivem como donas de casa. [...] Seria necessário um economista muito inteligente para imaginar o que manteria nossa afluente economia em funcionamento se o mercado das donas de casa desmoronasse.

Quando a dona de casa insegura, entediada, isolada e inquieta abandonou a Mística Feminina pelo local de trabalho, os anunciantes se defrontaram com a perda de seu principal consumidor. Como garantir que trabalhadoras ocupadas e estimuladas continuariam a consumir nos mesmos níveis de quando tinham o dia inteiro para isso e não dispunham de muitos outros interesses que as ocupassem? Era necessária uma nova ideologia que as levasse ao mesmo consumismo inseguro de antes. Essa ideologia teria de

A CULTURA

ser, ao contrário da Mística Feminina, uma neurose portátil que a mulher pudesse carregar consigo para dentro do escritório. Parafraseando Friedan, por que nunca se diz que a função realmente crucial que as mulheres cumprem ao desejarem ser lindas é a de *comprar mais produtos para o corpo?* De alguma forma, alguém em algum lugar deve ter imaginado que elas comprarão mais se forem mantidas no estado de ódio a si mesmas, de fracasso constante, de fome e insegurança sexual em que vivem como aspirantes à beleza.

"Economistas muito inteligentes" de fato imaginaram o que manteria nossa afluente economia em funcionamento quando o mercado das donas de casa desmoronou, depois da segunda onda do progresso feminino deflagrada pelo livro de Friedan. Foi criada a encarnação moderna do mito da beleza, com sua indústria do emagrecimento de US$ 33 bilhões e sua indústria do rejuvenescimento de US$ 20 bilhões.

Com o colapso da Mística Feminina e o renascimento do movimento feminista, as revistas e os anunciantes daquela religião extinta se depararam com a própria obsolescência. *O mito da beleza, em sua concepção moderna, surgiu para tomar o lugar da Mística Feminina, para salvar as revistas e seus anunciantes das terríveis consequências econômicas da revolução das mulheres.*

O mito da beleza simplesmente assumiu as funções do que Friedan chamou de "religião" da domesticidade. Os termos mudaram, mas o efeito é o mesmo. Referindo-se à cultura feminina dos anos 1950, Friedan lamentou não haver "nenhuma outra forma de uma mulher ser uma heroína" a não ser "não parando de ter filhos". Hoje em dia, uma heroína não pode "parar de ser linda".

O movimento feminista quase conseguiu derrubar a economia da versão da feminilidade propagada pelas revistas. Durante sua segunda onda, os industriais do setor da confecção ficaram alarmados quando perceberam que as mulheres já não estavam gastando tanto com roupas. À medida que as mulheres da classe média foram abandonando seu papel de dona de casa consumidora, entrando para a força de trabalho, seu envolvimento com questões do mundo exterior ao lar previsivelmente as levaria à total perda do interesse pela realidade separada das revistas femininas. Além disso, a autoridade das revistas foi abalada ainda mais pelas revoluções da moda que tiveram início no final da década de 1960, pelo fim da alta costura e surgimento do que Elizabeth Wilson e Lou Taylor, historiadoras de moda, chamam de "estilo para todas". Será que as mulheres liberadas leriam revistas femininas? Para quê? Na realidade, entre 1965 e 1981, as vendas de revistas femininas na Grã-Bretanha sofreram uma forte queda: de 555,3 milhões de exemplares por ano para 407,4 milhões. Os editores e diretores dessas revistas podiam prever que seu tradicional poder sobre as mulheres seria derrubado pelos ventos das mudanças sociais.

Acabou a cultura da alta moda, e o conhecimento tradicional das revistas femininas de repente não tinha mais valor. A Mística Feminina evaporou; *tudo o que restava era o corpo*. Com o ressurgimento do movimento feminista, a *Vogue* apresentou em 1969 — em tom esperançoso, talvez desesperado — o Visual Nu. Segundo a historiadora Roberta Pollack Seid, a sensação das mulheres de liberação das antigas restrições da moda foi contrabalançada por uma relação nova e sinistra com seus corpos à medida que "*Vogue* começou a focar o corpo tanto quanto as roupas, em parte por haver pouco que eles pudessem ditar em meio aos estilos anárquicos". Destituídas de sua antiga autoridade, objetivo e gancho publicitário, as revistas inventaram — de forma quase inteiramente artificial — uma nova atração. Numa jogada surpreendente, toda uma cultura de substituição foi criada pela indicação de um "problema" que praticamente não existia até então, por sua focalização no estado natural da mulher e por sua elevação ao posto de *o* dilema existen-

A CULTURA

cial feminino. De 1968 a 1972, o número de artigos relacionados a dietas aumentou em 70%. Artigos sobre dietas na imprensa popular aumentaram de 60 no ano de 1979 para 66 somente no *mês* de janeiro de 1980. Entre 1983 e 1984, *Reader's Guide to Periodical Literature* [Guia do leitor para a literatura de periódicos] relacionava 103 artigos. Já em 1984 havia 300 livros sobre dietas à venda. A lucrativa "transferência de culpa" foi ressuscitada bem na hora.

Essa "transferência de culpa" que salvou as revistas femininas foi reforçada pela caricatura, na mídia em geral, das heroínas do movimento renascido, caricatura esta que já fora explorada ao máximo havia mais de um século, sempre a serviço do mesmo tipo de reação do sistema. A convenção de Seneca Falls, de 1848, que lutava por uma Carta de Direitos da Mulher, provocou, segundo Gay, editoriais a respeito de "mulheres assexuadas", com insinuações de que elas se tornaram ativistas por serem "por demais repulsivas para encontrar marido. [...] Essas mulheres são completamente desprovidas de atrativos pessoais". Outra manifestação antifeminista citada por ele caracterizava essas mulheres como uma "espécie híbrida, meio homem, meio mulher, que não pertence a nenhum dos dois sexos". Quando um simpatizante da causa, o senador Lane do Kansas, apresentou uma petição para que fosse concedido o direito de voto às mulheres, em nome de "124 senhoras bonitas, inteligentes e prendadas", outro editorial em protesto afirmou que esse "truque [...] não vai dar certo. Somos capazes de apostar que as senhoras em questão não são nem 'lindas' nem prendadas. Nove entre dez delas são indubitavelmente 'passadas'. Elas têm o nariz encurvado e pés de galinha abaixo dos olhos fundos [...]" Um médico, reagindo à agitação feminista, caracterizou essas "mulheres degeneradas" por "sua voz grave, corpo hirsuto e seios pequenos". Segundo Gay, as "feministas eram criticadas como mulheres defeituosas, homens pela metade, masculinizadas [...] revistas humorísticas e legisladores

O MITO DA BELEZA

hostis à causa divulgavam por toda parte uma imagem alarmante de assustadoras megeras masculinizadas reprovando a Câmara dos Comuns".

Assim que as mulheres dos anos 1960 ergueram a voz, a mídia assumiu a função ilusória exigida pela mentira vital da época e formou o mito da beleza contra a aparência das mulheres. O tom foi dado pela reação aos protestos contra o concurso de Miss América de 1969. A cobertura focalizava cartazes com os seguintes dizeres: SÓ HÁ UMA COISA DE ERRADO COM A MISS AMÉRICA — ELA É LINDA e A INVEJA NÃO LEVARÁ VOCÊ A LUGAR ALGUM. Logo, a revista *Esquire* descrevia Gloria Steinem como a "belezinha do intelectual" e a *Commentary* descartava o feminismo como um punhado de "mulheres feias berrando umas com as outras na televisão". *The New York Times* citou uma tradicional líder de mulheres que dizia que tantas "delas eram simplesmente tão feias". A passeata que desceu a Quinta Avenida em 1970 foi considerada importante por *Washington Star* por ter "desmentido a balela de as feministas serem feias", pois o repórter Pete Hamill não via "tantas mulheres lindas no mesmo lugar havia anos". Antes do famoso debate no City Hall, Norman Mailer disse a Germaine Greer que ela era mais bonita do que ele pensava. As manchetes diziam: AS MULHERES ESTÃO SE REBELANDO. Elas acreditaram na descrição que era feita do movimento, e as caricaturas cumpriram seu papel.

Embora muitas mulheres percebessem que sua atenção estava sendo focalizada dessa forma, poucas chegaram à plena compreensão de como esse tipo de enfoque é meticulosamente político. Quando se atrai a atenção para as características físicas de líderes de mulheres, *essas líderes podem ser repudiadas por serem bonitas demais ou feias demais.* O resultado líquido é impedir que as mulheres se identifiquem com as questões. Se a mulher pública for estigmatizada como sendo "bonita", ela será uma ameaça, uma rival, ou simples-

A CULTURA

mente uma pessoa não muito séria. Se for criticada por ser "feia", qualquer mulher se arrisca a ser descrita com o mesmo adjetivo se se identificar com as ideias dela. Ainda não foram avaliadas a fundo as implicações políticas do fato de que *nenhuma mulher ou grupo de mulheres*, sejam elas donas de casa, prostitutas, astronautas, políticas ou feministas, podem sobreviver ilesos ao escrutínio devastador do mito da beleza. Portanto, a tática de dividir para conquistar foi eficaz. Como a "beleza" acompanha a moda, e o mito determina que, quando alguma coisa feminina amadurece, ela sai de moda, a maturação do feminismo foi distorcida de forma grosseira porém eficaz na lente do mito.

A nova onda de revistas posteriores ao movimento feminista ganhou terreno a partir da ansiedade provocada por essa caricatura em mulheres de sucesso. Mesmo assim, a nova onda — que se iniciou em 1965 com a reformulação da *Cosmopolitan* — é realmente revolucionária em comparação com as antigas revistas de serviços atacadas por Friedan. Sua fórmula inclui um tom otimista, individualista, estimulante, que diz à leitora que ela deve estar em sua melhor forma e que nada deveria impedi-la; uma atenção focalizada em relações pessoais e sexuais que ressalta a ambição feminina e seu apetite erótico; além de imagens sexualizadas de modelos femininos que, embora sejam apenas um pouco mais discretas do que as imagens destinadas aos homens, têm a finalidade de simbolizar a liberação sexual da mulher. No entanto, a fórmula também deve incluir um elemento que contradiz e derruba esse tom geral pró-feminista. Em artigos sobre regimes, cuidados com a pele e cirurgias, essas publicações vendem a versão mais letal do mito da beleza que o dinheiro pode comprar.

Essa dose obrigatória do mito da beleza fornecida pelas revistas induz nas leitoras um desejo incontrolável, insaciável e furioso de obter certos produtos e uma fantasia permanente: a espera ansiosa por uma fada madrinha que chegue à porta da leitora e a faça dormir. Quando ela acordar, seu banheiro estará cheio exatamente dos produtos certos para a pele, com instruções detalhadas de uso, e estojos de cores variadas com exatamente a maquiagem exigida. A fada gentil terá tingido e cortado o cabelo da adormecida com perfeição, reformulando seu rosto, ajeitando-o sem dor. No closet, ela descobrirá um guarda-roupa completo, organizado por estação e ocasião, com perfeita combinação de cores e provido de acessórios, sapatos dispostos cada um em sua fôrma e chapéus em caixas. Sua geladeira estará cheia de legumes em miniatura, artisticamente preparados em refeições prontas, com garrafas de água Perrier e Evian virtuosamente enfileiradas. Ela se entregará a um mundo de apoteose consumista feminina, para além do apetite.

As contradições extremas entre os elementos positivos e negativos da mensagem das revistas provocam reações extremadas por parte das mulheres (em 1970, *The Ladies' Home Journal* foi alvo de uma ocupação pacífica por mulheres iradas). Por que as mulheres se importam tanto com o que as revistas dizem e mostram?

Elas se importam porque, apesar de as revistas serem banalizadas, elas representam algo muito importante: a cultura de massa das mulheres. Uma revista feminina não é simplesmente uma revista. O relacionamento entre a leitora e sua revista é tão diferente daquele de um leitor com a dele que eles não pertencem à mesma categoria. Ao ler a *Popular Mechanics* ou *Newsweek*, um homem está folheando apenas uma perspectiva dentre inúmeras outras da cultura geral de orientação masculina, que está por toda parte. Ao ler a *Glamour*, uma mulher está segurando nas mãos a cultura de massa orientada para a mulher.

As mulheres são profundamente afetadas pelo que suas revistas lhes dizem (ou pelo que acreditam que elas lhes dizem) porque essas publicações são tudo o que a maioria das mulheres tem como acesso

A CULTURA

a sua própria sensibilidade de massa. A cultura em geral adota um ponto de vista masculino do que é notícia ou não. Por esse motivo, a decisão do campeonato de futebol americano sai na primeira página enquanto uma modificação na legislação sobre creches vem escondida num parágrafo de página interna. Essa mesma cultura também adota um ponto de vista masculino com relação a quem vale a pena ser visto. Dos cinquenta anos de capas da revista *Life*, embora muitas mostrassem mulheres, somente 19 delas não eram atrizes nem modelos, ou seja, não estavam ali por sua "beleza" (de fato, em fidelidade ao mito da beleza, no caso de Eleanor Roosevelt, praticamente todos os repórteres fazem referência a sua famosa "feiura"). Os jornais relegam as questões femininas para a "página das mulheres". A programação de notícias da televisão destina as "reportagens femininas" para o horário diurno. Em comparação, as revistas femininas são os únicos produtos que (ao contrário dos romances) acompanham as mudanças da realidade da mulher, são em sua maioria escritos por mulheres para mulheres sobre temas femininos e levam a sério as preocupações das mulheres.

Elas reagem de forma tão intensa às incoerências dessas publicações por, provavelmente, reconhecerem que as contradições das revistas são as próprias contradições. Sua realidade econômica é a de uma mulher, só ampliada para uma escala maior. As revistas refletem a trégua incômoda na qual as mulheres pagam pelo poder e pela liberdade de ação através da preocupação com a beleza. *As próprias revistas para mulheres estão sujeitas a uma versão textual da QBP.* Como suas leitoras, a revista precisa pagar por seu conteúdo sério em benefício das mulheres com a superficialidade da reação do sistema baseada na beleza. Ela precisa agir assim para dar segurança a seus anunciantes, que se sentem ameaçados pelos possíveis efeitos sobre a mente feminina de um excesso de qualidade no jornalismo feminino. A personalidade das revistas está dividida entre o mito da beleza e o feminismo exatamente da mesma forma que a mente de suas leitoras.

Será que as revistas são banais, aviltantes e antifeministas? O mito da beleza é isso tudo. O conteúdo editorial nos dias de hoje, sempre que pode escapar ao mito, decididamente não é assim. Muitas mulheres que se importam com a cultura das mulheres são atraídas para suprir essa fonte da consciência feminina de massa, seja como editoras, escritoras, seja como leitoras. O conteúdo editorial das revistas se tornou irreconhecível, numa mudança para melhor, depois do ressurgimento do feminismo. Há vinte anos, as ativistas que fizeram a manifestação nos escritórios de *The Ladies' Home Journal* apresentaram uma lista utópica de ideias para artigos. Em vez de "A cama de Zsa Zsa Gabor", elas propunham "Como fazer um aborto", "Como e por que as mulheres são mantidas isoladas", "Como obter um divórcio", "Avanços nas creches diurnas" e "O que nossos detergentes provocam nos rios e córregos". E foi o que aconteceu. Reconhecemos nessas sugestões, um dia consideradas radicais, os temas típicos da nova onda de revistas femininas.

O que raramente se reconhece é o fato de essas revistas terem disseminado as ideias do feminismo de modo mais amplo do que qualquer outro meio de comunicação — sem dúvida com maior abrangência do que periódicos explicitamente feministas. Foi através de suas páginas que os temas do movimento das mulheres se espalharam das barricadas e desceram das torres de marfim acadêmicas para impregnar a vida das mulheres da classe trabalhadora, das mulheres do meio rural, daquelas sem instrução de nível superior. A essa luz, elas têm grande potencial como instrumentos de mudanças sociais.

O conteúdo feminista dessas revistas é de um nível que não poderia ter sido imaginado na *Vogue* de Cecil Beaton ou na *Redbook* que Betty Friedan tinha em mente. Regularmente saem artigos sobre

A CULTURA

aborto, estupro, violência contra a mulher, autoexpressão sexual e independência econômica. Na realidade, as críticas ao mito da beleza são mais encontradas nelas do que em qualquer outro lugar. Por exemplo, *Glamour:* "Como fazer as pazes com o corpo que você tem"; *She:* "Ser gorda não é pecado"; *Cosmopolitan:* "O que deveríamos fazer com relação à pornografia?" *Glamour* mais uma vez: "A atração das mulheres de verdade" ("Abram alas para as atrizes espirituosas que conseguem o homem sem serem lindíssimas [...] cuja atração vem mais da energia, das brincadeiras animadas, da inteligência, do que de um corpo escultural ou de uma aparência sensacional"). Mesmo os artigos que tratam de estados emocionais e de relações pessoais, os que são ridicularizados com maior frequência, não são ridículos se considerarmos como as comunidades se mantêm coesas graças a essa "função emocional" que se espera que as mulheres saibam desempenhar por natureza.

Quando a ênfase recai sobre o aspecto de "massa" de sua atração, a importância política das revistas femininas fica ainda mais nítida. Muitos livros e periódicos levaram questões do movimento das mulheres à minoria: mulheres instruídas, da classe média. Mas a nova safra de revistas femininas é a dos primeiros arautos na história a se dirigir à maioria das mulheres, aquelas que estão lutando com problemas financeiros, para lhes dizer que elas têm o direito de se definirem primeiro. Elas indicam caminhos para que as mulheres obtenham poder: estudando artes marciais, investindo na Bolsa de Valores, cuidando da própria saúde. Essas revistas publicam ficção escrita por mulheres, fazem reportagens com mulheres de sucesso e debatem a legislação que lhes diz respeito. Mesmo que seja apenas em termos da abertura de espaço para a cobertura da experiência cultural e política das mulheres, a revista feminina mais fútil é uma força mais séria para o progresso das mulheres do que o periódico de interesse geral de maior peso.

Elas também fornecem um raro fórum, através de cartas, artigos em série e mudanças de colaboradores, para o debate de mulher para mulher. Por serem as revistas o único local onde as mulheres descobrem o que está se passando no outro mundo — o da realidade feminina reconhecida tão superficialmente pelos periódicos "sérios" — a intensa reação de amor e ódio com relação a elas por parte das mulheres faz sentido. Sob esses aspectos, o papel das revistas deveria ser considerado muito sério. Como cultura feminina de massa que reage a mudanças históricas, elas são tudo o que as mulheres têm.

Não é de se estranhar que as mulheres se melindrem com aqueles elementos de seu formato que sigam fórmulas repetitivas. Não é de se estranhar que elas se perturbem quando suas revistas aparentam se submeter ao aviltante lucro final representado pelo mito da beleza. As revistas femininas não provocariam sentimentos tão violentos se fossem simplesmente uma diversão escapista. Contudo, com a inexistência de um jornalismo de interesse geral que trate os temas femininos com a seriedade mínima que eles merecem, as revistas femininas assumem uma carga de importância — e de responsabilidade — que, se não fosse assim, estaria distribuída entre mais da metade dos periódicos "sérios" do mercado.

As revistas femininas, porém, não refletem simplesmente nosso próprio dilema de a beleza ser procurada como uma justificativa para mais poder e liberdade de ação. Elas o intensificam. Até mesmo seus editores se preocupam com o fato de muitas leitoras não terem aprendido a distinguir o conteúdo favorável à mulher daquele ditado pelo mito da beleza nas revistas, cuja posição é basicamente econômica.

Infelizmente, a reação do sistema baseada na beleza é disseminada e reforçada pelos ciclos de ódio a si mesmas provocados nas mulheres pela propaganda, pelas fotografias e matérias sobre

A CULTURA

a beleza nessas revistas. São elas que compõem o índice da beleza, examinado pelas mulheres com tanta ansiedade quanto a que os homens revelam ao examinar relatórios da Bolsa de Valores. A reação do sistema promete dizer às mulheres o que os homens realmente desejam, que rostos e que corpos despertam sua volúvel atenção — promessa sedutora em um ambiente em que homens e mulheres raramente chegam a conversar juntos com franqueza em público sobre o que cada um realmente deseja. Só que a Donzela de Ferro sugerida pelo mito não é um molde direto dos desejos masculinos, da mesma forma que fotos de rapazes musculosos não representam a verdade a respeito dos desejos femininos. As revistas não são oráculos que falam pelos homens. Na realidade, como uma pesquisa revelou, "nossos dados sugerem que as mulheres estão mal informadas e exageram o grau de magreza que os homens desejam [...] elas *são* mal informadas, provavelmente, em consequência da promoção da magreza nas mulheres pela propaganda da indústria de alimentos dietéticos". O que os editores são obrigados a parecer dizer que os *homens* querem das mulheres é de fato o que os *anunciantes* querem das mulheres.

A mensagem das revistas *sobre o mito* é determinada pelos anunciantes. O relacionamento entre a leitora e sua revista, entretanto, não acontece num contexto que a estimule a analisar de que forma a mensagem é afetada pelas necessidades dos anunciantes. É uma relação emocional, crédula, defensiva e desigual: "o elo que une as leitoras a sua revista, o grande cordão umbilical, como alguns o chamam, a confiança".

O mito isola as mulheres de uma geração das de outras, e as revistas parecem oferecer o conselho sábio, testado pela experiência, de uma admirável parenta mais velha. Há poucos outros lugares em que uma mulher moderna possa encontrar um modelo como esse a imitar. Ela aprende a ignorar os ensinamentos de sua própria mãe

O MITO DA BELEZA

sobre a beleza, os adornos e a sedução, já que sua mãe fracassou, ou seja, está envelhecendo. Se essa mulher tiver a sorte de ter uma mentora, será numa relação profissional, na qual essas habilidades íntimas não fazem parte de sua formação. A voz da revista proporciona às mulheres uma autoridade invisível a ser admirada e obedecida, paralela à relação entre padrinho e protegido que muitos homens são incentivados a desenvolver tanto na educação quanto no emprego, mas que as mulheres raramente encontram em qualquer outro lugar a não ser nas páginas dessas revistas.

A voz estimula essa confiança. Ela desenvolveu um tom de aliança para com a leitora, de estar a seu lado com conhecimento e recursos superiores, como um serviço de assistência social gerido por mulheres. "Muitas indústrias de cosméticos estão à disposição para ajudar"; "Nós sabemos fazer a diferença. Deixe que nossos esteticistas a conduzam passo a passo." As revistas fornecem serviços reais, informam números telefônicos para ajuda de emergência, apresentam pesquisas entre as leitoras, dão às mulheres ferramentas para preparar orçamentos e informações financeiras. Esses aspectos reunidos fazem com que a revista pareça ser mais do que uma revista. Eles fazem com que ela pareça ser um misto de família ampliada, órgão da previdência social, partido político e associação profissional. Eles fazem com que a revista pareça ser um grupo de pressão que no fundo luta pelos interesses da leitora. "Uma revista", diz um editor, "é como um clube. Sua função é proporcionar às leitoras uma agradável sensação de pertencer a uma comunidade bem como de ter orgulho de sua identidade."

Como as pessoas confiam em seus clubes e como essa voz é tão atraente, é difícil ler uma revista com um olhar crítico para ver até que ponto a renda publicitária influencia as matérias. É fácil equivocar-se na compreensão do todo — anúncios, matérias sobre a beleza, fotos de modelos — como se ele constituísse uma mensa-

A CULTURA

gem coerente dos editores dizendo às mulheres que deveriam ser assim. Parte do mal causado pelas revistas às mulheres se origina desse engano. Se tivéssemos condições de lê-las de maneira mais bem informada, aproveitaríamos o que houvesse de bom e descartaríamos o que fosse prejudicial. As revistas, por seu lado, com anunciantes diferentes, poderiam ter um desempenho à altura de sua capacidade ao suprir as mulheres com o único jornalismo sério de massa disponível a elas.

As mulheres também são sensíveis ao mito da beleza nas revistas por ser o adorno uma enorme — e muitas vezes agradável — parte da cultura feminina. E praticamente não existe nenhum outro espaço onde elas possam participar da cultura feminina de forma tão ampla. O mito não apenas isola as mulheres segundo suas gerações, mas, pelo fato de incentivar a desconfiança entre todas as mulheres com base na aparência, ele as isola de todas as outras mulheres que elas não conheçam e apreciem pessoalmente. Embora elas tenham grupos de amigas íntimas, o mito e as condições das mulheres até recentemente as impediram de aprender a fazer algo que possibilita todas as mudanças sociais masculinas: como se identificar com outras mulheres desconhecidas de uma forma que não seja pessoal.

O mito gostaria que todas acreditassem que a mulher desconhecida é inatingível; que ela está sob suspeita antes de abrir a boca por ser A Outra, e a lógica da beleza insiste que as mulheres considerem umas às outras como possíveis adversárias até descobrirem que são amigas. O olhar com que mulheres que não se conhecem às vezes se avaliam mutuamente já diz tudo. Um rápido relance da cabeça aos pés, breve e desconfiado, que registra a imagem mas deixa de fora a pessoa. Os sapatos, o tônus muscular, a maquiagem são observados com precisão, mas os olhos se evitam. As mulheres podem apresentar uma tendência ao desagrado quando uma delas tem a aparência "boa" demais ou ao desprezo quando sua aparência é muito "ruim". Por esse motivo, as mulheres raramente aproveitam a experiência que mantém coesos os clubes e organizações masculinos. A solidariedade de pertencer a um grupo cujos membros poderiam nem ser amigos pessoais lá fora, mas que estão unidos por um interesse, por um compromisso ou por uma visão de mundo.

Por ironia, o mito que separa as mulheres também as une. Queixas sobre o mito são tão eficazes quanto um bebê para criar um contato agradável entre mulheres desconhecidas e derrubar a linha de cautela com relação à Outra. Um sorriso sem graça a respeito de calorias, uma reclamação sobre o próprio cabelo, podem fazer evaporar o triste exame de uma rival à luz fluorescente do banheiro feminino. Por um lado, as mulheres são treinadas para serem rivais de todas as outras no que diz respeito à "beleza". Por outro lado, quando uma mulher — uma noiva, uma compradora numa butique — precisa ser arrumada para uma grande ocasião, outras mulheres se precipitam a sua volta numa generosa concentração, formando uma equipe cuja coreografia parece tão natural quanto a de uma jogada ensaiada em futebol. Esses rituais doces e satisfatórios de estarmos todas do mesmo lado, essas comemorações tão pouco frequentes de compartilhamento da feminilidade são alguns dos poucos rituais femininos que nos restam. Daí seu poder e sua beleza. Infelizmente, porém, esses laços prazerosos se desfazem com imensa frequência quando as mulheres voltam ao espaço público e reassumem seu *status* de "beleza", um *status* isolado, desigual, mutuamente ameaçador e possessivamente protegido.

As revistas femininas proporcionam aquela deliciosa sensação de solidariedade feminina impessoal tão incomum hoje em dia, em comparação com os áureos tempos da segunda onda. Elas desnudam o desejo das mulheres de entrarem em contato por cima das barreiras da inveja em potencial e do preconceito. O que as outras mulheres estarão realmente pensando, sentindo, vivenciando,

A CULTURA

quando escapolem do olhar e da cultura dos homens? As revistas dão a sensação eletrizante raramente concedida às mulheres, embora os homens em seus grupos a tenham permanentemente, de estarem conectados, sem hostilidade, a um milhão de pessoas de pensamento semelhante e do mesmo sexo. Apesar de a versão das revistas ser infelizmente diluída, as mulheres são tão carentes dela que seu efeito é poderoso mesmo numa concentração fraca. Cada leitora — uma dona de casa mórmon em Phoenix, uma professora em Lancashire, uma artista conceitual em Sydney, uma mãe pensionista em Detroit, uma professora de física em Manhattan, uma prostituta em Bruxelas, uma moça estrangeira trabalhando como empregada doméstica em Lyons — está imersa no mesmo banho de imagens. Todas podem participar dessa forma exclusiva de uma cultura feminina mundial, que, muito embora seja inadequada e no fundo prejudicial, ainda é uma das poucas proclamações da sexualidade feminina em solidariedade permitida às mulheres.

Tendo em mente esses aspectos, vê-se o rosto "perfeito" de maneira diferente. Seu poder não é abrangente graças a qualquer qualidade inata ao rosto. Por que este e não outro qualquer? Seu único poder é o de ter sido designado como "o rosto" — e, portanto, milhões e milhões de mulheres estão olhando para ele ao mesmo tempo, e sabem disso. Uma visão cosmética de Christian Dior olha fixamente de um ônibus para uma avó que bebe seu *café con leche* numa sacada em Madri. Uma ampliação da mesma imagem em papelão contempla a jovem aprendiz adolescente que a instala na farmácia local de um lugarejo em Dorset. Ela chama a atenção acima de um bazar em Alexandria. *Cosmopolitan* é publicada em 17 países. Ao comprar Clarins, as mulheres "fazem o mesmo que milhões de mulheres no mundo inteiro". Os produtos dos Vigilantes do Peso oferecem "Amigos. Mais amigos. Ainda mais amigos".

O MITO DA BELEZA

Paradoxalmente, o mito da beleza oferece a promessa de um movimento de solidariedade, uma Internacional. De que outra forma as mulheres se sentem ligadas, em termos positivos ou mesmo negativos, a milhões de mulheres por toda parte? As imagens nas revistas femininas constituem a única experiência cultural feminina que pode começar a indicar a amplitude da solidariedade possível entre mulheres, uma solidariedade do tamanho de metade da espécie humana. É um esperanto insatisfatório; mas, na ausência de um idioma melhor que lhes pertença, elas devem se contentar com esse, que é criado pelo homem, influenciado pelo mercado e que as prejudica.

Nossas revistas simplesmente refletem nosso próprio dilema. Como grande parte de sua mensagem trata do progresso das mulheres, muito do mito da beleza deve acompanhar esse progresso e amenizar seu impacto. Como as revistas são tão sérias, elas precisam também ser tão frívolas. Como oferecem o poder às mulheres, devem também promover o masoquismo. Como a poeta feminista Marge Piercy ataca o culto às dietas na *New Woman,* a página oposta tem de apresentar uma matéria alarmante sobre a obesidade. Enquanto os editores dão um passo à frente para si mesmos e para suas leitoras, precisam também dar um passo atrás, voltando ao mito da beleza, em consideração a seus anunciantes.

Os anunciantes são os censores educados do Ocidente. Eles esfumaçam a linha que separa a liberdade editorial das exigências do mercado. As revistas podem projetar a ambientação íntima de clubes, associações profissionais ou famílias ampliadas, mas elas têm de agir como empresas. Levando em consideração quem são seus anunciantes, elas procedem a uma filtragem tácita. Não se trata de uma política consciente; ela não circula por escrito nem precisa ser debatida em pensamento ou em conversa. Há um consenso de que certos tipos de raciocínio sobre a "beleza" afastariam os

A CULTURA

anunciantes, enquanto outros tipos promoveriam seus produtos. Com a necessidade implícita de manter a renda de publicidade para a revista poder continuar a existir, os editores ainda não têm condições de escolher matérias e testar produtos como se o mito não pagasse as contas. O lucro de uma revista feminina não vem do preço de capa, e por isso seu conteúdo não pode se afastar muito dos produtos de seus anunciantes. Num artigo do *Columbia Journalism Review*, intitulado "A crise das revistas: vendendo-se por anúncios", Michael Hoyt relata que as revistas femininas sempre foram sujeitas a uma pressão especial por parte dos anunciantes. O que está diferente é a intensidade dessas exigências.

As revistas femininas não estão sozinhas nesse compromisso editorial para com a sobrevivência. Ele está em alta também fora delas, tornando toda a mídia cada vez mais dependente do mito. A década de 1980 presenciou uma proliferação de revistas, numa concorrência selvagem por uma fatia do mercado publicitário. Agora, a pressão cai sobre os jornais e as revistas de atualidades. "Os editores estão enfrentando dificuldades maiores para manter sua integridade", afirma o editor de *Christian Science Monitor*. Lewis Lapham, editor de *Harper's*, diz que os editores em Nova York falam da "fragilidade da palavra" e "aconselham prudência na abordagem de tópicos que tenham probabilidade de alarmar os compradores de grandes espaços de publicidade". "A imprensa norte-americana é, e sempre foi, uma imprensa de promoção, com seus editoriais caracteristicamente promovendo os mesmos pontos das matérias pagas", escreve ele. Segundo a revista *Time*, a moderna administração hoje em dia "vê os leitores como um mercado". Por isso, os diretores precisam procurar anunciantes de alto nível e pressionar por reportagens de alto nível. "Hoje em dia, se você tivesse o caso Watergate, seria preciso primeiro verificar com o departamento de marketing", diz o editor Thomas Winship. O *Columbia*

Journalism Review cita o antigo editor do jornal *The Boston Globe*: "'As revistas são produtos que existem para vender outros produtos, e a concorrência nos nossos dias é feroz.' Ele admite que agora ele também depende muito dos anunciantes de moda. 'Costumávamos ter uma cortina entre o departamento editorial e o de publicidade, mas ela já não existe.' Já há anos, alguns editores se dão ao trabalho de atrair anunciantes com a criação do que os anunciantes consideram uma atmosfera editorial favorável." John R. MacArthur, editor da *Harper's*, acredita, segundo Hoyt, que "a editoração para anunciantes" destruirá o que as revistas possuem de valioso, "uma atmosfera de qualidade e confiança". Se essa tendência continuar irrefreada, logo restarão poucos veículos com isenção para investigar ou questionar o mito da beleza, ou mesmo sugerir alternativas, sem se preocupar com as repercussões na renda de publicidade.

Hoje em dia, a atmosfera está mais saturada de versões da Donzela de Ferro do que nunca antes, também por conta de mudanças recentes na organização dos meios de comunicação, que intensificaram a concorrência visual. Em 1988, o espectador médio nos Estados Unidos viu 14% mais propaganda na TV do que dois anos antes, ou 650 anúncios por semana de um total de 1.000 anúncios por dia. O setor chama essa situação de "confusão do espectador". Somente 1,2 dos 650 anúncios é lembrado, enquanto em 1983 os espectadores lembravam de 1,7. As agências de publicidade estão em pânico crescente.

Por isso, as imagens de mulheres e da "beleza" ficam mais radicais. Como disseram alguns publicitários a *The Boston Globe*: "É preciso forçar um pouco mais [...] para sacudir, chocar, inovar. Agora que a concorrência está mais acirrada, o jogo é mais brutal. Hoje em dia as empresas querem seduzir ainda com maior desespero. [...] Elas querem destruir a resistência." O estupro é a metáfora publicitária moderna.

A CULTURA

Além disso, as revistas, o cinema e a televisão sofrem pressão para concorrer com a pornografia, que é atualmente o maior setor da mídia. No mundo inteiro, a pornografia gera em torno de US$ 7 *bilhões* por ano. Por incrível que pareça, mais do que o faturamento conjunto das indústrias fonográfica e cinematográfica tradicionais. Os filmes pornográficos somam três para cada filme convencional, com um faturamento anual de US$ 365 milhões por ano somente nos Estados Unidos, ou seja, US$ 1 milhão por dia. As revistas pornográficas britânicas vendem 20 milhões de exemplares por ano ao preço de £ 2 a £ 3 por exemplar, totalizando £ 500 milhões por ano. A pornografia sueca aufere de 300 a 400 milhões de coroas por ano. Uma *sex shop* naquele país oferece 500 títulos enquanto uma tabacaria de esquina, de 20 a 30 títulos. Em 1981, 500 mil homens suecos compraram revistas pornográficas a cada semana. Em 1983, de cada quatro fitas de vídeo alugadas na Suécia, uma era pornográfica. E em 1985, foram vendidos 13.600 milhões de revistas pornográficas pelas maiores distribuidoras aos jornaleiros de esquina. Nos Estados Unidos, 18 milhões de homens compram um total de 165 revistas pornográficas diferentes, gerando US$ 500 milhões por ano. Um norte-americano em cada dez lê *Playboy*, *Penthouse* ou *Hustler* todos os meses. *Playboy* e *Penthouse* são as revistas mais lidas no Canadá. Os italianos gastam 600 bilhões de liras em pornografia por ano, com os vídeos pornográficos representando entre 30% e 50% de todas as vendas de vídeos na Itália. Segundo pesquisadores, a pornografia no mundo inteiro está se tornando cada vez mais violenta. Como afirmou o sanguinolento diretor Herschel Gordon Lewis: "Mutilei mulheres nos nossos filmes porque achei que daria mais bilheteria."

Para aumentar mais uma vez o nível da pressão, essa concorrência de imagens está acontecendo durante uma desregulamentação internacional das ondas de rádio. Em consequência, o mito da beleza está sendo exportado do Ocidente para o Oriente, dos países ricos para os pobres. A programação dos Estados Unidos está invadindo a Europa, enquanto uma enxurrada de programas do Primeiro Mundo chega ao Terceiro Mundo. Na Bélgica, na Holanda e na França, 30% da programação de televisão provém dos Estados Unidos, e cerca de 71% dos programas de televisão nos países em desenvolvimento são importados dos países ricos. Na Índia, o número de aparelhos de televisão dobrou em cinco anos, e anunciantes patrocinam programas desde 1984. Há dez anos, a maioria das estações europeias de televisão era administrada pelo estado; mas a privatização, a TV a cabo e os satélites mudaram tudo isso, de tal forma que até 1995 já poderia haver 120 canais, todos, com raras exceções, financiados por anunciantes, com rendas projetadas para subir de US$ 9 bilhões para US$ 25 bilhões até o ano 2000.

Os Estados Unidos não são exceção. "As redes de televisão estão apavoradas", relata *The Guardian* [Londres]. Em dez anos (de 1979 a 1989), elas perderam 16% do mercado para a TV a cabo, canais independentes e para a indústria do vídeo. "O resultado é uma guerra de ostentação."

Com a *glasnost,* o mito da beleza está sendo importado para o outro lado da Cortina de Ferro, tanto para deter um possível ressurgimento do feminismo quanto para simular uma fartura de consumo onde o consumo é escasso. "*Glasnost* e *perestroika*", diz Natalia Zacharova, uma crítica social soviética, "parecem ter a probabilidade de trazer à mulher soviética liberdades contraditórias. O *glamour* será uma delas." Sua observação foi premonitória. *Reform*, o primeiro tabloide húngaro, de nome revelador, lido por um entre dez húngaros, apresenta uma modelo seminua em cada página. *Playboy* saudou a soviética Natalya Negoda como a "primeira estrela do sexo dos soviéticos". A China Nacionalista ingressou no concurso para Miss Universo em 1988, ano em que

A CULTURA

se realizou o primeiro concurso para Miss Moscou, depois de Cuba e da Bulgária. Em 1990, exemplares antigos de *Playboy* e de sofisticadas revistas femininas começaram a ser enviados para o bloco soviético. Poderemos observar a gestação completa do mito da beleza por lá. Tatiana Mamanova, uma feminista soviética, ao responder uma pergunta sobre a diferença entre o Ocidente e a Rússia, declarou: "A pornografia [...] está em toda a parte, até mesmo em cartazes [...] é um tipo diferente de violência. E para mim não dá a sensação de liberdade."

A CENSURA

No Ocidente livre, há muitas coisas que as revistas femininas não podem dizer. Em 1956, foi feito o primeiro "acordo", quando uma associação de fabricantes de náilon reservou um espaço de US$ 12 mil na *Woman*, e o editor concordou em não publicar naquela edição nada que mostrasse em destaque as fibras naturais. "Silêncios dessa natureza", escreveu Janice Winship, "quer fossem conscientes, quer não, viriam a se tornar comuns."

São esses silêncios que herdamos, e eles inibem nossa liberdade de expressão. Segundo Gloria Steinem, a revista *Ms.* perdeu uma importante conta de cosméticos por ter estampado em sua capa mulheres soviéticas que não estavam, de acordo com o anunciante, usando maquiagem suficiente. O equivalente a US$ 35 mil em publicidade foi retirado de uma revista britânica um dia depois de uma editora, Carol Sarler, ter dito que achava difícil fazer com que as mulheres parecessem inteligentes quando estavam usando maquiagem em excesso. Uma editora grisalha de uma importante revista feminina disse a uma redatora grisalha, Mary Kay Blakely, que um artigo sobre as glórias das cabeças grisalhas custou a sua

O MITO DA BELEZA

revista a conta da Clairol durante seis meses. A uma editora da *New York Woman*, segundo o relato de um funcionário da revista, foi informado que, por motivos financeiros, ela teria de colocar na capa da revista uma modelo em vez de uma mulher notável que ela desejava entrevistar. Gloria Steinem recorda a dificuldade de tentar financiar uma revista fora do alcance do mito da beleza.

> Sem [...] nenhuma intenção de reproduzir os tradicionais departamentos projetados em torno de categorias de publicidade para mulheres — receitas para dar apoio a anúncios de alimentos, matérias sobre a beleza para mencionar produtos cosméticos e assim por diante — sabíamos que enfrentaríamos dificuldades sob o aspecto econômico. (Felizmente, não tínhamos ideia *do grau* dessas dificuldades.) Conquistar contas de publicidade de automóveis, equipamentos de som, cerveja e outros produtos que não são tradicionalmente dirigidos às mulheres ainda acaba sendo mais fácil do que tentar convencer anunciantes de que as mulheres olham anúncios de xampu sem precisar de um artigo sobre como devem lavar o cabelo, da mesma forma que os homens veem anúncios de produtos para a barba sem artigos que os ensinem a se barbear.

Como declarou, de forma mais aborrecida, numa entrevista mais recente a *New Woman*: "Os anunciantes não acreditam em mulheres formadoras de opinião." Steinem crê que são os anunciantes que terão de mudar. Crê, ainda, que eles o farão, mas talvez não durante sua vida. Também as mulheres precisam mudar. Somente quando levarmos a sério nossos meios de comunicação de massa e oferecermos resistência a suas expectativas de que iremos nos submeter a ainda mais instruções sobre "como lavar nosso cabelo", somente então os anunciantes admitirão que as revistas femininas devem

A CULTURA

ter o direito a uma liberdade de expressão tão ampla quanto a das revistas masculinas.

Ocorre outro tipo mais direto de censura. As revistas femininas transmitem "informações" sobre produtos de beleza em um meio de forte censura autoimposta. Quando se lê algo a respeito de cremes para a pele e de óleos miraculosos, não é a leitura de um texto espontâneo. Os editores de beleza não podem dizer a verdade sobre os produtos de seus anunciantes. Num artigo da *Harper's Bazaar* intitulado "Cada dia mais jovem", as opiniões sobre diversos cremes contra o envelhecimento foram pedidas exclusivamente aos presidentes de dez indústrias cosméticas. Os fabricantes de cosméticos e de artigos de toalete gastam proporcionalmente mais em publicidade do que qualquer outro setor. Quanto mais forte a indústria, mais fracos os direitos civis e de consumidoras das mulheres. As ações de empresas de cosméticos sobem 15% ao ano, e matérias sobre a beleza são pouco mais do que anúncios. "É raro que editoras de beleza", escreve Penny Chorlton, em *Cover-Up* [Acobertamento], "consigam escrever livremente sobre cosméticos", já que os anunciantes exigem uma promoção em termos editoriais como condição para a inclusão de um anúncio. A mulher que adquire um produto de acordo com a recomendação de alguma matéria sobre a beleza está pagando pelo privilégio de ouvir mentiras de duas fontes.

Esse mercado, por sua vez, se mantém firme graças a outra modalidade mais séria de censura. Dalma Heyn, editora de duas revistas femininas, confirma ser de rotina eliminar com aerógrafo os sinais da idade no rosto das mulheres. Ela observa que as revistas femininas "ignoram as mulheres mais velhas ou fingem que elas não existem. As revistas tentam evitar a publicação de fotografias de mulheres mais velhas e, quando apresentam celebridades de mais de 60 anos, os 'artistas do retoque' conspiram para 'ajudar' essas mulheres lindas a parecerem mais lindas; ou seja, mais jovens".

O MITO DA BELEZA

Essa censura se estende para além das revistas femininas atingindo qualquer imagem de uma mulher mais velha. Bob Ciano, ex-diretor de arte da revista *Life,* declara que "nenhuma fotografia de mulher sai sem retoque [...] mesmo uma mulher [mais velha] famosa que não queira ser retocada [...] nós insistimos em tentar fazer com que ela pareça estar com uns 50 e poucos anos". O efeito dessa censura de um terço da vida de uma mulher é claro para Dalma Heyn. "Nos nossos dias, os leitores não fazem ideia da verdadeira aparência de um rosto de mulher de 60 anos na imprensa porque ele é retocado para aparentar 45. O que é pior, leitoras de 60 anos se olham no espelho e acham que estão velhas demais porque estão se comparando com algum rosto retocado que sorri para elas de dentro de uma revista." É frequente que as fotografias do corpo de modelos sejam recortadas com tesouras. "O processamento de imagens por computador" — a controvertida tecnologia moderna que manipula a realidade fotográfica — é usado há anos na publicidade de beleza das revistas femininas. A cultura das mulheres é um meio adulterado e cerceado. Como se encaixam aqui os valores do Ocidente, que detesta a censura e acredita no livre intercâmbio de ideias?

Essa questão não é simples. Trata-se da mais básica das liberdades: a de imaginar o próprio futuro e de ter orgulho da própria vida. A eliminação dos sinais da idade dos rostos femininos tem a mesma ressonância política que seria provocada se todas as imagens de negros fossem costumeiramente clareadas. Essa atitude faria o mesmo julgamento de valor com relação aos negros que essa manipulação faz quanto ao valor da vida da mulher, ou seja, que menos vale mais. Eliminar os sinais da idade do rosto de uma mulher equivale a apagar a identidade, o poder e a história das mulheres.

Os editores, porém, têm de seguir uma fórmula que funcione. Eles não podem se arriscar a fornecer o que muitas leitoras alegam

A CULTURA

querer: imagens que as incluam, artigos que não as subestimem, análises de consumo confiáveis. Muitos editores afirmam que isso é impossível porque as leitoras ainda não querem essas características o bastante.

Imaginem uma revista feminina que mostrasse de forma positiva modelos rechonchudas, modelos baixas, modelos velhas — ou então não mostrasse nenhuma modelo, mas mulheres de verdade. Suponhamos que ela tivesse uma política de evitar a crueldade às mulheres, como algumas agora têm uma política de apoiar produtos que não envolvam crueldade para com animais. E que eliminasse dietas-relâmpago, mantras de auto-ódio e artigos que promovessem a profissão que corta os corpos de mulheres saudáveis. Digamos que ela publicasse artigos sobre a glória da idade visível, mostrasse belos ensaios fotográficos com corpos femininos de todos os formatos e proporções, examinasse com uma doce curiosidade as alterações no corpo após o parto e a amamentação, sugerisse receitas sem castigo ou culpa e publicasse atraentes fotos de homens.

Ela iria à falência, perdendo a maior parte de seus anunciantes. As revistas, com plena consciência ou com apenas consciência parcial de agirem assim, têm de projetar a atitude de que aparentar a própria idade é horrível porque US$ 650 milhões de sua renda publicitária se originam de empresas que encerrariam as atividades se fosse agradável aparentar a própria idade. Elas precisam, conscientemente ou não, promover o ódio das mulheres ao próprio corpo fazendo com que elas gerem lucro ao passar fome, já que o orçamento publicitário de um terço da conta de alimentos do país depende dos alimentos dietéticos. Os anunciantes que viabilizam a cultura feminina de massa dependem de as mulheres se sentirem tão mal com relação ao próprio rosto e corpo a ponto de gastarem mais em produtos inócuos ou dolorosos do que gastariam se se sentissem belas por natureza.

O MITO DA BELEZA

Em termos mais significativos, porém, a revista iria à falência porque nós, mulheres, estamos tão imbuídas do mito da beleza que quase sempre já o internalizamos. Muitas de nós ainda não têm certeza se as mulheres são interessantes sem a "beleza". Ou se as questões femininas em si são cativantes o suficiente para pagarmos um bom dinheiro para lermos a seu respeito se a noção da "beleza" não estiver incluída no pacote.

Como o ódio a si mesma infla artificialmente a procura e o preço, enquanto a reação do sistema permanecer intacta, a mensagem global das revistas para as mulheres deverá continuar negativa. Daí, o tom prepotente que nenhum outro tipo de revista emprega para se dirigir a adultos com dinheiro nos bolsos; ordens e proibições que repreendem, insinuam e assumem ares de superioridade. O mesmo tom numa revista masculina — *invistam* em bônus isentos de impostos; *não* votem no Partido Republicano — é inimaginável. Como os anunciantes dependem de um comportamento de consumidora nas mulheres que só pode ser alcançado por meio de ameaças e compulsão, as ameaças e a compulsão prejudicam o conteúdo editorial das revistas, valioso sob outros aspectos.

As mulheres veem o Rosto e o Corpo por toda parte hoje em dia, não porque a cultura manifeste como mágica uma fantasia masculina transparente, mas porque os anunciantes precisam vender seus produtos num bombardeio generalizado de imagens destinadas a reduzir o amor-próprio das mulheres; e, por motivos que são de natureza política e não sexual, tanto os homens quanto as mulheres atualmente prestam atenção a imagens do Rosto e do Corpo. O que significa que, na intensificação da concorrência que virá, se nenhuma mudança de conscientização a impedir — pois as revistas femininas só se tornarão mais interessantes quando nós, mulheres, acreditarmos que somos mais interessantes —, o mito deverá se tornar muito mais poderoso.

A CULTURA

E assim, quanto mais longe a revista conduzir a leitora em sua positiva jornada intelectual, tanto mais ela a conduzirá pelos árduos caminhos de sua compulsão para com a beleza. E à medida que as experiências ao longo da estrada forem ficando cada vez mais extremas, mais forte será a sensação alucinante das mulheres de que nossa cultura tem uma personalidade esquizofrênica que ela procura nos transmitir, entre duas capas deslumbrantes, através de uma mistura atraente, embaraçosa, desafiadora e carregada de culpa.

A religião

OS RITOS DA BELEZA

As revistas transmitem o mito da beleza como o evangelho de uma nova religião. Ao lê-las, as mulheres participam da recriação de um sistema de crenças tão poderoso quanto o de qualquer das igrejas cuja influência sobre elas se desfez tão rapidamente.

A Igreja da Beleza é, como a Donzela de Ferro, um símbolo duplo. As mulheres a abraçaram com entusiasmo como um meio de preencher o vazio espiritual que se abriu quando sua tradicional relação com a autoridade religiosa se esgarçou. Com entusiasmo proporcional, a ordem social a impõe para suplantar a autoridade religiosa como uma força de controle sobre a vida das mulheres.

Os Ritos da Beleza combatem a recente liberdade das mulheres, opondo-se, com superstição medieval, a seu ingresso no mundo secular, mantendo as desigualdades de poder mais intactas do que poderiam estar se não fosse por eles. À medida que as mulheres entram em luta com um mundo que está chegando a um novo milênio, elas são cada vez mais oprimidas por um poderoso sistema de crenças que mantém parte de sua consciência presa a uma forma de pensar que o mundo masculino abandonou na Idade Média. Se uma consciência está centrada num sistema medieval de crenças e outra é inteiramente moderna, o mundo contemporâneo e seu

A RELIGIÃO

poder pertencerão a esta última. Os Ritos são arcaicos e primitivos para que o cerne da consciência feminina possa se manter arcaico e primitivo.

Também os homens respeitam essa religião das mulheres. O sistema de castas baseado na "beleza" é defendido como se tivesse origem em alguma verdade eterna. Partem desse pressuposto pessoas que não encaram o mundo com esse tipo de fé categórica em mais nada. Neste século, a maioria dos campos do pensamento foi transformada pela compreensão de que as verdades são relativas e as percepções, subjetivas. No entanto, a correção e a permanência do sistema de castas da "beleza" não são questionadas por pessoas que estudam física quântica, etnologia, direitos civis; por ateus, por quem tem atitude cética para com os telejornais e por quem não acredita que a Terra foi criada em sete dias. Acredita-se no sistema sem questioná-lo, como um artigo de fé.

O ceticismo da época moderna desaparece quando o assunto é a beleza feminina. Ela ainda é descrita — na verdade mais do que nunca antes — como se não fosse determinada por seres mortais, moldada pela política, pela história e pelo mercado, mas, sim, como se houvesse uma autoridade divina lá em cima que emitisse um mandamento imortal sobre o que faz uma mulher ser agradável de se ver.

Essa "verdade" é vista como Deus costumava ser visto — no alto de uma hierarquia, com sua autoridade o ligando a Seus representantes na Terra: jurados de concursos de beleza, fotógrafos e, em último lugar, o homem comum. Mesmo ele, o último elo, tem uma parte dessa autoridade divina sobre as mulheres, como o Adão de Milton tinha sobre Eva: "ele por Deus, e ela por Deus nele." O direito de um homem de julgar a beleza de qualquer mulher, enquanto ele próprio não é julgado, não é questionado porque é considerado divino. Tornou-se de tamanha importância que a cultura masculina o exerça porque ele é o último direito não contestado a permanecer intacto dentre a antiga lista dos privilégios masculinos: aqueles que se acreditava terem sido concedidos por Deus, pela natureza ou alguma outra autoridade absoluta para que todos os homens exercessem sobre todas as mulheres. Dessa forma, esse direito é exercido diariamente com severidade muito maior para compensar os outros direitos sobre as mulheres e as outras formas de controlá-las, hoje perdidos para sempre.

Muitos escritores perceberam as semelhanças metafísicas entre os rituais da beleza e os rituais religiosos. A historiadora Joan Jacobs Brumberg observa que a linguagem até mesmo dos primeiros livros de regimes "ressoava com referências aos conceitos religiosos de tentação e pecado" e "repetia lutas calvinistas"; Susan Bordo fala sobre "a esbeltez e a alma"; a historiadora Roberta Pollack Seid pesquisa a influência do evangelismo cristão sobre a "cruzada para a perda de peso", vista no "aumento espetacular de grupos e livros de inspiração evangélica para perda de peso". (O Sistema de Jesus para Controle do Peso, *A resposta de Deus à gordura — Perca-a, Reze e o peso desaparece, Mais de Jesus e menos de mim* e *Ajude-me, Senhor — o Diabo me quer gorda!*). "Nossa nova religião", escreve ela a respeito da histeria do controle do peso, "não oferece a salvação, somente um ciclo interminável de pecado e redenção precária."

O que ainda não foi reconhecido é que essa comparação não deveria ser nenhuma metáfora. Os rituais da reação do sistema contra o feminismo não imitam simplesmente os cultos e religiões tradicionais, mas os *suplantam sob o aspecto funcional.* Eles estão *literalmente* reconstituindo uma nova fé a partir de antigas crenças, recorrendo a técnicas tradicionais de mistificação e controle do pensamento para transformar as mentes femininas de forma tão radical quanto qualquer onda evangélica do passado.

A RELIGIÃO

Os Ritos da Beleza são uma combinação inebriante de vários cultos e religiões. No tocante às religiões, esta é mais vigorosa e mais sensível às mudanças nas necessidades espirituais dos fiéis do que a maioria delas. Nela está amalgamada uma miscelânea de itens de diversas crenças, que são abandonados quando já não cumprem sua função. Como o mito maior, a estrutura dessa religião se transforma com flexibilidade para se contrapor aos vários desafios que lhe impõe a autonomia feminina.

Suas imagens e seu método são uma imitação grosseira do catolicismo medieval. A ascendência que ela alega ter sobre as vidas das mulheres é papal em seu absolutismo. Sua influência sobre as mulheres modernas, como a da Igreja medieval sobre toda a cristandade, vai muito além da alma do indivíduo, chegando a moldar a filosofia, a política, a sexualidade e a economia dos nossos tempos. A Igreja deu forma e conteúdo não só à vida religiosa, mas a todos os eventos da comunidade, não tolerando nenhuma divisão entre o secular e o religioso; os Ritos permeiam os dias da mulher moderna de forma igualmente rigorosa. À semelhança da Igreja medieval, acredita-se que os Ritos sejam baseados num credo tão palpável quanto a Pedra do Vaticano: que existe essa coisa chamada beleza, que ela é sagrada e que as mulheres deveriam procurar alcançá-la. As duas instituições são ricas, vivendo de dízimos. Nenhuma das duas perdoa os hereges e os pecadores impenitentes. Os membros das duas Igrejas aprendem o catecismo desde o berço. As duas precisam de uma fé incondicional por parte de seus seguidores a fim de se manterem.

Por sobre essa raiz de catolicismo falsamente medieval, os Ritos da Beleza foram acumulando alguns novos elementos: um luteranismo em que as modelos de moda são as Eleitas, e as restantes somos nós, as Amaldiçoadas; uma adaptação episcopal às exigências do consumismo, na qual as mulheres podem aspirar ao paraíso através de boas obras (lucrativas); um judaísmo ortodoxo de compulsões à pureza, na exegese minuciosa e trabalhosa de centenas de leis com seus comentários sobre o que comer, o que vestir, o que fazer ao corpo e em que momento; e um núcleo baseado nos mistérios eleusinos na cerimônia da morte e do renascimento. Por cima de tudo isso, foram fielmente adaptadas as técnicas de máxima doutrinação das seitas modernas. Suas grosseiras manipulações psicológicas ajudam a conquistar adeptos numa era refratária a profissões de fé espontâneas.

Os Ritos da Beleza conseguem isolar as mulheres tão bem porque ainda não é publicamente reconhecido que as devotas estão presas a algo mais sério do que uma moda e de maior penetração social do que uma deformação pessoal da própria imagem. Os Ritos ainda não são descritos em termos do que realmente representam: um novo fundamentalismo, que torna o Ocidente secular tão repressor e dogmático quanto qualquer correspondente seu no Oriente. À medida que as mulheres vão lidando com uma hipermodernidade à qual só recentemente foram admitidas, uma força que é de fato uma hipnose de massa lança sobre elas seu peso total para forçá-las a uma visão de mundo medieval. Enquanto isso, a enorme catedral em cuja sombra elas vivem nem chega a ser mencionada. Quando outras mulheres se referem a ela — em tom de autodesvalorização, num sussurro —, elas o fazem apenas como se estivessem descrevendo uma alucinação que todas as mulheres podem ver, e não uma realidade concreta cuja existência ninguém reconhece.

Os Ritos conquistaram as mentes femininas na esteira do movimento das mulheres porque a opressão detesta o vácuo. Eles devolveram às mulheres o que elas haviam perdido quando Deus morreu no Ocidente. Na última geração, a transformação dos costumes sexuais liberou as restrições religiosas sobre o comportamento

A RELIGIÃO

sexual da mulher. O declínio no comparecimento à igreja a partir do pós-guerra e o colapso da família tradicional reduziram a capacidade da religião de ditar um código moral para as mulheres. Na perigosa ausência momentânea da autoridade religiosa, estava implícito o risco de que as mulheres poderiam conferir autoridade à tradição conciliatória e comunitária que Carol Gilligan pesquisou em sua obra *Uma voz diferente*. Essa reivindicação de autoridade moral bem poderia levar as mulheres a promover duradouras mudanças sociais de acordo com seus princípios e a ter a fé para chamar essas mudanças de vontade divina. A compaixão poderia substituir a hierarquia; um respeito tradicionalmente feminino pela vida humana poderia prejudicar seriamente uma economia baseada no militarismo e um mercado de trabalho baseado no uso de pessoas como recursos descartáveis. As mulheres poderiam reformular a sexualidade humana como prova da natureza sagrada do corpo em lugar de sua natureza pecaminosa, e a crença antiga e persistente que equipara a feminilidade à profanação poderia se tornar obsoleta. Para evitar tudo isso, os Ritos da Beleza recentemente assumiram a tarefa que a tradicional autoridade religiosa já não conseguia cumprir com convicção. Ao instilar nas mulheres uma força policial interior, a nova religião muitas vezes se sai melhor no controle delas do que as religiões mais antigas.

A nova religião teve rápida expansão, tirando proveito da momentânea sensação de perda de objetivo moral, ao recriar para as mulheres em termos físicos os antigos papéis sociais nos quais as "boas mulheres" eram valorizadas: mães, filhas e esposas castas e abnegadas. Funções mais antigas de defesa da decência — do que é "adequado" — e da distinção entre o que é decente e indecente foram recriadas sob forma ritual. Nos últimos 25 anos, à medida que a sociedade em geral se libertava das restrições da tradicional moralidade religiosa, o antigo código moral — com a abrangência reduzida, mais contraído do que nunca, mas com suas funções inalteradas — cingiu ainda mais os corpos femininos.

De sua parte, muitas mulheres acolheram bem essa prisão reconfortante em diversos níveis. Novas religiões se disseminam com o caos social, e as mulheres estão criando normas num mundo que destruiu as antigas verdades. Essa religião lhes devolveu o sentido de importância social, os vínculos entre as mulheres e a reconfortante estrutura moral perdida com a antiga religião. A competição no mundo externo premia a amoralidade, e elas tiveram de se adaptar para ter sucesso. Os Ritos da Beleza, porém, proporcionam à mulher que trabalha uma forma de inserir uma ordem moral particular e inócua em um papel no qual um excesso de escrúpulos antiquados pode sabotar sua carreira. As mulheres, enquanto profissionais no mundo secular, costumam ficar isoladas. No papel de seguidoras de uma religião, porém, elas compartilham um vínculo confortável.

A sociedade em geral já não atribui importância religiosa à virgindade de uma mulher ou a sua castidade conjugal. Ela não lhes pede que confessem seus pecados, nem que mantenham uma cozinha meticulosamente *kosher*. Nesse ínterim, depois da destruição do pedestal da "boa" mulher, mas antes que ela tivesse acesso ao verdadeiro poder e autoridade, ela foi destituída do antigo contexto no qual lhe eram atribuídos os louros da importância e do elogio. As mulheres devotas haviam sido de fato chamadas de "boas" (muito embora só fossem "boas" desde que continuassem sendo devotas). Entretanto, na época secular que acompanhou paralelamente o movimento das mulheres, embora elas não mais ouvissem todos os domingos que eram amaldiçoadas, também raramente ouviam que eram "santas". Enquanto Maria havia sido "bendita [...] entre as mulheres", e a mulher virtuosa do judaísmo ouvia que "seu valor excedia o dos rubis", tudo que a mulher moderna pode ter esperança de ouvir é que ela está divina.

A RELIGIÃO

Os Ritos da Beleza também seduzem as mulheres por atenderem a sua atual sede por poesia e cores. À medida que elas abrem caminho em meio a um espaço público masculino, que costuma ser prosaico e emocionalmente estagnado, os sacramentos da beleza brilham com maior intensidade do que nunca. Como seu tempo é invadido por exigências de todos os tipos, os produtos rituais lhes fornecem um álibi para reservar algum tempo para si mesmas. O que oferecem de melhor é um sabor de mistério e sensualidade que compensa as mulheres pelos dias passados sob a luz árida do local de trabalho.

As mulheres foram preparadas para receber os Ritos por seu relacionamento histórico com a Igreja. Desde a Revolução Industrial, a "esfera separada" à qual as mulheres eram relegadas atribuía a religiosidade especificamente à feminilidade. Isso, por sua vez, justificava o isolamento das mulheres de classe média da vida pública. Já que eram classificadas como o "sexo puro", elas podiam ser obrigadas a ficar fora da batalha diária, preocupadas apenas com a manutenção dessa pureza. Da mesma forma, as mulheres hoje em dia são classificadas como o "belo sexo", o que as relega a uma preocupação de utilidade semelhante com a proteção de sua "beleza".

A feminilização pós-industrial da religião não dava, porém, às mulheres a autoridade religiosa. "Os Puritanos [...] adoravam um deus patriarcal, mas [...] nas Igrejas da Nova Inglaterra havia mais mulheres do que homens", escreve a historiadora Nancy Cott em *The Bonds of Womanhood* [Laços da natureza feminina], observando que, enquanto a maioria feminina cresceu durante todo o século XIX, a hierarquia da Igreja permaneceu "estritamente masculina". A feminilização da religião se intensificou paralelamente à secularização do mundo masculino. "Qualquer que tenha sido a expansão vivida pelo sistema religioso protestante nos Estados Unidos após a Guerra de Secessão, ela foi estimulada pelas mulheres e não pelos

O MITO DA BELEZA

homens", afirma Joan Jacobs Brumberg. Apenas na geração atual, as mulheres passaram a ser aceitas para a função de ministro ou de rabino. Até recentemente, elas eram instruídas a aceitar sem questionamento as interpretações religiosas masculinas sobre o que Deus quer que elas façam. Desde a Revolução Industrial, seus papéis envolveram não apenas a obediência religiosa, como também o humilde apoio às atividades da Igreja, que incluía, segundo Ann Douglas em sua obra *The Feminization of American Culture* [A feminização da cultura americana], a manutenção do culto à personalidade do padre ou ministro local. Em suma, as mulheres têm uma curtíssima tradição de participação na autoridade religiosa, e uma longuíssima tradição de submissão a essa autoridade. Embora raramente controlassem os lucros, era frequente que colaborassem com o pouco que tinham, sem questionamentos.

A religiosidade da vitoriana servia à mesma intenção dupla dos Ritos. Do ponto de vista de uma sociedade dominada pelos homens, essa religiosidade mantinha afastadas da rebeldia, de forma inofensiva e até mesmo útil, as energias de mulheres instruídas e ociosas da classe média. Do ponto de vista daquelas mulheres, a religiosidade emprestava significado a vidas improdutivas sob o aspecto econômico. A economista britânica Harriet Martineau observou a respeito das mulheres norte-americanas de classe média que elas seguiam "a religião como uma ocupação" por serem impedidas de exercer de outra forma o pleno potencial de suas forças morais, intelectuais e físicas. Nancy Cott escreve que "a morfologia da conversão religiosa sintonizava com a submissão e resignação esperadas das mulheres, enquanto oferecia uma confiança extremamente satisfatória às convertidas". Essa mesma válvula de escape sedutora funciona de maneira idêntica nos nossos dias.

A predisposição contrária às mulheres na tradição judaico-cristã deixou um terreno fértil para o surgimento da nova religião.

A RELIGIÃO

Sua misoginia fazia com que as mulheres, muito mais do que os homens, tivessem de abolir o pensamento crítico se quisessem ser fiéis. Ao recompensar a humildade intelectual delas, ao acusá-las de pecado e culpa sexual e ao lhes oferecer a redenção apenas através da submissão a um mediador masculino, ela entregou à religião em surgimento um legado de credulidade feminina.

O que é exatamente essa nova fé exigente que está doutrinando as mulheres?

A ESTRUTURA DA NOVA RELIGIÃO

A criação

A história da criação segundo a tradição judaico-cristã é o núcleo da nova religião. Em consequência dos três versículos (Gênesis 2:21–23) que se iniciam com "Mandou, pois, o Senhor Deus um profundo sono a Adão; e, enquanto ele estava dormindo, tirou uma de suas costelas [...]", são as mulheres que compõem a multidão de fiéis manipulada pelos Ritos da Beleza. A mulher ocidental absorve dessas linhas a impressão de que seu corpo é de segunda classe, resultado de uma reflexão posterior. Embora Deus tenha criado Adão do barro, a sua imagem, Eva é uma costela descartável. Deus insuflou a vida diretamente nas narinas de Adão, animando seu corpo com a divindade. O corpo de Eva, porém, é afastado mais um grau da mão do Criador, matéria imperfeita nascida da matéria.

O Gênesis esclarece por que motivo são as mulheres que, na maioria das vezes, precisam oferecer seu corpo a qualquer olhar masculino que lhes dê legitimidade. "A beleza" dos nossos dias dá ao corpo feminino a legitimidade que Deus lhe recusou. Muitas mulheres não acreditam que são lindas enquanto não conquistarem a chancela oficial de aprovação que os corpos masculinos possuem em nossa cultura simplesmente pelo fato de a Bíblia afirmar que eles são à imagem do Pai. Essa chancela precisa ser adquirida ou conquistada de uma autoridade masculina, um dublê do Deus Pai: um cirurgião, um fotógrafo ou um jurado. As mulheres tendem a se preocupar com a perfeição física de uma forma raramente encontrada entre os homens. Essa atitude se deve ao fato de o Gênesis declarar que todos os homens são criados perfeitos, enquanto a mulher começou como um pedaço de carne inanimada: maleável, amorfa, desautorizada, crua; enfim, imperfeita.

"Sede, pois, perfeitos, como também vosso Pai Celestial é perfeito", recomendou Jesus aos homens. "O Passado Perdoado. O Presente Aperfeiçoado. O Futuro Perfeito", promete Elizabeth Arden às mulheres — tanto quanto a modelo Paulina Poriskova é perfeita. O anseio feminino pela "perfeição" é acionado pela crença disseminada de que seu corpo é inferior ao do homem, matéria de segunda classe que envelhece mais rápido. "É claro que os homens envelhecem melhor", afirma a esteticista Sally Wilson. "Pelo termo segunda classe", escreve Oscar Wilde em sua obra *Lecture on Art* [Palestra sobre a arte], "defino aquilo que perde o valor constantemente." Obviamente sob o ponto de vista físico os homens não envelhecem melhor. Eles só envelhecem melhor em termos de seu *status* social. Esse nosso erro de percepção deriva do fato de nossos olhos estarem treinados para ver o tempo no rosto das mulheres como um defeito enquanto no dos homens ele indica personalidade. Se a principal função deles fosse decorativa e a adolescência masculina fosse considerada o apogeu de seu valor, a aparência de um "distinto" homem de meia-idade seria de uma imperfeição chocante.

O corpo feminino, de segunda classe, nascido da mulher, está sempre necessitando de uma complementação, de formas

A RELIGIÃO

de aperfeiçoamento criadas pelo homem. Os Ritos da Beleza se propõem a queimar o corpo feminino no forno da beleza, a eliminar suas impurezas, a lhe dar "acabamento". A promessa que a cristandade faz a respeito da morte, os Ritos fazem a respeito da dor: a promessa de que o fiel despertará na outra margem, num corpo de luz purificado da nódoa da mortalidade — ou da feminilidade. No paraíso cristão, o corpo é expurgado: "Não há homem nem mulher." Nos Ritos, as mulheres expurgam de si mesmas a nódoa de seu sexo. A nova feiura de ser mulher apenas substitui a antiga feiura de ser mulher. Muitas vezes elas se irritam com impulsos de ódio a si mesmas, ódio este que temos a impressão de ser arcaico. No entanto, ao nos darmos conta de como os Ritos são baseados na história da Criação, podemos nos perdoar. A carga de uma lenda que há 3.500 anos ensina às mulheres de onde elas vêm e do que são feitas não pode ser descartada facilmente em duas décadas.

Os homens, por outro lado, como criaram deuses a sua imagem, percebem que em essência não há nada de errado com seu corpo. Pesquisas revelam que, enquanto as mulheres encaram seu corpo de forma irrealisticamente negativa, os homens encaram o próprio de forma irrealisticamente positiva. O legado, para o Ocidente, de uma religião baseada no conceito de que os homens se parecem com Deus significa, para as mulheres, que é artigo de fé sentir que seu corpo tem algum problema, mesmo que isso não reflita necessariamente a realidade. Enquanto apenas um homem em cada dez se sente "extremamente insatisfeito" com seu corpo, um terço das mulheres está "extremamente insatisfeita" com o delas. Embora o excesso de peso ocorra nos dois sexos em igual proporção — cerca de um terço — 95% dos inscritos em programas para perda de peso são do sexo feminino. As mulheres consideram ter um grave problema quando atingem cerca de

O MITO DA BELEZA

7 quilos acima da média nacional de peso. Os homens só começam a se preocupar quando estão com 17 quilos a mais. Esses números não provam que o sexo feminino é um sexo de má aparência em comparação com a raça divina dos homens. Se provam algo é que mais mulheres do que homens se aproximam de um ideal cultural porque se esforçam mais. Tudo o que refletem é a tradição judaico-cristã. A carne feminina é uma comprovação de uma injustiça de origem divina, enquanto homens gordos são deuses gordos. A verdadeira demografia da obesidade não faz diferença porque essa religião não quer saber de quem é o corpo gordo, mas de quem é o corpo errado.

Os Ritos definem o cirurgião como o Sacerdote-Artista, um Criador mais hábil do que o corpo materno ou do que a "Mãe Natureza", de quem a mulher nasceu primeiro e de forma inadequada. A partir da literatura médica, tem-se a impressão de que muitos cirurgiões partilham dessa opinião a respeito de si mesmos. O símbolo de uma conferência sobre rinoplastia no Waldorf Hotel é um rosto feminino esculpido em pedra, rachado. O dr. Mohammed Fahdy, numa publicação profissional para cirurgiões plásticos, descreve o corpo feminino como "barro ou carne". *The New York Times* fala de um simpósio sobre a beleza com o patrocínio conjunto da Academia de Arte de Nova York e da Academia Americana de Cirurgia Estética. Em outro artigo em *The New York Times* (apropriadamente intitulado de "O Santo Graal da Boa Aparência"), o dr. Ronald A. Fragen admite que é melhor treinar em rostos de barro antes porque "os erros podem ser corrigidos". O dr. Thomas D. Rees, em sua obra *More Than Just a Pretty Face: How Cosmetic Surgery Can Improve Your Looks and Your Life* [Mais do que só um rostinho bonito: como a cirurgia estética pode melhorar sua aparência e sua vida], afirma que "mesmo os maiores artistas de todos os tempos tiveram, vez por outra, de refazer um detalhe de uma

A RELIGIÃO

pintura". O cirurgião plástico é o símbolo sexual divino da mulher moderna, atraindo para si a adoração que as mulheres do século XIX professavam pelo homem de Deus.

O pecado original

Pergunta: Tenho só 21 anos. Preciso usar o Niôsome Système contra o envelhecimento?
Resposta: Claro que sim. As causas do envelhecimento já começaram, mesmo que os sinais ainda não estejam visíveis.
Pergunta: Tenho mais de 45 anos. Não é tarde demais para usar o Niôsome Système contra o envelhecimento?
Resposta: Nunca é tarde demais.

Os Ritos da Beleza redefinem o pecado original, não mais por se nascer mortal, mas por se nascer mulher. Antes da reação do sistema, as meninas e as velhas eram dispensadas de participar na adoração, ficando, portanto, fora das fileiras de consumidoras em potencial. Os Ritos, entretanto, reformularam o pecado original de modo que nenhuma jovem pudesse achar ser cedo demais para se preocupar com as marcas da feiura feminina — envelhecimento ou gordura — invisíveis em seu interior desde o nascimento, esperando o momento de se revelarem. Nem pode a mulher mais velha deixar os Ritos para trás. Os cremes para a pele e os livros de regime recorrem à linguagem da parábola do filho pródigo para extrair sua moral. Apesar da vida desregrada da pecadora, ela nunca é abandonada, e nunca é tarde demais para que se arrependa. Se nunca é cedo demais nem tarde demais para ignorar os Ritos, não existe nenhum ponto na vida de uma mulher em que ela possa viver sem culpa, pronta para contaminar outras mulheres com seu comportamento relaxado.

Um exemplo desse ardil teológico está na tabela "científica" da Clinique, que relaciona as seguintes categorias sob o título "Rugas": Muitas, Algumas, Poucas, Muito Poucas. Não existe uma categoria para Nenhuma. É inconcebível a ideia de que alguma jovem possa estar ilesa. O fato de existir como mulher, mesmo como menina adolescente, significa estar em deterioração.

O efeito de vendas dessa condição equivale ao da doutrina cristã. Só se pode contar com as contribuições de um devoto para sustentar uma Igreja se ele se sentir culpado. Não se pode confiar que uma mulher vá gastar dinheiro com "consertos" se ela não se sentir deteriorada. O pecado original é a fonte da culpa. A culpa e o sacrifício que lhe é consequente formam o eixo central também desse novo sistema religioso. Os anúncios direcionados aos homens são eficazes por adularem seu amor-próprio, enquanto os anúncios desses produtos rituais funcionam, como ocorre com os anúncios dirigidos para as mulheres em geral, fazendo com que as mulheres se sintam tão culpadas quanto possível. Eles dizem que a única responsabilidade moral por seu envelhecimento ou por sua silhueta está em suas mãos. "Mesmo as expressões mais inocentes — incluindo-se apertar os olhos, piscar e sorrir — têm seu preço" (Clarins). "Desde 1956, já não há desculpas para a pele seca" (Revlon). "Você ri, chora, franze a testa, se preocupa, fala?" (Clarins). "Não está óbvio o que você deveria fazer por sua pele agora?" (Terme di Saturnia). "Pare de maltratar sua pele" (Elizabeth Arden). "Um busto melhor depende de você" (Clarins). "Assuma o controle de sua silhueta" (Clarins).

Como a alimentação tomou o lugar do sexo

Outros escritores também mencionaram a seguinte comparação. Kim Chernin em *Obsessão* faz a seguinte pergunta: "É então possível

A RELIGIÃO

que nós nos nossos dias nos preocupemos com a alimentação e o peso da forma que nossas avós e seus médicos se preocupavam com a sexualidade feminina?" O que ainda não foi investigado, porém, é a elevada fonte dessas ansiedades e sua verdadeira função. A cultura moderna reprime o apetite oral da mulher da mesma forma que a cultura vitoriana, através dos médicos, reprimia o apetite sexual feminino: *do alto da estrutura do poder para baixo, com um objetivo político.* Quando a atividade sexual feminina perdeu seus valiosos castigos, os Ritos tomaram o lugar do medo, da culpa e da vergonha que as mulheres sabiam que deveriam sempre acompanhar o prazer.

O pecado original nos deixou a culpa de natureza sexual. Quando a revolução sexual se uniu ao consumismo para criar a nova geração de mulheres sexualmente disponíveis, tornou-se necessária uma imediata realocação física da culpa feminina. Os Ritos da Beleza suplantam praticamente todas as proibições judaico-cristãs quanto ao apetite sexual através de um tabu equivalente com relação ao apetite alimentar. Todo o cenário do desejo, da tentação, da capitulação, do pavor de que "apareça", dos esforços desesperados de eliminar as "provas" do corpo e em última análise de ódio a si mesma pode ser imaginado quase sem alterações como a realidade sexual da maioria das moças solteiras até a legalização do aborto e da prática anticoncepcional, aliadas à perda do estigma do sexo pré-conjugal; ou seja, até uma geração antes desta.

Na Igreja, muito embora os homens sofressem a tentação do desejo sexual, as mulheres eram descritas como sua perversa encarnação. Da mesma forma, embora os homens tenham apetite e engordem, o apetite oral da mulher é a concretização social da vergonha.

"Os tabus relacionados à menstruação", escreve Rosalind Miles, "significavam que durante 25% da vida adulta, uma semana em cada quatro, as mulheres dos tempos antigos eram regularmente

O MITO DA BELEZA

estigmatizadas e isoladas, consideradas incapazes e barradas da vida em sociedade." O período menstrual definia as mulheres como impuras, repugnantes sob o aspecto sexual durante "aqueles dias", irracionais e inadequadas para cargos públicos. As mulheres hoje em dia se sentem diminuídas e excluídas pelos "dias inchados" do seu ciclo do peso, o que serve ao mesmo objetivo por caracterizar as mulheres mesmo para si próprias como seres sem força de vontade, contaminadas e desprovidas de atração sexual. Enquanto os tabus relacionados à menstruação mantinham as mulheres fora da vida pública, hoje em dia elas *se escondem*. No judaísmo ortodoxo, uma mulher em *niddah,* impureza menstrual, é proibida de fazer as refeições com a família. A impureza da gordura funciona de forma idêntica.

Em geral, as leis de impureza sexual cederam lugar a tabus quanto à impureza oral. As mulheres se mantinham genitalmente castas para Deus; agora elas se mantêm oralmente castas para o Deus da Beleza. O sexo dentro do casamento para a procriação era aceitável, enquanto o sexo pelo prazer era pecaminoso. As mulheres hoje fazem a mesma distinção entre comer para sobreviver e comer por prazer. Os dois pesos e duas medidas que permitiam ao homem uma liberdade sexual negada às mulheres se transformaram num critério em que os homens têm maior liberdade oral. Uma moça sexualmente impura era uma "decaída"; hoje as mulheres têm uma "recaída" em seus regimes. As mulheres "enganavam" os maridos; agora "trapaceiam" nas dietas. Uma mulher que come algo "proibido" está "se comportando mal". Ela poderá dizer "É só por essa noite". A expressão "Pequei no meu coração" se transforma em "Não posso nem olhar". "Simplesmente não sei dizer não", declara a modelo no anúncio de gelatina Jell-O, o que "faz com que eu me sinta bem dizendo sim." Com as bolachas Wheat Thin, "Você não precisa se detestar pela manhã". O rosário se transformou num

A RELIGIÃO

contador de calorias. As mulheres costumam dizer: "Tenho estrias para mostrar que pequei." Enquanto antigamente uma mulher podia comungar se cumprisse uma penitência sincera e completa, agora ela pode ter acesso a algum procedimento "desde que tenha sinceramente se esforçado no regime e na ginástica". O estado de sua gordura, como no passado o estado de seu hímen, é uma preocupação da comunidade. "Oremos por nossa irmã" se transformou em "Nós todos vamos incentivá-la a perder esse excesso de peso".

O ciclo de purificação

A beleza é o paraíso ou um estado de graça; a pele ou a contagem de células adiposas é a alma; a feiura é o inferno. "Heaven, I'm in heaven",* anuncia a clínica para perda de peso Annandale Health Hydro. Lá "é como nenhum outro lugar na Terra [...] tratamentos de beleza que fazem você se sentir como se tivesse asas [...] Como se chega ao céu? Basta se comportar bem e recortar o cupom". Enquanto uma sobremesa é uma "tentação", Alba, com apenas 70 calorias, é a "salvação". Um artigo em *New Woman* que analisa as calorias dos sorvetes é intitulado "Culto ao sundae".**

A mulher a quem esses textos se dirigem não está nem no céu nem no inferno. Ela nem é transcendental por ser tão linda, nem irremediavelmente amaldiçoada por ser tão feia. Ela não pertence aos Eleitos, mas pode se salvar através de boas ações. O produto de beleza é seu intermediário: curandeiro, anjo ou guia espiritual.

Ela segue uma agenda de excessos e penitência, numa espécie de Carnaval e Quaresma do corpo, reparando as farras da temporada

---

* O anunciante usou as primeiras palavras da letra da canção "Cheek to Cheek": "Céu, estou no céu". [*N. da T.*]
** Alusão a "Sunday Worship", ou seja, "culto dominical". [*N. da T.*]

de festas com resoluções de ano-novo. No "estágio crítico", segundo a expressão usada por Terme di Saturnia, a devota é avaliada por um Deus justo, de quem nada se pode ocultar. Empregando a imagem do Yom Kippur, segundo a qual o verdadeiro arrependimento é possível durante 10 dias, após os quais o Livro da Vida é lacrado pelo restante do ano, o anúncio de um cosmetólogo de Nova York diz que "o que você fizer nos próximos 10 dias irá determinar a aparência de sua pele pelo resto do ano". O "momento da verdade", como o Juízo Final, coloca a penitente numa balança. "A balança", ensina o novo evangelho, "não mente." "Cada bocado aparecerá nos quadris", ouvem as mulheres. "Sua pele revela o que você ingere." Com essas advertências, ela aprende a "temer o Todo-Poderoso de quem nada se pode ocultar".

O que essa sensação de vigilância constante faz às mulheres? Em *The Female Malady: Women, Madness and English Culture, 1830–1980* [A doença feminina: mulheres, loucura e cultura inglesa, 1830–1980], Elaine Showalter descreve de que forma a vigilância é usada em clínicas mentais modernas para manter as pacientes dóceis. "Nos hospícios [...] as mulheres são incentivadas, convencidas e ensinadas a se tornarem examinadoras, 'a se observarem enquanto estão sendo vigiadas' e a se tornarem objetos atraentes por serem observadas." Showalter revela que a maquiagem é guardada numa caixa na enfermaria com seu "toco de batom" e "caixa de pó cor-de-rosa". Ela conclui não ser surpreendente que "na narração feminina [da esquizofrenia] o espírito prepotente [...] que debocha, julga, domina e controla [...] seja quase invariavelmente do sexo masculino. Ele emite a crítica constante da aparência e do desempenho com a qual a mulher cresceu como parte de seu fluxo de consciência". A vigilância contínua é usada contra prisioneiros políticos por motivos semelhantes. Uma falta de privacidade forçada priva a pessoa de sua dignidade e destrói a resistência.

A RELIGIÃO

Esse uso ritual da vigilância constante é um exemplo nítido da verdadeira motivação por trás do mito. A juventude e a esbeltez na mulher não são em si sinônimo de santidade em nossa cultura. A sociedade de fato não se importa com a aparência das mulheres *per se*. O que realmente importa é mantê-las dispostas a permitir que outros lhes digam o que podem e o que não podem ter. Em outras palavras, as mulheres são vigiadas, não para que se tenha certeza de que se comportarão, mas para se ter certeza de que elas saibam que estão sendo vigiadas.

Esse Deus é o Grande Irmão. "A disciplina é a liberação", escreve a guru da ginástica Jane Fonda, sem prestar atenção ao eco dessa frase: a guerra é a paz, o trabalho é a liberdade. Ademais, muitas mulheres internalizam o olho do Grande Irmão. Os Vigilantes do Peso permitem que as mulheres paguem por vigilância mútua. Suas revistas lhes dizem para "sempre usar maquiagem mesmo que estejam apenas levando o cachorro para passear. Nunca se sabe quem se pode encontrar". Dizia Jesus, "Vigiai, pois, visto que não sabeis quando virá o senhor da casa, se à tarde, se à meia-noite, se ao cantar do galo, se pela manhã". "Fique parada em pé diante de um espelho de corpo inteiro e olhe para si mesma de frente, de costas e de perfil. Tire os antolhos e enfrente a realidade da situação", desafia *Positively Beautiful* [Positivamente linda]. "Sua carne está flácida e cheia de ondulações? Você está vendo acúmulos de gordura? Suas coxas são grossas demais? A barriga é saliente?" — esse é um autoexame que costumava se reservar para a alma.

As memorialistas da alma, no século XIX, anotavam cada oscilação moral, percebendo, nas próprias palavras de uma delas, que "a salvação de nossa querida alma não se efetuará sem nossos esforços". As técnicas de modificação do comportamento criadas pelo psicólogo Richard Stuart em 1967 — o ano desregrado do Verão do Amor — faziam com que as pacientes registrassem "quando, onde, o quê e sob que circunstâncias" elas comiam, sobrecarregando as mulheres com uma minuciosa monitoração de si mesmas — bem na hora certa — para a salvação de seu corpo.

Com frequência, o ciclo de purificação acompanha as estações. As mulheres que acham que têm "algo a esconder" temem a chegada do verão, ansiosas com a perspectiva de que o calor e a exposição total do corpo cheguem antes de elas terem conseguido jejuar e se flagelar ao ponto de se sentirem prontas e sem culpa. Os cristãos medievais temiam que a morte chegasse enquanto suas almas ainda estivessem manchadas pelo pecado. As revistas usam a fórmula dos pais da Igreja para definir o corpo oculto da mulher, um sepulcro caiado, uma superfície agradável escondendo o que é repugnante. "É fácil esconder uma infinidade de pecados por baixo da moda de inverno." Somente depois da penitência pode a devota "ousar se desnudar" e ser como os anjos de Bain de Soleil, "que não têm nenhum medo de se expor". O ciclo de perda de peso imita o ciclo da Páscoa. O autoexame leva à automortificação, que conduz à alegria.

Em seu eixo de morte e renascimento, as mulheres entram no que os antropólogos chamam de "fase liminar", um estado intermediário durante o qual, segundo a autoridade em seitas Willa Appel, "a noviça deve se tornar nada antes de poder se tornar algo novo". A velha identidade é suspensa até que a nova possa ser assumida. Essa transição mágica é cercada de efeitos especiais que induzem de fato, não metaforicamente, um estado suscetível, alterado: com a penumbra, a música baixa, os olhos vendados, a paciente quase sempre é tocada, banhada e imersa em estímulos sensoriais tais como os de fragrâncias e de alterações de temperatura. Nos spas e nos salões de beleza, as mulheres despem suas roupas urbanas e vestem túnicas idênticas, brancas ou coloridas. Seu *status* é abandonado quando elas tiram suas joias. Elas se entregam ao toque da massagista ou da esteticista. Seus olhos são protegidos por chumaços;

A RELIGIÃO

líquidos perfumados lhes cobrem o rosto. As águas de Golden Door têm o efeito das águas de Lourdes. O momento liminar numa reformulação do rosto chega depois da remoção da maquiagem antiga, mas antes da aplicação da nova. Na cirurgia, esse momento ocorre quando a paciente, na camisola de hospital, é preparada e anestesiada. Num anúncio da Lancôme, uma mulher jaz de costas sob uma luz sepulcral, aparentemente morta, enquanto uma mão misteriosa desce como um gesto de Jesus para tocar seu rosto.

No auge do desnorteamento, é comum que o iniciado numa seita seja submetido a uma incisão ou a um teste de resistência: há dor, fome ou sangue, reais ou simbólicos. Nesse estágio, as mulheres são espetadas com agulhas que emitem choques elétricos, ou sofrem uma cirurgia, são queimadas com ácido, têm seus pelos arrancados pela raiz ou seu intestino esvaziado. O período liminar termina com mais uma imersão em líquido, que lembra as águas do renascimento. Muitas vezes é sangue, como no "sangue do cordeiro" do cristianismo ou no sangue do touro do culto a Osíris. Esse é o estágio do Jesus crucificado no túmulo, do cristão sob a água do batismo, da paciente sangrando anestesiada, da adepta de spas envolta em faixas ou sob a ação de banhos de vapor ou de ervas.

No final, vem a vitória e a nova vida. A morte no deserto da geração velha e conspurcada é redimida com o nascimento de uma nova geração, que pode alcançar a Terra Prometida. A pessoa batizada adota outro nome, um novo *status* na comunidade. A mulher recentemente maquiada, penteada ou emagrecida, aquela com um "rosto novo" criado por cirurgia, comemora a nova identidade e retorna para assumir o que ela espera que vá ser um *status* superior. Para se preparar para a volta, ela recebe conselhos como onde comprar roupas, cortar o cabelo, passar a usar os acessórios de outra personalidade. Apresentados como incentivo para a perda de peso ou camuflagem para uma cirurgia, esses conselhos constituem magia elementar.

O MITO DA BELEZA

A nova religião representa um aperfeiçoamento em relação às outras porque a redenção não é permanente. A retórica "de apoio" da indústria da dieta encobre o óbvio: a última coisa que essa indústria almeja é que as mulheres emagreçam de uma vez por todas. Noventa e oito por cento das pessoas que fazem regimes recuperam o peso. "A indústria dos alimentos dietéticos é a alegria do empresário", escreve Brumberg, "porque o mercado se cria sozinho e tem uma tendência intrínseca à expansão. Com base no pressuposto do fracasso [...] o interesse em estratégias, técnicas e produtos dietéticos parece não ter limites." O mesmo vale para a indústria dedicada a combater o envelhecimento, que seria destruída se existisse um produto realmente eficaz (ou se existisse uma autoestima feminina universal). Felizmente para essa indústria, mesmo as pacientes de cirurgia continuam a envelhecer à razão de 100%. O "novo eu" sai com o banho da noite. O ciclo tem de começar de novo do princípio, já que viver no tempo cronológico e ter de comer para viver são pecados contra o Deus da Beleza, e as duas atividades são, naturalmente, inevitáveis.

Quando as mulheres se adaptam bem demais às restrições das indústrias, o peso ou a idade que define a graça simplesmente se ajusta para baixo. As modelos perdem mais 5 quilos; os cirurgiões diminuem em 10 anos a idade "preventiva" para a primeira plástica do rosto. Do ponto de vista da indústria, a única perspectiva pior do que a de as mulheres vencerem esse jogo trapaceado seria a de elas perderem por completo o interesse em participar dele. A repetição do ciclo de purificação impede que isso aconteça. Uma mulher dificilmente tem a oportunidade de pensar antes de ter de assumir de novo sua carga, e cada vez a jornada é mais árdua.

A RELIGIÃO

Memento Mori

Os Ritos da Beleza têm o objetivo de tornar as mulheres arcaicamente mórbidas. Há quinhentos anos, os homens pensavam na vida em relação à morte como se pede às mulheres de hoje que imaginem a duração de sua beleza. Cercada por mortes súbitas e inexplicáveis, a cristandade medieval transformava a constante consciência da mortalidade em uma obsessão permanente na vida do devoto. Os perigos do parto intensificavam a conscientização da morte para as mulheres, como exemplificava o uso do Salmo 116 por mulheres em trabalho de parto. "Os laços da morte me cercaram e angústias do inferno me dominaram [...] Ó Senhor, livra minha alma." Essa morbidez, que no passado foi geral, passou a ser basicamente feminina no século XIX. O progresso científico amenizou o sentido de fatalidade nos homens, mas mesmo na era industrial o espectro da morte no parto costumava forçar as mulheres a se preocuparem com a condição de sua alma. Depois que a assepsia reduziu a taxa de mortalidade materna e que elas passaram a ser valorizadas como beldades em vez de mães, essa preocupação com a perda foi canalizada para temores relacionados à morte da "beleza". É enorme o número de mulheres que ainda sentem estar cercadas de forças mal compreendidas que podem atacar a qualquer momento, destruindo o que para elas representa a própria vida. Quando uma mulher, de costas para a câmera de televisão, descreve uma cirurgia malfeita com as palavras "ele acabou com minha beleza. Com um golpe. Tudo se acabou", ela está exprimindo uma sensação de resignação impotente que faz lembrar a forma pela qual as sociedades pré-industriais reagiam às catástrofes naturais.

Para entender a força primeira dessa religião, precisamos perceber que os homens morrem uma vez e as mulheres, duas.

O MITO DA BELEZA

Elas primeiro morrem como beldades antes que seu corpo morra realmente.

Hoje em dia, mulheres no apogeu da beleza mantêm na mente um espaço para a perspectiva de sua diminuição e de sua perda. A conscientização medieval da morte, de que "toda a carne é pó", os *memento mori,* mantinha os homens economicamente alinhados com a Igreja, que lhes podia oferecer uma "nova vida" para além da duração natural da vida. A insistência para que as mulheres pensem constantemente na fragilidade e na efemeridade da beleza é uma forma de tentar nos manter subservientes, alimentando em nós um fatalismo que não faz parte do pensamento ocidental masculino desde o Renascimento. Como aprendemos que Deus ou a natureza nos concede ou não a "beleza" — de forma aleatória, sem apelação — vivemos num mundo em que a magia, as orações e a superstição fazem sentido.

A luz

O pecado de Eva representou para as mulheres a responsabilidade pela perda da graça. Durante o Renascimento, a "graça" foi redefinida como um termo secular, sendo usado para descrever o rosto e o corpo de mulheres "lindas".

Os cremes para a pele — os "santos óleos" da nova religião — prometem nos anúncios tomar as mulheres "radiantes". Muitas religiões usam metáforas de luz para a divindade. O rosto de Moisés, quando ele desceu o monte Sinai, estava fulgurante como o sol, e a iconografia medieval cercava os santos com halos. A indústria dos santos óleos promete vender de volta às mulheres, em tubos e potes, a luz da graça; redimir os corpos femininos, agora que os cultos à virgindade e à maternidade já não podem se propor a envolver com uma luz sagrada o corpo feminino cuja sexualidade foi cedida a outras pessoas.

A RELIGIÃO

A luz é de fato a questão central a uma forma inata de ver a beleza, que é partilhada por muitos homens e mulheres, se não o for pela maioria deles. Essa maneira de ver é o que o mito da beleza se esforça para reprimir. Ao descrever esse tipo de luz ou ao fazer com que a descrevam, as pessoas se sentem pouco à vontade, descartando-a rapidamente como sentimentalismo ou misticismo. Creio que a origem dessa negação não reside no fato de não vermos esse fenômeno, mas, sim, no fato de o vermos com tanta nitidez, e de que mencioná-lo em público ameaça algumas premissas básicas de nossa organização social. Essa luz é uma prova incomparável de que as pessoas não são coisas. As pessoas "se iluminam", e os objetos não. Aceitar sua existência desafiaria um sistema social que funciona por designar algumas pessoas como mais coisificadas do que as outras; e todas as mulheres como mais coisificadas do que todos os homens.

Essa luz não é visível em fotografias, não pode ser medida numa escala de um a dez, nem ser quantificada num resultado de laboratório. No entanto, a maioria das pessoas tem consciência de que uma espécie de luz radiosa pode surgir de rostos e corpos, tornando-os verdadeiramente belos.

Há quem considere esse brilho inseparável do amor e da intimidade, não captado por uma visão separada, mas como parte do movimento ou da calidez de um familiar. Outros talvez a vejam na sexualidade de um corpo; ainda outros, na vulnerabilidade ou no humor. Ele muitas vezes surpreende ao surgir no rosto de alguém contando uma história ou ouvindo com atenção o que outro diz. Foram muitos os que observaram como o ato da criação parece iluminar as pessoas e que notaram como esse brilho envolve a maioria das crianças — aquelas a quem ainda não foi dito que não são bonitas. É frequente que nos lembremos de nossa mãe como uma mulher bonita simplesmente porque esse brilho a iluminava para

O MITO DA BELEZA

nossos olhos. Se é que se pode tentar alguma descrição geral, um sentido de inteireza parece estar envolvido, e talvez o de confiança. Aparentemente, para que se veja essa luz, é preciso procurar por ela. A poeta May Sarton a chama de "a pura luz que emana de quem ama". É provável que cada um tenha um nome diferente para ela e a perceba de forma distinta, mas a maior parte das pessoas sabe que, para elas, isso existe. O principal é que você a viu — em sua versão — e provavelmente sentiu um deslumbramento, entusiasmo ou atração por ela; e que isso, segundo o mito, não faz diferença.

A sociedade limita rigidamente as descrições dessa luz, de forma a impedi-la de assumir a força de uma realidade social. Diz-se que ela emana das mulheres, por exemplo, somente no ato de entrega de seu corpo ao homem ou aos filhos: a "noiva resplandecente", e a "radiante futura mamãe". Quase nunca se diz a homens heterossexuais que eles são luminosos, radiantes ou deslumbrantes. Os Ritos da Beleza se propõem a vender de volta às mulheres uma imitação da luz que já é nossa, a graça fundamental que somos proibidas de dizer que vemos.

Para conseguir essa venda, eles pedem às mulheres que lidem com um mundo tridimensional por meio de normas bidimensionais. As mulheres "sabem" que as fotografias de moda são iluminadas profissionalmente com a finalidade de imitar essa qualidade radiante. Só que, como nós, enquanto mulheres, fomos treinadas para nos vermos como imitações baratas de fotografias de moda, em vez de vermos as fotografias de moda como imitações baratas de mulheres de verdade, recebemos o conselho de estudar formas de iluminar nossas feições, como se elas pertencessem a fotografias prejudicadas pelo movimento, atuando, assim, como nosso próprio fotógrafo, estilista e iluminador, tratando nosso rosto como peça de museu, habilmente iluminada com realce, baixa luminosidade, efeitos de luz e técnicas de maquiagem próprias para fotografia.

A RELIGIÃO

A luz sintética tem suas próprias normas. Mulheres mais velhas não devem usar efeitos *frost*. A mulher vai ser vista sob que tipo de iluminação — de escritório, luz do dia, à luz de velas? Os espelhos femininos têm luzes embutidas. Se formos apanhadas num cenário inesperado, ficaremos expostas, como uma fotografia que, sob a luz errada, se transforma em nada. Essa ênfase sobre os efeitos especiais serve para viciar as mulheres psicologicamente à civilizada iluminação de interiores, o tradicional espaço feminino, e para nos manter receosas da espontaneidade e da dissensão. A preocupação com a beleza tem a intenção de pairar ao nível da pele para evitar que as mulheres mergulhem até algum centro erótico interno ou que se afastem, penetrando no grande espaço do domínio público. Ela tem como objetivo garantir que não tenhamos um relance sequer de nós mesmas sob uma luz inteiramente nova.

Existem outras práticas que prendem as mulheres em ambientes interiores. Depois de usar Retin-A, a mulher deverá abandonar o sol *para sempre*. A cirurgia plástica de natureza estética exige que as mulheres se escondam dentro de ambientes fechados e longe do sol por períodos que vão desde seis semanas a seis meses. A descoberta do "fotoenvelhecimento" criou uma fobia do sol totalmente sem relação com o risco de câncer da pele. Embora seja fato que a camada de ozônio está menos densa, essa mentalidade de fobia do sol está desfazendo o vínculo entre a mulher e o mundo da natureza, tornando a natureza o temível inimigo do tradicional ponto de vista masculino. Se a tradição feminina não estivesse sob ataque, os danos à camada de ozônio deveriam estar mandando as mulheres para as ruas, para as barricadas da luta ambientalista com o objetivo de protegê-la. O mito da beleza estimula os nossos temores de aparentarmos mais idade a fim de nos mandar para a direção oposta: mais uma vez para dentro de casa, local da esfera isolada e da Mística Feminina, o lugar certo para as mulheres em todas as culturas que mais nos oprimem.

Dentro de casa ou fora dela, as mulheres precisam fazer com que sua beleza brilhe porque é *tão difícil que os homens as vejam.* Elas refulgem para chamar a atenção, que de outra forma é relutantemente concedida. O olho é atraído pela luz num reflexo básico e simples. Os olhos em desenvolvimento do bebê acompanham objetos reluzentes. Essa é a única forma permitida às mulheres para chamar atenção. Por outro lado, os homens que brilham são de baixo *status* social ou não são homens de verdade: dentes de ouro, joias vistosas; patinadores no gelo, Liberace. Os homens de verdade são opacos. Sua aparência superficial não pode distrair a atenção do que eles estão dizendo. Mas as mulheres de todos os níveis sociais cintilam. Dale Spender, em *Man Made Language* [Linguagem feita pelo homem], revela que, durante uma conversa, os homens interrompem as mulheres na grande maioria das vezes e que os homens dedicam atenção apenas intermitente às palavras das mulheres. Por esse motivo, toda uma pirotecnia de luz e cor precisa acompanhar o discurso feminino para atrair uma atenção que começa a se dispersar no instante em que as mulheres abrem a boca. A aparência das mulheres é considerada importante porque aquilo que dizemos não o é.

A seita do medo de envelhecer

Para poder vender duas linhas de produtos rituais ilusórios — luz de imitação e esbeltez efêmera — os Ritos da Beleza estão adaptando, com habilidade, técnicas-padrão de seitas para inculcar nas mulheres a necessidade desses produtos. A cena que descrevemos a seguir aparece na televisão norte-americana. Com o rosto radiante, uma líder carismática, vestida de branco, fala para uma plateia.

A RELIGIÃO

As mulheres ouvem, fascinadas. Três passos devem ser dados em total solidão. "Dê a si mesma esse tempo [...] Concentre-se. Sinta realmente", diz a mulher. "Siga as instruções religiosamente." As mulheres depõem, "A princípio também não acreditei. Mas olhe só para mim agora." "Eu não queria me entregar. Já tinha tentado de tudo e simplesmente não acreditava que existisse algum produto que funcionasse comigo. Nunca vi nada parecido. Ele mudou minha vida." A câmera focaliza os rostos. Finalmente, todas estão de branco, agrupadas em volta da líder, com os olhos reluzentes. As câmeras se afastam ao som de um hino. A origem do segredo revelado é Extrato de Colágeno para Nutrição da Pele; US$ 39,95 compram a quantidade para um mês.

Essas conversões televisivas apenas suplementam a principal atividade da seita nas lojas de departamentos, onde 50% das vendas dos "santos óleos" se realizam nos pontos de vendas. O esquema é religião pura cuidadosamente organizada.

Uma mulher entra numa loja de departamentos, vindo da rua, sem dúvida com uma aparência bem mortal, com o cabelo desfeito pelo vento e o próprio rosto à mostra. Para chegar ao balcão de cosméticos, ela precisa transpor um aglomerado deliberadamente desnorteante de espelhos, luzes e perfumes que se combinam para submetê-la à "sobrecarga sensorial" usada pelos hipnotizadores e pelas seitas para estimular a suscetibilidade à sugestão.

De cada lado, estão fileiras de anjos — serafins e querubins — os rostos "perfeitos" das modelos em exposição. Atrás delas, do outro lado de um balcão liminar no qual estão dispostos os produtos mágicos que lhe permitirão fazer a travessia, iluminado de baixo para cima, está o anjo da guarda. A mulher sabe que a vendedora é humana, mas "aperfeiçoada", como os anjos a seu redor; e em meio a essas fileiras de anjos ela vê seu próprio rosto "defeituoso", refletido e excluído. Desnorteada dentro do paraíso artificial da

O MITO DA BELEZA

loja, ela não consegue visualizar o que é que torna identicamente "perfeitos" os anjos retratados e o anjo ao vivo, ou seja, o fato de que todas estão recobertas com uma maquiagem pesada. Essa máscara de pintura tem pouca relação com o mundo lá fora, como fica nítido na aparência despropositada de uma foto de moda numa rua comum. Entretanto, o mundo mortal desaparece de sua memória com a vergonha por se sentir tão deslocada entre todos esses objetos etéreos. Percebendo que está errada, ela anseia por passar para o outro lado.

As vendedoras de cosméticos são treinadas com técnicas semelhantes àquelas usadas por hipnotizadores e por recrutadores profissionais de adeptos para seitas. Na obra de Willa Appel *Cults in America: Programmed for Paradise* [Seitas nos Estados Unidos: programadas para o paraíso], uma antiga integrante dos Meninos de Deus declara que selecionava nos centros comerciais aquelas pessoas "que parecessem perdidas e vulneráveis". A mulher que caminha por um corredor de divindades é forçada a parecer "perdida e vulnerável" a seus próprios olhos. Se ela se sentar e concordar em "reformular" sua maquiagem, estará se submetendo a uma técnica agressiva de venda, no estilo das seitas.

A vendedora chegará muito perto do rosto da compradora, ostensivamente para aplicar as substâncias, mas na realidade muito mais perto do que seria necessário. Ela não para de tagarelar sobre algum defeito, rugas, olheiras. Também os recrutadores de adeptos para seitas são instruídos para que se posicionem muito perto do candidato em potencial e para que "olhem fixamente em seus olhos... Você estaria procurando os pontos fracos das pessoas". A mulher em seguida ouve as acusações dos pecados e erros que a estão colocando em perigo: "Você usa *o quê* no rosto?" "Só tem 23 anos, e olhem só essas rugas." "Bem, se você não se importa com essas espinhas." "Você está *destruindo* a pele delicada abaixo dos olhos."

A RELIGIÃO

"Se não parar de fazer o que anda fazendo, em dez anos seu rosto inteiro estará vincado de rugas." Outro integrante de seita entrevistado por Appel descreve o procedimento. "Trata-se de esbanjar confiança, de manter comunicação direta com tanta intensidade que você esteja sempre no controle total. [...] É preciso que se realce a sensação que todas essas pessoas têm de não existir uma segurança verdadeira, de não fazerem nenhuma ideia do que vai acontecer no futuro e do medo de só continuar a repetir antigos erros."

É provável que a compradora se dê por vencida e aceite a Lancôme como seu redentor pessoal. Uma vez de volta à rua, porém, os potes e tubos caríssimos perdem de imediato sua aura. As pessoas que conseguiram escapar de seitas têm depois a sensação de que saíram de algo de que só se lembram vagamente.

Os anúncios na imprensa nos nossos dias precisam abordar o adepto em potencial da seita com maior sofisticação. Já há duas décadas eles vêm usando uma língua misteriosa da mesma forma que o catolicismo usa o latim; o judaísmo, o hebraico; e a maçonaria, senhas secretas, ou seja, como um Logos de prestígio que confere poder mágico àqueles que lhe deram origem. Para o leigo, ela é um palavrório de termos científicos e pretensamente científicos. Vejamos, por exemplo, "Phytolyastil", "Phytophyline", "Plurisome®", "SEI Complex" e "peptídios LMP de tecidos biologicamente ativos" (La Prairie); "elementos higroscópicos e ceramidas naturais" (Chanel); "uma combinação sintrópica da exclusiva BioDermia®"; "Complexo 3", "Reticulina e mucopolissacarídios" (Aloegen); "Tropocolágeno e ácido hialurônico" (Charles of the Ritz); "Incellate®" (Terme di Saturnia); "Glicoesfingolipídios" (GSL, Glycel); "Niossomas, Microssomos e Protectinol" (Shiseido).

"Todas as sociedades ocidentais, desde os primeiros séculos do segundo milênio", escreve Rosalind Miles, "encontraram as pró-

O MITO DA BELEZA

prias técnicas para garantir que o 'novo conhecimento' não penetrasse na grande subclasse do sexo feminino." Uma longa história de exclusão intelectual antecede nossa atual intimidação diante dessa ofensiva de linguagem pretensamente abalizada.

Os anúncios refinaram esse idioma desencorajador e sem sentido para encobrir o fato de que os cremes para a pele na realidade não têm nenhum efeito. A indústria dos santos óleos é um megálito que há quarenta anos vem vendendo às mulheres absolutamente nada. De acordo com a denúncia de Gerald McKnight, a indústria é "pouco mais do que uma vigarice em grande escala [...] uma forma de roubo comercial suavemente disfarçado" com margens de lucro de mais de 50% sobre um faturamento de US$ 20 *bilhões* no mundo inteiro. Em 1988, os produtos para tratamento da pele faturaram US$ 3 bilhões somente nos Estados Unidos, £ 337 milhões de libras na Grã-Bretanha, 8,9 trilhões de liras na Itália e 69,2 milhões de florins na Holanda, em comparação com 18,3 milhões de florins em 1978.

Há quarenta anos, a indústria cosmética vem fazendo falsas promessas. Até 1987, a FDA levantou apenas duas objeções sem importância. Nas duas últimas décadas, os fabricantes dos santos óleos passaram dos limites, prometendo adiar o envelhecimento (Firmagel contra o envelhecimento, da Revlon), recuperar a pele (Night Repair) e reestruturar a célula (Complexo de Recuperação Celular, Regeneração Celular Intensiva de G. M. Collin, Reestruturante Elancyl). À medida que as mulheres foram se deparando com a mão de obra computadorizada da década de 1980, os anúncios abandonaram as diáfanas imagens florais da "esperança num pote" e adotaram novas imagens de tecnologia fictícia, com gráficos e estatísticas, para ressoar com a autoridade do computador. "Descobertas" tecnológicas imaginárias reforçaram a impressão das mulheres de que o fator da beleza estaria lhes fugindo ao controle,

A RELIGIÃO

com suas conquistas sendo reportadas rápido demais para o cérebro humano poder organizar ou para verificar seus dados.

A sobrecarga de informação se uniu a novas tecnologias no uso do aerógrafo e na manipulação de fotografias para dar às mulheres a impressão de que o próprio exame se tornara sobre-humano. O olho da câmera, como o de Deus, desenvolveu uma acuidade microscópica que superou a imperfeição do olho humano, ampliando "defeitos" que um mortal não conseguiria detectar. No início da década de 1980, declara Morris Herstein da empresa Laboratoires Serobiologiques, que se descreve como um "pseudocientista": "Nós já éramos capazes de ver e medir coisas que antes teriam sido impossíveis. Isso ocorreu quando a tecnologia dos programas espaciais foi divulgada, quando nos permitiram usar técnicas sofisticadas de análise, progressos de biotecnologia que nos permitiram ver no nível da célula. Antes disso, tínhamos de tatear." O que Herstein quer dizer é que ao medir tecidos invisíveis a olho nu, para além da experiência de "tatear", a luta pela beleza foi transportada para um plano tão pormenorizado que a própria luta se tornou metafísica. Pediram às mulheres que acreditassem que eliminar rugas tão leves a ponto de serem invisíveis ao olho humano era agora um razoável imperativo moral.

A tênue ligação entre o que os santos óleos alegavam fazer e o que realmente faziam estava, afinal, rompida e não significava mais nada. "Os números não fazem sentido até que todos os testes e classificações sejam padronizados", publica uma revista feminina, citando dr. Grove, porta-voz da indústria, e acrescenta que "as consumidoras deveriam sempre ter em mente que o que a máquina mede pode não ser visível a olho nu."

Se o "inimigo" é invisível, se a "barreira" é invisível, se os "efeitos de desgaste" são invisíveis e se os resultados dos santos óleos "podem não ser visíveis a olho nu", estamos numa dimensão de pura

O MITO DA BELEZA

fé, na qual é fornecida "comprovação nítida" de "aumento visível" no número de anjos que, após o tratamento, dançarão na cabeça do alfinete. Toda a ficção teatral da luta dos santos óleos contra o envelhecimento começou a se desenrolar, já em meados da década de 1980, num palco inteiramente simulado, com a invenção de problemas irreais para a venda de curas igualmente irreais. Daquele ponto em diante, as características de seu corpo e rosto que entristeceriam as mulheres passariam a ser aquelas que ninguém mais conseguisse ver. Mais isoladas do que nunca, as mulheres ficaram numa posição fora do alcance do consolo da razão. A perfeição agora tinha de resistir ao exame fora da moldura do artista e sobreviver ao microscópio.

Mesmo muitos profissionais da indústria reconhecem que os cremes não funcionam. Segundo Buddy Wedderburn, um bioquímico da Unilever: "O efeito de esfregar colágeno na pele é insignificante. [...] Não sei de nada que penetre nessas áreas, sem dúvida nada que impeça as rugas." Anita Roddick, da The Body Shop, cadeia de estabelecimentos dedicados à beleza, afirma não haver "*nenhuma aplicação, nenhuma aplicação tópica, que livre alguém de rugas de tristeza, de estresse ou de rugas fundas. [...] Não existe nada, nada mesmo, que faça com que alguém pareça mais jovem. Nada.*" Anthea Disney, editora da revista feminina *Self,* acrescenta que "todas sabemos que não existe nada que faça alguém parecer mais jovem". E, como conclui "Sam" Sugiyama, codiretor da Shiseido: "Se você quiser evitar o envelhecimento, terá de viver no espaço. Não existe outra forma de se evitar a formação de rugas uma vez que se esteja fora do útero."

O corporativismo, que ajudou a manter razoavelmente discreta a natureza fraudulenta das promessas da indústria, foi tardiamente rompido pelo Professor Albert Kligman, da University of Pennsylvania, cujas acusações devem ser consideradas dentro de

A RELIGIÃO

seu contexto. Afinal, foi ele quem desenvolveu Retin-A, a única substância que parece ter algum efeito, aí incluído o de submeter a pele à inflamação, à intolerância ao sol e a uma descamação forte e contínua. "Na indústria atual", escreveu ele a seus colegas em tom premonitório, "a fraude está substituindo a propaganda exagerada [...] uma fiscalização rigorosa por parte dos consumidores e da FDA é inevitável e prejudicial à credibilidade." Em entrevistas, ele vai ainda além. "Quando os anunciantes prometem resultados contra o envelhecimento, algum produto com profundos efeitos biológicos, isso tem de ser proibido. É pura conversa-fiada [...] fora dos limites da razão e da verdade." Afirma ele, ainda, sobre os novos produtos que eles "simplesmente não podem funcionar como seus defensores e fabricantes dizem, por ser fisicamente impossível para eles penetrarem na pele o suficiente para provocar qualquer diferença duradoura no que diz respeito às rugas. O mesmo se aplica à eliminação de rugas ou à prevenção permanente do envelhecimento das células." A esperança de que algum produto consiga esses resultados é "de fato nula", segundo ele.

"Alguns dos meus colegas", admite Kligman, "me dizem 'As mulheres são tão bobas! Como podem comprar todos esses cremes e produtos? Mulheres instruídas, que estudaram em Radcliffe, Cambridge, Oxford e na Sorbonne — o que as faz agir assim? Por que entram na Bloomingdale's e gastam US$ 250 com essas bobagens?'"

As mulheres são "tão bobas" porque o sistema e seus defensores aceitam a determinação da indústria de cosméticos de que somos e devemos continuar "tão bobas". O "aperto na fiscalização" veio afinal em 1987, nos Estados Unidos, mas não se originou de uma preocupação com as consumidoras exploradas por uma fraude de US$ 20 bilhões por ano. Tudo começou quando o cardiologista dr. Christiaan Barnard lançou Glycel ("uma tapeação, uma tapeação completa", diz o dr. Kligman). A fama do cardiologista e suas afirmações desarrazoadas sobre o produto provocaram inveja no restante da indústria. ("Ao que possamos nos lembrar, essa foi a primeira vez na história que um médico deu seu nome a uma linha de cosméticos", diz Stanley Kohlenberg, da empresa Sanofi Beauty Products). De acordo com uma das fontes de Gerald McKnight, "alguém lembrou à FDA que, se eles não agissem de forma a tirar o produto das prateleiras, a indústria se encarregaria de enlamear o nome do órgão". A FDA resolveu analisar a indústria como um todo, "porque todos nós estávamos envolvidos, fazendo promessas absurdas". O órgão do governo solicitou a 23 presidentes da indústria cosmética que se explicassem quanto a "promessas que estavam fazendo abertamente em revistas, filmes e em todas as áreas possíveis de propaganda exagerada [...] de que haviam acrescentado a seus produtos ingredientes 'mágicos' para atuar contra o envelhecimento e promover a substituição de células". A FDA requeria "uma imediata retratação dessas promessas ou a submissão dos produtos para testes como medicamentos". "Não temos conhecimento", escreveu às indústrias o diretor da FDA, Daniel L. Michaels, "de qualquer comprovação científica substancial que demonstre a segurança e a eficácia desses produtos. Nem temos conhecimento de serem esses medicamentos reconhecidos em geral como seguros e eficazes para os usos a que se propõem." Em outras palavras, a FDA disse que, se os cremes fazem o que alegam fazer, eles são medicamentos e devem ser testados. Se não cumprem o que prometem, a indústria está fazendo propaganda enganosa.

Será que tudo isso prova que alguém realmente se importa com uma indústria cujos alvos para a fraude religiosa são mulheres? Morris Herstein ressalta que "a FDA está só avisando: 'Olhem, estamos preocupados com o que vocês estão *dizendo*, não com o que estão fazendo.' É um problema de dicionário, um problema léxico, uma questão de vocabulário". O diretor do órgão mal chega a

A RELIGIÃO

parecer hostil. "Não estamos tentando punir ninguém", disse ele a Deborah Blumenthal, repórter de *The New York Times*, em 1988. Na opinião dela, os produtos continuariam os mesmos; somente a "natureza surrealista" de algumas promessas desapareceria. Três anos depois, as promessas "surrealistas" ressurgiram.

Pensem na enormidade. Havia vinte anos que os santos óleos anunciavam resultados "científicos", usando números e gráficos simulados, com "melhora comprovada" e "visível diferença", que não eram submetidos a qualquer tipo de verificação isenta. Fora dos Estados Unidos, os mesmos fabricantes continuam a fazer falsas promessas. No Reino Unido, praticamente todos os anúncios dos santos óleos ignoram a advertência do Código Britânico de Ética Publicitária no sentido de não conterem "nenhuma promessa de proporcionar o rejuvenescimento, ou seja, de impedir, retardar ou reverter as alterações fisiológicas e as condições degenerativas resultantes do aumento da idade ou a ele associadas". O Departamento da Indústria e Comércio britânico por fim seguiu o exemplo em 1989 (como afirmou o dermatologista britânico Ronald Marks, "grande parte disso é uma tempestade num copo d'água"), mas esse departamento ainda não dedicou o tempo nem os recursos necessários para completar a tarefa. Em nenhum dos dois países ocorreu algum movimento público para pressionar a indústria a publicar retratações ou desculpas. Nem no lastro das mudanças na regulamentação foi aventada a possibilidade de alguma compensação financeira às consumidoras iludidas em termos tão absolutos durante tantos anos.

Estaremos reagindo exageradamente ao levar essa fraude tão a sério? Será que a relação das mulheres com os santos óleos não é tão trivial, o sentimento de nossa fé tão inocente, até mesmo enternecedor, quanto o que deles se reflete no discurso popular? As mulheres são pobres, mais pobres do que os homens. O que há

O MITO DA BELEZA

de tão importante em US$ 20 bilhões do nosso dinheiro por ano? Para sermos bem triviais, esse dinheiro pagaria, *a cada ano,* aproximadamente três vezes o valor em serviço de creches oferecido pelo governo norte-americano; ou 2 mil clínicas de saúde para mulheres; ou 75 mil festivais femininos de arte, literatura, música ou cinema; ou cinquenta universidades para mulheres; ou um milhão de acompanhantes domésticos bem pagos para os idosos que não podem sair de casa; ou 1 milhão de profissionais de creches ou domésticas bem remuneradas; ou 33 mil abrigos para mulheres vítimas de violência; ou 2 bilhões de tubos de creme anticoncepcional; ou 200 mil vans para transporte seguro tarde da noite; ou 400 mil bolsas de estudo universitárias integrais para quatro anos para moças que não têm condições de pagar pelo ensino superior; ou 20 milhões de passagens aéreas de volta ao mundo; ou 200 milhões de jantares completos em restaurantes franceses de quatro estrelas; ou 40 milhões de caixas de champanhe Veuve Clicquot. As mulheres são pobres; as pessoas pobres precisam de supérfluos. É claro que as mulheres deveriam ser livres para comprar aquilo que desejem. No entanto, se vamos gastar nosso dinheiro ganho com tanto esforço, esses supérfluos deveriam cumprir suas promessas, não simplesmente explorar nossas culpas. Ninguém leva a sério essa fraude porque a alternativa é a verdadeira ameaça social: a de que as mulheres primeiro aceitarão seu envelhecimento, depois irão admirá-lo e finalmente irão aproveitá-lo. O desperdício do dinheiro das mulheres é o dano calculável; mas o mal causado às mulheres por essa fraude através da transmissão do medo de envelhecer é incalculável.

A "pressão" da FDA nos Estados Unidos evitou a possibilidade de que condições corruptas mudassem de forma a permitir que as mulheres gostassem dos sinais da idade. A linguagem dos anúncios mudou o tom, de modo brilhante e imediato, para o nível da coação

A RELIGIÃO

emocional, sendo cada palavra objeto de meticulosa pesquisa de mercado. Esses poemas em prosa sobre as necessidades e os medos das mulheres têm penetração ainda maior do que as mentiras científicas anteriores. O sucesso de um sistema de crenças depende de até que ponto os líderes religiosos compreendem a situação emocional de seus alvos. Os anúncios dos santos óleos passaram a tomar o pulso emocional de sua plateia com a última palavra em precisão.

Ao analisar esses anúncios, vemos que as mulheres estão submetidas a enorme estresse. Muitas, embora demonstrem confiança em público, se sentem intimamente vulneráveis, exaustas, sobrecarregadas e acossadas. Nesse novo ambiente, perigos invisíveis atacam uma vítima desprotegida.

"Protegida contra [...] irritantes ambientais. [...] Escudo [...] contra os elementos. [...] Creme de defesa." (*Elizabeth Arden*) "Uma barreira invisível entre você e irritantes ambientais. [...] Um escudo invisível." (*Estée Lauder*) "Protetor [...] maior defesa. [...] Protectinol, uma combinação eficaz de ingredientes protetores. [...] Enfrente agressões constantes [...] o ambiente mais poluído dos nossos dias [...] o cansaço, o estresse [...] agressões ambientais e variações de estilo de vida." (*Clarins*) "Neutralize os estresses e as tensões do estilo de vida atual." (*Almay*) "Todos os dias [...] sujeita a condições ambientais prejudiciais que, somadas ao estresse e ao cansaço, têm efeito adverso e desequilibram seu equilíbrio natural." (*RoC*) "Reforce [...] as defesas naturais [...] para neutralizar o estresse ambiental diurno. [...] Uma barreira de proteção contra agressores externos." (*Charles of the Ritz*) "Protegida contra irritantes ambientais. [...] Escudo [...] contra os elementos." (*Estée Lauder*) "Atacada pelo envelhecimento e pela exposição aos raios ultravioleta. [...] Uma barreira de proteção contra os ataques físicos e químicos do ambiente [...] as defesas naturais do corpo. [...] Na hora exata. Descubra sua melhor [...] defesa." (*Clientèle*) "Células

O MITO DA BELEZA

[...] desprendem-se em blocos, deixando bolsões vulneráveis. [...] Exposição a seu ambiente diário [...] lâmpadas fluorescentes, escritórios excessivamente aquecidos [...] causam rugas. [...] Um inimigo invisível [...] 70% das mulheres sofrem efeitos desgastantes invisíveis." (*Orience*) "Atacada por elementos externos [...] agressões externas." (*Orchidea*) "Defensor da pele [...] escudo dessensibilizante [...] neutraliza os irritantes ambientais [...] antes que ela suporte os abusos de mais um dia, proteja-a. [...] Reduza o efeito de anos de influência negativa." (*Estée Lauder*) "Sofrendo agressões todos os dias de sua vida [...] uma proteção essencial [...] ajuda a pele a se defender." (*L'Oréal*).

Que cenário é esse ao qual as mulheres são tão dolorosamente receptivas? Ele é o lado silencioso e oculto da vida da mulher controlada e de sucesso: trata da violência sexual, molestação nas ruas e de um ambiente de trabalho hostil. Cada palavra aciona um medo legítimo que não tem nada a ver com o envelhecimento ou com as qualidades do produto. Não é só que as mulheres sejam novatas na esfera pública, essa esfera é mesmo cheia de perigos invisíveis.

As mulheres estão realmente sob ataque todos os dias da vida, partindo de "agressores invisíveis". Estudos revelam repetidas vezes que pelo menos uma mulher em cada seis foi estuprada e que até 44% sofreram uma tentativa de estupro. Nós temos *mesmo* "bolsões vulneráveis" sujeitos a violência — a vagina. O número de mulheres infectadas pelo vírus da aids ainda é desconhecido; nós precisamos *mesmo* de "escudos protetores" — camisinhas e diafragmas. Nos Estados Unidos, 21% das mulheres casadas reportam violência física por parte de seus companheiros. Um milhão e meio de mulheres norte-americanas são agredidas pelos parceiros a cada ano. Uma mulher britânica em cada sete é violentada pelo próprio marido. Nós somos suscetíveis a fantasias sobre a proteção contra a violência porque estamos *mesmo* sendo atacadas.

A RELIGIÃO

Quase todas as mulheres que trabalham estão agrupadas em 20 categorias de empregos de baixo *status*. Nós temos *mesmo* um "inimigo invisível" — a discriminação institucional. Os abusos verbais de natureza sexual nas ruas da cidade constituem um atrito diário: nós somos *mesmo* expostas a "estresse ambiental". As mulheres fazem menos pontos do que os homens em testes para medir o amor-próprio; nós precisamos *mesmo* superar "anos de influência negativa" — um ódio internalizado em nós mesmas. Quase dois em cada três casamentos nos Estados Unidos terminam em divórcio, diante do qual o padrão de vida das mulheres cai em cerca de 73% enquanto o dos homens se eleva em 42%; as mulheres são realmente "desprotegidas". Mais de 8 milhões de norte-americanas criam pelo menos um filho sozinhas; dentre as quais 5 milhões têm direito a pensão alimentícia — 47% delas recebem o valor total, 37% menos da metade e 28% nada. As mulheres estão *mesmo* sendo "desgastadas" por "variações de estilo de vida". A renda média da mulher norte-americana em 1983 foi de US$ 6.320, enquanto a dos homens foi mais de duas vezes superior. Entre dois terços e três quartos das mulheres sofreram assédio sexual no trabalho. Nós realmente enfrentamos "irritantes ambientais". O excesso de trabalho e a baixa remuneração nos deixam *mesmo* "estressadas" sob "lâmpadas fluorescentes" em "escritórios excessivamente aquecidos". As mulheres ganham entre 59% e 66% em relação aos homens pelo mesmo trabalho. Podemos comprar um santo óleo com o nome de Equalizer.* Vaseline Intensive Care oferece, "Afinal [...] um tratamento igual [...] o tratamento que elas merecem". Somente 5% dos gerentes de alto nível são do sexo feminino. Johnson & Johnson fabrica Purpose.** A Emenda da Igualdade de Direitos

---

* Em português, "igualador". [*N. da T.*]

** Em português, "propósito", "finalidade". [*N. da T.*]

não conseguiu passar no congresso norte-americano; as mulheres realmente precisam de um escudo. Elas realmente precisam de uma defesa melhor.

Os santos óleos prometem a proteção que as mulheres já não recebem dos homens e ainda não obtêm da lei. Eles o fazem no nível dos sonhos. Prometem ser um véu ou um cinto de castidade, um marido ou um uniforme contra a radiação, dependendo do medo que evocam, para manter as mulheres seguras no agressivo mundo masculino no qual muitas entraram sentindo-se tão vitoriosas.

Parte dos textos apela para a ambivalência que as mulheres sentem com relação a seus novos papéis estressantes — ou melhor, com relação à entrada num sistema discriminatório no qual é atribuída ao feminismo a culpa de sujeitar as mulheres ao alto estresse do sexismo de um mundo externo. Muitas têm sentimentos conflitantes quanto ao custo do "sucesso" — definido pelos homens e quanto ao tempo que passam longe dos filhos. Esta é a escola "pós-feminista" de cuidados com a pele.

> "[Alivie] o estresse [...] a tensão superficial." (*Almay*). "Concentrado para a pele estressada [...] vitória diante da adversidade [...] resolve o Problema de Pele do Século XX." (*Elizabeth Arden*) "Estresse e tensão." (*Biotherm*) "O sucesso está prejudicando seu rosto? [...] Seu estilo de vida a expõe a um ritmo frenético e a muito estresse [...], verdadeiros ataques à pele (com os quais nossas mães nem se preocupavam)." (*Orlane*). "Assuma a realidade de sua vida. O que está acontecendo com você está acontecendo com sua pele [...] para a mulher cujo estilo de vida faz exigências incríveis." (*Matrix*) "A vida ocupada e alvoroçada da mulher moderna implica infelizmente o fato de ela não cuidar de suas pernas." (*G.M. Collin*) "Quando sua pele parece confusa." (*Origins*).

A RELIGIÃO

O número de divórcios nos Estados Unidos quase dobrou entre 1970 e 1981. Desde 1960, dobrou em quase todos os países da Europa, triplicou na Holanda, quintuplicou no Reino Unido e se tornou dez vezes maior em Barbados. Em Bangladesh e no México, uma mulher casada em cada dez está divorciada ou separada; na Colômbia, uma em cinco; na Indonésia, uma em três. O gel reparador Eyezone da Elizabeth Arden nos dá o último ciclo da história feminina num tubo: "As estruturas vitais de sustentação entre as [células] são destruídas, deixando a pele enfraquecida e vulnerável." Seu produto Immunage nos protege de "raios que enfraquecem a estrutura de sustentação da pele, provocando devastação". A pele não tratada revela uma "dramática falta de coesão". Os tradicionais sistemas de sustentação da mulher — a família, o apoio financeiro masculino, até mesmo os grupos de mulheres da segunda onda do feminismo — foram destruídos. A Clinique "ajuda a sustentar a pele carente. É uma boa causa". Numa fantasia de salvamento, mulheres solteiras ou que vivem sós leem a mensagem de que os microssomos da Estée Lauder são "atraídos como potentes magnetos [ou magnatas?] até as células superficiais que mais precisam de ajuda, recuperando, fortalecendo e reconstituindo". Esses "sistemas de apoio" podem hoje em dia ser "recuperados e reconstruídos" pela "ação dinâmica" que as mulheres podem obter na farmácia, agora que a família nuclear e a legislação nos abandonaram.

As palavras-chave mudarão acompanhando as ansiedades subconscientes das mulheres. Entretanto, se quisermos escapar de um dispendioso sistema de crença organizado para nos coagir através dessas mensagens, leremos os textos dos santos óleos sabendo que eles não estão falando do produto, mas que são, sim, um retrato de precisão impressionante dos demônios ocultos do nosso tempo.

Os anúncios também interpretam as necessidades das mulheres num nível muito pessoal. Eles sabem que às vezes as mulheres sentem uma necessidade de regredir e voltar a serem alimentadas. Com os Ritos da Beleza, as mulheres são expulsas do presente com estímulos a recuperarem o passado. Seitas que idealizam o passado são chamadas de movimentos de revitalização, sendo o nazismo um exemplo deles.

Com a teologia da idade e do peso, as mulheres têm lembranças do Éden — o "jardim secreto" do xampu Timotei — e de sua perda. Enquanto crianças, todas as mulheres tinham a pele "impecável", e a maioria delas era carinhosamente alimentada enquanto quisesse comer. As duas palavras que são tão repetidas que poucos anúncios estão livres delas são "revitalizar" e "nutrir". A Almay "dá nova vida". A RoC "revitaliza"; a Auraseva é "revitalizante," permite que se "renasça". A Clarins emprega o termo "revitalizar" nove vezes num folheto simples. Você pode "renascer" com a Elizabeth Arden. E a Guerlain lhe oferece Revitenol. Essas duas palavras são repetidas de forma hipnótica dentro de cada anúncio. "Renovação" aparece 28 vezes num folheto de uma página para um santo óleo chamado Millennium. O milênio anunciado pelo Segundo Advento é quando os mortos ressuscitarão; e as mulheres voltarão a sua juventude, a época em que os Ritos afirmam que elas estão mais vivas.

Os anunciantes sabem que as mulheres estão se sentindo sub-nutridas sob o aspecto físico e emocional. Reprimimos nossa fome porque reconhecê-la seria uma fraqueza. Nossa deficiência nutri-cional aparece, porém, nos textos dos santos óleos, que se detêm na doçura e na fartura proibidas, no mel da Terra Prometida, no leite materno de Maria: Milk 'n Honee, Milk Plus 6, Estée Lauder Re-Nutriv, Wheat Germ 'n Honey, Max Factor 2000 Calorie Mas-cara, Alimentos para a Pele, Cremes, Musses, Caviar. A mulher dá a sua pele tudo de bom que não pode consumir pela boca sem culpa ou conflito. Num artigo em *The New York Times* intitulado "Assunto para pensar", Linda Wells escreve que "os ingredientes

A RELIGIÃO

mais modernos dos produtos para tratamento da pele [...] poderiam ser confundidos com o menu de um restaurante sofisticado": ela faz uma relação de ovos de codorna, mel, bananas, azeite de oliva, amendoins, ovas de esturjão e maracujá. A mulher faminta se permite somente o uso externo daquilo que realmente deseja ingerir.

Na pesquisa de 1990 de Virginia Slims entre 3 mil mulheres, a metade delas foi de opinião de que "os homens somente se interessam pela própria satisfação sexual". A nutrição mais "intensa" é promessa dos cremes para uso noturno, "quando sua pele é capaz de absorver mais nutrientes. Essa é a hora de alimentá-la [...] [com] nutrientes especiais" (Almay Intensive Nourishing Complex). À noite é quando essas mulheres sentem mais fundo a falta de alguém que lhes dê atenção. A "nutrição" da pele é cientificamente impossível, já que nada consegue penetrar o *stratum corneum*. As mulheres estão nutrindo a pele como uma forma de se proporcionarem o amor do qual muitas estão carentes.

As mulheres são instadas a projetar nesses produtos aquilo que desejam em seus relacionamentos com homens. O primeiro *Relatório Hite* revelou que as mulheres queriam mais ternura. Existe uma linha no misticismo cristão, de característica sensual e intimista, na qual Cristo é um amante que proporciona à mística uma união romântica e pura. Jesus, o noivo, foi um esteio da fantasia feminina. A versão cosmética de Deus Filho é terna. Ele sabe exatamente o que a suplicante precisa. Os óleos "acalmam", "mitigam o sofrimento" e "confortam"; eles oferecem um "bálsamo", como o de Gilead, a uma pele "sensível" e "irritada" ou a um eu nas mesmas condições. A se julgar pelos anúncios, as mulheres querem mais cuidado e atenção do que o que recebem dos homens ("Eles nunca lhe dão nenhuma atenção pessoal" — Clinique), bem como um carinho menos apressado, mais delicado. Os óleos "deslizam suavemente, como a seda". O gênio da garrafa faz o que os homens de verdade

O MITO DA BELEZA

obviamente não estão fazendo com frequência suficiente. Ele irá tocá-la com suavidade, prometer dedicação eterna, sentir seus problemas e cuidar dela, fazer por ela o que as mulheres fazem pelos homens. Ele aparece num batom "com o qual você terá uma relação duradoura". Ele oferece "Mais Atenção. Pura Atenção", "cremes de tratamento total", "Cuidados Especiais", "Tratamento Intensivo" (Johnson & Johnson) "Tratamento Carinhoso" (Clairol), "Tratamento Natural" (Clarins). Ele conhece seu ritmo sexual, faz uma abordagem delicada, oferece o "tipo de carinho" pelo qual ela "anseia". Ele elimina a culpa do sexo. Ela pode se entregar a "sentimentos que são puramente naturais". Ele sofre muito e é o xampu Empathy, o creme de limpeza Kind, o sabonete Caress e o condicionador Plenitude.* Num passe de mágica, as necessidades sexuais das mulheres já não são uma fonte de conflito. "Os momentos de sensibilidade de sua pele não precisam mais representar um problema [...] Você precisa de um tratamento total para pele sensível [...] ela é o órgão mais complexo do corpo." Outros produtos prometem "farta lubrificação", garantem "máxima penetração" e "uma resposta direta a suas necessidades" [...] "Cuidados especiais [...] quando e onde você precisar." ("Vós sabeis", diz o missal, "quais são minhas necessidades.") A sexualidade feminina é, afinal, desse jeito. "Às vezes, é preciso um pouco de Finesse. Às vezes é preciso muito."

Em outros estados de espírito, algumas mulheres podem se sentir divididas por um desejo de voltar a se submeter à autoridade desaparecida, a Deus Pai. Um outro papo de vendas permite que elas se disponham a aceitar o castigo com submissão. A mulher nesse caso precisa de "Tame", um manual extenuante que a treinará para

---

* Em português, o xampu Empatia, o creme Suave, o sabonete Carícia e o condicionador Plenitude. [*N. da T.*]

A RELIGIÃO

domar o caos de seus impulsos naturais. Oferecem-lhe uma mão masculina para reprimi-la, justa porém clemente, delicada porém firme. Ela precisa de "um controle suplementar para a pele problema", como se ela fosse uma criança problema. "A última coisa que a pele mais velha precisa é ser paparicada." Dizem-lhe que, se for complacente, sua pele ficará em piores condições. "Esfolie. Inunde. Aja com a maior agressividade possível" (Clinique). Ela pode comprar produtos de ação "corretiva e preventiva" (Estée Lauder), o idioma dos reformatórios de menores. "A pele está ficando flácida? Seja firme com seu rosto" (Clarins).

Como nos sacrificamos pelos outros, costumamos reagir positivamente a substâncias que adquirem sua aura a partir de algum sacrifício. Uma substância em que a morte teve algum papel deve fazer milagres. Na clínica suíça La Prairie, embriões de carneiros recém-abortados são "sacrificados" todas as semanas para a obtenção de suas "células frescas e vivas". (Uma cliente fala do tratamento como "uma experiência espiritual".) A placenta é um ingrediente comum em cremes faciais, da mesma forma que as enzimas estomacais de porcos. Células fetais de mamíferos vêm sendo incorporadas a alguns desses cosméticos. A empresa Orchidea oferece "extrato mamário". No Reino Unido, França e Canadá, segundo Gerald McKnight, células de tecidos fetais humanos são vendidas aos fabricantes de cremes para a pele. Ele menciona casos registrados de grávidas de países pobres terem sido convencidas a fazer um aborto até mesmo aos sete meses de gravidez, em troca de cerca de US$ 200 pagos por um lucrativo tráfico clandestino de tecidos fetais para uso cosmético. Na Romênia do século XVII, uma condessa mandava assassinar camponesas virgens para se banhar em seu sangue e continuar jovem. O vampiro nunca envelhece.

O poder mágico também tem origem no sacrifício financeiro. "Os ingredientes de fato custam 10% ou menos do que o preço pago por eles" pelas mulheres, declarou a McKnight uma fonte que havia trabalhado para Helena Rubinstein e para *Vogue*. O "lucro atroz", em sua opinião, destina-se a cobrir as despesas com publicidade e "pesquisa". Sabe-se que o custo irreal é na realidade parte da atração exercida pelos santos óleos sobre as mulheres. Em outro artigo de Linda Wells, "Preços astronômicos", em *The New York Times*, ela observa que a Estée Lauder aumentou os preços por "prestígio". "A indústria como um todo cobra preços excessivos", diz um alto executivo da Revlon. "Os preços sobem [...]. Algumas empresas acreditam que essa tendência está terminando. Enquanto isso, outras empurram seus preços para a estratosfera." Os preços altos *fazem* com que as mulheres comprem os santos óleos. Pergunta McKnight, "se o custo sofresse uma redução acentuada [...] elas teriam a mesma satisfação ao comprar esses produtos? É esse aspecto da indústria que confunde tanto sociólogos quanto psicólogos." Ele ainda apresenta um gráfico comprovando que a análise de um produto de US$ 7,50 revela a existência de ingredientes no valor de apenas US$ 0,75. A venda de nada por preços extorsivos garante os lucros.

A "desconcertante" atração das mulheres pelos preços altos não deveria ser tão surpreendente. Os ingredientes são irrelevantes; até mesmo sua eficácia é irrelevante. O sebo de carneiro ou o derivado de petróleo realmente presentes no pote são tão pertinentes quanto quem pintou o Santo Sudário. Ao contrário dos altos preços da maquiagem, que pelo menos cumpre sua função, tudo o que os altos preços dos santos óleos realizam é o abrandamento da culpa, da compulsão ao sacrifício. Dessa forma, a grande indústria medieval dos perdões e indulgências ressurge na indústria dos santos óleos dos nossos dias.

O valor das indulgências está de fato na despesa causada ao penitente. Seu significado psicológico básico reside no cálculo do

A RELIGIÃO

quanto o penitente está disposto a sacrificar para obter o perdão. Também os vendedores ameaçam amaldiçoar uma mulher se ela não pagar. Nem é mesmo o inferno da feiura o que ela teme, mas um limbo de culpa. Se ela envelhecer sem os cremes, dir-lhe-ão que a culpada é ela mesma por não ter se disposto a fazer o sacrifício financeiro adequado. Se ela de fato comprar os cremes e envelhecer — o que iria acontecer de qualquer jeito —, pelo menos saberá o quanto pagou para evitar o sentimento de culpa. Uma conta de US$ 100 é prova concreta de seus esforços. Ela realmente tentou. A força propulsora é o medo da culpa, não o medo da velhice.

A seita do medo da gordura

A sensação alarmista que muitas mulheres demonstram ter com relação à velhice e ao excesso de peso — as duas seitas mais desenvolvidas nessa religião — tem a ver tanto com a aflição por perceberem que sua mente parece estar encurralada no irracional quanto com o "problema" em si. O aspecto dos Ritos da Beleza que trata do medo-da-velhice usa métodos comprovados de seitas com alguma sutileza. Já o aspecto que trata do medo-da-gordura *na realidade altera a forma de funcionamento do cérebro.* As mulheres enredadas nesse aspecto são submetidas a formas clássicas e tradicionais de controle do pensamento.

A mania do peso não teria realmente muita importância se qualquer mulher entrasse para a seita voluntariamente e pudesse deixá-la quando lhe aprouvesse. No entanto, a mentalidade do controle de peso é assustadora porque recorre a técnicas que tornam a devota dependente do raciocínio da seita, deformando-lhe o sentido de realidade. Mulheres que a princípio optaram pela iniciação no pensamento da seita logo descobrem que não conseguem mais parar. Para isso existem fortes razões físicas e psicológicas.

O MITO DA BELEZA

A seita de controle do peso começou como um fenômeno norte-americano. À semelhança de outras seitas de origem norte-americana, tais como o mormonismo e a Igreja da Unificação, ela se espalhou pela Europa Ocidental e pelo Terceiro Mundo. Como muitas outras, essa seita vicejou na convulsão social e na inexistência de raízes típicas do ambiente norte-americano.

A maioria das seitas nos Estados Unidos é de característica milenarista, centrada na luta entre santo e pecador. As atividades nas seitas se concentram em preparações purificadoras para o Juízo Final. São comportamentos comuns o transe, a paranoia, a histeria e a possessão.

As seitas surgem das mesmas condições que determinaram a história recente das mulheres. À rebeldia ativa segue-se o retraimento passivo. Quando se frustra o ativismo, os ativistas se voltam para dentro. Segundo Willa Appel, as pessoas que seguem seitas milenaristas são grupos "cujas expectativas sofreram súbita mudança", que se sentem "frustrados e confusos". Essas pessoas estão tentando "recriar a realidade, estabelecer uma identidade pessoal em situações nas quais a antiga visão do mundo perdeu seu significado". O milenarismo atrai pessoas à margem da sociedade, que "não têm voz política, que não têm uma capacidade de organização eficaz e que não dispõem de meios normais e institucionais de compensação". As seitas oferecem "ritos de passagem numa sociedade em que as instituições tradicionais parecem estar desmoronando".

É essa a história da vida das mulheres hoje em dia. Embora muitas tenham conquistado poder durante as últimas duas décadas, esse poder não está centrado nos corpos femininos, como ocorria nos antigos ritos de passagem femininos. As mulheres ainda carecem de organizações, instituições e de uma voz coletiva. Qualquer mulher urbana que trabalhe fora recitará uma ladainha de "frustração e confusão", bem como de reversão de expectativas.

A RELIGIÃO

As mulheres vivem numa realidade propícia à criação de seitas. Tudo o que faltava era a seita. A teologia do controle de peso supriu a necessidade. Ela compartilha com outras seitas de sucesso três características básicas.

As seitas adotam uma estrutura autoritária. As mulheres que fazem regimes seguem dietas das quais não podem se afastar. Reza o missal da Igreja Católica Romana: "Põe, Senhor, uma guarda a minha boca e uma porta a meus lábios." O tom dos livros e artigos sobre dietas é dogmático e inequívoco. "Especialistas" dirigem todo o processo e sempre têm razão.

As seitas pregam a "renúncia ao mundo". As mulheres em dieta renunciam ao prazer dos alimentos. Elas evitam comer fora, restringem sua vida social e evitam situações em que possam se deparar com tentações. As pacientes de anorexia renunciam à maioria dos prazeres terrenos — filmes, bijuterias, piadas — como uma extensão de sua renúncia à comida.

Os membros de seitas acreditam que somente eles "receberam o dom da verdade". As mulheres com obsessão pelo próprio peso ignoram elogios por sentirem que somente elas sabem realmente o quanto é repulsivo o corpo oculto à visão de terceiros. As anoréxicas têm certeza de estar envolvidas numa busca que ninguém mais pode entender ao olhá-las. O espírito de sacrifício pode trancar as mulheres numa atitude de condescendência crítica e presunçosa para com outras mulheres menos devotas.

De acordo com Appel, os membros de seitas desenvolvem, a partir dessas três convicções básicas, "uma atitude de superioridade moral, um desprezo pelas leis seculares, uma rigidez de raciocínio e a diminuição da consideração para com o indivíduo". A conformidade ao grupo da seita é altamente valorizada, enquanto a dissensão é punida. A "beleza" é apenas uma consequência; o que é "lindo" é a submissão à Donzela de Ferro. O objetivo do raciocí-

O MITO DA BELEZA

nio da beleza, seja sob o aspecto do envelhecimento, seja sob o da gordura, é tornar rígido o pensamento feminino. Os membros de seitas são instados a cortar todos os laços com o passado. "Destruí todas as fotos de quando era gorda"; "Agora sou outra!"

Atividades de alteração da mente determinam a extensão do controle exercido por uma seita sobre a mente de seus integrantes. Existe uma espécie de instrução de beleza que funciona acompanhando a mesma linha das seis práticas identificadas por Appel como recursos para alterar a consciência: a oração, a meditação, a entoação de cânticos, os rituais em grupo, o psicodrama e a confissão.

Esse círculo repetitivo de vigilância trivializada é por onde a mente das mulheres é alterada no que diz respeito à alimentação. É de conhecimento geral que essa vigilância faz com que elas *se sintam* ligeiramente loucas. O que ainda não foi reconhecido é como de fato as torna ligeiramente loucas. Quando nós, mulheres, achamos que não conseguimos parar de pensar em comida, não estamos neuróticas — estamos, sim, demonstrando uma total conscientização. Essa forma de repetição, imposta a alguém que já esteja sob pressão, de fato altera o funcionamento do cérebro. Os que entoam cânticos em seitas vivem num "estado hipnagógico". Em tal estado, eles são suscetíveis a impulsos agressivos ou de autodestruição. A mesma indução ao transe ocorre na forma pela qual as mulheres são ensinadas a pensar nos alimentos e na gordura. Os mesmos sentimentos irracionais podem nos aterrorizar. As mulheres são levadas a achar que a agressão e a autodestruição vêm de dentro ou não são reais. Mas essa é uma forma de implante de loucura, autêntica, formal e imposta de fora.

Quando uma mulher enredada nesse tipo de raciocínio abre os olhos pela manhã, ela faz uma espécie de oração sobre a balança. Os cânticos são prescritos em mantras hipnóticos. A mulher

A RELIGIÃO

mastiga os alimentos 32 vezes, bebe dez copos d'água por dia, não segura o garfo enquanto mastiga. "Pense em estar segurando uma moedinha entre as nádegas [...] faça isso sempre que possível — caminhando, vendo televisão, sentada no escritório, dirigindo o carro, parada na fila do banco." Recomendam que ela contraia os músculos vaginais enquanto espera o elevador, que cerre a mandíbula enquanto pendura a roupa lavada. O mantra dos mantras é o próprio cálculo constante, o dia inteiro, das calorias ingeridas e despendidas. O cântico das calorias, um murmúrio quase inaudível, é tão habitual à mente de muitas mulheres que a prática do Hare Krishna de entoar cânticos sete horas por dia não ofereceria a menor dificuldade para elas. Como o cântico das calorias, um mantra é repetido numa faixa mental enquanto o restante da mente se ocupa com outras atividades.

A seita do peso ensina a meditação. Existe a dieta de "uma tigela", na qual a pessoa fica sentada num canto tranquilo, segurando uma tigela de alimento, e se concentra naquilo que quer comer e na razão para isso. Ensina-se às mulheres que elas devem segurar, acariciar e vivenciar uma única laranja durante 20 minutos. Elas são conclamadas a concentrar a mente no estômago, para se certificar de que o "apetite" é realmente "fome". As mulheres pensam em comida o tempo todo porque a seita insiste habilmente que elas assim o façam. Se uma mulher for gorda de forma prejudicial a sua saúde, é muito mais provável que essa situação seja uma consequência da seita do que uma atitude de oposição a ela.

Os rituais grupais são numerosos. Nas aulas de aeróbica, simulações robóticas de movimentação exuberante proporcionam às mulheres um barato inócuo. A mesma dança saltitante é praticada pelos Hare Krishnas, com o mesmo efeito. Existe o ritual, descrito por Kim Chernin, de farras e purgações em grupo, que é comum nos *campi* universitários, e o ritual de auto-humilhação quando as mulheres folheiam revistas juntas, entoando a fórmula bem conhecida: "Eu a odeio. Ela é tão magra." "Você é tão magra quanto ela." "Ora, por favor. Eu? O que você está querendo dizer?"

O psicodrama entra em ação quando uma mulher se depara com a autoridade. É a ocasião em que o líder do grupo de Vigilantes do Peso rebaixa a mulher em público. "Agora você vai nos contar o que você comeu realmente." Pode ser a coação por parte de algum membro da família: o marido que diz à mulher que tem vergonha de ser visto com ela; a mãe que compra para a filha uma camiseta da Bloomingdale's para cada meio quilo perdido.

A confissão se realiza de maneira formal nos grupos de dieta, que são células de rituais extremamente formalizadas e muito disseminadas. Os Vigilantes do Peso já matricularam 8 milhões de mulheres norte-americanas. A cada semana, em todo o território dos Estados Unidos, são realizadas 12 mil reuniões, o que divulga e reforça o comportamento típico de uma seita. Na Holanda, seus 200 empregados oferecem 450 cursos por ano para 18 mil membros ao preço de 17 florins por semana. Essa instituição já se espalhou pelo mundo inteiro, com um total de 37 milhões de membros associados a 24 células internacionais durante os últimos 25 anos.

As seis técnicas de alteração da mente que acabamos de examinar são usadas pela Igreja da Unificação, pela est, pela Cientologia, pela Lifespring e outras seitas reconhecidas. Elas são encenadas num contexto de pressão grupal, para realizar uma espécie de condicionamento que desestrutura o indivíduo. A seita do controle do peso recorre a uma fonte inesgotável de pressão grupal. Ela tem uma posição melhor em relação aos outros grupos porque a pressão grupal é multiplicada pelas pressões institucional e cultural. A Igreja da Unificação possui apenas o jornal *The Washington Times*, enquanto a seita do controle do peso gera receita para a maioria dos veículos de comunicação destinados às mulheres.

A RELIGIÃO

Willa Appel esclarece que a necessidade de ordem é tanto fisiológica quanto intelectual. Ela descreve experiências de privação de estruturas e pesquisas de privação dos sentidos para explicar o que acontece com os membros de uma seita durante o período de doutrinação. Incapazes, por um lado, de dar um sentido ao excesso de estímulos sensoriais novos e altamente carregados, e privados, pelo outro lado, de estímulos significativos, eles ficam aturdidos, perdem a capacidade de persistir numa linha de pensamento racional e se tornam sugestionáveis e suscetíveis à persuasão. Estão, assim, preparados para acolher um cenário em que "o Bem e o Mal se defrontam num combate definitivo". O excesso de pornografia da beleza associado a recentes convulsões sociais constitui um ambiente inteiramente novo, caótico e desnorteante. A renúncia ao alimento a que a maioria das mulheres se sujeita é uma forma de privação sensorial. E assim o bem e o mal são transformados em magreza e gordura, que lutam pela alma feminina.

As seitas milenaristas descrevem um mundo exterior perigoso e perverso. Os Salvos, como as beldades, tendem a ser de natureza genérica, sem identidade. Uma sensação de perda de controle conduz os fiéis a rituais de purificação enquanto esperam o Grande Dia. Eles muitas vezes precisam se sentir exaustos. Uma seita de indígenas norte-americanos, os Dançarinos Fantasmas, desmaiava de tanto dançar à espera do juízo final. Os rituais de condicionamento físico das mulheres as estão deixando exaustas. O mundo pós-milenarista é um paraíso igualmente indefinido — "Quando eu perder esse peso [...]" "Supõe-se", escreve Appel sobre os milenaristas, "que o simples fato de se ter o poder há tanto tempo negado trará a felicidade."

Como as mulheres submetidas aos Ritos da Beleza, os messiânicos "rejeitam aquelas partes de si mesmos que ameaçam sua nova identidade". As seitas clássicas — e os Ritos — "oferecem

O MITO DA BELEZA

a esperança assim como uma maravilhosa identidade nova". As pessoas vulneráveis a seitas têm um fraco sentido de identidade, que precisa ser fortalecido através da transformação em outra pessoa "no máximo de maneiras possíveis". Poucas mulheres têm um sentido forte de identidade corporal, e o mito da beleza nos força a considerar uma "bela" máscara preferível a nosso rosto e corpo. A dependência e a necessidade de aprovação por parte dos outros também são determinantes. As vítimas ideais para a lavagem cerebral são pessoas que não têm "nenhuma [...] organização ou ocupação com as quais se sintam firmemente identificadas". Essas pessoas têm compaixão pelos "oprimidos do mundo", pelos desafortunados ou explorados. A Revolução Cultural na China ensinou aos líderes da "reeducação" que os melhores alvos para a lavagem cerebral eram aqueles com o sentido de pecado e de culpa mais desenvolvido e com a maior vulnerabilidade à autocrítica. A partir desses indícios, fica aparente que a vítima mais vulnerável a mensagens de alteração da mente é uma mulher do final do século XX, que trabalhe fora e lute para abrir espaço para si mesma num mundo turbulento.

Uma semana com a Igreja da Unificação aparece da seguinte forma no diário de uma mulher, como revela Appel.

> O esforço de tentar aprender a resposta exigida para obter aprovação, associado à falta de sono, à nutrição inadequada e à atividade constante que não permite repouso ou reflexão, começa a mostrar seus resultados negativos. Os participantes perdem suas faculdades críticas. Exaustos e emocionalmente esgotados, eles consideram mais fácil não aparecer, manter-se calados e não provocar a raiva e a desaprovação do grupo ao fazer perguntas e expressar dúvidas sobre a visão de mundo que lhes pedem que adotem.

A RELIGIÃO

Esse é um eco preciso da experiência de muitas mulheres hoje em dia. Uma vez dentro da seita do controle do peso, nunca mais se está só. A gentileza que as pessoas costumam dispensar aos corpos masculinos não se aplica aos femininos. As mulheres têm pouca privacidade física. Cada mudança ou variação no peso é publicamente observada, julgada e debatida.

Um rígido planejamento nas seitas, como na mente de uma mulher que tenha fixação em exercício ou em alimentos, elimina a possibilidade de escolha. Qualquer tempo livre que o membro da seita possa ter, ele ou ela estará exausto(a) demais para raciocinar. Os padrões nutricionais são alterados, reduzindo a resistência intelectual e emocional. Como no momento em que se consegue entrar numa calça jeans tamanho 42, "os momentos de 'experiência enlevada'", escreve Appel, "são a recompensa explícita de todo o esforço e sacrifício".

Uma poderosa pressão por parte da seita vivenciada por quem faz regime equivale ao que a Igreja da Unificação chama de "bombardeio de amor", ou seja, a aprovação demonstrada por todos a seu redor se ela "conseguir seguir o programa". O bombardeio de amor traz uma ameaça implícita, a de que será negado. As seitas recompensam a submissão com o amor; a conquista desse amor se torna cada vez mais difícil e o comportamento exigido para conquistá-lo, cada vez mais submisso.

Num certo ponto dentro da seita da "beleza", a dieta se transforma em anorexia ou em bulimia, a compulsão de comer. A recompensa e o castigo constituem o cerne da vida na seita. Segundo Appel, "agora Satã espreita a cada esquina, aguarda cada momento de descuido [...] tentando os santos". As mulheres com fixação em comer veem a tentação por toda parte. Como os apetites femininos são satânicos, a devota da seita está numa armadilha da qual não poderá escapar. "Ao atribuir a Satã desejos e pensamentos que o restante da sociedade considera naturais e humanos", escreve Appel, "as seitas colocam suas integrantes num círculo vicioso emocional e intelectual [...] forçadas a rejeitar todos os sentimentos 'egoístas' em seu íntimo [...] que inevitavelmente se interpõem." Estar vivo é querer satisfazer a fome, mas "a tensão constante de ter de rejeitar aspectos inatos de si mesma é estafante. A própria condição humana da convertida coloca em risco sua participação no grupo e [sua] própria 'salvação'". Nas palavras de uma ex-integrante de seita, "não existe um nível de aceitação em que se possa simplesmente ser [...]. Tudo é o Supremo. Meu Deus, se você vai ao banheiro, é o Supremo. Eles dizem mesmo para você ficar ali sentada e meditando na privada. E você sente essa tremenda culpa por não ser capaz de se concentrar no Supremo o tempo todo". As mulheres aprendem que a alimentação e a forma do corpo são o Supremo, sobre o qual se deve meditar de modos e em momentos que são igualmente degradantes.

As seitas de origem norte-americana "transformaram a passividade, a fome espiritual e o desejo de ordem" de seus seguidores num "negócio lucrativo que se especializa no retorno rápido de capital". Isso também vale para a seita do controle do peso.

Para que se tenha sucesso na desprogramação, é preciso que a pessoa que se livrou da seita entenda que aquilo pelo que passou foi algo "verdadeiro e poderoso", ao mesmo tempo em que se garante a ela que a loucura veio de fora. Essa abordagem faz sentido para as que desejam escapar também dessa seita. Não há como desprogramar as mulheres presas a ela enquanto não entenderem que a loucura lhes foi imposta de fora e que a seita afeta sua mente por meio de artifícios psicológicos desgastados e de terceira classe. Se essas mulheres que anseiam pela liberdade puderem acreditar que foram submetidas a uma doutrinação religiosa que emprega técnicas comprovadas da lavagem

A RELIGIÃO

cerebral, elas poderão sentir por si mesmas compaixão em vez de ódio. Poderemos, assim, começar a ver onde e como nossa mente foi afetada.

AS CONSEQUÊNCIAS SOCIAIS DA NOVA RELIGIÃO

A consequência internacional de doutrinar, nos Ritos da Beleza, mulheres recém-liberadas é a de nós, mais uma vez, sermos sedadas do ponto de vista político. Três elementos usados pelos Ritos — a fome, o medo de um futuro caótico e o endividamento — vêm sendo empregados no mundo inteiro por líderes políticos que querem manter sossegada e humilde uma população lesada.

Os Ritos da Beleza mantêm esse estado de sedação nas mulheres por meio de sua premissa diária de eterno adiamento.

A religião diz que a beleza de uma mulher não lhe pertence, da mesma forma que o antigo credo dizia que sua sexualidade pertencia aos outros. Ela é culpada de transgressão se profanar essa beleza com substâncias impuras, alimentos saborosos, loções baratas. O que é belo em seu corpo não lhe pertence, mas, sim, a Deus. O que for feio é exclusivamente seu, prova de seu pecado, merecedor de qualquer insulto. Ela deve tocar o próprio rosto com reverência, pois a "beleza" de um suave rosto juvenil é uma bênção de Deus. Mas pode espremer, espancar e dar choques elétricos em suas coxas de mulher, que são a prova de seu desregramento.

Essa atitude impede que as mulheres habitem totalmente o próprio corpo, mantendo-nos à espera de uma apoteose que jamais chegará. Ela tem o objetivo de evitar que nos sintamos à vontade com nossa carne e com o momento presente, esses dois perigos eróticos e políticos para uma mulher. Lamentando o passado e temendo o futuro, ficamos acalmadas.

O MITO DA BELEZA

A protelação é o alicerce das religiões que precisam de uma dócil multidão de fiéis. O fiel tolera qualquer injustiça, opressão ou insulto — qualquer fome — porque acredita numa boa vida após a morte. As religiões de protelação sempre se dedicaram à esfera feminina porque mantêm as mulheres ocupadas com uma vida que não é esta e lhes fornecem versões em miniatura do poder que deixam o verdadeiro poder incontestado. O Estado estimulou as mulheres a essas atividades, desde os mistérios eleusinos, dominados pelas mulheres na Roma antiga, e a mariolatria da Idade Média até os Ritos da Beleza de hoje em dia.

Antes da reação do sistema contra o feminismo, esse estado de protelação, de estar sempre preparada, tinha ao menos alguma orientação mortal. Estávamos sempre prontas para sermos vistas pelo homem que viria nos salvar. O casamento era a consumação; e, depois dele, um *status* na comunidade por meio do marido e dos filhos. O objetivo de estar preparada, por mais repressor que fosse, seria pelo menos atingido nesta vida e por este corpo.

Multiplica-se o número de mulheres para quem essa protelação significa que não pode haver libertação nesta vida. A nova religião é sob certos aspectos ainda mais sombria do que a antiga. As fiéis de antigamente sabiam que a morte traria a libertação e a realização. As de hoje são proibidas de imaginar a liberdade, seja nesta vida, seja na próxima. Nossa vida é um teste eterno, um pântano de tentações e provocações, as quais devemos combater para sempre. "Uma vez que você perca esse peso, aceite o fato de que a vigilância passe a ser uma obrigação por toda a vida." Aprendemos que esta vida é um vale de lágrimas. Com isso, a existência adquire um significado contaminado. A mulher que morrer mais magra, com o menor número de rugas, é a vencedora.

As virgens prudentes no Novo Testamento armazenaram o óleo para a chegada do noivo, mas as virgens insensatas queimaram

A RELIGIÃO

todo seu combustível. Nós, mulheres, somos levadas a achar que devemos poupar nosso prazer em nome da beleza. As anoréxicas receiam perder a margem de gratificação de que dispõem na diferença entre o próprio peso e o peso "normal"; e as mulheres em geral acumulam produtos de beleza furtados, dinheiro, alimentos e prêmios. Pedem-nos que acreditemos que a qualquer momento seremos chamadas a prestar contas, nossa falta será descoberta e seremos lançadas à escuridão total: à velhice na pobreza, à solidão, à falta de amor.

Christopher Lasch, em sua obra *A cultura do narcisismo,* descreve de que forma a falta de esperança no futuro leva as pessoas a se fixarem na juventude. Os Ritos nos ensinam a temer nosso futuro, nossos desejos. Viver com medo de nosso corpo e de nossa vida não é viver. As consequentes neuroses desse medo estão por toda parte. Elas estão na mulher que terá um amante, visitará o Nepal, aprenderá queda livre, nadará nua, pedirá um aumento de salário "quando perder esses quilos", mas no eterno ínterim ela mantém seu voto de castidade ou de renúncia. Elas estão na mulher que nunca aprecia uma refeição, que nunca se sente suficientemente magra ou que nunca reconhece que a ocasião é especial o bastante para que ela abandone suas defesas e se integre ao momento presente. Elas estão na mulher cujo pavor das rugas é tamanho que a pele em volta dos olhos está sempre besuntada com os santos óleos, seja numa festa, seja enquanto está fazendo amor. As mulheres deverão esperar para sempre a chegada do anjo, o noivo que dará dignidade a nossos esforços e redimirá o custo; cuja presença permitirá que habitemos e usemos nosso rosto e nosso corpo "protegidos". O custo é alto demais para permitir que acendamos o pavio, queimemos nosso próprio óleo até a última gota e vivamos com nossa luz em nosso tempo.

O MITO DA BELEZA

Onde os Ritos da Beleza instilaram essas neuroses de medo da vida nas mulheres modernas, eles paralisaram em nós as implicações de nossas recentes liberdades, pois de pouco vale a nós conquistarmos o mundo apenas para termos medo de nós mesmas.

O sexo

A culpa de natureza religiosa reprime a sexualidade feminina. Nas palavras da analista política Debbie Taylor, o pesquisador de assuntos sexuais Alfred Kinsey revelou que "as crenças religiosas tinham pouco ou nenhum efeito sobre o prazer sexual masculino, mas podiam cortar com a força de uma circuncisão o prazer da mulher, sabotando por meio da culpa e da vergonha qualquer fruição que ela pudesse, de outra forma, experimentar". Desde a clitoridectomia do Egito e o escudo e haste vaginal de bambu do Sudão até o cinto de castidade da Alemanha, as religiões patriarcais mais antigas procuraram controlar, como acusa Rosalind Miles, "*todas* as mulheres através de uma técnica que deixa transparecer uma determinação consciente no sentido de tratar do 'problema' da sexualidade feminina com sua destruição pura e simples". A nova religião da beleza assumiu essa tradição.

Tecnicamente, os órgãos sexuais femininos *são* mesmo o que as antigas religiões temiam como "a boceta insaciável". Capazes de orgasmos múltiplos, de orgasmo contínuo, de um orgasmo clitoridiano forte e surpreendente, de um orgasmo aparentemente centrado na vagina, que é emocionalmente avassalador, de um orgasmo por ter os seios acariciados e de inúmeras variações de todas essas reações combinadas, as mulheres têm uma capacidade de prazer genital teoricamente inesgotável.

O MITO DA BELEZA

No entanto, a prodigiosa capacidade sexual das mulheres não está refletida em sua experiência sexual em nossos tempos. Dados revelam consistentemente que a revolução sexual deixou muitas mulheres em dificuldades, distantes de seu real potencial para o prazer. Na realidade, o mito da beleza atingiu as mulheres ao mesmo tempo que a segunda onda e sua revolução sexual, representando uma reação do sistema contra elas, de forma a realizar uma ampla repressão da verdadeira sexualidade feminina. Praticamente liberada pela disseminação dos métodos anticoncepcionais, pelo aborto legalizado e pela extinção do padrão duplo de comportamento sexual, essa sexualidade não demorou a ser refreada pelas novas forças sociais da pornografia da beleza e pelo sadomasoquismo, que surgiram para devolver a culpa, a vergonha e a dor à experiência feminina do sexo.

O impulso sexual é formado pela sociedade. Até mesmo os animais têm de aprender o comportamento sexual. Os antropólogos acreditam atualmente que é o aprendizado, mais do que o instinto, que leva a um comportamento reprodutivo bem-sucedido. Macacos criados em laboratório são ineptos no que diz respeito ao sexo, e os seres humanos também precisam aprender o comportamento sexual a partir de sugestões externas. As sugestões externas da pornografia da beleza e do sadomasoquismo remodelam a sexualidade feminina sob uma forma mais dócil do que a que ela assumiria se fosse verdadeiramente liberada.

É assim que se apresenta a pornografia da beleza: a mulher aperfeiçoada está de bruços, com a bacia fazendo pressão para baixo. Suas costas estão arqueadas, a boca aberta, os olhos fechados, os mamilos eretos. Sobre a pele dourada, um fino orvalho. A posição é a da fêmea por cima. O estágio de excitação, a fase de platô que antecede o orgasmo. Na página seguinte, uma versão dela, de boca aberta e olhos fechados, está a ponto de tocar com a língua a ponta

O SEXO

cor-de-rosa de um cilindro de batom. Na outra página, ainda outra versão está de quatro na areia, com as nádegas para o alto, o rosto enfiado numa toalha, a boca aberta, os olhos fechados. A leitora está folheando uma revista feminina comum. Num anúncio da Reebok, a mulher vê um torso feminino nu, com os olhos desviados. Num anúncio da lingerie Lily of France, ela vê um torso feminino nu, olhos fechados; no do perfume Opium, uma mulher nua, com as costas e as nádegas à mostra, está caindo da beirada da cama, com o rosto para baixo; no dos chuveiros Triton, uma mulher nua, com as costas arqueadas, lança os braços para o alto; no dos sutiãs Jogbra para a prática de esportes, um torso feminino nu aparece cortado na altura do pescoço. Nessas imagens, onde o rosto é visível, ele está paralisado num ricto de êxtase. A leitora depreende que precisará ter aquela aparência se quiser ter aquela sensação.

O sadomasoquismo da beleza é diferente. Num anúncio do perfume Obsession, um homem musculoso carrega no ombro o corpo nu e inerte de uma mulher. Num anúncio de perfume Hermès, uma mulher loura amarrada com tiras de couro preto está pendurada de cabeça para baixo, amordaçada e com os pulsos acorrentados. Num anúncio de fitas cassete Fuji, uma robô feminina com o corpo de uma garota de *Playboy,* mas feito de aço, flutua com os órgãos genitais expostos, os tornozelos aferrolhados e o rosto, uma máscara de aço com fendas no lugar da boca e dos olhos. Num anúncio dos produtos cosméticos Erno Laszlo, uma mulher está sentada no chão implorando, com os pulsos presos por uma tira de couro que está amarrada a seu cachorro, ele também sentado na mesma posição, implorando. Num anúncio norte-americano dos cigarros Newport, dois homens agarram uma mulher enquanto puxam outra pelos cabelos. As duas mulheres gritam. Em outro anúncio dos cigarros Newport, um homem força para baixo a cabeça de uma mulher para lhe enfiar na boca muito aberta uma mangueira esguichante que ele está segurando. Os olhos dela estão apavorados. Num anúncio dos automóveis Saab, uma tomada de baixo para cima das coxas de uma modelo tem a seguinte legenda: "Não se preocupe. É feio por baixo." Num editorial de moda do jornal *The Observer* (Londres), cinco homens de preto ameaçam, com tesouras e espetos de ferro quente, uma modelo, cujo rosto está em choque. Tanto em *Tatler* quanto em *Harper's and Queen,* aparecem "cenas produzidas de estupro (mulheres agredidas, amarradas e raptadas, mas de aparência imaculada e artisticamente fotografadas)". Num leiaute da *Vogue,* assinado por Chris von Wangenheim, cães Doberman atacam uma modelo. As sandálias metálicas de Geoffrey Beene são apresentadas com um cenário de acessórios de sadomasoquismo. A mulher aprende com essas imagens que, não importa o quanto seja agressiva no mundo profissional, no âmbito pessoal o que a torna desejável é sua submissão ao controle.

As imagens que acabamos de mencionar evoluíram com a história. A sexualidade acompanha a moda, que acompanha a política. Durante a época do *Flower Power* dos anos 1960, a cultura popular tinha no amor a palavra-chave do momento, com o sexo sendo sua expressão. Estavam em voga a sensualidade, a frivolidade e a alegria. Os homens deixavam os cabelos compridos e enfeitavam o corpo, acentuando um lado feminino que podiam explorar porque as mulheres ainda não estavam pensando na própria liberdade. Embora eles se apropriassem dos prazeres das garotas, a festa ainda era dos meninos.

Até meados da década de 1960, a pornografia era basicamente uma experiência masculina. O contato das mulheres com ela se restringia à visão das capas das revistas masculinas nas bancas de jornais. Na década de 1970, porém, a pornografia da beleza invadiu a arena cultural feminina. À medida que as mulheres foram ficando mais livres, a pornografia acompanhou. *Playboy* surgiu em 1958.

O SEXO

A pílula anticoncepcional começou a ser vendida nos Estados Unidos em 1960 e foi aprovada para ser receitada na Grã-Bretanha em 1961. A Lei do Aborto na Grã-Bretanha foi homologada em 1967. As leis de censura nos Estados Unidos foram abrandadas em 1969, e em 1973 as mulheres norte-americanas conquistaram o direito ao aborto legal em consequência da sentença da Suprema Corte dos EUA no caso *Roe* versus *Wade*. A maioria das mulheres europeias já tinha acesso ao aborto legal em 1975.

A década de 1970 lançou as mulheres a posições de poder. À medida que elas foram entrando para a força de trabalho e se envolvendo com o movimento feminista, a natureza do que as mulheres desejariam passou a ser uma questão séria e uma grave ameaça. O estilo sexual feminino dos anos 1960 foi abandonado na cultura popular porque o fato de o sexo poder ser daquela forma para as mulheres — alegre, sensual, brincalhão, sem violência ou vergonha, sem medo das consequências — destruiria por completo as instituições que já estavam por demais abaladas desde que as mulheres haviam alterado tão somente seus papéis *públicos*.

Na década em que as mulheres passaram a encarar a feminilidade de forma política, a cultura popular redefiniu o sexo terno e íntimo como algo entediante. O anonimato passou a ser o afrodisíaco do momento: Mr. Goodbar, o sexo-relâmpago e os encontros de apenas uma noite. Se as mulheres queriam a liberdade sexual e um bocado do poder do mundo, era melhor que aprendessem a fazer sexo como os homens. O frio afluxo de sangue do clímax sintetizado com uma batida de fundo repetitiva fez da música *disco* o som perfeito para se conquistar um desconhecido. Apareceram na revista *Vogue* os nus adornados de couro de Helmut Newton, e as fotografias de pré-adolescentes nuas de David Hamilton eram vendidas em livrarias. O corpo feminino "ideal" foi desnudado e colocado em exibição por toda parte. Pela primeira vez na histó-

O MITO DA BELEZA

ria, isso deu às mulheres os detalhes nítidos da perfeição, com os quais ela deveria se comparar, e fez surgir uma nova experiência feminina, o exame ansioso e minucioso do corpo *como algo ligado intrinsecamente ao prazer sexual feminino*. Logo, a "perfeição" era representada como a "armadura sexual" da mulher, um objetivo tomado ainda mais urgente na década de 1980, quando a aids exacerbou uma atmosfera que sugeria às mulheres que somente uma beleza sobrenatural levaria um homem a arriscar a vida por sexo.

POR BAIXO DA PELE

Numa transferência de imagens, na década de 1980, as convenções da fotografia pornográfica de alta classe, como de *Playboy,* passaram a ser adotadas de forma geral para vender produtos às mulheres. Isso fez com que o pensamento sobre a beleza que se seguiu divergisse em termos radicais de tudo que o havia precedido. Ver um rosto na expectativa do orgasmo, mesmo que se trate de uma representação, é um poderoso argumento de vendas. Com a inexistência de outras imagens sexuais, muitas mulheres passaram a acreditar que precisariam ter aquele rosto, aquele corpo, para atingir aquele êxtase.

Duas convenções da pornografia leve e da pesada penetraram na cultura feminina. Uma "apenas" transforma o corpo em objeto; a outra comete violência contra ele. A lei da obscenidade é baseada em parte na ideia de que podemos evitar o que nos ofende. Entretanto, os termos geralmente empregados no debate sobre a pornografia não conseguem tratar essa questão de forma adequada. Debates sobre a obscenidade, a nudez ou os padrões da comunidade geralmente não tratam do mal causado às mulheres por esse fator, a forma pela qual a "beleza" se une às convenções pornográficas na propaganda, na fotografia de moda, na televisão a cabo e até

O SEXO

mesmo nas histórias em quadrinhos para afetar mulheres e crianças. Os homens podem escolher se entram ou não numa livraria pornô. As mulheres e crianças não têm a possibilidade de escolher evitar imagens de beleza pornográfica ou de violência sexual que as acompanham até dentro de casa.

A questão não é o sexo "explícito". Poderíamos aceitar muito mais nesse sentido, se explícito significasse honesto e revelador. Se houvesse um amplo espectro de imagens eróticas de mulheres e homens livres de verdade em contextos de confiança sexual, a pornografia da beleza teoricamente não faria mal a ninguém. Os defensores da pornografia baseiam seu posicionamento na ideia da liberdade de expressão, fazendo passar as imagens pornográficas como uma linguagem. A partir da própria argumentação deles, é surpreendente o que surge a respeito da representação dos corpos femininos: a representação desses corpos é extremamente censurada. Como vemos muitas versões da Donzela de Ferro nua, pedem-nos que acreditemos que nossa cultura estimula a exibição da sexualidade feminina. Na verdade, ela exibe praticamente nenhuma. Nossa cultura censura as representações dos corpos de mulheres de forma tal que apenas as versões oficiais são visíveis. Em vez de vermos imagens *do* desejo feminino ou que atendam *ao* desejo feminino, vemos simulações com manequins vivas, forçadas a contorções e caretas, imobilizadas e em posições desconfortáveis sob holofotes, cenas ensaiadas que revelam pouco sobre a sexualidade feminina. Nos Estados Unidos e na Grã-Bretanha, que não possuem nenhuma tradição de nudez em público, as mulheres raramente — e quase nunca fora de algum contexto competitivo — veem a aparência de outras *mulheres* nuas. Vemos apenas produtos humanoides idênticos, inspirados livremente em corpos femininos.

O sadomasoquismo e a pornografia da beleza não são explícitos, mas desonestos. A pornografia afirma que a beleza das mulheres

O MITO DA BELEZA

é nossa sexualidade, quando a verdade é exatamente o oposto. O sadomasoquismo afirma que as mulheres gostam de ser forçadas e violentadas; e que o estupro e a violência sexual são modernos, elegantes e bonitos.

Em meados da década de 1970, a cena *punk* começou a glorificar o sadomasoquismo. Meninas adolescentes enfiavam alfinetes de fraldas nas orelhas, pintavam os lábios de um azul cor de hematoma e rasgavam as roupas para sugerir embates sexuais. Já no final da década, o sadomasoquismo se elevara de moda de rua para a alta moda, sob a forma de couro preto tacheado, pulseiras de couro e *spikes*. Da pornografia violenta, as modelos de moda adotaram o olhar furioso e revoltado da mulher estuprada. Os estilos sexuais "cor-de-rosa" — amorosos e não violentos — adquiriram um ar antiquado.

Na década de 1980, quando muitas mulheres estavam se formando como profissionais liberais, a raiva contra as mulheres fazia furor nos meios de comunicação. Presenciamos um estupendo crescimento de imagens de violência sexual, nas quais a vítima era mulher. Em 1979, Jack Sullivan, no *The New York Times,* identificou um "gênero popular de *thriller* que tenta produzir emoção com o amontoamento de cadáveres femininos". Segundo Jane Caputi, que chama o período moderno de Era do Crime Sexual, filmes baseados em violência sexual se tornaram comuns durante o final da década de 1970 e na década de 1980: *Vestida para matar, Ata-me!, Veludo azul, 9 ½ semanas de amor, Um agente na corda bamba, Dublê de corpo* — e a lista prossegue. Essa década aperfeiçoou a tomada de "primeira pessoa" ou de "câmera subjetiva", que estimula a identificação com o assassino ou com o estuprador. Em 1981, os críticos de cinema norte-americanos Gene Siskel e Roger Ebert denunciaram os filmes com "mulheres em perigo" como uma reação ao feminismo. Alguns anos depois, eles elogiaram um

O SEXO

deles por permitir que "nós" saibamos de verdade "como se sente quem violenta uma mulher". As histórias em quadrinhos clandestinas *Zap* dos anos 1970 descreviam estupro e violência à mão armada contra crianças. Em 1989, o *The New York Times* publicava uma reportagem sobre o novo sadomasoquismo encontrado em histórias em quadrinhos infantis, e a revista britânica *Viz* começou a desfazer sexualmente das mulheres na tirinha intitulada "Fat Slags".* O sexo simplesmente não era mais sexo sem a violência. Num mundo em que a culpa e o medo revoltado dos dois sexos cercavam a impressão de que as mulheres estavam escapando ao controle, o público rapidamente perdeu o interesse na nudez comum ilesa. As fantasias apresentadas como mais compulsivamente atraentes para a atenção dos homens, e até das mulheres, eram as que encenavam ansiedades da guerra dos sexos, reproduzindo a desigualdade de poder questionada pelas recentes mudanças sociais: o domínio masculino e a submissão feminina. A nudez feminina passou a ser sobre-humana, "aperfeiçoada" ao ponto de causar estranheza, grotescamente semelhante a uma escultura em plástico, e quase sempre profanada ou violada.

A onda de imagens de violência sexual derivou sua força da raiva dos homens e da culpa das mulheres com o acesso destas ao poder. Enquanto as mulheres lindas nos anos 1950 se casavam ou eram seduzidas, na cultura moderna a beldade é violentada. Mesmo que nunca procuremos a pornografia, muitas vezes encontramos o estupro onde deveria estar o sexo. Como a maioria de nós, mulheres, reprime a percepção desse fato para sobreviver às diversões, pode ser preciso concentração para que possamos nos lembrar. Segundo um estudo realizado pela Liga dos Atores de Cinema em 1989 — ano em que os papéis principais femininos somaram apenas

---

* "Piranhas gordas". [*N. da T.*]

14% do total — um número cada vez maior de papéis femininos representava vítimas de estupro ou prostitutas. Na França, os telespectadores assistem a 15 estupros por semana. Isso exerce uma influência diferente na plateia do que a visão de assassinatos, por exemplo. É improvável que uma pessoa em cada quatro venha a ser assassinada. No entanto, mesmo que evite a pornografia, uma mulher que assista apenas a filmes, peças e programas de televisão convencionais, de pretensões intelectuais médias, aprenderá em detalhe, *em close*, as convenções do estupro que a ameaça.

Dizem-nos que as fantasias de estupro projetadas na cultura são inócuas, até mesmo benéficas, quando os observadores as descartam com o que Catharine MacKinnon chamou, em tom de sátira, de "modelo hidráulico" da sexualidade masculina (elas aliviam a pressão). Querem nos fazer crer que os homens têm um interesse inofensivo por essas fantasias. As *mulheres* têm por elas um interesse inofensivo (embora muitas possam nutrir fantasias de estupro por motivo psicológico tão superficial quanto o de ser essa imagem da sexualidade a principal que elas testemunham). O que está acontecendo hoje em dia, porém, é que homens e mulheres cuja história psicossexual-pessoal não os levaria a erotizar a violência sexual estão *aprendendo* com essas cenas a se interessarem por esse tipo de violência. Em outras palavras, nossa cultura está descrevendo o sexo como estupro *para que* homens e mulheres se interessem por ele.

O SADOMASOQUISMO E A PORNOGRAFIA DA BELEZA

A atual distribuição do poder é sustentada por uma enchente de imagens sexuais hostis e violentas, mas ameaçada por imagens

O SEXO

de erotismo mútuo ou de desejo feminino. A elite da estrutura do poder parece ter suficiente consciência disso para agir de acordo. A imposição de cima para baixo da pornografia da beleza e do sadomasoquismo da beleza transparece na legislação da obscenidade. Já observamos que a linguagem do rosto e do corpo nu das mulheres é censurada. A censura também se aplica a que tipo de imagens e informações de natureza sexual tem permissão para ser divulgado. A violência sexual contra as mulheres não é obscena enquanto a curiosidade sexual feminina é. A lei britânica e canadense interpreta a obscenidade como a presença de um pênis ereto, não a de vulvas e seios. Susan G. Cole escreve em sua obra *Pornography and the Sex Crisis* [A pornografia e a crise do sexo] que uma ereção "segundo os costumes norte-americanos" não é "o tipo de coisa que uma distribuidora possa colocar nas bancas de jornais ao lado da revista *Time*". Masters e Johnson, solicitados pela revista *Playboy* a comentar sobre o tamanho médio do pênis, censuraram suas conclusões. Eles se "recusaram terminantemente" a falar, alegando a preocupação com o fato de esses dados poderem ter "um efeito negativo sobre os leitores de *Playboy*", e que "todo o mundo passaria a andar carregando uma régua".

Essa versão da censura esteve vigente durante as mesmas décadas que presenciaram o crescimento incomparável da indústria da pornografia. Na Suécia, onde a venda de pornografia violentamente misógina é defendida com base na liberdade de expressão, "quando uma revista publicou um nu masculino nas duas páginas centrais, [as autoridades] retiraram [a revista] de circulação em questão de horas". A revista feminina *Spare Rib* foi proibida na Irlanda porque ensinava às mulheres como examinar os próprios seios. A Fundação Helena Rubinstein, nos Estados Unidos, retirou seu patrocínio a uma conferência de mulheres em Barnard, porque uma revista feminina do *campus* mostrava imagens "explícitas" de mulheres.

O MITO DA BELEZA

Várias galerias de arte recusaram a instalação de arte colaborativa de Judy Chicago, *The Dinner Party* [O jantar], por descrever em forma estilizada a genitália de heroínas da história das mulheres. O Fundo Nacional para as Artes [National Endowment for the Arts — NEA] foi criticado pelo Congresso por patrocinar uma mostra em que eram exibidos pênis muito grandes. O Projeto P da Polícia de Ontário declarou que fotos de mulheres nuas amarradas, machucadas e sangrando, destinadas a finalidades sexuais, não eram obscenas porque não aparecia nenhum pênis ereto, mas um filme de mulheres canadenses foi proibido por conta de uma tomada de cinco segundos da colocação de uma camisinha sobre um pênis ereto. No metrô de Nova York, policiais municipais confiscaram cartazes contra a aids, feitos à mão, que ensinavam pessoas analfabetas a colocar uma camisinha num pênis ereto. Os mesmos policiais deixaram intactos os anúncios de *Penthouse*, exibidos nas proximidades pelo departamento de trânsito de Nova York. Deixando de lado a questão do que as imagens de violência sexual fazem, ainda assim fica aparente a imposição oficial de dois pesos e duas medidas quanto à nudez masculina e à feminina na cultura dominante, que favorece injustiças no tocante ao poder.

A prática da exibição de seios, por exemplo, em contextos nos quais a exibição de pênis seria inimaginável, é descrita como sem importância porque os seios não são "tão nus" quanto pênis ou vaginas. E a ideia de expor os homens parcialmente de forma semelhante é descabida porque os homens não possuem partes do corpo comparáveis aos seios. Contudo, se considerarmos a forma pela qual os órgãos genitais femininos são fisicamente ocultos, ao contrário dos órgãos masculinos, e como os seios femininos são fisicamente expostos, ao contrário dos masculinos, podemos ver a questão de um ângulo diferente. Nesse caso, os seios femininos correspondem ao pênis masculino como a vulnerável "flor do sexo"

O SEXO

no corpo, de tal forma que exibir uns e ocultar o outro torna o corpo feminino vulnerável enquanto o do homem é protegido. Em muitas culturas, a nudez desigual quase sempre exprime relações de poder. Nas prisões modernas, os presidiários são despidos diante de carcereiros vestidos. No sul dos Estados Unidos, antes da Guerra de Secessão, jovens negros escravizados e nus serviam os senhores brancos, vestidos, à mesa. Viver numa cultura na qual as mulheres estão rotineiramente nuas enquanto os homens não o estão equivale a aprender a desigualdade aos pouquinhos, o dia inteiro. Portanto, mesmo que concordemos que as imagens sexuais são de fato uma linguagem, ela é nitidamente uma linguagem já submetida a uma forte manipulação para proteger a confiança sexual — e social — masculina enquanto prejudica a feminina.

COMO FUNCIONA?

Essas imagens institucionalizam a alienação heterossexual ao interferirem em nossas fantasias. "A pornografia é tão poderosa e se mistura de forma tão natural com a publicidade de produtos [...] que muitas mulheres descobrem que suas fantasias e a imagem de si mesmas também estão deturpadas", escreve Debbie Taylor em *Women: A World Report* [Mulheres: um relatório mundial]. Ela ressalta que a ficção romântica raramente é "sexualmente explícita, tendendo a se distanciar [...] quando dois amantes se beijam pela primeira vez". A mesma atitude evasiva com relação ao sexo vale para praticamente toda representação dramática da cultura dominante quando se conta uma história de amor. É tão raro se ver o sexo explícito no contexto do amor e da intimidade nas telas, que nossa cultura parece tratar a sexualidade terna como se fosse um desvio de comportamento ou uma depravação, enquanto aceita o sexo violento ou degradante como correto e saudável. Segundo Taylor, "isso deixa vazio o palco sexual" na mente de homens e mulheres "e as imagens pornográficas têm liberdade para assumir o papel principal. Os dois atores-chave nesse palco são o sádico, representado pelo homem, e a masoquista, representada pela mulher".

Até recentemente, o campo da fantasia sexual era habitado por imagens realmente vislumbradas ou por sensações verdadeiras, e pensamentos íntimos colhidos de sugestões do mundo real, uma fonte de sonhos da qual saíam flutuando imagens sem peso, transformadas pela imaginação. Com indícios e traços dos corpos de outras pessoas, ela preparava as crianças para a vida adulta, para entrarem no ambiente da sexualidade adulta e encararem o/a amante de frente. Os homens e mulheres de sorte são capazes de manter limpo um caminho até essa fonte de sonhos, mantendo-a habitada por cenas e imagens que encontram à medida que amadurecem, criadas com seu corpo em contato com outros corpos. Eles escolhem um amante porque o cheiro de um casaco, um jeito de andar, a forma de uma boca estão ali em sua imaginação interior, ressoam no tempo e lhe tocam fundo, trazendo lembranças da imaginação da infância e do início da adolescência. No campo da fantasia de um homem de sorte não há lugar para robôs; no de uma mulher de sorte, não há lugar para predadores. Eles chegam à idade adulta sem violência no jardim.

Está cada dia mais difícil proteger a própria fantasia, especialmente para os jovens. O fogo cerrado da beleza povoa o campo da fantasia de uma mulher com "lindos" fantasmas nus que lhe invadem o território, transformando a penumbra de um espaço pessoal num cenário de cinema onde se exibem desconhecidas famosas que não têm nada a ver com ela. O objetivo do mito da beleza dos anos 1980 foi o de povoar o interior sexual de homens e mulheres com violência, colocando, no centro da escuridão

O SEXO

de cada um, uma Donzela de Ferro elegantemente violentada, e destruindo o terreno fértil da imaginação infantil com visões tão corrosivas a ponto de torná-lo estéril. Por enquanto, o mito está vitorioso em sua campanha contra nossa individualidade sexual, contra as imagens pessoais mais comoventes que extraem seu poder associativo de nossa tenra infância, nossa adolescência desajeitada, nossos primeiros amores. Ele está se certificando de que homens e mulheres, recém-liberados para descobrir um ao outro, deixem de alcançar esse objetivo.

Os costumeiros debates sobre a pornografia focalizam os homens e o que a pornografia faz a suas atitudes sexuais para com as mulheres. Entretanto, o efeito paralelo da pornografia da beleza sobre as mulheres tem no mínimo a mesma importância. O que essas imagens fazem às atitudes sexuais das mulheres para consigo mesmas? Se já se demonstrou que a pornografia leve, não violenta, de tendência dominante, torna homens menos propensos a acreditar numa vítima de estupro; se sua influência dessensibilizante tem longa duração; se os filmes de violência sexual fazem com que homens trivializem cada vez mais a gravidade da violência que eles presenciam contra mulheres; e se afinal somente a violência contra mulheres é percebida por eles como erótica, não será provável que fantasias paralelas dirigidas a elas não façam com que sintam o mesmo com relação a si mesmas? Existem indícios de que isso ocorre. Wendy Stock descobriu que a exposição a imagens de estupro aumentava o interesse sexual feminino pelo estupro e aumentava suas fantasias de estupro (muito embora não convencesse as mulheres de que elas gostassem de força no sexo). Carol Krafka concluiu que as participantes da pesquisa "sentiam menor indignação com a violência [contra as mulheres] quanto mais viam, e que classificavam o material como menos violento" quanto mais ele lhes era exibido.

Num estudo com mulheres nos Estados Unidos, a dra. E. Hariton descobriu que 49% delas tinham fantasias de submissão sexual. No âmbito legal, decisões estão sendo tomadas com base na propagação da fantasia do estupro por toda nossa cultura. Em 1989, foi negado provimento a um caso civil, no Reino Unido, em que uma mulher processava seu fisioterapeuta por estupro, porque houve a sugestão de que ela fantasiara o estupro e que essas fantasias são comuns nas mulheres. As imagens de violência sexual também estão redefinindo a ideia do sexo na lei. Quando outra jovem britânica denunciou por estupro um policial, os hematomas e contusões no corpo e os arranhões provocados pelo cassetete forçado contra seu pescoço foram considerados condizentes com uma "peleja amorosa" mutuamente consentida.

Prossegue o debate para se saber se a pornografia clássica torna os homens violentos para com as mulheres. A pornografia da beleza, porém, está nitidamente tornando as mulheres violentas consigo mesmas. Os sinais estão a nossa volta. Um cirurgião estica a pele de uma incisão no seio, aqui. Ali, um cirurgião joga todo o peso sobre o peito de uma mulher para desfazer caroços de silicone com as próprias mãos. Aí está o cadáver ambulante. Aí está a mulher que vomita sangue.

A BATALHA SEXUAL: LUCRO E CHARME

Por que esse excesso de imagens agora? Elas não surgiram simplesmente como uma resposta do mercado a desejos inatos, profundos, já existentes. Elas surgem também — e principalmente — para estabelecer uma programação sexual e para *criar* suas versões do desejo. O modo de se instilarem valores sociais, escreve a historiadora Susan G. Cole, é erotizá-los. Imagens que transformam as

O SEXO

mulheres em objetos ou que dão valor erótico à degradação das mulheres surgiram para contrabalançar a recém-adquirida confiança das mulheres. Essas imagens são bem-vindas e necessárias porque os sexos se aproximaram demais para o gosto dos poderosos. Sua atuação tem como objetivo manter a separação entre homens e mulheres, sempre que as restrições religiosas, legais e econômicas se tornaram muito fracas para continuar sua função de sustentação à guerra dos sexos.

O amor heterossexual, antes do movimento feminista, era prejudicado pela dependência econômica das mulheres para com os homens. O amor dado livremente entre seres iguais é fruto do movimento das mulheres e uma possibilidade histórica muito recente, portanto, muito frágil. Ele é também contrário a alguns dos interesses mais poderosos desta sociedade.

Se mulheres e homens em grandes contingentes passassem a ter ligações que fossem de igual para igual, sexuais e não violentas, que honrassem o princípio feminino nem mais nem menos do que o masculino, o resultado seria mais radical do que os piores pesadelos do sistema a respeito de "conversões" homossexuais. Um desvio heterossexual em massa no sentido da ternura e do respeito mútuo representaria um verdadeiro problema para o *status quo*, já que os heterossexuais são a maioria sexual mais poderosa. A estrutura do poder teria de enfrentar uma grande transferência de lealdade. De cada relacionamento poderia surgir um compromisso duplo para transformar esta sociedade em uma que fosse baseada publicamente no que, pela visão tradicional, eram valores femininos, demonstrando com nitidez que a ambos os sexos agradaria um mundo salvo do domínio masculino. A boa-nova chegaria às ruas: as mulheres livres curtem mais a vida; o que é pior, os homens livres também.

O MITO DA BELEZA

As instituições dominadas pelos homens — em particular os grandes interesses empresariais — reconhecem os perigos que lhes apresenta essa saída pelo amor. As mulheres que se amam são ameaçadoras; mas os homens que amam mulheres de verdade o são ainda mais. As mulheres que se livraram dos papéis determinados pelo gênero se revelaram manipuláveis. As poucas que conquistaram o poder estão sendo treinadas novamente, como homens. No entanto, com o surgimento de contingentes de homens que passassem a ter um amor verdadeiro e apaixonado por mulheres de verdade, sua substancial autoridade e dinheiro poderiam desertar para unir suas forças às da oposição. Um amor dessa natureza representaria uma sublevação política mais radical do que a da Revolução Russa e mais desestabilizante para o equilíbrio do poder mundial do que o fim da era nuclear. Seria a queda da civilização como a conhecemos — ou seja, a do domínio masculino. E para o amor heterossexual seria o começo do começo.

As imagens que reduzem o sexo à "beleza" e reduzem a beleza a algo não humano, ou a sujeitam a tormentos erotizados, são convenientes sob os aspectos político e socioeconômico por subverterem o orgulho sexual feminino e se assegurarem de que homens e mulheres não terão possibilidade de se unirem sob uma causa comum contra a ordem social que se nutre de seu antagonismo, de suas versões isoladas da solidão.

Barbara Ehrenreich, Elizabeth Hess e Gloria Jacobs, em *Re--Making Love* [Recriando o amor], salientam que o novo mercado de produtos sexuais exige um consumismo sexual de rápida rotatividade. Essa observação vale não só para o mercado de acessórios sexuais, mas para toda a economia de consumo. A última coisa que o índice de consumo quer é que mulheres e homens descubram formas de se amarem. As vendas no varejo, que totalizam US$ 1,5 trilhão, dependem do distanciamento sexual entre homens e mu-

O SEXO

lheres e são estimuladas pela insatisfação sexual. Os anúncios não vendem o sexo — isso seria contraproducente se significasse que casais se voltariam uns para os outros, sentindo-se gratificados. O que eles vendem é a insatisfação sexual.

Embora a sobrevivência do planeta dependa do equilíbrio entre os valores femininos e masculinos, a cultura do consumo depende de manter interrompida a linha de comunicação entre homens e mulheres e promover inseguranças sexuais correspondentes. Harley-Davidsons e Cuisinarts simbolizam a masculinidade e a feminilidade. Já a satisfação sexual abranda a opressão do materialismo, pois os símbolos de *status* perdem sua conotação sexual e seu significado. O desejo por produtos se enfraquece quando o desejo emocional e sexual aumenta. O preço que pagamos por inflarmos esse mercado artificialmente é nosso anseio mais profundo. O mito da beleza mantém um espaço de fantasia entre homens e mulheres. Esse espaço é feito de espelhos; nenhuma lei da natureza lhe dá sustentação. Ele nos mantém gastando fortunas e olhando aturdidos a nossa volta, mas seu reflexo e sua fumaça interferem em nossa liberdade de sermos nós mesmos sob o aspecto sexual.

A cultura do consumo recebe melhor apoio de mercados compostos de clones sexuais, homens que desejam objetos e mulheres que desejam ser objetos, enquanto o objeto desejado é sempre mutante, descartável e determinado pelo mercado. O belo objeto da pornografia de consumo tem uma obsolescência essencial, para garantir que o menor número possível de homens crie vínculo com uma mulher que possa durar anos ou toda uma vida, e para garantir que a insatisfação das mulheres consigo mesmas aumente com o passar do tempo em vez de diminuir. Relacionamentos emocionalmente instáveis, alta incidência de divórcios e uma grande quantidade de pessoas desalojadas para procurar entrar no mercado do sexo são bons sinais para os negócios numa sociedade

O MITO DA BELEZA

de consumo. A pornografia da beleza está decidida a tornar o sexo moderno brutal, entediante e tão profundo quanto a superfície de um espelho, antierótico tanto para os homens quanto para as mulheres.

Contudo, interesses ainda mais poderosos do que os do índice de consumo dependem do distanciamento heterossexual e são ameaçados pela harmonia heterossexual. Os militares recebem quase um terço do orçamento federal dos Estados Unidos; o militarismo depende de os homens preferirem os vínculos uns com os outros aos laços com sua mulher e seus filhos. Homens que amassem mulheres transfeririam sua lealdade de volta para a família e a comunidade, das quais eles se afastaram num longo exílio pelo simples fato de terem se tornado homens. Amantes e pais de verdade não se disporiam a acreditar na propaganda tradicional do militarismo: a de que sua esposa e seus filhos se beneficiariam com sua morte heroica. Mães não têm medo de outras mães. Se o amor dos homens pelas mulheres e pelos próprios filhos os levasse a se definir em primeiro lugar como pais e amantes, a propaganda da guerra não surtiria efeito. O inimigo seria outro pai e companheiro também. Esse percentual da economia corre risco com o amor heterossexual. A paz e a confiança entre homens e mulheres que se amam seria tão prejudicial para a economia de consumo e para a estrutura do poder quanto a paz na Terra o seria para o complexo industrial-militar.

O amor heterossexual ameaça levar a mudanças políticas. Uma vida erótica baseada na não violência mútua em vez de na dominação e na dor ensina em primeira mão seu encanto fora do quarto de dormir. Uma consequência do amor-próprio feminino é a de a mulher se convencer de seu valor social. Seu amor pelo próprio corpo será irrestrito, o que é a base da identificação feminina. Se uma mulher ama o próprio corpo, ela não inveja o que as outras

O SEXO

mulheres fazem com o delas. Se ela ama sua feminilidade, lutará por seus direitos. É verdade o que dizem das mulheres. Elas são insaciáveis mesmo. Nós *somos* vorazes. Nossos apetites precisam, sim, ser controlados se quisermos que as coisas continuem como estão. Se o mundo também fosse nosso, se acreditássemos que isso nos seria permitido, pediríamos mais amor, mais sexo, mais dinheiro, maior dedicação às crianças, mais alimentos, mais atenção. Essas exigências de natureza física, sexual e emocional começariam a se ampliar até as exigências de natureza social: pagamento pela assistência aos idosos, licença maternidade, creches e assim por diante. A força do desejo feminino seria tão forte que a sociedade acabaria por ter de levar em consideração o que as mulheres querem, na cama e no mundo.

A economia também depende de uma estrutura masculina de trabalho que nega a família. Os homens policiam a sexualidade uns dos outros, proibindo-se mutuamente de colocar o amor sexual e a família no centro de sua vida. Já as mulheres definem seu sucesso pela capacidade de manter relacionamentos sexualmente amorosos. Se muitos homens e mulheres congregassem forças, essa definição do sucesso poderia agradar aos homens, liberando-os do túnel de vento da masculinidade competitiva. A pornografia da beleza é útil na prevenção dessa possibilidade. Quando ela é dirigida aos homens, seu efeito é o de impedir que eles encontrem a paz no amor sexual. A quimera fugaz do pôster retocado com aerógrafo, que sempre se afasta do homem, o mantém em posição instável, de procura, incapaz de se concentrar na beleza da mulher — conhecida, marcada, enrugada, familiar — que lhe entrega o jornal todos os dias de manhã.

O mito congela a revolução sexual de forma a nos fazer voltar ao ponto de partida, evitando o amor sexual com seu alto preço econômico. O século XIX restringia a heterossexualidade aos casamentos arranjados. Os profissionais urbanos bem-sucedidos de nossos dias entregam seu destino sexual nas mãos de empresas especializadas em encontros e devotam sua libido ao trabalho. Uma pesquisa revelou que muitos casais de *yuppies* sofrem de impotência mútua. O último século manteve homens e mulheres separados em rígidos estereótipos sexuais, da mesma forma que eles estão agora distanciados por rígidos estereótipos físicos. No mercado de casamento vitoriano, os homens julgavam e escolhiam. Nos desfiles do mercado da beleza, os homens julgam e escolhem. É difícil amar um carcereiro, sabiam as mulheres quando não tinham direitos legais. Mas também não é muito mais fácil amar um juiz. A pornografia da beleza é uma força de manutenção da guerra e tem o objetivo de estabilizar as instituições de uma sociedade sob ameaça de um surto de amor heterossexual.

LIÇÕES PRÁTICAS

Charmosas cenas de estupro obviamente erotizam a guerra dos sexos. Mas o que dizer da pornografia da beleza não violenta? O mal fica aparente na forma pela qual essas imagens reprimem a sexualidade feminina e reduzem o amor-próprio sexual das mulheres através da representação do sexo como algo trancado num cinto de castidade que só pode ser aberto com a chave da "beleza". Como o mito começou a usar a sexualidade feminina para realizar seu trabalho político, ao equipará-la com imagens da "beleza" num assédio repetitivo, ele tem hoje maior influência do que nunca sobre as mulheres. Com o sexo tendo se tornado refém da "beleza", o mito já não fica à flor da pele, mas age profundamente.

A sexualidade da mulher ocidental pode ser tão ameaçada pelo mito quanto a sexualidade de muitas mulheres orientais é amea-

O SEXO

çada por práticas menos refinadas. O estudo de Kinsey, de 1953, revelou que entre 70% e 77% das mulheres tinham experimentado um orgasmo, pela masturbação ou numa relação sexual. A satisfação sexual das mulheres não acompanhou o ritmo do progresso ostensivo da "revolução sexual". Os dados de Shere Hite de 1976 revelaram que somente 30% das mulheres têm orgasmos normalmente em relações sexuais sem estimulação manual do clitóris; outros 19%, com estimulação do clitóris; 29% não têm orgasmos durante relações sexuais; 15% não se masturbam; e 11,6% não têm orgasmo jamais, de forma alguma. A pesquisa de Helen Kaplan de 1974 revelou que entre 8% e 10% das mulheres nunca têm orgasmo e que até 45% só o atingem durante a relação com estimulação adicional do clitóris. Somente 30% das mulheres no estudo de Seymour Fischer de 1973 tinham orgasmo normalmente durante a relação sexual.

A década de 1980 revelou alterações surpreendentemente pequenas. Já em 1980, Wendy Faulkner concluía que somente 40% das mulheres britânicas haviam se masturbado antes dos 40 anos, em comparação com 90% dos homens. Uma pesquisa de 1981 revelou que somente 47% das dinamarquesas haviam se masturbado até atingir o orgasmo. No Reino Unido, um estudo de 1989, com 10 mil mulheres, descobriu que 36% "raramente" ou "nunca" atingiam o orgasmo durante a relação e "a maioria admitiu fingir para agradar ao marido". A sexualidade da mulher ocidental pode estar tão ameaçada pelo mito que mesmo mulheres orientais circuncidadas têm mais prazer. Por incrível que pareça, em comparação, uma importante pesquisa com 4.024 mulheres sudanesas circuncidadas (que tiveram seu clitóris removido pela circuncisão sunita) revelou que 88% haviam experimentado o orgasmo.

Embora a relação sexual não precise ser apresentada como o ato principal em torno do qual as mulheres devam adequar seu prazer,

O MITO DA BELEZA

é válido perguntar por que motivo a relação sexual e a masturbação, como apenas duas formas de prazer em potencial em meio a muitas, estariam proporcionando às mulheres tão pouca satisfação em nossos dias. As mulheres heterossexuais ocidentais não estão obtendo do próprio corpo ou do corpo do parceiros o prazer que merecem ou do qual são capazes. Poderia haver algo de errado na forma pela qual a relação sexual é ensinada culturalmente a homens e mulheres e algo de errado na forma pela qual elas são levadas a vivenciar o próprio corpo? O mito da beleza pode explicar grande parte dessa insatisfação.

O mito quer dissuadir as mulheres de se considerarem inequivocamente belas em termos sexuais. O mal que a pornografia da beleza faz às mulheres é menos imediatamente óbvio do que o mal que costuma ser atribuído à pornografia. Uma mulher que sabe por que detesta ver outra pendurada em um gancho de carne, e tem condição de exprimir suas objeções, fica sem palavras ao tentar esclarecer por que a pornografia "leve" da beleza a incomoda.

Essa aversão à pornografia que não consegue dizer seu nome é uma consternação silenciosa que se espalha por todo o espectro político. Ela pode ser encontrada entre feministas partidárias da "liberdade de expressão" que se opõem ao movimento contra a pornografia, entre mulheres que não acompanham o debate feminista, entre mulheres que não se identificam com as mulheres "inferiores" que aparecem na pornografia leve e na pesada, entre mulheres religiosas ou não, entre mulheres virgens e promíscuas, entre mulheres homossexuais e heterossexuais. As mulheres afetadas por ela não têm de ser convencidas de um elo entre a "verdadeira" pornografia e a violência sexual, mas não conseguem discutir esse mal sem sentir vergonha. Para a mulher que não consegue situar em sua visão de mundo uma objeção razoável a imagens de mulheres nuas

O SEXO

e "lindas" a quem nada de mau parece estar acontecendo, o que é que pode explicar o desagrado íntimo que sente?

Seu próprio silêncio provém do mito. Se nós nos sentimos feias, a culpa é nossa. E não temos nenhum direito inalienável a nos sentirmos sexualmente "lindas". Uma mulher não deve admitir sua objeção à pornografia da beleza porque esta atinge a raiz de sua sexualidade ao fazer com que se sinta sexualmente feia. Homens ou mulheres, todos precisamos nos sentir lindos para nos abrirmos para a comunicação sexual. "Lindos" no sentido de bem-vindos, desejados e queridos. Na ausência desse sentimento, cada um se coisifica ou coisifica o outro numa atitude de legítima defesa.

Uma vez conversei com outras estudantes universitárias sobre a pornografia leve que estava incluída nas assinaturas da sala de leitura de nossa faculdade. Minha abordagem foi totalmente equivocada. Mencionei a política, o simbolismo, o espaço cultural masculino, a exclusão social, a coisificação. Uma jovem pensativa ouviu atentamente por algum tempo, mas sem nenhum sinal de compreensão nos olhos. "Vou apoiá-la" disse ela, afinal, "embora eu não faça ideia do que você está falando. Tudo o que sei é que elas fazem com que eu me sinta incrivelmente mal com relação a mim mesma."

As capas das revistas de pornografia leve se aproximam da psique feminina por mostrarem versões de modelos que são familiares à mulher por pertencerem a sua própria vida de fantasia, composta de imagens de filmes, da televisão e das revistas femininas. Ao contrário das "estranhas" prostitutas da pornografia pesada, cuja "beleza" tem menos importância do que o que elas podem ser forçadas a fazer, essas modelos são uma lição para ela. Elas são "seus" modelos, despidos. "Hefner é um romântico, ligado à beleza daquilo tudo", afirma Al Goldstein, editor de *Screw,* "e as garotas dele são como as garotas da vizinhança. As minhas são as *putas*

O MITO DA BELEZA

da vizinhança, com espinhas, estrias e papel barato impresso em preto e branco." Se essas duas são as únicas opções de representação sexual abertas às mulheres, não é de se estranhar que elas persigam a beleza mesmo arriscando a vida.

As modelos "românticas" proporcionam à mulher uma revelação hipnótica de um corpo aprimorado a ser esboçado abaixo do conhecido rosto protegido. Podem ser imaginados os grandes lábios rosados e os mamilos coloridos por baixo da renda das modelos nos cadernos de domingo. Também sua silhueta reluzente e seu ventre sinuoso podem ser imaginados por baixo das produções da moda. A mulher compara o próprio *striptease* com esse *striptease* de consumo. Ela pode sentir uma humildade irônica, um antídoto do desejo, ou pode experimentar uma sensação narcisista de estar "à altura", pornograficamente estimulada mas basicamente tão antierótica quanto a outra, já que a mulher que "se encaixa" não sai vitoriosa. Ela simplesmente recebe permissão de preencher o contorno da Donzela de Ferro. Na realidade, é possível que as mulheres "lindas" sejam mais vulneráveis à interferência da pornografia em suas fantasias por poderem se "ver" nas imagens pornográficas, ao contrário das mulheres comuns.

Uma mulher que não goste de *Playboy* pode ter como motivo o fato de seu núcleo sexual não ser facilmente destruído. Embora ela possa ter submetido sua individualidade a outras humilhações, este seu último posto de resistência, a essência sexual, lutará com garra e por muito tempo. Ela pode se melindrar com *Playboy* por não gostar de se sentir feia no sexo — ou, se for "linda", por não lhe agradar ter seu corpo definido e reduzido pela pornografia. A pornografia inibe na mulher algo de que ela precisa para viver e lhe fornece o anafrodisíaco por excelência: o olhar de autocrítica sexual. O ensaio de Alice Walker, intitulado "Partindo-se em peda-

O SEXO

ços", examina o dano sofrido. Ao se comparar com a pornografia do amante, a heroína "tolamente" conclui não ser bonita.

"Eu fantasio", diz Betty na coletânea de fantasias sexuais femininas de Nancy Friday, *Meu jardim secreto,* que "me transformei numa mulher linda e charmosa (na vida real, sei que sou meio sem graça) [...]. Fecho meus olhos e pareço estar observando, de algum outro lugar, fora de mim, essa bela mulher que sou eu. Vejo-a de forma tão nítida que tenho vontade de gritar alguma mensagem de incentivo para ela [...] 'Aproveite, você merece.' O estranho é que essa outra mulher não sou eu." "De repente, eu não era mais eu mesma", escreve "Monica". "O corpo [...] não era esta coisa gorda e esquisita, não era eu [...] Era uma irmã linda que eu tinha [...] O tempo todo não era eu, tudo estava acontecendo com essas duas pessoas lindas em minha cabeça." Estas palavras — "não era eu"; "de repente, eu não era mais eu mesma"; "essa outra bela mulher" — são obsessivas. Em apenas vinte anos, o mito conseguiu criar uma cortina de imagens para separar as mulheres do próprio corpo durante o ato do amor.

Quando conversam sobre esse assunto, as mulheres se inclinam para a frente e abaixam a voz. Contam, então, seu terrível segredo. São meus seios. Meus quadris. São minhas coxas. Odeio minha barriga. Não estão falando de um desagrado de natureza estética, mas de uma profunda vergonha sexual. As partes do corpo variam, mas o que cada mulher que fala tem em comum com a outra é a convicção de que *essa parte* é a que a pornografia da beleza mais transforma em fetiche. Seios, coxas, nádegas, ventres: as partes mais importantes da mulher sob o aspecto sexual, cuja "feiura" se transforma, portanto, em obsessão. São essas as regiões espancadas com mais frequência por homens violentos. As partes que os assassinos sexuais mutilam mais. As partes mais profanadas pela pornografia pesada. As partes que os cirurgiões plásticos mais operam. As partes que produzem filhos e os amamentam; as que têm sentido sexual. Uma cultura misógina conseguiu fazer com que as mulheres odeiem o que os misóginos odeiam.

"Moça, ame sua boceta", escreveu Greer, e no entanto os dados de Hite revelaram que cerca de uma mulher em cada sete considerava sua vagina "feia". A mesma proporção achava que ela cheirava "mal". "Moça, ame seu corpo" é uma mensagem ainda mais urgente uma geração depois. Um terço das mulheres sente "grande insatisfação" com relação ao corpo, o que as leva a passar por uma "ansiedade social maior, redução da autoestima e *disfunções sexuais*" (os grifos foram acrescentados). A dra. Marcia Germaine Hutchinson estima que 65% das mulheres não gostem de seu corpo, e que uma baixa valorização do próprio físico leva as mulheres a evitar a possibilidade de intimidade física. Essa desvalorização e redução da sexualidade são o buraco negro psíquico que a pornografia da beleza abre na integridade física da mulher.

O buraco negro do ódio a si mesma pode migrar. Uma obsessão com os seios pode desaparecer deixando em seu lugar uma aversão pelas coxas. Muitas mulheres leem o código da beleza cheias de medo porque ele muitas vezes *apresenta* novos e inesperados pontos de rejeição.

Como surgiu essa desastrosa definição da sexualidade? A "beleza" e a sexualidade são geralmente mal interpretadas como algo inevitável e transcendente. Um falso vínculo entre as duas faz parecer ser duas vezes mais verdadeiro que uma mulher precise ser "linda" para despertar o desejo. É claro que isso não é verdade. As definições tanto de "beleza" quanto de "sexualidade" mudam constantemente de forma a servir à ordem social, e a ligação entre as duas é uma invenção recente. Quando a sociedade precisava de castidade nas mulheres, a virgindade e a fidelidade dotavam as mulheres de beleza (a fundamentalista religiosa Phyllis Schlafly

O SEXO

reafirmou recentemente que o sexo fora do casamento destruía a beleza das mulheres), e sua sexualidade era inexistente. Peter Gay revela que se supunha que as mulheres vitorianas "não tivessem sensibilidade sexual"; e Wendy Faulkner cita a convicção por parte de escritores vitorianos de que as mulheres da classe média eram "frígidas por natureza". Só recentemente, agora que à sociedade convém mais uma população de mulheres disponíveis e inseguras sob o aspecto sexual, é que a beleza foi redefinida como sexo. Por que isso aconteceu? Porque, ao contrário da sexualidade feminina, inata a todas as mulheres, a "beleza" exige muito trabalho, poucas mulheres nasceram com ela e, ainda por cima, ela não sai de graça.

A disparidade entre a "beleza" e o sexo na produção desse tipo de imagem me traz à mente uma lembrança. Uma amiga minha, modelo, aos 15 anos, me mostrou as fotos de seu primeiro trabalho apresentando lingerie para os anúncios de uma grande loja de departamentos, a serem publicados no jornal de domingo. Quase não a reconheci. Os cabelos pretos de Sasha, lisos e puritanos, haviam sido eriçados e despenteados. Seus seios empinados mal estavam cobertos por uma seda brilhante em tons de pêssego e preto. A mulher que Sasha estava fingindo ser na foto estava agachada numa cama elegantemente desarrumada, com os lençóis repuxados como rosas de cem pétalas que se abriram demais. Sua própria cama, na qual estávamos sentadas olhando as fotos, era de solteiro, bem arrumada, austera, coberta com uma colcha de algodão cinza. Acima de nós, estavam as peças de Shakespeare em edições já muito manuseadas, seu livro de biologia e uma calculadora. Nada de colares de pérolas, abotoaduras de diamantes; nada de gladíolos exuberantes com seus estames salientes. A coisa em que transformaram Sasha estava com as costas arqueadas de forma que a parte inferior de seus seios recebesse a luz. "Coitada de sua coluna", disse eu, pensando na tensão dos ombros. Sasha tinha escoliose. Usava um aparelho de

O MITO DA BELEZA

aço e espuma rígida. O aparelho existia numa dimensão distante daquela janela recortada, do sofisticado pôr do sol alaranjado que nós duas examinávamos. Os lábios brilhosos de Sasha estavam abertos, deixando ver os dentes, como se ela tivesse enfiado a mão em água fervente. Os olhos estavam semicerrados; e a Sasha dentro deles, eliminada. Como eu, ela era virgem.

Recordando aquele tempo, imagino como a imagem teria saído naquele fim de semana, numa explosão de vida própria entre colunas de texto. Mil mulheres adultas, que saberiam segredos que nós duas nem podíamos imaginar, olhariam para a imagem detidamente. Tirariam a roupa e escovariam os dentes. Dariam uma volta diante do espelho debaixo do zumbido da lâmpada, e a casca polida e iluminada do corpo de Sasha giraria acima da sua cabeça no céu escuro da noite. Desligariam a luz e iriam para a cama larga, aquecida e cheia de vida, para braços que as esperavam, humilhadas, com o passo mais pesado.

O vínculo entre a pornografia da beleza e o sexo não é natural. Supõe-se que seja natural no homem o desejo de ter acesso visual a uma série infinita de pôsteres diferentes, já que essa forma de atividade visual seria uma sublimação da promiscuidade inata dos homens. Só que, como os homens não são promíscuos por natureza, assim como as mulheres não são monógamas por natureza, conclui-se que a afirmação feita com tanta frequência a respeito da pornografia da beleza — de que os homens precisam dela por se excitarem visualmente enquanto as mulheres não têm esse tipo de estímulo — não se baseia num parecer biológico. Os homens são estimulados visualmente pelo corpo feminino e são menos impressionáveis pela personalidade da mulher porque desde cedo são treinados para reagir assim, enquanto as mulheres são menos estimuladas em termos visuais e mais em termos emocionais por ser este o treinamento que recebem. Essa assimetria na educação

O SEXO

sexual mantém o poder masculino no mito. Eles olham para o corpo de uma mulher, fazem um julgamento e vão em frente. Seu corpo não é examinado, avaliado e tomado ou descartado. Não existe, porém, nada de imutável que seja responsável por essa situação. Ela pode mudar de tal forma que uma verdadeira reciprocidade — um olhar igual, uma vulnerabilidade igual, um desejo igual — possa unir homens e mulheres heterossexuais.

A assimetria do mito da beleza diz a homens e mulheres mentiras sobre cada corpo, para mantê-los sexualmente distanciados. A coleção de mentiras físicas geradas pelo mito nega o que uma mulher heterossexual sabe a respeito do corpo dos homens. As mulheres são supostamente o sexo da "pele macia", mas uma mulher sabe que a aréola do mamilo masculino é extremamente macia e que há lugares em seu corpo em que a pele é mais macia do que em qualquer parte do corpo feminino: a glande, a pele delicada que reveste o pênis. As mulheres são o sexo "sensível". Não existe, porém, nenhuma parte no corpo feminino tão vulnerável quanto os testículos. As mulheres não podem tirar a blusa seja qual for a temperatura, aparentemente porque seus mamilos têm sentido sexual. Os mamilos dos homens também têm sentido sexual, e isso não os mantém cobertos quando o termômetro passa dos 30 graus. As mulheres ficam "feias" quando têm estrias. Os homens têm estrias, nos quadris, das quais muitas vezes nem têm conhecimento. Os seios das mulheres precisam ser de uma simetria perfeita; os órgãos genitais masculinos sem dúvida não são. Existe toda uma literatura de rejeição ancestral aos sabores e aparências do corpo feminino. Os homens podem ter um gosto desagradável e uma aparência simplesmente apavorante. As mulheres gostam deles de qualquer jeito.

O veloz aumento das imagens que transformam as mulheres em objetos sexuais acompanhou a revolução sexual, não para atender às fantasias dos homens, mas para defendê-los de seus medos. Quando a romancista Margaret Atwood perguntou a mulheres o que elas mais temiam dos homens, elas responderam que tinham medo que eles as matassem. Quando fez a mesma pergunta aos homens com relação às mulheres, eles responderam que tinham medo que elas rissem deles. Quando os homens controlam a sexualidade feminina, eles ficam a salvo da avaliação sexual. Relata Rosalind Miles que uma japonesa do século VIII, por exemplo, era ensinada a "sempre dizer de seu *membrum virile* que era enorme, maravilhoso, maior do que qualquer outro [...]. E você deve acrescentar, 'Venha me saciar, minha maravilha!' e alguns outros elogios desse tipo". Já uma mulher alfabetizada do século XVI era menos elogiosa. "O velho a beijou, e foi como se uma lesma tivesse se arrastado pelo seu rosto encantador." Com as mulheres abertas à experimentação sexual, os homens se arriscavam a ouvir o que as mulheres ouvem todos os dias, ou seja, que há padrões sexuais com os quais eles poderiam ser comparados. Esse medo é exagerado. Mesmo com a liberdade sexual, as mulheres seguem uma rígida etiqueta. "Nunca", recomenda uma revista feminina, "mencione o tamanho do [pênis] dele em público [...] e nunca, jamais, permita que ele saiba que alguma outra pessoa sabe, ou você acabará vendo que ele murcha e desaparece, o que vai ser bem feito para você." Essa citação reconhece que a comparação sexual crítica é um anafrodisíaco direto quando aplicada aos homens. Ou ainda não reconhecemos que ela tem exatamente o mesmo efeito sobre as mulheres, ou não nos importamos, ou, ainda, *entendemos em algum nível que seu efeito no momento presente é desejável e adequado.*

É improvável que um homem consiga se aproximar o suficiente de mulheres quando elas estão julgando a aparência, a altura, a musculatura, a técnica sexual, o tamanho do pênis, os cuidados pessoais ou o bom gosto nas roupas dos homens, temas que, sem

O SEXO

dúvida, abordamos. O fato é que as mulheres são capazes de encarar os homens da mesma forma que eles as encaram, como objetos para sua avaliação estética e sexual. Nós também, sem qualquer esforço, podemos selecionar o "ideal" masculino dentre uma fileira de homens em exibição. E se pudéssemos possuir a beleza masculina além de tudo o mais, a maioria de nós não a rejeitaria. E daí? Levando-se tudo isso em consideração, as mulheres em geral optam por aceitar os homens em primeiro lugar como seres humanos.

É provável que as mulheres possam ser treinadas com facilidade para ver os homens em primeiro lugar como objetos sexuais. Se as meninas nunca passassem pela violência sexual, se a única abertura que uma menina tivesse para a sexualidade masculina fosse uma quantidade de imagens baratas, bem iluminadas e fáceis de encontrar, de rapazes pouco mais velhos do que ela, no final da adolescência, dando um sorriso encorajador e exibindo simpáticos pênis eretos da cor de rosas ou de café, ela bem poderia olhar essas imagens, masturbar-se com elas e, quando adulta, "precisar" da pornografia da beleza baseada nos corpos de homens. E se um desses pênis iniciadores fosse apresentado para a menina como provido de uma ereção pneumática, sem inclinação nem para a direita nem para a esquerda, com o gosto de canela ou de frutinhas silvestres, sem a presença de pelos ocasionais e com uma disponibilidade constante; se eles fossem apresentados tendo ao lado sua medida de comprimento e de circunferência em centímetros; se eles parecessem estar à disposição dela sem qualquer personalidade problemática vinculada a eles; se o prazer dela parecesse ser a única razão para eles existirem; nesse caso, um rapaz de verdade provavelmente se aproximaria da cama de uma jovem com, no mínimo, muito medo de fracassar.

Mais uma vez, e daí? Ter sido treinado de uma maneira não significa que não se possa rejeitar essa formação. O medo que os homens têm de serem transformados em objetos, do mesmo modo que transformaram as mulheres, é provavelmente infundado. Se os dois sexos tivessem a escolha de ver o outro como um composto de objeto sexual e ser humano, os dois reconheceriam que a realização consiste em não excluir nenhum dos dois termos. São os medos infundados entre os sexos que mais beneficiam o mito da beleza.

Fantasias que focalizam exclusivamente o corpo feminino foram incentivadas num ambiente em que os homens não conseguiam mais controlar o sexo, mas pela primeira vez tinham de conquistá-lo. Mulheres que estivessem preocupadas com sua capacidade de despertar o desejo eram menos propensas a expressar o que elas desejavam e a sair a sua procura.

COMO REPRIMIR A SEXUALIDADE FEMININA

Germaine Greer escreveu que as mulheres serão livres quando tiverem uma definição positiva da sexualidade feminina. Uma definição dessas poderia neutralizar completamente a pornografia da beleza no que toca às mulheres. Uma geração mais tarde, as mulheres ainda se ressentem dessa falta. A sexualidade feminina não é apenas definida de forma negativa, mas também elaborada de forma negativa. Somos vulneráveis à absorção da interferência do mito da beleza em nossa sexualidade porque nossa educação sexual foi programada para garantir essa vulnerabilidade. A sexualidade feminina é virada pelo avesso desde o nascimento, para que a "beleza" assuma seu lugar, mantendo os olhos das mulheres voltados para o próprio corpo, olhando de relance para cima, só para verificar a imagem refletida nos olhos dos homens.

Esse erotismo de fora para dentro é cultivado nas mulheres por meio de três pressões artificiais sobre a sexualidade feminina.

O SEXO

A primeira consiste no fato de as meninas quando pequenas geralmente não receberem cuidados íntimos por parte do pai. A segunda é a forte influência cultural que posiciona as mulheres fora de seu corpo para observarem somente as mulheres como objetos sexuais. A terceira é a predominância da violência sexual que impede a sexualidade feminina de se desenvolver organicamente e faz com que os corpos masculinos pareçam ser perigosos.

1. A Donzela de Ferro nua afeta as mulheres vigorosamente porque a maioria delas é cuidada na tenra infância por mulheres. O corpo e o seio femininos começam como o foco do desejo para a criancinha, com a ausência do corpo e do peito masculino. À medida que as meninas vão crescendo, o mito mantém o foco sexual no corpo feminino, mas, ao contrário da atração que ele desperta em homens heterossexuais e em lésbicas, a admiração não correspondida das mulheres heterossexuais muitas vezes se contamina com a inveja, a tristeza pela perda da felicidade e a hostilidade. Essa situação cria nas mulheres uma dependência para com os olhos dos homens, impondo o que a poeta Adrienne Rich chama de "heterossexualidade compulsória", que proíbe as mulheres de verem outras mulheres como fontes de prazer sexual sob qualquer circunstância. Sob o domínio do mito, a beleza do corpo de outras mulheres magoa as mulheres, levando ao que Kim Chernin chama de nossa "cruel obsessão com o corpo feminino". Esse relacionamento frustrado — que dá às mulheres heterossexuais um prazer confuso e ansioso quando observam o corpo de outra mulher — paralisa as mulheres numa permanente angústia de competição que é de fato apenas o resíduo venenoso do amor original.

2. A inversão cultural da sexualidade feminina começa cedo, com o tabu da masturbação. A integridade sexual brota do egoísmo sublime da infância, a partir do qual a entrega sexual é antes generosidade do que submissão. No entanto, a masturbação feminina

também é censurada culturalmente. O desejo solitário na infância é uma das raras recordações que podem relembrar as mulheres de que já somos inteiramente sexuais antes de a "beleza" aparecer em cena, e que podemos continuar sendo assim fora dos limites do mito da beleza. Ele também nos lembra que a sensação sexual não tem de depender de alguém nos olhar.

Os homens não precisam se preocupar com essa essência. Podemos ver que, com a sanção da cultura, a sexualidade masculina simplesmente existe. Eles não têm de conquistá-la com sua aparência. Percebemos que o desejo masculino antecede o contato com as mulheres. Ele não jaz latente à espera de um sopro de vida em resposta à vontade de uma mulher. O desejo solitário masculino é representado tanto na cultura de elite quanto na cultura popular, desde Philip Roth, André Gide, Karl Shapiro e James Joyce até piadas indecentes contadas a plateias de ambos os sexos. Todos sabemos do desejo sexual dos adolescentes do sexo masculino. Mas não existem cenas do despertar sexual íntimo de meninas adolescentes, a não ser em simulações para o *voyeur* do sexo masculino. Num vazio cultural, é difícil imaginar como é o desejo solitário feminino. O corpo da mulher é retratado como uma bela embalagem cobrindo uma caixa vazia. Nosso órgão genital não é erotizado *para as mulheres*. O corpo do homem não é erotizado *para as mulheres*. O corpo de outras mulheres não é erotizado para as *mulheres*. A masturbação feminina não é erotizada *para as mulheres*. Cada mulher tem de aprender sozinha, a partir do nada, a se sentir um ser sexual (muito embora ela constantemente aprenda a aparentar sua sexualidade). A ela não é fornecida nenhuma contracultura com o desejo feminino voltando os olhos para fora, nenhuma descrição da *presença* complexa e curiosa de suas sensações genitais ou da forma pela qual elas continuamente enriquecem o conhecimento de seu próprio corpo. Largada sozinha no escuro,

O SEXO

ela tem pouquíssimas opções. Terá de absorver as fantasias da cultura dominante como se fossem suas.

Meninas de 10 anos na década de 1970, ansiosas por ouvir falar de sexo pela voz de alguma mulher, se revezavam no acampamento lendo em voz alta cópias clandestinas de *Histoire d'O* ou de Xaviera Hollander. O primeiro é uma doutrinação no masoquismo; o outro trata do comércio sexual frio e calculista. Sem nada melhor, as meninas aprendem com o que lhes chega às mãos. Não lhes faltam fatos. Falta-lhes uma cultura sexual positiva: romance e poesia, filmes, piadas e *rock and roll,* escritos não para vender, mas para investigar, comunicar e festejar, como é escrito o que de melhor tem a cultura erótica masculina. Para a educação sexual de meninas, não há nada além de uma mulher amarrada a uma parede, com a boca formando um O; ou então uma mulher com bom faro para os negócios e uma prosa sem graça, contando seu dinheiro.

Já os meninos têm toda uma cultura pronta para eles. Eles cantam, tocando uma guitarra imaginária de encontro às virilhas, *Brown sugar, mm! How come you taste so good? Ah... Just like a young girl should.** ("Nós devemos ser?", perguntam-se as garotinhas. "Como açúcar mascavo?") Entretanto, da própria experiência das meninas, daquilo que seus próprios sentidos lhes dizem — o cheiro masculino picante e salgado num corredor de escola, a curiosidade pela penugem que começa a escurecer num antebraço, o som de uma voz que muda de tom, a postura preguiçosa que estica o brim sobre uma coxa, o gosto de Southern Comfort numa língua parcialmente educada, de Lucky Strikes sem filtro furtados de uma cômoda, a aspereza da barba por fazer, a irritação da pele pelo vento — elas notam tudo isso, veem tudo isso, mas não têm como relatar a experiência. O fato de essas imagens suscitarem constrangimento, tanto em quem conta quanto em quem

---

* "Açúcar mascavo, hum!... Como pode ser tão gostoso? Ah... Como uma garota deve ser." [*N. da T.*]

229

ouve, confirma até que ponto estamos desabituados de encontrar em nossa cultura meninas no papel de *sujeitos* que despertam para o sexo. Embora elas possam topar com a estranha beleza do corpo dos homens num *Fedro* ou num *Dorian Gray, é* impossível encontrá-la na cultura destinada a elas. O charme e a atração dos corpos masculinos não são descritos para as meninas por uma voz de mulher; e a atração que sentem por suas amigas não é descrita absolutamente em parte alguma.

Sua energia sexual e sua avaliação de meninos adolescentes e de outras meninas são frustradas, refletindo-se de volta sobre elas mesmas, em silêncio. E seu olhar faminto e penetrante é redirecionado para o próprio corpo. As perguntas "A quem eu desejo? Por quê? O que vou fazer a respeito disso?" são transformadas em "Eu me desejaria? Por quê? [...] Por que *não?* O que posso fazer a respeito disso?"

Os livros que leem e os filmes a que assistem observam, do ponto de vista de um rapaz, seu primeiro toque das coxas de uma menina, seu primeiro vislumbre dos seios dela. As meninas ficam sentadas ouvindo, absorvendo, com seus seios já conhecidos distanciados como se não fizessem parte de seu corpo, com as pernas cruzadas de vergonha, aprendendo a abandonar seu corpo e a observá-lo de fora. Já que seu corpo é visto do ângulo do desconhecimento e do desejo, não é de se estranhar que aquilo que deveria ser conhecido e sentido como um todo passe a ser distanciado e dividido em partes. O que as meninas aprendem cedo não é o desejo pelo outro, mas o desejo de ser desejada. Elas aprendem a observar seu sexo juntamente com os meninos. Isso ocupa o espaço que deveria ser dedicado a descobrir o que é que elas querem, a ler e a escrever sobre isso, a procurar e a alcançar o objetivo. O sexo é um refém da beleza e os termos do resgate são gravados cedo e em profundidade na mente das meninas com instrumentos mais bonitos do que aqueles que

O SEXO

os anunciantes e os pornógrafos sabem usar: a literatura, a poesia, a pintura e o cinema.

Essa perspectiva às avessas da própria sexualidade conduz à confusão que é o cerne do mito. As mulheres confundem ter uma aparência *sexy* com ser olhada com interesse sexual ("Clairol [...], a aparência que você quer"); muitas confundem uma sensação sexual com a sensação de ser tocada de forma sexual ("Lâminas Gillette [...], do jeito que uma mulher quer se sentir"); muitas confundem o desejo com o fato de ser desejada. "Minha primeira lembrança de natureza sexual", disse-me uma mulher, "foi quando raspei minhas pernas pela primeira vez e passei a mão pela pele lisa. Senti a sensação que era a mão de outra pessoa." As mulheres costumam dizer que, quando perdem peso, se sentem "mais *sexy*"; mas os terminais nervosos do clitóris e dos mamilos não se multiplicam com a perda de peso. Algumas mulheres me dizem que têm inveja dos homens, que conseguem sentir tanto prazer com o corpo da mulher. Dizem que se imaginam dentro do corpo do homem que as penetra para poderem compartilhar de seu desejo.

Seria possível então que a famosa lentidão da excitação feminina em comparação com a dos homens, suas fantasias complexas, a falta de prazer na relação que muitas apresentam estejam relacionadas a essa negação cultural de imagens sexuais que ratifiquem o ponto de vista feminino, à proibição cultural de que o corpo do homem seja visto como um instrumento de prazer? Não estaria tudo isso relacionado ao tabu que proíbe representar a relação sexual como uma oportunidade para que uma mulher heterossexual procure, agarre, saboreie e consuma o corpo masculino para sua satisfação, da mesma forma que é procurada, agarrada, saboreada e consumida para a satisfação dele?

A inversão da sexualidade feminina impede que as mulheres assumam o controle da própria experiência sexual. Um dos proble-

O MITO DA BELEZA

mas das imagens sexuais da pornografia leve destinada aos rapazes reside em as mulheres fotografadas não estarem de fato tendo uma reação sexual a nada. Os rapazes crescem sendo treinados a erotizar imagens que não lhes ensinam nada sobre o desejo da mulher. Nem mesmo as jovens aprendem a erotizar o desejo feminino. Tanto os homens quanto as mulheres se habituam a erotizar somente o corpo da mulher e o desejo do homem. Isso resulta numa sensibilidade exagerada das mulheres quanto ao desejo masculino para sua própria excitação, enquanto os homens são exageradamente insensíveis ao desejo feminino para a deles. A reação em cadeia que força o sentimento sexual feminino a depender do masculino é responsável pelo fenômeno descrito por Carol Cassell em sua obra *Swept Away: Why Women Confuse Love and Sex* [Enlevadas: por que as mulheres confundem o amor com o sexo]. Como muitas mulheres precisam se sentir "enlevadas" antes de experimentarem o desejo, somente 48% delas usam com regularidade métodos anticoncepcionais. Nos Estados Unidos, 48,7% dos abortos resultam de relações sem qualquer proteção. Se a sexualidade da mulher fosse valorizada e estimulada com tal atenção que elas pudessem se proteger sem medo de prejudicar a sensação sexual, metade da tragédia do aborto passaria a ser coisa do passado. Com a epidemia de aids, as mulheres que se submetem ao fenômeno do "enlevo" estão correndo o risco não só de gravidez, mas de morte.

3. Uma última explicação para a sexualidade desviada da mulher e para sua ambivalência quanto à relação sexual está relacionada a sua vivência do sexo forçado. O poder sugestivo da Donzela de Ferro violada deve ser compreendido num contexto de verdadeira violência sexual contra as mulheres.

De acordo com uma pesquisa com amostragem aleatória realizada por Diana Russell com 930 mulheres de São Francisco, 44% haviam sobrevivido a estupro ou a tentativas de estupro, conforme

O SEXO

definição do FBI; 88% dessas conheciam quem as atacara; e uma mulher em sete fora estuprada pelo marido ou ex-marido. Num estudo holandês com 1.054 mulheres instruídas, de classe média, entre os 20 e os 40 anos, 15,6% sofreram agressão sexual por parte de parentes, 24,4% sofreram agressão sexual quando crianças por parte de pessoas que não faziam parte da família, e 32,2% tiveram experiências sexuais forçadas antes dos 16 anos. Em outro estudo de 4.700 famílias holandesas, 20,8% haviam sofrido alguma violência por parte de um marido ou de um amante, a metade sofria repetidos atos de violência, e uma em cada 25 mulheres havia sofrido violência tão grave que resultara em algum defeito permanente. Os Países Baixos presenciaram um aumento de mais de um terço nos casos denunciados de estupro entre 1980 e 1988. Na Suécia houve um aumento de 70% nas denúncias de violência contra mulheres entre 1981 e 1988, e um aumento de 50% nas denúncias de estupro. No Canadá, uma mulher em cada quatro terá sua primeira experiência sexual sob condições forçadas, nas mãos de um membro da família ou de alguém íntimo da família. Na Grã-Bretanha, uma esposa entre sete é estuprada pelo marido. Uma pesquisa de 1981 com 1.236 mulheres londrinas revelou que uma entre seis havia sido estuprada e uma em cinco conseguira se livrar de uma tentativa de estupro. Outras pesquisas em 1985 e em 1989 revelaram as mesmas proporções.

A experiência que as mulheres têm de violência por parte dos parceiros é epidêmica. Em 1980, um estudo de 2 mil casais casados nos Estados Unidos demonstrou que houvera agressão em 28% deles, com 16% relatando violência durante o último ano. Um terço da violência era grave: socos, pontapés, golpes com um objeto, agressão com faca ou arma. Numa pesquisa de acompanhamento de 1985, os percentuais permaneciam os mesmos. Uma pesquisa de opinião pública da empresa Harris revelou violência em 21% dos

O MITO DA BELEZA

relacionamentos, valor que corrobora o resultado da pesquisa aleatória de Diana Russell em 1982, também de 21%. Numa agressão, é a mulher que se machuca em 94% a 95% dos casos. Pelo menos um 1,5 milhão de mulheres norte-americanas são agredidas pelos companheiros a cada ano. Um quarto dos crimes violentos nos Estados Unidos consiste em agressão à esposa. Pesquisadores em Pittsburgh tentaram formar um grupo de controle de mulheres não espancadas, mas 34% *do grupo de controle* relataram uma agressão por parte dos parceiros. Uma canadense casada entre dez é espancada pelo cônjuge, e uma em oito será agredida pelo homem com quem mora. Os espancamentos dão conta de uma em cada quatro tentativas de suicídio por parte de mulheres atendidas nas emergências de hospitais metropolitanos nos Estados Unidos. Num estudo do Instituto Nacional de Saúde Mental [National Institute of Mental Health — NIMH], 21% das mulheres submetidas a cirurgias de emergência haviam sido espancadas; metade de todas as mulheres machucadas que recorrem às emergências dos hospitais havia sido espancada; e metade de todos os estupros de mulheres com mais de 30 anos fazia parte da síndrome do espancamento. O Worldwatch Institute afirmou em 1989 que a violência contra as mulheres era o crime mais comum no mundo inteiro.

A violência sexual contra crianças naturalmente faz um vínculo entre o sexo e a força muito cedo na vida de um quarto a um terço da população feminina. Kinsey revelou em 1953 que quase um quarto das 4 mil mulheres pesquisadas por ele tinha sofrido estupro ou tentativa de estupro por parte de homens adultos quando eram meninas. Uma pesquisa de Diana Russell revelou em 1987 que 38% das mulheres haviam sofrido abuso sexual por parte de um adulto, conhecido, parente ou desconhecido, antes dos 18 anos; 28% haviam sofrido um abuso grave antes dos 14 anos; 12% por parte de algum membro da família. Bud Lewis, responsável por

O SEXO

uma pesquisa de *Los Angeles Times* realizada em 1985, descobriu em seu estudo aleatório de 2.627 homens e mulheres de todos os estados que 22% dos participantes da pesquisa haviam sofrido abuso sexual quando crianças; das mulheres, 27%. Ele perguntou, então, a 1.260 homens se eles algum dia haviam cometido abuso sexual contra uma criança; um entre dez homens respondeu que sim. No mundo inteiro, uma pesquisa realizada em países como Austrália, Estados Unidos, Egito, Israel e Índia sugere que uma em cada quatro famílias é incestuosa. Em 80% a 90% desses casos, as meninas sofrem abusos sexuais de um parente do sexo masculino, geralmente do pai. No Cairo, entre 33% e 45% das famílias tinham filhas que haviam sofrido abuso sexual por parte de um parente ou de amigos da família. Kinsey encontrou o incesto em 24% das famílias norte-americanas, número condizente com os encontrados na Austrália e no Reino Unido. Dois terços das vítimas israelenses tinham menos de 10 anos, e um quarto das vítimas nos Estados Unidos tinha menos de 5. Generalizando os dados para o restante do mundo, Debbie Taylor sugere que o equivalente a 100 *milhões* de meninas "podem estar sendo estupradas por adultos — geralmente seus pais — muitas vezes, dia após dia, semana após semana, entra ano e sai ano".

Os números são assombrosos, assim como é a ideia de que o mito da beleza está projetando imagens sexualmente violentas de mulheres bem como imagens de perfeição que exigem que as mulheres cometam violências contra si mesmas num ambiente que já vinculou o sexo à violência de alguma forma em alguma época da vida da maioria das mulheres. Será que o mal cometido contra elas poderia torná-las mais dispostas a agir contra si mesmas? A revista *Radiance* revelou que 50% das pacientes de anorexia numa clínica haviam sofrido abusos sexuais. A cirurgiã plástica Elizabeth Morgan examinou a relação entre o incesto e o desejo de uma cirurgia plástica, depois que muitas pacientes suas admitiram ter sido vítimas de abuso sexual na infância. "Cheguei à conclusão de que muitas delas queriam apagar a recordação da aparência que tinham quando sofreram a violência." Estudos clínicos de pessoas que sobreviveram ao incesto revelam que elas têm medo de que "seu prazer sexual não seja uma coisa boa [...] a maioria acredita que foram elas que fizeram algo de errado, que deveriam ser castigadas e que, se ninguém vai fazer justiça, elas mesmas se encarregarão disso".

A reação mais comum nas vítimas de estupro é uma sensação de total desvalorização, seguida de ódio pelo próprio corpo, muitas vezes acompanhado de transtornos alimentares (geralmente a bulimia ou a anorexia, para ter certeza de que estarão "seguras", muito gordas ou muito magras) e retraimento sexual. Se o abuso sexual concreto tem esse efeito sobre o amor ao próprio físico, as imagens de abusos sexuais e as imagens que invadem a privacidade sexual feminina não poderiam ter um efeito semelhante?

Uma consequência mais difusa dessa atmosfera geral, o predomínio da violência sexual e a forma como esta está vinculada à beleza feminina, é que as mulheres — especialmente, talvez, as jovens que cresceram em meio a imagens tão violentas — acabam por temer a própria beleza e desconfiar dela, sentindo uma ambivalência quanto à expressão física de sua própria sexualidade, seja nos trajes, nos movimentos, seja nos enfeites que usam. Hoje, talvez mais do que nunca, quando mulheres jovens se vestem de forma provocante, elas são forçadas a ter a sensação de estar se envolvendo com algum perigo.

O SEXO

A SEXUALIDADE DOS JOVENS:
COMPLETAMENTE MUDADA?

A exposição à violência chique e a imagens coisificantes do sexo parece já ter afetado os jovens. Os teóricos do eros nem de longe chegaram a uma percepção da influência da pornografia da beleza sobre os jovens. Gloria Steinem e Susan Griffin separam a pornografia do amor erótico, o que faz sentido se eros vem em primeiro lugar na biografia psicossexual. Como afirma Barbara Ehrenreich, as fantasias de estupro podem não ser significativas para quem cresceu aprendendo sua sexualidade com outros seres humanos. Os jovens de hoje em dia, porém, não pediram uma sexualidade do prazer da distância, do perigo. Ela lhes foi dada. Pela primeira vez na história, as crianças que estão crescendo derivam suas primeiras impressões sexuais não de um ser humano vivo ou de suas próprias fantasias. Desde a rápida ascensão da pornografia na década de 1960, a sexualidade das crianças começou a se formar de acordo com sugestões que já não são humanas. Jamais ocorreu na história de nossa espécie nada que se compare. Freud fica deslocado. As crianças, os homens e as mulheres jovens de nossos dias têm identidades sexuais que estão centradas em fantasmas de papel e celuloide: desde *Playboy* e videoclipes até os torsos femininos vazios nas revistas para mulheres, com os traços do rosto pouco nítidos e os olhos apagados. Todos estão recebendo impressões de uma sexualidade produzida em massa, deliberadamente desumanizante e artificial.

Em consequência disso, parece estar acontecendo algo de ameaçador com a sexualidade dos jovens: o esforço para transformar o sexo em violência pode estar praticamente vitorioso. Hilde Bruch chama as jovens nascidas depois de 1960 de "as gerações anoréxicas". Como as leis da obscenidade foram abrandadas na década de

O MITO DA BELEZA

1960 e as crianças nascidas depois daquele ano cresceram num ambiente com imagens sexuais cada vez mais violentas e degradantes (ambiente do qual as jovens estão se afastando através da anorexia), devemos reconhecer esses jovens nascidos depois de 1960 como as "gerações pornográficas".

As jovens estão agora sendo atingidas por uma espécie de doença de radiação causada pelo excesso de exposição a imagens geradas pela pornografia da beleza, a única fonte que lhes é oferecida de meios para imaginar a sexualidade feminina. Elas saem para o mundo sem nenhuma proteção sexual: destituídas da repressora afirmação de seu valor que lhes conferiam a virgindade ou um anel de noivado (a sexualidade de uma mulher tinha um valor bem concreto nos tempos em que um homem se propunha a trabalhar toda uma vida para manter o acesso a ela) e, ainda, não armadas de um sentido inato de orgulho sexual. Antes de 1960, "boa" e "ruim", enquanto termos aplicados às mulheres, correspondiam respectivamente a "não sexual" e "sexual". Após a ascensão da pornografia da beleza e da revolução sexual pela metade, "boa" passou a ser "bonita-(magra)--portanto-sexual" e "ruim", "feia-(gorda)-portanto-não-sexual".

No passado, no sexo pré-nupcial, as mulheres se sentiam vulneráveis à gravidez, ao aborto ilegal e ao abandono. As jovens de hoje se sentem vulneráveis a um julgamento. Se uma sentença desfavorável for pronunciada (ou mesmo suspeitada ou projetada), não será a reputação dela que irá sofrer mas, sim, a estabilidade de seu universo moral. Elas não tiveram muito tempo para explorar a revolução sexual e para se apropriar dela. Antes que as velhas correntes esfriassem, enquanto as jovens ainda estavam esfregando os tornozelos para ativar a circulação e davam os primeiros passos hesitantes, as indústrias da beleza impuseram uma forte barreira para impedir explorações futuras, e a pornografia da beleza lhes ofereceu a servidão criada pelo designer.

Os trinta anos de instrução dos jovens no sexo como coisificação estilosa ou como sadomasoquismo podem ter produzido uma ge-

O SEXO

ração que acredita piamente que o sexo é violento e que a violência é sexual, desde que essa violência seja dirigida contra as mulheres. Se acreditam nisso, não é por serem psicopatas mas porque essa representação *é a regra* na cultura dominante.

Entre os pais norte-americanos e britânicos, 12% permitem que seus filhos assistam a filmes violentos e pornográficos. Mas não é necessário que se veja nenhum desses dois tipos de filmes para se estar afinado. Susan G. Cole observa que a MTV (o canal de rock nos Estados Unidos) "parece estar adotando padrões pornográficos" (o canal da Playboy simplesmente transmite suas seleções de "Hot Rocks"). Com a evolução dos vídeos de rock, os dois sexos podem se sentar numa sala e ver a linha de fantasia da cultura oficial a respeito do que eles deveriam estar fazendo juntos — ou, com maior frequência, qual é a aparência que ela deve ter enquanto ele faz o que faz, olhando para ela. Esse material, ao contrário de sua versão nas revistas femininas, tem movimento, o que complica as ansiedades sexuais das mulheres com relação a sua beleza de uma nova forma, já que ele acrescenta níveis de instrução que vão além da simples pose. Elas agora precisam aprender a se movimentar, a se despir, a contrair o rosto, fazer beicinho, respirar e gritar durante um contato "sexual". Na transferência da imagem impressa para o vídeo, seu constrangimento adquiriu três dimensões.

O mesmo ocorre com sua sensação de estar correndo perigo em alto estilo. Na MTV, assassinos sexuais são mostrados como heróis. "Midnight Rambler" [Caminhante da meia-noite], dos Rolling Stones, é um hino em honra ao Estrangulador de Boston ("I'll stick my knife right down your throat")*; Thin Lizzy canta "Killer in the House" [Assassino em casa] sobre um estuprador ("I'm looking for somebody... I might be looking for you")**; Trevor Rubin canta "The Ripper". Os vídeos de Mötley Crüe mostram mulheres como escravas

---

* "Vou enfiar minha faca bem na sua garganta." [*N. da T.*]
** "Estou procurando alguém [...] Eu poderia estar procurando você." [*N. da T.*]

sexuais em jaulas. No vídeo de Rick James, ele violenta a namorada. Em "The Way You Make Me Feel" [O jeito como você faz com que eu me sinta], de Michael Jackson, uma gangue persegue uma mulher solitária. Duran Duran mostra figuras femininas acorrentadas e, em seu "Girls on Film" [Garotas no filme], observa Susan G. Cole, "elas parecem ter saído direto de um filme pornô". O jornal *The Guardian* relata que no show de Alice Cooper "uma boneca de tamanho natural e corpo de mulher jaz no chão diante dele, algemada, usando meias arrastão esfarrapadas e um collant. Ela parece ter sido asfixiada com uma mangueira de plástico". "I used to love her", canta Guns 'n' Roses, "but I had to kill her."* A crítica ao extremismo do rock expõe o autor à acusação de ser reacionário. No entanto, ao recorrer a essas imagens, o rock está sendo reacionário. Imagens de mulheres estranguladas, de mulheres em jaulas não rompem nenhuma barreira. Elas são um lugar-comum dominante na ordem social dominante. O rock deixa de honrar sua tradição de subversão quando erotiza o mesmo sado-masoquismo rançoso do *establishment* em vez de jogar com papéis sexuais para fazer com que os encaremos com novo olhar.

Infelizmente, a originalidade musical não é o único ponto em jogo. A MTV estabelece o código da beleza para as jovens de hoje. Se as mulheres retratadas na cultura de massa são "lindas" e sofrem violência, a violência é uma marca da capacidade de despertar desejo. Para os rapazes, a "beleza" é definida como aquilo que nunca diz não e que na realidade não é humano. Os dados de estupros em encontros marcados mostram o que tudo isso ensina.

Em 1986, Neil Malamuth, pesquisador da UCLA, relatou que 30% dos universitários afirmaram que cometeriam estupro se tivessem certeza de não serem responsabilizados. Quando a pesquisa alterou a pergunta, substituindo o termo "estupro" pela expressão "forçar uma mulher a fazer sexo", 58% responderam que sim.

---

* "Eu a amava mas tive que matá-la." [*N. da T.*]

O SEXO

A revista *Ms.* encomendou uma pesquisa financiada pelo Instituto Nacional de Saúde Mental, com 6.100 estudantes universitários, de ambos os sexos, em 32 universidades dos Estados Unidos. No ano anterior à pesquisa de *Ms.*, 2.971 jovens universitários cometeram 187 estupros, 157 tentativas de estupro, 327 atos de coação sexual e 854 tentativas de contato sexual indesejado. A pesquisa de *Ms.* concluiu que "cenas no cinema e na televisão que refletem a violência e a força em relações sexuais estão diretamente relacionadas ao estupro por parte de pessoas conhecidas".

Em outra pesquisa, com 114 estudantes universitários do sexo masculino, surgiram as seguintes respostas:

"Gosto de dominar uma mulher": 91,3%.
"O que me dá prazer é o aspecto de conquista do sexo": 86,1%.
"Algumas mulheres parecem estar simplesmente pedindo para serem estupradas": 83,5%.
"Fico excitado quando uma mulher luta contra o ato sexual": 63,5%.
"Seria excitante usar a força para subjugar uma mulher": 61,7%.

Na pesquisa da revista *Ms.*, um entre doze estudante universitários, ou 8% dos participantes da pesquisa, tinha estuprado ou tentado estuprar uma mulher desde a idade de 14 anos (a única diferença consistente entre esse grupo e os que não haviam agredido mulheres estava no fato de o primeiro grupo dizer que lia pornografia "com muita frequência"). Pesquisadores nas universidades de Emory e Auburn nos Estados Unidos revelaram que 30% dos estudantes do sexo masculino consideravam o rosto de mulheres que expressassem perturbação emocional — dor, medo — mais atraente do ponto de vista sexual do que o rosto com expressão de prazer. Dentre os participantes da pesquisa, 60% haviam cometido atos de agressão sexual.

O MITO DA BELEZA

As mulheres vão mal. Na pesquisa da revista *Ms.*, uma entre quatro mulheres participantes tinha passado por uma experiência que se encaixava na definição legal norte-americana para estupro ou tentativa de estupro. Entre as 3.187 mulheres pesquisadas, haviam ocorrido no ano anterior 328 estupros e 534 tentativas de estupro; 837 haviam sido submetidas à coação sexual e 2.024 passaram por episódios de contato sexual indesejado. O estupro durante encontros marcados demonstra, mais do que o estupro por um desconhecido, a confusão entre o sexo e a violência que foi gerada em meio aos jovens. Das mulheres estupradas, 84% conheciam o agressor, e 57% foram estupradas em encontros marcados. O estupro em encontros marcados é, portanto, mais comum do que o canhotismo, o alcoolismo e os ataques cardíacos. Em 1982, um estudo da Auburn University revelou que 25% das estudantes universitárias tinham passado por pelo menos uma experiência de estupro; 93% das quais por parte de conhecidos. Dos homens de Auburn, 61% tinham forçado contato sexual com uma mulher contra a vontade dela. Uma pesquisa de 1982 da St. Cloud State University revelou que 29% de suas alunas haviam sido estupradas. Vinte por cento das alunas da University of South Dakota tinham sido violentadas em encontros marcados; na Brown University, 16%. Onze por cento dos estudantes do sexo masculino da Brown University afirmaram ter forçado uma mulher a fazer sexo. Naquele mesmo ano, 15% dos universitários da Auburn University disseram ter estuprado uma mulher num encontro marcado.

É quatro vezes mais provável que uma mulher seja violentada por um conhecido do que por um desconhecido. A violência sexual é considerada normal pelas moças assim como pelos rapazes. "Um estudo após o outro revela que as mulheres que são violentadas por homens que conhecem nem mesmo identificam a experiência como estupro." Dentre as participantes da pesquisa da revista *Ms.*, apenas 27% o fizeram. Será que essa incapacidade de chamar de "estupro" aquilo que lhes aconteceu significa que elas estão livres dos efeitos retardados do estupro? Trinta por cento das moças violentadas, quer

O SEXO

chamassem a experiência de estupro, quer não, chegaram a pensar em suicídio depois. Trinta e um por cento procuraram a psicoterapia, e 82% afirmaram que a experiência as havia mudado de forma permanente. Quarenta e um por cento das mulheres violentadas disseram acreditar que seriam estupradas novamente. A síndrome do estresse pós-traumático foi identificada como transtorno psicológico em 1980, e agora é considerada comum entre vítimas de estupro. As mulheres que não chamam o próprio estupro por esse nome ainda assim sofrem do mesmo tipo de depressão, de ódio a si mesma e de impulsos suicidas que acometem mulheres que assumem o que ocorreu. É provável que essas experiências marquem sexualmente as mulheres jovens. Na pesquisa da revista *Ms.*, 41% das mulheres violentadas eram virgens; 38% estavam entre os 14 e os 17 anos na época da agressão. Nessa pesquisa, tanto os estupradores quanto suas vítimas tinham em média na época do estupro 18,5 anos. As jovens universitárias estão tendo relações sexuais que incluem a violência física. Entre 21% e 30% das jovens reportam violência física por parte dos parceiros em encontros marcados.

Entre os adolescentes, a tendência é ainda pior. Num estudo da UCLA com jovens entre 14 e 18 anos, os pesquisadores declararam parecer "ter descoberto alguns indícios bastante lamentáveis de que uma nova geração estaria entrando no mundo adulto dos relacionamentos trazendo uma bagagem espantosamente antiquada". Mais de 50% dos rapazes e quase a metade das meninas acreditavam ser certo um homem violentar uma mulher se ele se sentisse atraído por ela. Uma recente pesquisa realizada em Toronto revela que as crianças estão aprendendo padrões de dominação e submissão desde cedo. Um dentre sete rapazes do ensino médio admitiu ter-se recusado a aceitar um não, e uma dentre quatro moças da mesma idade admitiu ter sido forçada a fazer sexo. Oitenta por cento das adolescentes relataram ter estado envolvidas em relações violentas. De acordo com Susan G. Cole, "apesar da esperança de que isso não acontecesse, a pornografia e a cultura de massa estão colaborando para aniquilar a sexualidade através do estupro, dando maior ênfase aos padrões de domínio masculino e submissão feminina de forma tal que muitos jovens acreditam simplesmente que é assim que o sexo é. Isso significa que muitos dos estupradores do futuro acreditarão estar se comportando dentro de normas socialmente aceitas".

A representação cultural de degradação glamorizada criou entre os jovens uma situação na qual os rapazes estupram e as moças são estupradas *como a marcha natural dos acontecimentos*. Os rapazes podem até não ter consciência de estarem fazendo algo de errado. As imagens de violência sexual podem ter criado uma geração que estupra sem nem mesmo saber que o está fazendo. Em 1987, uma jovem nova-iorquina, Jennifer Levin, foi assassinada no Central Park após relações sadomasoquistas. Um colega dela confidenciou secamente a um amigo que aquele era o único tipo de sexo que todos os que ele conhecida estavam fazendo. Em 1989, cinco adolescentes nova-iorquinos violentaram e espancaram brutalmente uma moça que fazia *jogging*. Os jornais se encheram de perguntas perplexas. Terá sido o conflito entre as raças? Terá sido o conflito de classes? Ninguém percebeu que, na subcultura da fantasia proporcionada aos jovens, *aquilo era simplesmente normal.**

Essas estatísticas demonstram que grande parte da campanha educativa para prevenção da aids vem sendo totalmente ingênua. Se num encontro sexual, em algum ponto, é negado a um quarto

---

* Em 1991, quando a primeira edição de *O mito da beleza* foi publicada havia consenso na opinião pública estadunidense de que cinco jovens, entre negros e latinos, eram culpados pelo estupro coletivo e espancamento de uma mulher branca no Central Park, em 1989. Contudo, em 2002 um teste de DNA revelou que eram inocentes e apenas uma pessoa havia cometido os crimes. Ainda assim, a polícia os manteve presos, sob a justificativa de que haveria um sexto homem entre o grupo. Meses depois, o grupo foi solto, após um homem latino confessar que havia cometido o crime sozinho. Em 2011, o livro *The Central Park Five* – posteriormente transformado em documentário homônimo – e, em 2019, o documentário *Olhos que condenam* revelaram que os adolescentes foram condenados após confissão obtida sob tortura, em um processo repleto de erros. O caso configura-se, assim, um episódio de racismo estrutural e violência racial. [*N. da E.*]

O SEXO

das moças o direito ao controle, elas têm pouquíssima chance de se protegerem dessa doença fatal. Num debate sobre a violência sexual na Yale University, o tema mais repetido foi o de um novo crime que vem sendo amplamente ignorado: o que ocorre quando uma mulher combina que o encontro sexual será seguro, ou sem penetração, e o homem ejacula dentro dela contra sua vontade. A prevenção da aids não terá muito sucesso até que os rapazes aprendam a não violentar e saibam erotizar a confiança e o consenso; e até que as moças recebam o apoio de que necessitam para a redefinição de seus desejos. Somente quando isso acontecer, o sexo na era da aids estará livre da aura de terror que hoje parece ter em tantas universidades.

Na literatura e em filmes recentes de autoria de jovens, é de praxe a violência sexual ou a alienação. No filme de Steven Soderbergh *Sexo, mentiras e videoteipe,* o protagonista não consegue fazer amor com uma mulher de verdade, mas se masturba assistindo a vídeos de confissões sexuais de mulheres. Em *Abaixo de zero,* de Bret Easton Ellis, meninos ricos e entediados assistem a filmes de violência real; e uma pré-adolescente, amarrada a uma cama e violentada, repetidas vezes, é a imagem constante no segundo plano. Em *Slaves of New York* [Escravos de Nova York], de Tama Janowitz, mulheres são escravas sexuais em troca de um teto (o anúncio da Bloomingdale's baseado no romance pergunta se você é "escrava de seu namorado"). Em *Lust* [Luxúria], de Susan Minot, a personagem principal relata que sua promiscuidade faz com que se sinta "como um pedaço de vitela socado". A personagem principal de *Love Me Tender* [Ama-me com ternura], de Catherine Texier, procura a humilhação sexual de forma cada vez mais violenta ("Like the times we did it so hard", canta Sinéad O'Connor, "there was blood on the wall").* O amor sexual romântico e íntimo na cultura jovem está em grande parte restrito a relações homossexuais, como

---

* "Como na época em que éramos tão violentos que as paredes ficavam sujas de sangue." [*N. da T.*]

nos romances de David Leavitt, Michael Chabon e Jeanette Winterson. É como se, num ambiente de imagens heterossexuais violentas, os jovens tivessem se recolhido a um afastamento sexual entorpecido e doloroso, mais grave do que um conflito armado; mais semelhante à rotina diária numa cidade militarizada na qual soldados e civis têm pouco a dizer uns aos outros.

É evidente que essas imagens são nocivas ao sexo. Será que elas são positivas para o amor?

A BELEZA CONTRA O AMOR

No tempo da Mística Feminina, os homens eram mantidos na ignorância dos detalhes da sexualidade das mulheres e do parto. Os futuros papais eram mantidos na sala de espera dos hospitais. A não ser para se protegerem de doenças venéreas e de casamentos forçados, os homens deixavam com as mulheres a responsabilidade pelos métodos anticoncepcionais. A menstruação era um tabu. Os aspectos mais sujos do serviço doméstico e dos cuidados com a criança eram mantidos fora da alçada masculina. Esses detalhes pertenciam à esfera feminina, que era separada da masculina por uma fronteira que eles não podiam atravessar. Para um homem, o fato de entrar em contato com os "mistérios femininos" da reprodução e da domesticidade parecia colocá-lo à mercê de um poder mágico emasculante, que poderia fazê-lo desmaiar, transformá-lo num pau-mandado ou simplesmente provocar uma terrível bagunça. Portanto, quando o Papai aflito entregava exasperado o Bebê à presunçosa Mamãe, ele estava reconhecendo a própria ignorância e a perícia dela. Era natural que ela soubesse o que fazer. Atravessar essa fronteira submetia os homens ao ridículo.

Hoje em dia, muitos homens se sentem livres para serem pais de verdade. Aqueles que apreciam o que conquistaram ao assumir

O SEXO

essas tarefas podem voltar os olhos para a imagem que descrevi e perceber como aquela atitude os excluía de algo valioso. Como o antiquado tributo às mulheres deixava com elas todo o trabalho pesado, aparentemente elas saíam perdendo. Só que, como o tédio e as preocupações dos "mistérios femininos" são inseparáveis das alegrias, os homens saíam perdendo também. Não faz muito tempo, a divisão de trabalho no que dizia respeito a essas tarefas era considerada de natureza biológica e imutável. E mudou.

Hoje em dia, os "mistérios femininos" acerca da beleza na sexualidade, da beleza *como* sexualidade, parecem ser de natureza biológica e imutável. Eles também estão envoltos num manto de lisonjas que manipula as mulheres enquanto aparenta dar aos homens um privilégio sexual. Eles também sobrecarregam as mulheres com obrigações enquanto mantêm os homens, pela pressão de seus iguais, distanciados de uma fonte de prazer. Atualmente um homem que se una a sua parceira fora dos limites do mito da beleza terá de enfrentar a ridicularização por parte de outros homens. Neste momento, os dois estão perdendo. Mas isso também pode mudar.

Os mistérios da beleza que ocuparam o espaço deixado vazio pela Mística Feminina pertencem agora aos tópicos que as mulheres censuram em si mesmas. Pelo menos uma pesquisa importante comprova que os homens se exasperam tanto com o mito da beleza quanto as mulheres. "A preocupação com a aparência, com o rosto e o cabelo" estava entre as quatro características que mais irritavam os homens com relação às mulheres. Esses mistérios são aquilo que os homens não conseguem debater com as mulheres que eles estão tentando amar, sem feri-las. Eles fazem renascer tudo que quase foi perdido quando as mulheres abandonaram sua condição de escravas conjugais: a suspeita, a hostilidade, a incompreensão, a subserviência e a raiva.

O MITO DA BELEZA

Digamos que um homem realmente ame uma mulher. Ela a vê como sua igual, sua aliada, sua companheira; mas ela entra nesse outro universo e se torna inescrutável. Sob o refletor de criptônio, que ele nem mesmo chega a ver, ela adoece, decai e se transforma numa intocável.

Ele pode conhecê-la como pessoa segura; ela sobe na balança do banheiro e mergulha num longo lamento se maldizendo. Ele sabe que ela é madura; ela chega em casa com um corte de cabelo horrível, chorando com uma aflição que tem vergonha até de expressar. Ele sabe que ela é prudente; ela fica sem botas de inverno porque gastou meia semana de salário em óleo mineral artisticamente embalado. Ele sabe que ela compartilha de seu amor pela natureza; ela se recusa a ir com ele para o litoral antes de terminar sua dieta de primavera. Ela é simpática, mas recusa asperamente um pedaço de bolo de aniversário para depois devorar os restos de absolutamente qualquer coisa, de madrugada, diante de uma luz frígida.

Nada que ele diga a respeito disso estará certo. Ele não pode falar. O que disser irá magoá-la mais. Se ele a consolar dizendo que a questão não tem importância, é que ele não entende nada. A questão tem importância, sim. Se ele concordar com ela, considerando a questão séria, pior ainda. É impossível que ele a ame se acha que ela é feia e gorda. Se ele disser que a ama exatamente como ela é, ainda pior. Ele não a considera bonita. Se ele afirmar que a ama *porque* ela é bonita tem-se a pior situação de todas, muito embora ela não possa falar sobre isso com ninguém. Supostamente isso é o que ela mais quer no mundo, mas faz com que ela se sinta desolada, mal-amada e só.

Ele está presenciando algo que não tem condições de entender. O mistério do comportamento da mulher mantém intacta uma zona de incompreensão na visão que ele tem dela. Essa zona protege uma terra de ninguém, um território inabitável entre os sexos,

O SEXO

onde quer que um homem e uma mulher possam ousar declarar um cessar-fogo.

Talvez ele jogue as mãos para o alto. Talvez ele se torne irritadiço ou assuma ares protetores. A não ser que ele aprecie o poder sobre ela que essa situação lhe confere, é provável que se sinta muito entediado. Também se sentiria assim uma mulher caso o homem que amasse estivesse preso em uma armadilha tão sem sentido, onde nada que ela pudesse dizer chegasse até ele.

Mesmo nos casos em que um homem e uma mulher conseguiram construir e ocupar esse castelo de areia — uma relação entre iguais — é essa a maré da incompreensão. Ela garante que na mulher permaneça uma etiqueta que a rotule com aquela velha definição, meio criança, meio selvagem. Ele pode escolher — aqui pelo menos os antigos insultos ainda se aplicam.

Histérica. Supersticiosa. Primitiva. Sonhadora. Diferente.

"Ela é bonitinha, não é?", pergunta ela. "É, sim", responde ele. "Você acha que sou tão bonita quanto ela?", acrescenta. "Você é maravilhosa", diz ele. "Será que eu devia cortar o meu cabelo como o dela?" "Gosto de você do jeito que você é", responde ele. "O que é que você está querendo dizer?", pergunta ela, furiosa. O modelo cultural faz com que homens e mulheres não parem de se magoar e se ofender mutuamente no tocante a essa questão. Nenhum dos dois poderá sair vencedor enquanto estiverem vigorando as desigualdades de poder resultantes da beleza. No diálogo, o homem diz algo que, numa cultura livre do mito da beleza, demonstraria o máximo do amor: ele a ama, fisicamente, porque ela é quem ela é. Em nossa cultura, porém, a mulher é forçada a rejeitar o elogio. O que ele disse é supostamente menos valioso do que se ele a classificasse como um objeto de arte de primeira categoria. Se o fato de ser amada "do jeito que é" fosse considerado mais empolgante do que receber uma classificação de quatro estrelas, a mulher se sentiria

249

segura, desejável, insubstituível, mas nesse caso ela não precisaria comprar tantos produtos. Ela gostaria demais de si mesma. Gostaria demais das outras mulheres. Ela levantaria a voz.

Por isso, o mito da beleza estabelece o seguinte: uma alta classificação como objeto de arte é o maior tributo que uma mulher pode extrair de seu amado. Se ele apreciar seu rosto e seu corpo porque são dela, isso praticamente não tem valor. É tudo muito simples. O mito consegue fazer com que as mulheres ofendam os homens ao examinar detidamente algum elogio honesto que eles possam lhes fazer. Ele pode levar os homens a ofender as mulheres ao lhes fazer um simples elogio honesto. Ele consegue contaminar a frase "Você é linda", que é muito próxima de "Eu te amo", para expressar um laço de consideração entre um homem e uma mulher. Um homem não consegue dizer a uma mulher que gosta de olhar para ela, sem se arriscar a deixá-la triste. Se ele nunca disser nada, ela estará *destinada* a ficar triste. E a mulher com a "maior sorte possível", ao ouvir que é amada por ser "bela", fica muitas vezes atormentada por lhe faltar a segurança de ser desejada por ter a aparência de quem adoravelmente é.

Essa vã guerra de palavras se aprofunda muito mais do que a simples demonstração de que as mulheres são inseguras. Não é a insegurança que dita a fala da mulher mas, se ela tiver amor-próprio, a hostilidade. Por que motivo seu amado, só pelo fato de ser homem, teria o direito de compará-la com outras mulheres? Por que ela precisaria conhecer seu lugar, detestar precisar conhecer e detestar conhecer? Por que a resposta dele teria uma força tão exagerada? E tem. Ele não sabe que o que disser irá afetar os sentimentos dela quando eles fizerem amor novamente. Ela está zangada por uma série de boas razões que pode não ter nada a ver com as intenções pessoais desse homem. Essa conversa lembra à mulher que, apesar de toda uma trama de igualdades meticulosamente entretecidas,

O SEXO

os dois não são iguais sob esse aspecto que é tão crucial que seu fio repuxado desfaz todo o resto.

Da mesma forma que a "beleza" não está relacionada ao sexo, ela tampouco está relacionada ao amor. Mesmo o fato de possuí-la não concede o amor a uma mulher, muito embora o mito alegue que isso deveria acontecer. É porque a "beleza" é tão hostil ao amor que muitas mulheres lindas são tão cínicas com relação aos homens. "Somente Deus, minha cara", escreveu Yeats em tom jovial, "Poderia amá-la pelo que você é/ E não por seus louros cabelos." Essa citação representa uma amostra de poesia irreverente, mas ela engloba uma tragédia em três versos. A mulher que é linda fica excluída para sempre das responsabilidades e das recompensas do amor humano, porque ela não pode ter certeza de que um homem qualquer a ame "pelo que ela é". Uma dúvida infernal está inerente ao mito que faz da "beleza" impessoal um pré-requisito para o amor: o que acontece com o amor quando a beleza desaparece? E, se uma mulher não pode ser amada "somente pelo que é", por que ela é amada? Auden sabia que o que é inato a homens e mulheres é o anseio, não pelo amor universal, mas pelo amor exclusivo. O "amor" que o mito da beleza oferece é universal: a loura de lábios carnudos deste ano, a descabelada ninfa morena desta estação.

No entanto, queremos ser amadas como éramos, se tivemos essa sorte, quando crianças. Cada dedinho do pé era tocado, cada parte do corpo elogiada com prazer, porque era só nossa, incomparável. Na idade adulta, procuramos no amor romântico essa liberação da escala de comparações. Mesmo as mais desiludidas entre nós desejam acreditar que, aos olhos de nosso verdadeiro amor, cada uma é a "mulher mais bonita", porque seremos de fato vistas e conhecidas pelo que somos. O mito da beleza, porém, nos dá a perspectiva oposta. Se existe um conjunto de feições que desperte

O MITO DA BELEZA

o amor, essas feições são substituíveis. Aqueles elementos que dão uma identidade única à mulher — a irregularidade inimitável do rosto, as cicatrizes de um acidente na infância, as rugas e linhas de uma vida de pensamento e riso, de mágoa e ódio — esses elementos a excluem das fileiras das belezas míticas e, conforme nos dizem, dos parques encantados do amor.

Por ter de se "apresentar" ao amado como "linda", a mulher não se revela totalmente. Ela sai da cama de madrugada para se maquiar. Ela deixa os braços do amado para correr em volta de um açude cercado de arame farpado. Ela sente necessidade de paquerar desconhecidos porque o desejo que ele sente por ela não consegue preencher o buraco negro ou compensá-la pelos sacrifícios feitos. Os dois ficam equilibrados nesse eixo duvidoso: seu rosto, seu corpo. Mary Gordon, em *Final Payments* [Pagamentos finais], descreve a forma pela qual o mito da beleza faz com que as mulheres se escondam dos homens. "Eu sabia que não tinha a menor condição de vê-lo do jeito que estava agora, com a barriga dobrada sobre o elástico da calcinha, com as coxas roçando uma na outra [...]. Eu teria de fazer tanta coisa antes de poder vê-lo. Pois eu sabia, e ao tomar consciência disso o detestei por um instante, que sem minha beleza ele não me amaria." Na medida em que ele nunca possa vê-la como está agora, o homem jamais a conhecerá por inteiro; e na medida em que ela não possa confiar em que ele a ame agora, com sua "beleza" em declínio, ela em momento algum terá confiança total nele.

As práticas da beleza estão sendo enfatizadas para que os relacionamentos entre homens e mulheres continuem a ser ditatoriais, apesar de um movimento social na direção da igualdade. A colocação do prazer, do sexo, da alimentação ou do amor-próprio feminino nas mãos de um juiz pessoal transforma o homem num legislador do prazer da mulher, em vez de seu companheiro nesse

O SEXO

prazer. A "beleza" é hoje em dia o que o orgasmo feminino costumava ser: algo concedido às mulheres pelos homens, se elas se submetessem ao papel feminino e tivessem sorte.

OS HOMENS

Para muitos homens, o mito é uma droga que os isola dos perigos do autoconhecimento. Contemplar um objeto de arte criado de uma mulher viva é uma forma de se iludir com a ideia da imortalidade. Se os olhos da mulher são seu espelho, e o espelho envelhece, o homem que o fita deverá ver que também está envelhecendo. Um novo espelho, ou um espelho de fantasia feito de "beleza" e não de carne e osso que se degradam, pode salvá-lo dessa conscientização do próprio eu. O contato destruiria a natureza ideal do espelho. Keats escreveu em "Ode a uma urna grega": "Ela não pode fenecer, embora tu não alcances a felicidade./ Para sempre amarás, e ela linda será." A ambiguidade da frase, que proporcionou noites insones a gerações de escolares, reitera a promessa às mulheres de que elas obterão o amor apenas se conseguirem escapar dos estragos do tempo. Para sempre amarás *porque* ela para sempre linda será? A estudante percebe o outro lado da moeda, ou seja, que se ela não for linda para sempre, ele não a amará para sempre.

O mito da beleza é benéfico para os homens? Ele os prejudica ao ensiná-los a evitar mulheres amorosas. Ele impede os homens de verem de verdade as mulheres. Ao contrário de sua ideologia expressa, ele não estimula o anseio sexual, nem o satisfaz. Ao sugerir uma visão no lugar de uma mulher, ele produz um efeito entorpecedor que reduz todos os sentidos menos o da visão, que mesmo assim é prejudicado.

Simone de Beauvoir disse que nenhum homem é realmente livre para amar uma mulher gorda. Se isso é verdade, até onde vai a liberdade dos homens? As mulheres podem imaginar a aridez emocional da experiência dos homens com relação ao mito se voltarem os olhos para seu amado e tentarem imaginar as amigas e colegas as criticando por qualquer parceiro — não importa o quanto ele seja espirituoso, poderoso, famoso, *sexy,* rico ou gentil — que não se parecesse com o cocheiro de Praxiteles.

As mulheres entendem que existem dois departamentos distintos: a atração física e o "ideal". Quando uma mulher olha para um homem, pode não lhe agradar fisicamente sua altura, o tom de sua pele, o formato de seu corpo. Depois que ela gostar dele, porém, e passar a amá-lo, ela não teria vontade de que a aparência dele mudasse de modo algum. Para muitas mulheres, o corpo parece ficar bonito e erótico à medida que elas começam a gostar da pessoa que está nele. O próprio corpo, o cheiro, a sensação ao toque, a voz e o movimento, tudo ganha calor através da pessoa desejável que anima o conjunto. Mesmo Gertrude Stein disse a respeito de Picasso, "à primeira vista, ele não apresentava nenhuma atração especial [...], mas seu brilho, um fogo íntimo que se sente nele, lhe conferia uma espécie de magnetismo ao qual não consegui resistir". Pelos mesmos parâmetros, uma mulher pode admirar um homem como uma obra de arte e perder o interesse sexual se ele se revelar um idiota. A forma pela qual as mulheres encaram o corpo masculino sob o aspecto sexual é prova de que é *possível* olhar sexualmente para alguém sem reduzi-lo ou reduzi-la a pedaços.

O que acontece com o homem que conquista uma mulher linda, tendo como único alvo sua "beleza"? Ele está se sabotando. Não conquistou uma amiga, uma aliada; não haverá confiança mútua. Ela sabe muito bem por que foi a escolhida. Ele conseguiu adquirir um conjunto de inseguranças e suspeitas mútuas. Sem dúvida

O SEXO

ele ganhou algo: a admiração de outros homens que consideram impressionante uma aquisição dessas.

Alguns homens ficam excitados com a "beleza" objetiva de uma mulher, da mesma forma que há mulheres que sentem prazer sexual ao pensar no dinheiro ou no poder de um homem. Muitas vezes, porém, trata-se de um êxtase de *status,* uma forma de exibicionismo, que se alimenta da imaginação do homem de que seus colegas estejam imaginando que ele está fazendo o que está fazendo naquela hora. Alguns homens sentem uma excitação sexual com o cheiro do revestimento de couro de um Mercedes-Benz novo. Não que essa excitação não seja real, mas ela se baseia no significado atribuído por outros homens àquele couro. Não se trata de nenhum profundo vínculo psicossexual com o couro em si. Existe sem dúvida uma resposta reflexiva — não instintiva — por parte dos homens à fria organização do mito da beleza; mas ela pode ser totalmente isolada da atração sexual, o caloroso diálogo do desejo.

Quando os homens são mais atraídos por símbolos da sexualidade do que pela real sexualidade das mulheres, eles estão sendo fetichistas. O fetichismo trata uma parte como se ela fosse o todo. Os homens que escolhem uma amante com base apenas na "beleza" estão tratando a mulher como um fetiche, ou seja, estão tratando uma parte dela, sua imagem visual, que não é nem mesmo sua pele, como se fosse seu eu sexual. Freud sugere que o fetiche é um talismã contra o fracasso no desempenho.

O valor da mulher como fetiche reside na forma pela qual sua "beleza" confere *status* ao homem aos olhos de outros homens. Por isso, quando um homem faz amor com uma mulher que escolheu exclusivamente por sua beleza impessoal, há muita gente no quarto com ele, mas ela não está lá. Esses relacionamentos decepcionam aos dois porque os dois precisam viver em público para receber a recarga constante da afirmação do alto valor de troca da mulher.

O MITO DA BELEZA

Só que os relacionamentos sexuais sempre voltam para o espaço íntimo, onde a beldade, tão monotonamente humana quanto qualquer mulher, comete o erro de insistir em ser conhecida.

A esta altura, alguns homens não conseguem reagir sexualmente a não ser à Donzela de Ferro. Um professor de redação diz que todos os anos, quando pede um ensaio sobre o conjunto de imagens dos meios de comunicação, algumas moças escrevem sobre a decepção demonstrada pelos namorados com o fato de as mulheres não se parecerem com aquelas que eles veem nas revistas pornográficas. Se alguns homens chegaram ao ponto de "precisar" da pornografia da beleza — Binet realizou experiências simples que comprovaram que quando imagens sexuais eram antecedidas da imagem de uma bota, ele era capaz de criar uma resposta de natureza sexual a uma bota —, isso ocorre porque a gravação do estímulo-resposta se deu na melhor das condições laboratoriais: a da ignorância na qual a sociedade tenta manter os homens com relação à sexualidade feminina.

Por esse motivo, mesmo as mulheres que levam a sério a pornografia da beleza, tentam ter aquela aparência, e até conseguem tê-la, estão fadadas a se decepcionarem. Os homens que leem a pornografia da beleza não o fazem por quererem que as *mulheres* tenham aquela aparência. A atração daquilo que estão segurando nas mãos reside no fato de *não* se tratar de uma mulher, mas de um vazio bidimensional com formato feminino. A atração dessas publicações não está na fantasia de que a modelo possa adquirir vida. Está precisamente no fato de que isso não acontece, nunca. Se ela estivesse em carne e osso, a visão estaria destruída. A imagem não é sobre a vida.

A beleza ideal é ideal porque não existe. A ação se situa no espaço entre o desejo e a satisfação. As mulheres só são belezas perfeitas a alguma distância. Numa cultura de consumo, esse espaço é lucra-

O SEXO

tivo. O mito da beleza se movimenta para os homens como uma miragem. Seu poder reside no recuo constante. Quando esse espaço se fecha, o amante abraça apenas sua própria decepção.

O mito na realidade prejudica a atração sexual. A atração é um diálogo, uma dança ou um ato de equilíbrio numa corda suspensa que depende das qualidades, recordações e padrões de desejo exclusivos às duas pessoas envolvidas. A "beleza" é genérica. A atração envolve um ajuste sexual: duas pessoas imaginando como funcionariam juntas.

A "beleza" é apenas visual, mais real no cinema ou esculpida em pedra do que nas três dimensões da vida real. A visão é o sentido monopolizado pela propaganda, que a manipula muito melhor do que simples seres humanos. Com os outros sentidos, porém, a propaganda não leva vantagem. Os seres humanos podem ter cheiros, sabores, produzir sons e sensações táteis muito melhor do que o anúncio mais primoroso. Por isso, para que os seres humanos pudessem ser transformados em consumidores confiáveis, sexualmente inseguros, eles tiveram de passar por um treinamento que os afastasse desses outros sentidos mais sensuais. Sempre se precisa de distância, mesmo dentro de um quarto, para se conseguir dar uma boa olhada. Os outros sentidos são mais envolventes, mais próximos. A "beleza" deixa de lado o cheiro, a resposta física, os sons, o ritmo, a química, a textura, a harmonia, e os substitui por um retrato num travesseiro.

O formato, o peso, a textura e o toque dos corpos são cruciais para o prazer, mas o corpo que atrai nunca é idêntico. Já a Donzela de Ferro é produzida em massa. O universo da atração fica mais sem graça e mais frio à medida que todos, primeiro as mulheres e logo os homens, passam a se parecer. As pessoas deixam de se ver umas às outras quanto maior é o número de máscaras simulado. Dicas sugestivas são perdidas.

O MITO DA BELEZA

Infelizmente, os sinais que permitem que homens e mulheres descubram os parceiros que mais lhes agradam são prejudicados pela insegurança sexual derivada do conceito da beleza. Uma mulher que se sente contrafeita não consegue relaxar a ponto de soltar sua sexualidade. Se ela estiver com fome, estará tensa. Se estiver "produzida", estará alerta para o reflexo de sua imagem nos olhos do parceiro. Se sentir vergonha do próprio corpo, seus movimentos ficarão paralisados. Se achar que não tem o direito de exigir atenção, não obterá o espaço necessário para brilhar. Se o campo visual do parceiro tiver sido delimitado pela "beleza" — limites que sempre vão se estreitando —, ele simplesmente não verá seu verdadeiro amor, embora ela esteja bem diante de seus olhos.

CHRISTIAN LACROIX DEVOLVE A FEMINILIDADE ÀS MULHERES, diz a manchete da moda. "Feminilidade" é um código para uma combinação do fato de ser mulher com qualquer outra coisa que uma sociedade por acaso esteja vendendo. Se a "feminilidade" significa a sexualidade feminina e seu encanto, as mulheres nunca a perderam, não precisando, portanto, comprá-la de volta. Desde que sintamos prazer, todas temos um corpo "bom". Não precisamos gastar dinheiro, passar fome, lutar e estudar para nos tornarmos sensuais; nós sempre o fomos. Não precisamos acreditar que de alguma forma temos de *conquistar* uma boa atenção erótica; nós sempre a merecemos.

Pertencer ao sexo feminino e ter essa sexualidade é bonito. As mulheres há muito tempo suspeitam disso em segredo. Nessa sexualidade, as mulheres já são fisicamente bonitas, fabulosas, surpreendentes.

Muitos homens também já pensam dessa forma. Um homem que queira se definir como um verdadeiro apreciador das mulheres admira o que o rosto de uma mulher revela de seu passado, de antes de ela o conhecer, as aventuras e tensões pelas quais seu

O SEXO

corpo passou, as cicatrizes de acidentes, as alterações do parto, as características que a distinguem, a luz de sua expressão. O número de homens que já pensam dessa forma é muito maior do que os árbitros da cultura de massa nos levariam a crer, já que a história que eles precisam nos contar tem a moral oposta.

A Grande Mentira é a noção de que, se uma mentira for suficientemente grande, as pessoas acreditarão nela. A ideia de que mulheres adultas, com suas características sexuais plenamente desenvolvidas, não tenham condições de despertar e satisfazer o desejo heterossexual masculino, e que a "beleza" seja aquilo que irá lhes dar essas condições, é a Grande Mentira do mito da beleza. Por toda parte, os homens estão desmentindo essa ideia. O fato é que a versão que o mito faz da sexualidade é por definição simplesmente falsa. A maioria dos homens que neste instante estão se sentindo atraídos por mulheres, estão flertando com elas, apaixonados por elas, sonhando com elas, loucos por elas ou fazendo amor com elas, está fazendo tudo isso com mulheres que têm a aparência exata do que realmente são.

O mito estereotipou a sexualidade em caricaturas. Num extremo, chamado de "masculino" e realçado pela pornografia clássica, estão o anonimato, a repetição e a desumanização. No outro extremo, o "feminino"; o desejo sexual não é algo estanque, mas que permeia todos os aspectos da vida; não está confinado aos órgãos genitais, mas corre pelo corpo inteiro. Ele é pessoal, de natureza tátil e sensibilizante.

Esses polos não são biológicos. As mulheres criadas na liberdade são sem dúvida mais centradas nos órgãos genitais, têm um egoísmo mais saudável e uma curiosidade mais agressiva quanto ao corpo dos homens do que o extremo feminino permite. Os homens criados na liberdade são provavelmente mais envolvidos em termos emocionais, mais vulneráveis, de uma generosidade mais saudável e com maior sensualidade no corpo inteiro do que o extremo masculino permite. A beleza sexual é uma porção igual que

O MITO DA BELEZA

pertence tanto a homens quanto a mulheres, e a capacidade de se deslumbrar é comum aos dois sexos. Quando os homens e as mulheres se olharem fora dos limites do mito da beleza, haverá maior erotismo entre os sexos, da mesma forma que maior honestidade. Nós não somos tão incompreensíveis uns aos outros quanto neste momento querem que acreditemos ser.

A fome

*Eu vi as melhores cabeças da minha geração destruídas
pela loucura, / morrendo de fome.*

— *Allen Ginsberg*, "Uivo"

Existe uma doença se espalhando. Ela toca o ombro dos primogênitos da América, os melhores e os mais brilhantes. A seu toque, eles passam a rejeitar alimentos. Seus ossos aparecem na carne que some. Sombras invadem seu rosto. Eles caminham lentamente, com o esforço de velhos. Forma-se em seus lábios uma saliva branca. Eles conseguem engolir somente bolinhas de pão e um pouco de leite desnatado. Primeiro dezenas, depois centenas e milhares, até que, nas famílias mais afluentes, um jovem em cada cinco foi acometido. Muitos estão hospitalizados; muitos morrem.

Os rapazes dos guetos morrem cedo, e a América já conviveu com isso. Esses rapazes, porém, são a juventude dourada a quem as rédeas do mundo serão passadas: o capitão da equipe de futebol de Princeton, o diretor do clube de debates de Berkeley, o editor de *Harvard Crimson*. Em seguida, um quarto da equipe de rúgbi de Dartmouth adoece; e um terço dos membros das sociedades secretas de Yale. Os herdeiros, a nata, os jovens representantes no fórum nacional vão definhando.

O MITO DA BELEZA

A moléstia norte-americana se espalha para o leste. Ela atinge rapazes na Sorbonne, nas Faculdades de Direito em Londres, na administração em Haia, na Bourse, nos escritórios de *Die Zeit,* nas universidades de Edimburgo, Tübingen e Salamanca. Eles emagrecem e continuam a emagrecer. Mal conseguem falar em voz alta. Perdem a libido e já não conseguem se esforçar para fazer uma piada ou participar de uma discussão. Quando correm ou nadam, é triste de se ver: nádegas caídas, cóccix salientes, joelhos que se entrechocam, costelas expostas em prateleiras que esticam a pele frágil. Não há nenhuma razão de natureza médica.

A enfermidade sofre mais uma mutação. Por toda a América, toma-se aparente que, para cada esqueleto ambulante bem-nascido, há pelos menos outros três rapazes, também brilhantes, que agem com igual estranheza. Depois de terem comido seus bifes e bebido seu vinho do Reno, eles se escondem para enfiar os dedos na garganta e vomitar tudo o que comeram. Voltam cambaleantes para o ambiente do Maury's ou do "21", trêmulos e pálidos. Acabam por organizar a vida de forma a passar horas por dia debruçados desse jeito, com suas mentes altamente instruídas encaixadas entre dois buracos vergonhosos: a boca e o vaso sanitário; o vaso sanitário e a boca.

Enquanto isso as pessoas esperam que eles assumam seus postos: estágios no *The New York Times,* posições na Bolsa de Valores, cargos de assistentes de juízes federais. Discursos precisam ser escritos e resumos elaborados em meio ao clamor dos martelos e ao zumbido das máquinas de *fax.* O que está acontecendo com os melhores jovens, com seu corte à escovinha e suas calças de cor cáqui? Dói olhar para eles. Nos almoços de negócios, eles escondem seus medalhões de vitela por baixo de folhas de alface. Em segredo, eles se purificam. Vomitam após jantares de calouros e depois de piqueniques em dias de jogo importante. O sanitário masculino no

A FOME

Oyster Bar cheira a vômito. Um em cada cinco, nas universidades que têm maior orgulho de seu nome.

Como a América reagiria à autoimolação em massa, pela fome, de seus filhos prediletos? Como a Europa Ocidental absorveria a chegada de uma doença dessa natureza? Seria de se esperar uma reação de emergência: forças-tarefas reunidas em assembleias legislativas, encontros de emergência de ex-alunos, os melhores especialistas que pudessem ser contratados, reportagens de capa nas revistas de notícias, uma revoada de editoriais, acusações e contra-acusações, boletins, advertências, sintomas, relatórios atualizados. Uma epidemia em letras vermelhas maiúsculas. Os filhos do privilégio *são* o futuro. O futuro está cometendo suicídio.

É claro que isso está acontecendo neste exato instante, só que com uma diferença de sexo. As instituições que abrigam e promovem essas doenças estão hibernando. A consciência do público está em sono profundo. Jovens estão morrendo de catatonia institucional: US$ 400 por semestre de dotação da faculdade para o centro feminino, para a promoção da autoajuda. Cinquenta dólares é quanto custa o ingresso para uma palestra ao meio-dia proferida por um médico convidado. O mundo não está acabando porque aquele filho querido em cada cinco que "prefere" morrer aos poucos é do sexo feminino. Além do mais, ela está simplesmente fazendo bem demais o que se esperava que ela fizesse bem somente nas melhores condições.

Até um décimo de todas as jovens norte-americanas, até um quinto das estudantes universitárias nos Estados Unidos estão presas em campos de concentração administrados por elas mesmas. Quando caem, não há cultos *in memoriam;* não surgem programas de conscientização, nenhum manifesto por parte de suas escolas e faculdades afirmando que a sociedade prefere que suas jovens comam e vicejem a que adoeçam e morram. Não são arriadas as

O MITO DA BELEZA

bandeiras em reconhecimento ao fato de que em cada cerimônia de formatura apresenta-se uma quinta-coluna de caveiras.

Virginia Woolf, em sua obra *Um teto todo seu,* teve uma visão de que um dia as jovens teriam acesso às ricas bibliotecas proibidas das faculdades masculinas, a seus gramados fundos, seus pergaminhos, à luz do clarete. Ela acreditava que isso proporcionaria às jovens uma liberdade mental que deveria parecer muito mais desejável dali de onde ela estava imaginando, ou seja, do outro lado do cajado do bedel que a expulsara da biblioteca só porque era mulher. Em nossos dias, as mulheres ultrapassaram o cajado que barrou a entrada de Virginia Woolf. Avançando a passos largos pelos gramados retilíneos sobre os quais ela só podia escrever, as mulheres são retidas por uma barreira incorpórea não prevista por ela. As mentes estão se revelando capazes; já os corpos se autodestroem.

Quando visualizou um futuro para as jovens nas universidades, a clarividência de Woolf pecou apenas por falta de cinismo. Sem o cinismo seria inconcebível a solução moderna das escolas e faculdades, até há pouco tempo exclusivamente masculinas, para o problema das mulheres. As mentes foram aceitas, mas não os corpos. As jovens descobriram que não poderiam viver dentro daqueles portões e dentro do próprio corpo ao mesmo tempo.

A seita da perda do peso recruta as mulheres desde cedo, e os transtornos alimentares são seu legado. A anorexia e a bulimia são doenças do sexo feminino. De 90% a 95% dos pacientes são mulheres. Os Estados Unidos, que têm o maior número de mulheres de sucesso na esfera masculina, também lideram o mundo na incidência de anorexia feminina. As revistas para mulheres revelam que há até 1 milhão de norte-americanos com anorexia, mas a Associação Americana de Anorexia e Bulimia declara que essas duas condições atacam 1 milhão de norte-americanas *a cada ano*; e que 30 mil também se tornam dependentes do uso de eméticos.

A FOME

Não há estatísticas confiáveis sobre a incidência de morte por anorexia, mas uma doença que atinge de 5% a 10% das mulheres americanas, e que tem uma das taxas de mortalidade mais altas para uma doença mental, merece por parte da imprensa o tipo de investigação que é dedicada a epidemias graves e potencialmente fatais. No entanto, essa epidemia letal nunca chegou à capa de *Time*. Ela é relegada às seções de "Comportamento". Os Institutos Nacionais da Saúde até hoje não dispõem de absolutamente nenhum programa de prevenção e informação sobre essa epidemia. Parece, portanto, que a questão fundamental — por que as mulheres ocidentais precisam passar fome? — é perigosa demais para ser proposta mesmo diante de uma tamanha quantidade de mortes.

Joan Jacobs Brumberg em *Fasting Girls: The Emergence of Anorexia Nervosa as a Modern Disease* [Garotas em jejum: o surgimento da anorexia nervosa como doença moderna] calcula o número de anoréxicas entre 5% e 10% de todas as moças e mulheres norte--americanas. Em alguns *campi* universitários, segundo ela, uma estudante em cada cinco é anoréxica. O número de mulheres com a doença apresentou um aumento impressionante no mundo ocidental nos últimos vinte anos. O dr. Charles A. Murkovsky do Gracie Square Hospital em Nova York, especialista em transtornos alimentares, afirma que 20% das universitárias norte-americanas costumam fazer farras alimentares para depois tentar compensar os excessos. Kim Chernin em *The Hungry Self* [O eu faminto] sugere que pelo menos metade das mulheres das universidades norte--americanas sofre, em alguma época, de anorexia ou de bulimia. Roberta Pollack Seid em *Never Too Thin* [Nunca magra demais] concorda com o número de 5% a 10% para a anorexia entre as jovens norte-americanas e acrescenta que até seis vezes essa proporção das universitárias sofre de bulimia. Se levarmos em conta os números mais altos, veremos que entre dez universitárias norte-americanas, duas são anoréxicas e seis são bulímicas. Apenas duas estão bem de saúde. Portanto, a norma para as jovens norte-americanas de classe média consiste em sofrer de algum tipo de transtorno alimentar.

A doença pode ser fatal. Brumberg relata que de 5% a 15% das anoréxicas hospitalizadas morrem durante o tratamento, dando a essa doença a maior taxa de mortalidade de uma doença mental. *The New York Times* cita a mesma taxa de mortalidade. O pesquisador L.K.G. Hsu relata uma taxa de mortalidade de até 19%. De 40% a 50% das anoréxicas nunca se recuperam totalmente, uma taxa de recuperação de inanição pior do que a taxa de 66% de recuperação das vítimas de inanição hospitalizadas na Holanda em guerra, em 1944–1945.

As consequências clínicas da anorexia incluem a hipotermia, o edema, a hipotensão, a bradicardia (batimentos cardíacos reduzidos), o lanugo (crescimento dos pelos fios e macios corpo), a infertilidade e a morte. As consequências clínicas da bulimia incluem a desidratação, o desequilíbrio de eletrólitos, crises epilépticas, o ritmo cardíaco anormal e a morte. Quando as duas se combinam, podem resultar em desgaste dos dentes, hérnia de hiato, abrasão do esôfago, insuficiência renal, osteoporose e morte. A literatura médica está começando a relatar que bebês e crianças mal alimentadas por mães preocupadas com o excesso de peso apresentam o crescimento prejudicado, retardo na entrada na puberdade e incapacidade de se desenvolver.

Os transtornos alimentares estão se espalhando para outras nações industrializadas. O Reino Unido tem atualmente 3,5 milhões de anoréxicos ou bulímicos (95% dos quais do sexo feminino), com 6 mil novos casos por ano. Outra pesquisa exclusiva com adolescentes britânicas revela que atualmente 1% é anoréxica. Segundo a imprensa destinada às mulheres, pelo menos 50% das britânicas sofrem de algum transtorno alimentar. Hilde Bruch afirma que,

A FOME

na última geração, maiores grupos de pacientes foram menciona-
dos em publicações na Rússia, na Austrália, na Suécia e na Itália,
assim como na Grã-Bretanha e nos Estados Unidos. A proporção
na Suécia é hoje de 1% a 2% das adolescentes, com o mesmo percentual de maiores de 16 anos sofrendo de bulimia. Na Holanda,
o índice é de 1% a 2%. Também entre os adolescentes italianos, 1%
sofre de anorexia ou bulimia (95% dos quais, do sexo feminino),
um aumento de 400% em dez anos. Este é só o começo para a Europa Ocidental e o Japão, já que as estatísticas se assemelham aos
números dos Estados Unidos há dez anos e já que estão crescendo
exponencialmente, como aconteceu nos Estados Unidos. A própria
paciente de anorexia é hoje *mais magra* do que as pacientes de gerações anteriores. A anorexia acompanhou o conhecido padrão de
movimento do mito da beleza: ela começou como uma doença
de classe média nos Estados Unidos, propagando-se na direção leste
e se espalhando pelos níveis inferiores da escala social.

Algumas revistas femininas informam que 60% das mulheres
norte-americanas têm sérios problemas de alimentação. Aparentemente, a maioria das mulheres de classe média nos Estados Unidos
sofre de uma versão de anorexia ou de bulimia. Entretanto, se a
anorexia for definida como um medo compulsivo do alimento e
uma fixação nele, talvez a maioria das mulheres ocidentais, hoje,
vinte anos após o início da reação do sistema, possa ser chamada
de anoréxica mental.

O que aconteceu? Por que em nossos dias? O primeiro indício
óbvio é a progressiva redução do corpo da Donzela de Ferro durante este século de emancipação feminina e em reação a ela. Até 75
anos atrás, na tradição artística masculina do Ocidente, a natural
amplitude da mulher constituía sua beleza. As representações do
nu feminino se deleitavam com a exuberante fertilidade da mulher.
Várias distribuições de gordura eram realçadas de acordo com a

O MITO DA BELEZA

moda: ventres grandes e maduros do século XV ao XVII, ombros e rostos rechonchudos no início do século XIX, coxas e quadris ondulantes, cada vez mais generosos, até o século XX — mas nunca, até a emancipação da mulher se transformar em lei, houve essa absoluta negação da condição feminina que a historiadora da moda Ann Hollander, em sua obra *Seeing Through Clothes* [Vendo através das roupas], caracteriza como "a aparência doentia, a aparência de pobreza e de exaustão nervosa" considerada sob o ponto de vista de qualquer outra época que não a nossa.

As dietas e a magreza começaram a ser preocupações femininas quando as mulheres ocidentais receberam o direito do voto em torno de 1920. Entre 1918 e 1925, "é surpreendente a rapidez com a qual a nova forma linear substituiu a forma mais cheia de curvas". Na regressão dos anos 1950, por pouco tempo as formas cheias, naturais à mulher, puderam ser apreciadas mais uma vez, porque a mente dessas mulheres estava ocupada na reclusão doméstica. Contudo, quando as mulheres invadiram em massa as esferas masculinas, esse prazer teve de ser sufocado por um urgente dispositivo social que transformasse o corpo feminino na prisão que o lar já não era.

Há uma geração, a modelo média pesava 8% a menos do que a mulher norte-americana média, enquanto hoje ela pesa 23% a menos do que a média. Twiggy apareceu nas páginas da *Vogue* em 1965, simultaneamente ao advento da pílula anticoncepcional, para eliminar suas implicações mais radicais. Como muitos símbolos do mito da beleza, ela era ambígua, sugerindo às mulheres a liberação da obrigatoriedade da reprodução de gerações anteriores (já que a gordura na mulher é categoricamente compreendida pelo subconsciente como uma sexualidade fértil), ao mesmo tempo em que tranquilizava os homens ao lhes sugerir a fragilidade feminina, a assexualidade e a fome. Sua magreza, que agora é comum, na época escandalizava. A própria *Vogue* apresentou a modelo com certa ansiedade. "'Twiggy' se chama Twiggy porque ela tem a aparência de quem seria partida ao meio e jogada ao chão por um vento forte [...]. Twiggy é de constituição tão magra que as outras modelos a veem com espanto. Suas pernas dão a impressão de que ela não tomou leite em quantidade suficiente quando bebê, e seu rosto tem aquela expressão que os londrinos tinham durante os bombardeios da guerra." O jargão do editor de moda é revelador. Subnutrida; sujeita a ser dominada por um vento forte; sua expressão, o olhar entorpecido de quem está sitiado; que símbolo poderia ser melhor para tranquilizar um *establishment* diante de mulheres que em breve desceriam a Quinta Avenida em passeata de dezenas de milhares?

Nos vinte anos que se seguiram ao início da segunda onda do movimento das mulheres, o peso da Miss América despencou, e o peso médio das garotas de *Playboy* caiu de 11% abaixo da média nacional em 1970 para 17% abaixo dela em oito anos. A modelo Aimee Liu afirma em sua autobiografia que muitas modelos sofrem de anorexia; ela própria continuou a trabalhar como modelo enquanto esteve doente. Das bailarinas, 38% apresentam comportamento anoréxico. A atriz, modelo ou bailarina média é mais magra do que 95% da população feminina. A Donzela de Ferro colocou a forma de um quase esqueleto e a textura da musculatura masculina onde antes costumavam estar as formas e a textura da mulher, e as integrantes da pequena tropa de elite cujos corpos são usados para retratar a Donzela de Ferro muitas vezes adoecem para continuar a ter essa função.

Consequentemente, revela uma pesquisa de 1985, 90% das participantes acham que estão gordas demais. Em qualquer dia, 25% das mulheres estão fazendo regime, enquanto 50% estão terminando, desrespeitando ou iniciando um regime. Esse ódio a si mesma foi gerado com rapidez, coincidindo com o movimento das mulhe-

O MITO DA BELEZA

res. Entre 1966 e 1969, como revelaram dois estudos, o número de meninas de ensino médio que se consideravam gordas demais subiu de 50% para 80%. Embora tenham herdado as conquistas do movimento das mulheres, suas filhas não estão em melhores condições, em termos dessa aflição. Num recente estudo com colegiais, 53% não estavam satisfeitas com seu corpo já aos 13 anos; dos 18 em diante, 78% estavam insatisfeitas. A seita da fome conquistou importante vitória contra a luta das mulheres pela igualdade, caso seja representativo o resultado da pesquisa da *Glamour*, de 1984, com 33 mil mulheres. Setenta e cinco por cento das que tinham idade entre 18 e 35 anos acreditavam ser gordas, embora apenas 25% delas tivessem excesso de peso sob o ponto de vista médico (o mesmo percentual que vale para os homens); 45% das mulheres com *peso abaixo do normal* achavam que estavam gordas demais. Ainda mais doloroso em termos de como o mito está derrubando as esperanças das mulheres de maior progresso e satisfação é que as participantes da pesquisa da *Glamour* escolheram como seu objetivo mais desejado perder entre 5 e 8 quilos, em detrimento do sucesso no trabalho ou no amor.

Esses 5 a 8 quilos, que se tornaram um ponto de apoio do sentido de identidade da maioria das mulheres ocidentais, se esses números são indicativos, são o veículo para o que eu chamo de Solução dos Sete Quilos. Sete quilos é aproximadamente aquilo que se interpõe entre os 50% de mulheres que não são gordas, mas pensam que são, e seu eu ideal. Esses 7 quilos, uma vez perdidos, deixam essas mulheres abaixo do peso que lhes é natural e que lhes cairia bem, se as víssemos com olhos não contaminados pela Donzela de Ferro. Mas o corpo se recupera rapidamente, e o ciclo de ganho e perda de peso começa, com o tormento que o acompanha e o risco de doença, tornando-se uma fixação na consciência da mulher. Os ciclos inevitáveis de fracasso garantidos pela Solução dos Sete

A FOME

Quilos criam e intensificam nas mulheres essa nossa neurose exclusivamente moderna. Essa grande mudança na percepção do peso legou às mulheres novas versões de perda de controle, vergonha sexual e baixa autoestima, exatamente quando estávamos livres para começar a esquecer essas sensações. Trata-se de uma realização verdadeiramente elegante de um desejo coletivo. Pela simples redução do peso oficial para 7 quilos abaixo do nível natural da maioria das mulheres e pela redefinição das formas femininas de uma mulher como "gordas demais", obteve-se o resultado de uma onda de ódio a si mesmas que dominou as mulheres do Primeiro Mundo, aperfeiçoou-se uma psicologia reacionária e criou-se uma importante indústria. De forma melíflua, a histórica maré do sucesso feminino foi combatida com a convicção em massa do fracasso feminino, um fracasso definido por estar implícito na própria condição feminina.

A prova de ser a Solução dos Sete Quilos de natureza política está naquilo que as mulheres sentem quando comem "demais": culpa. Por que a culpa deveria ser a emoção atuante; e a gordura na mulher, uma questão moral articulada com palavras como bem e mal? Se a fixação de nossa cultura na gordura ou magreza da mulher estivesse relacionada ao sexo, ela seria uma questão íntima entre a mulher e seu parceiro. Se estivesse relacionada à saúde, seria uma questão da mulher consigo mesma. O debate público estaria centrado de forma muito mais histérica na gordura masculina do que na feminina, já que mais homens (40%) do que mulheres (32%) são clinicamente considerados acima do peso, e o excesso de peso é muito mais perigoso para os homens do que para as mulheres. Na realidade, são pouquíssimas "as provas que corroboram a alegação de que a gordura prejudica a saúde das mulheres [...]. Os resultados de estudos recentes indicam que as mulheres podem de fato viver mais e ter mais saúde em geral se pesarem entre 10% e 15% *acima* dos números dos seguros de vida *e* se evitarem fazer regimes", afirma a revista *Radiance*. Quando se associa a gordura à falta de saúde na mulher, a falta de saúde decorre do hábito de fazer regimes e do estresse emocional do ódio a si mesma. Os estudos dos Institutos Nacionais da Saúde que relacionaram a obesidade a AVCs e doenças cardíacas foram baseados em pacientes do sexo masculino. Quando afinal foi publicado um estudo sobre as mulheres, em 1990, ele revelou que o peso, no caso das mulheres, influía com apenas uma fração da importância que tinha no caso dos homens. O filme *The Famine Within* [A fome por dentro] menciona um estudo de 16 países que não vincula a gordura à falta de saúde. A gordura na mulher não é em si prejudicial à saúde.

No entanto, a gordura na mulher é alvo de paixão pública, e as mulheres sentem culpa com relação à gordura, porque reconhecemos implicitamente que, sob o domínio do mito, nosso corpo não pertence a nós, mas à sociedade, que a magreza não é uma questão de estética pessoal e que a fome é uma concessão social exigida pela comunidade. Uma fixação cultural na magreza feminina não é uma obsessão com a beleza feminina, mas uma obsessão com a obediência feminina. Os regimes das mulheres passaram a ser o que Judith Rodin, psicóloga de Yale, chama de "obsessão normativa", um interminável drama da Paixão que recebe cobertura internacional desproporcional aos riscos à saúde associados à obesidade e recorre a uma linguagem emotiva que não está presente nem em debates sobre o abuso do álcool ou do fumo. As nações se agarram a esse melodrama com uma atenção compulsiva porque homens e mulheres compreendem que ele não trata do colesterol, dos batimentos cardíacos ou do fim de um estilo de confecção, mas, sim, do grau de liberdade social que as mulheres cederão ou que lhes será permitido. Por parte da mídia, a análise comovida da eterna saga da gordura feminina e da batalha para derrotá-la consiste, na

A FOME

verdade, em boletins de uma guerra sexual: o que as mulheres estão ganhando ou perdendo nessa guerra, e com que rapidez.

A grande mudança na percepção do peso deve ser compreendida como um dos maiores acontecimentos históricos do século, uma solução direta para os perigos representados pelo movimento das mulheres e por sua liberdade econômica e reprodutiva. O hábito da dieta é o mais possante sedativo político na história feminina. Uma população tranquilamente alucinada é mais dócil. Os pesquisadores S. C. Wooley e O. W. Wooley confirmaram o que a maioria das mulheres sabe muito bem — que a preocupação com o peso leva a "um colapso virtual da autoestima e do sentido de eficiência". Os pesquisadores J. Polivy e C. P. Herman concluíram que a "restrição calórica prolongada e periódica" resultava numa personalidade característica cujos traços são a "passividade, a ansiedade e a emotividade".

São esses traços, e não a magreza em si, que a cultura dominante deseja criar, no sentido pessoal de identidade das mulheres recém--liberadas, com o objetivo de erradicar os perigos dessa liberação.

O progresso das mulheres começava a lhes dar as características opostas — autoestima em alto grau, um sentido de competência, atividade, coragem e clareza mental. "A restrição calórica prolongada e periódica" é um meio de desarmar essa revolução. A grande mudança na percepção do peso e sua Solução dos Sete Quilos acompanharam o renascimento do feminismo para que as mulheres que estavam chegando ao poder se tornassem fracas, preocupadas e, como acabou acontecendo, desequilibradas de forma conveniente e em proporções surpreendentes. Para entender como foi espetacular a firmeza lúgubre com que a Donzela de Ferro conseguiu neutralizar os progressos das mulheres na direção da igualdade, temos de perceber que o que está em jogo realmente não é a moda, a beleza ou o sexo, mas uma luta pela hegemonia política que se tornou — para as mulheres, que muitas vezes não têm consciência da verdadeira origem de nossos apuros — uma questão de vida e morte.

Existem teorias em abundância para explicar a anorexia, a bulimia e o moderno emagrecimento feminino. Ann Hollander propõe que a mudança dos quadros inanimados para as imagens animadas tornou a magreza sugestiva do movimento e da velocidade. Susie Orbach, em *Gordura é uma questão feminista*, "interpreta" a gordura feminina como uma declaração à mãe a respeito da separação e da dependência. Ela vê na mãe "uma terrível ambivalência com relação à amamentação e à alimentação" da filha. Kim Chernin em *A obsessão* faz uma leitura psicanalítica do medo da gordura, sugerindo que ele seja baseado num ódio infantil pela mãe todo-poderosa, e considera o alimento como o seio primordial, o "mundo perdido" da abundância feminina que precisamos recuperar "se quisermos entender o cerne de nossa obsessão pelo corpo feminino. [...] Dá para compreender como, num acesso de pavor e medo, [um homem] pode se sentir tentado a criar imagens elegantes de [uma mulher] que implicitamente lhe dizem que ela é inaceitável [...] quando está gorda". Em *The Hungry Self,* Chernin interpreta a bulimia como um rito religioso de passagem. Joan Jacobs Brumberg vê o alimento como uma linguagem simbólica, a anorexia como um grito de confusão num mundo superlotado de escolhas e "o apetite como voz": "as jovens à procura de um idioma com o qual pudessem falar de si mesmas concentraram sua atenção nos alimentos e nos estilos de alimentação". Rudolph Bell, em *Holy Anorexia* [Santa anorexia], associa a doença aos impulsos religiosos de freiras medievais, que encaravam a fome como purificação.

Teorias dessa natureza são esclarecedoras num contexto individual; mas não avançam o suficiente. As mulheres não comem ou passam fome apenas numa sucessão de relacionamentos pessoais,

A FOME

mas dentro de uma ordem social pública que tem direto interesse material em seus transtornos alimentares. Homens isolados não criam "imagens elegantes" (na verdade, as pesquisas continuam provando que eles são calorosos com as mulheres de formas reais e indiferentes à Donzela de Ferro). Quem cria essas imagens são os conglomerados multinacionais. As inúmeras teorias sobre as crises de alimentação das mulheres enfatizaram a psicologia individual *em detrimento* da conduta pública, observando as formas das mulheres para ver como elas exprimem um conflito da sociedade em vez de examinar como a sociedade faz uso de um conflito artificial com as formas das mulheres. Muitas outras teorias focalizaram a reação das mulheres ao ideal de magreza, mas não afirmaram que o ideal seja de natureza *proativa*, como um ataque preventivo.

Precisamos, portanto, examinar todos os termos novamente à luz dos interesses públicos. Em primeiro lugar, o que é o alimento? Sem dúvida, dentro do contexto da família, o alimento é amor, recordação e comunicação. Já na esfera pública, o alimento é *status* e honraria.

O alimento é o símbolo básico do valor social. Aqueles a quem uma sociedade valoriza, ela alimenta bem. O prato cheio, o melhor bocado, querem demonstrar o quanto aquela pessoa merece dos recursos da tribo. As mulheres de Samoa, que são alvo de grande consideração, exageram a quantidade do que comem nos dias de festa. A distribuição de alimentos em público envolve a definição de relações de poder, e o alimento compartilhado solidifica a igualdade social. Quando os homens comem pão juntos, brindam à rainha ou matam um para o outro o bezerro cevado, eles passaram a ser iguais e depois aliados. A palavra *companheiro* vem das palavras latinas para "com" e "pão" — aqueles que comem pão juntos.

Sob a influência do mito da beleza, porém, agora que tudo o que comemos é uma questão pública, nossas porções revelam e enfatizam nossa sensação de inferioridade social. Se não podemos comer o mesmo que os homens comem, não podemos ocupar uma posição igual na comunidade. Enquanto for pedido às mulheres que venham para a mesa comum com uma mentalidade de renúncia, essa mesa nunca será redonda, com homens e mulheres sentados juntos, mas continuará sendo a velha e tradicional plataforma hierárquica, provida de uma mesa dobrável para as mulheres na parte inferior.

Na atual epidemia das mulheres ocidentais ricas que não podem "optar" por comer, vemos a continuação de uma tradição mais antiga e mais pobre da relação das mulheres com os alimentos. Os hábitos de dieta da mulher ocidental moderna têm uma longa história. As mulheres sempre tiveram de comer de modo diferente dos homens: menos e pior. Na Roma helênica, segundo a classicista Sarah B. Pomeroy, a ração dos meninos era de 16 medidas de farinha em comparação com 12, para as meninas. Na França medieval, de acordo com o historiador John Boswell, as mulheres recebiam dois terços da quantidade de cereal destinada aos homens. Durante toda a história, sempre que há alguma escassez de alimentos, as mulheres recebem pouco ou nada. Uma explicação comum entre os antropólogos, a respeito do infanticídio de meninas, é a de que ele seria provocado pela escassez de alimentos. De acordo com publicações das Nações Unidas, onde a fome chegar, as mulheres irão enfrentá-la primeiro. Em Bangladesh e Botsuana, morrem mais bebês do sexo feminino do que do sexo masculino, e é mais comum que as meninas sejam desnutridas por receberem porções menores. Na Turquia, na Índia, no Paquistão, no Norte da África e no Oriente Médio, os homens recebem a maior parte da comida que houver, sem que sejam consideradas as necessidades calóricas das mulheres. "Não é o valor calórico do trabalho que está representado nos padrões de consumo de alimentos" dos homens em comparação com

A FOME

os das mulheres no Norte da África, "nem se trata de uma questão de carências fisiológicas [...]. Ao contrário, esses padrões tendem a garantir os direitos de prioridade dos membros 'importantes' da sociedade, ou seja, dos homens adultos." No Marrocos, quando as mulheres visitam alguém, "elas costumam jurar que já comeram" ou que não estão com fome. "As meninas pequenas logo aprendem a oferecer sua porção para as visitas, a recusar a carne e a negar a fome." Uma mulher norte-africana descrita pela antropóloga Vanessa Mahler garantiu aos que jantavam com ela que "preferia os ossos à carne". Mahler relata que os homens "estão supostamente isentos da necessidade de enfrentar a escassez, que é compartilhada entre mulheres e crianças".

"Os países do Terceiro Mundo fornecem exemplos de meninas desnutridas e meninos bem-nutridos, nos casos em que o alimento que houver será destinado aos meninos da família", atesta um relatório das Nações Unidas. Dois terços das mulheres na Ásia, metade de todas as mulheres da África e um sexto das latino-americanas são anêmicas — por falta de alimentos. Cinquenta por cento mais mulheres do que homens do Nepal ficam cegas por carências nutricionais. Em todas as culturas, os homens recebem refeições quentes, mais proteína e as primeiras porções de cada prato, enquanto as mulheres comem os restos frios, muitas vezes usando de esperteza e artifícios para obter o suficiente para comer. "Além disso, o alimento que acabam consumindo é geralmente menos nutritivo."

Esse padrão não se restringe ao Terceiro Mundo. A maioria das mulheres ocidentais vivas em nossos dias consegue se lembrar de versões desse padrão à mesa da mãe ou da avó. As mulheres de mineiros britânicos comiam pão encharcado na gordura deixada depois que os maridos haviam comido a carne. As esposas judias e italianas comiam a parte da ave que ninguém mais quisesse.

O MITO DA BELEZA

Esses padrões de comportamento são comuns na atual afluência do Ocidente, tendo sido perpetuados pela cultura de privação feminina das calorias. Uma geração atrás, a justificativa para essa tradicional distribuição de alimentos mudou. As mulheres ainda se privavam, comiam sobras, escondiam comida, usavam de artifícios para obtê-la, mas se culpavam por isso. Nossas mães ainda se exilavam do círculo familiar, que estava comendo bolo com talheres de prata em porcelana Wedgwood, e nós as surpreenderíamos na cozinha, devorando furtivamente os restos. O padrão tradicional estava encoberto por uma vergonha moderna, mas, fora esse detalhe, tinha mudado muito pouco. O controle do peso veio a se tornar sua base racional, já que a inferioridade natural saiu de moda.

A afluência do mundo ocidental está simplesmente dando continuidade a essa divisão tradicional. Pesquisadores descobriram que os pais nos Estados Unidos insistiam com os meninos para que comessem, independentemente de seu peso, enquanto só agiam assim com as filhas se elas fossem relativamente magras. Numa amostragem de bebês de ambos os sexos, 99% dos meninos foram amamentados no seio, mas somente 66% das meninas, que receberam 50% a menos de tempo para mamar. "Dessa forma", escreve Susie Orbach, "as filhas são muitas vezes menos alimentadas, com menor atenção e menor sensibilidade do que precisam." As mulheres não acham que têm direito a alimentos em quantidade suficiente por terem sido ensinadas desde o berço a se contentar com menos do que precisam, numa tradição passada por uma linha interminável de gerações. O papel público de "convidado de honra" é recente para nós, e a cultura está nos dizendo, através da ideologia da restrição de calorias, que não aceita de bom grado que ocupemos esse lugar.

Afinal, o que é a gordura? Na literatura do mito, a gordura é retratada como uma imundície feminina descartável; matéria

A FOME

virtualmente cancerosa, uma infiltração inerte ou traiçoeira de repulsivo dejeto volumoso no corpo. As caracterizações demoníacas de uma simples substância corporal não surgem de suas propriedades físicas, mas de uma misoginia antiquada, pois acima de tudo a gordura é feminina. Ela é o meio e o regulador de características sexuais femininas.

Em todas as culturas, a partir do nascimento, as meninas têm entre 10% e 15% mais gordura do que os meninos. Na puberdade, a proporção entre a musculatura e a gordura nos meninos cai, enquanto aumenta nas meninas. O aumento da proporção de gordura nas adolescentes é o veículo para a maturação sexual e a fertilidade. A mulher saudável de 20 anos tem em média 28,7% de gordura no corpo. Na meia-idade, em todas as culturas, as mulheres têm 38% de gordura no corpo. Em oposição à retórica do mito, "essas proporções não são exclusivas às nações industrializadas e desenvolvidas do Ocidente. Elas são normas características da fêmea da espécie". Contradizendo mais uma vez um dogma central do mito, as necessidades calóricas de uma mulher moderadamente ativa são de apenas 250 calorias a menos do que as de um homem moderadamente ativo (entre 2.250 e 2.500), ou seja, aproximadamente cinquenta gramas de queijo. O ganho de peso com a idade também é normal em todas as culturas para ambos os sexos. É evidente que o corpo é programado para ter um certo peso, que o mito defende.

A gordura é de interesse sexual nas mulheres. As vitorianas a chamavam carinhosamente de "minha camada sedosa". A esbeltez da Donzela de Ferro prejudica a sexualidade feminina. Um quinto das mulheres que fazem exercícios para dar forma ao corpo tem irregularidades menstruais e fertilidade reduzida. Lembrem-se: o corpo da modelo é entre 22% e 23% mais magro do que o da mulher média; a mulher média quer ser tão magra quanto a mo-

O MITO DA BELEZA

delo; a infertilidade e o desequilíbrio hormonal são comuns entre as mulheres cuja proporção de gordura esteja abaixo de 22%. Os desequilíbrios hormonais propiciam o câncer ovariano e do endométrio bem como a osteoporose. Os tecidos adiposos armazenam hormônios sexuais. Por esse motivo, baixas reservas de gorduras estão relacionadas a baixos níveis de estrogênio e de todos os outros importantes hormônios sexuais, assim como a ovários que não funcionam. Rose E. Frish, na *Scientific American*, faz referência à gordura das imagens da fertilidade da Idade da Pedra, dizendo que "essa vinculação histórica da gordura à fertilidade no fundo faz sentido sob o aspecto biológico" já que a gordura regula a reprodução. Mulheres abaixo do peso normal correm o dobro de risco de dar à luz bebês abaixo do peso normal.

A gordura nas mulheres não é só fertilidade, mas desejo. Pesquisadores no Michael Reese Hospital em Chicago descobriram que as mulheres mais gordinhas desejavam fazer sexo com mais frequência do que mulheres mais magras. Em escalas de disponibilidade e facilidade de excitação erótica, elas somavam quase duas vezes mais pontos do que as magras. Pedir às mulheres que fiquem anormalmente magras é pedir que elas abdiquem de sua sexualidade. "Estudos revelam consistentemente que, com as privações das dietas, o interesse sexual se dissipa." Participantes de uma experiência pararam de se masturbar ou de ter fantasias sexuais com 1.700 calorias por dia, 500 a mais do que as da Dieta de Beverly Hills. A fome afeta as glândulas endócrinas; a amenorreia e o atraso da puberdade são características comuns em mulheres e meninas famintas. Homens famintos perdem a libido e se tornam impotentes, às vezes desenvolvendo seios. A Clínica de Disfunções Sexuais da Loyola University declara que os distúrbios da perda do peso têm um efeito muito pior sobre a sexualidade feminina do que os distúrbios do ganho de peso. As mulheres mais pesadas tinham

A FOME

disposição para o namoro e para o sexo, enquanto as anoréxicas "estavam tão preocupadas com o corpo que tinham menos fantasias sexuais, menos encontros e menos desejo de fazer sexo". *New England Journal of Medicine* informa que as pessoas que praticam exercícios intensos perdem o interesse no sexo. Joan Jacobs Brumberg afirma que "dados clínicos indicam uma ausência de atividade sexual por parte das anoréxicas". Mette Bergstrom escreve que o prazer no sexo "é raro para uma paciente de bulimia por conta de seu forte ódio pelo próprio corpo". "Os indícios parecem sugerir", escreve Roberta Pollack Seid, "e o bom senso confirmaria, que um animal faminto e desnutrido tem menos, não mais, interesse nos prazeres da carne."

Afinal, o que é fazer regime? Os "regimes" e, na Grã-Bretanha, o "emagrecimento" são termos trivializantes do que é, na verdade, uma inanição parcial infligida pela própria pessoa. Na Índia, um dos países mais pobres do mundo, as mulheres mais pobres consomem 1.400 calorias por dia, ou 600 a mais do que uma mulher ocidental que esteja seguindo a Hilton Head Diet. Para Seid, as pessoas que seguem dietas estão simplesmente "reagindo da mesma forma que as vítimas de inanição parcial [...], a inanição parcial, mesmo a causada por dietas impostas pela própria pessoa, produz efeitos surpreendentemente semelhantes em todos os seres humanos".

O leque de comportamentos repugnantes e patéticos apresentados pelas mulheres que sofrem de transtornos alimentares é descrito como algo essencialmente feminino, comprovação positiva da irracionalidade da mulher (substituta da convicção da irracionalidade menstrual, que teve de ser abandonada quando as mulheres se tornaram necessárias para o mercado de trabalho em expediente integral). Num estudo clássico realizado na University of Minnesota, 36 pessoas se apresentaram voluntariamente para se submeterem a uma dieta prolongada de baixas calorias e "as

O MITO DA BELEZA

consequências físicas, comportamentais e psicológicas foram cuidadosamente documentadas". Eram pessoas jovens e saudáveis, que revelavam "altos níveis de firmeza do ego, estabilidade emocional e boa capacidade intelectual". "Teve início um período de seis meses [...] no qual sua ingestão de alimentos foi reduzida pela metade" — uma típica técnica de redução do peso aplicada às mulheres.

"Depois de serem perdidos aproximadamente 25% de seu peso original, foram observados amplos efeitos de inanição parcial." Os indivíduos "começaram a se preocupar cada vez mais com os alimentos e com o ato de comer, a ponto de refletirem obsessivamente sobre refeições e alimentos, colecionarem receitas e livros de culinária e desenvolverem rituais de alimentação anormal, como, por exemplo, a lentidão excessiva ao comer e o hábito de acumular e esconder objetos relacionados à comida". Em seguida, a maioria "sofreu de alguma forma de distúrbio emocional em consequência da inanição parcial, como, por exemplo, a depressão, a hipocondria, a histeria, explosões de raiva e, em alguns casos, níveis psicóticos de desorganização". Perderam, então, a "capacidade de funcionar em contextos sociais e de trabalho, em consequência da apatia, redução da energia e da atenção, isolamento social e diminuição do interesse sexual". Finalmente, "dentro de semanas após a redução do consumo de alimentos", "alegaram uma fome implacável, assim como impulsos irresistíveis de desrespeitar as regras da dieta. Alguns indivíduos sucumbiram a farras alimentares, seguidas de vômitos e de sentimentos de vergonha de si mesmos. Uma fome voraz persistia mesmo depois de refeições fartas durante o processo de recuperação." Alguns dos indivíduos "se flagravam comendo sem parar, enquanto outros se envolviam em ciclos incontroláveis de gula e vômitos". Esses voluntários tinham pavor de "sair do ambiente da experiência para locais onde seriam tentados pelos alimentos que haviam concordado em não comer [...] quando de fato

A FOME

cediam à tentação, faziam confissões histéricas, meio irracionais". Tornaram-se irritadiços, tensos, cheios de cansaço e de queixas imprecisas. "Como fugitivos, não conseguiam se livrar da impressão de estarem sendo vigiados por uma força sinistra." Para alguns deles, os médicos acabaram tendo de receitar tranquilizantes.

Os pacientes dessa experiência eram um grupo de rapazes universitários saudáveis e perfeitamente normais.

Durante a grande fome que começou em maio de 1940, na Holanda ocupada pela Alemanha, as autoridades holandesas mantiveram os alimentos racionados entre 600 e 1.600 calorias por dia, ou o que caracterizavam como um nível de inanição parcial. As piores vítimas eram definidas como em estado de inanição quando haviam perdido 25% do peso, recebendo por isso preciosos suplementos. Fotografias tiradas de holandesas famintas vestidas impressionam pela aparência extraordinariamente moderna daquelas mulheres.

Com uma ração diária entre 600 e 1.600 calorias, os holandeses sofreram de inanição parcial. O regime dos Diet Centers determina a ingestão de 1.600 calorias. Quando tinham perdido 25% do peso, os holandeses recebiam suplementação alimentar crítica. A mulher saudável média tem de perder quase o mesmo para se adequar à Donzela de Ferro. No gueto de Lodz, em 1941, os judeus sitiados recebiam rações de 500 a 1.200 calorias por dia. Em Treblinka, foi estabelecido cientificamente que 900 calorias são o mínimo necessário para manter o ser humano funcionando. Nas "melhores clínicas de controle do peso do país", nas quais os "pacientes" ficam sob tratamento até um ano, o arraçoamento é o mesmo.

As consequências psicológicas da inanição parcial infligida pela própria pessoa são idênticas às da inanição parcial involuntária. Já em 1980, era cada vez maior o número de pesquisadores que estavam reconhecendo as consideráveis consequências físicas e emocionais do hábito de fazer dietas, que incluíam "sintomas tais

O MITO DA BELEZA

como a irritabilidade, a baixa concentração, a ansiedade, a depressão, a apatia, a instabilidade de humor, o cansaço e o isolamento social". Magnus Pyke, ao descrever a fome na Holanda, escreve que "a inanição é conhecida por afetar a mente das pessoas, e essas pessoas na Holanda se tornaram mentalmente desanimadas, apáticas e constantemente obcecadas por pensamentos sobre a comida". Bruch observa que com a inanição parcial involuntária progressiva, "ocorre um endurecimento das emoções, da sensibilidade e de outros traços humanos". Robert Jay Lifton demonstrou que vítimas da inanição durante a Segunda Guerra Mundial "vivenciaram sentimentos de culpa por terem feito algo de errado pelo que agora estavam sendo castigados, bem como sonhos e fantasias com alimentos de todos os tipos em quantidades ilimitadas". A fome destrói a individualidade. Pacientes de anorexia, como outras pessoas que passam fome, afirma Hilde Bruch, "exibiam padrões emocionais e de comportamento extraordinariamente uniformes até começarem a ganhar peso". "A privação do alimento", resume Roberta Pollack Seid, "deflagra obsessões pela comida por motivos tanto físicos quanto psicológicos. [...] A desnutrição produz a preguiça, a depressão e a irritabilidade. O metabolismo do corpo fica mais lento [...]. E a fome leva o faminto a ficar obcecado pela comida." O pavor psicológico da fome atinge todas as culturas. Os órfãos adotados de países mais pobres não conseguem controlar sua compulsão de esconder alimentos clandestinamente, às vezes mesmo anos depois de estarem vivendo num ambiente seguro.

Acumulam-se provas irrefutáveis de que os transtornos alimentares são causados principalmente pelo hábito das dietas. Ilana Attie e J. Brooks-Gunn citam a conclusão de pesquisadores de que a "restrição crônica à alimentação constitui um estresse cumulativo de tal ordem que o próprio hábito da dieta pode ser 'uma condição suficiente para o desenvolvimento da anorexia

A FOME

nervosa ou da bulimia'". Roberta Pollack Seid chega à mesma
conclusão. "Por ironia, a dieta [...] em si pode provocar comportamento obsessivo e farras alimentares. A dieta pode na verdade
causar tanto os transtornos alimentares quanto a própria obesidade." A privação calórica prolongada parece representar um grave
choque para o corpo, choque este lembrado com consequências
destrutivas. Seid escreve que "os problemas das mulheres com
os alimentos parecem se originar [...] de seus esforços no sentido
de conseguir um corpo ultramagro [...]. O único meio de que
dispõem 95% das mulheres para conseguir esse corpo consiste na
autoimposição de dietas de privação". Attie e Brooks-Gunn são da
mesma opinião. "Grande parte do comportamento considerado
causador da anorexia nervosa e da bulimia pode na realidade ser
uma consequência da inanição [...]. A pessoa de peso normal que
faz dieta para se sentir magra e para ter essa aparência é também
vulnerável a perturbações dos padrões cognitivos, emocionais e
de comportamento em virtude do estresse constante de tentar se
manter abaixo do peso 'natural', ou regulado biologicamente,
do corpo." O hábito das dietas e a magreza da moda prejudicam
seriamente a saúde da mulher.

Ora, se a gordura feminina é sexualidade e poder reprodutivo;
se os alimentos são honrarias; se as dietas levam à inanição
parcial; se as mulheres precisam perder 23% de seu peso para se
adequarem à Donzela de Ferro e a desintegração psicológica crônica se manifesta quando a perda de peso atinge 25%; se o estado
de inanição parcial é debilitante em termos físicos e psicológicos,
e o amor-próprio, a sexualidade e a força feminina representam as
ameaças anteriormente examinadas aos grandes interesses materiais
da sociedade; se o jornalismo para mulheres é patrocinado por uma
indústria de US$ 33 bilhões, cujo capital é composto do medo político
das mulheres; então podemos entender por que motivos a Donzela de

O MITO DA BELEZA

Ferro é tão magra. A mulher magra "ideal" não é linda do ponto de vista estético; ela é uma bela solução política.

A compulsão de imitá-la não é alguma banalidade a que nós mulheres livremente optamos por nos submeter. Ela é algo sério que nos está sendo imposto a fim de salvaguardar o poder político. A essa luz, é inconcebível que as mulheres não tivessem de ser forçadas a emagrecer neste ponto da história.

A ideologia da inanição acaba com o feminismo. O que acontece com nosso corpo afeta nossa mente. Se os corpos femininos são e sempre foram errados enquanto os masculinos são certos, então as mulheres são erradas e os homens, certos. Enquanto o feminismo nos ensinava a atribuir um alto valor a nós mesmas, a fome nos ensina a corroer nossa autoestima. Se é possível conseguir que uma mulher diga que detesta suas coxas grossas, esse é um modo pelo qual ela foi levada a odiar a feminilidade. Quanto mais independentes sob o aspecto financeiro, quanto mais controle tivermos dos acontecimentos, quanto mais instruídas e autônomas do ponto de vista sexual nós mulheres nos tornarmos no mundo, tanto mais esgotadas, sem controle, tolas e sexualmente inseguras querem que nos sintamos em nosso corpo.

A fome faz com que as mulheres se sintam pobres e pensem de forma pobre. Uma mulher rica que segue uma dieta se sente fisicamente à mercê de uma economia de escassez. A rara mulher que ganha US$ 100 mil por ano ingere por dia apenas 1.000 calorias. A fome faz com que as mulheres de sucesso se sintam fracassadas. Uma arquiteta vê seu trabalho desmoronar. Uma política que examina uma perspectiva de longo alcance é forçada a voltar aos detalhes, a somar cada bocado. Uma mulher que tem dinheiro para viajar não tem "condições" de comer a deliciosa comida estrangeira. A fome prejudica toda experiência de controle, de segurança econômica e de liderança que as mulheres tiveram apenas uma

A FOME

geração para apreciar. Aquelas que se libertaram tão recentemente para pensar fora dos limites das necessidades básicas são, com essa psicologia, levadas de volta ao jugo mental da dependência econômica, à fixação em garantir a sobrevivência e a segurança. Virginia Woolf acreditava ser impossível "pensar bem, dormir bem, amar bem se não se tivesse jantado bem". "A luz na espinha não se acende com carne e ameixas", escreveu ela, comparando a deprimente comida da pobreza das faculdades femininas, em dificuldades financeiras, com a das ricas faculdades masculinas, os "linguados arrumados num prato fundo, sobre os quais o cozinheiro derramou uma coberta do mais puro creme". Agora que algumas mulheres conseguem auferir uma boa renda anual e possuem um teto todo seu, como apregoava Virginia Woolf em 1928, volta-se mais uma vez a 100 gramas de carne cozida e três ameixas secas sem açúcar; e à luz que não se acende.

A anoréxica pode começar sua viagem como uma rebelde, mas do ponto de vista de uma sociedade dominada pelos homens, ela acaba como a mulher perfeita. Ela é fraca, assexuada, calada e com dificuldade consegue se concentrar num mundo fora dos limites de seu prato. A mulher nela foi eliminada. Ela quase não está ali. Vendo-a assim, desfeminilizada, é de uma nitidez cristalina que um movimento de massa da imaginação, virulento mas apenas parcialmente consciente, criou a mentira vital da beleza feminina esquelética. Um futuro no qual as nações industrializadas sejam habitadas por mulheres movidas pela anorexia é uma das poucas perspectivas que manteriam a atual distribuição de riqueza e de poder a salvo das exigências apresentadas pela luta das mulheres pela igualdade.

Os teóricos da anorexia, ao concentrarem sua atenção na mulher isolada, ou mesmo na mulher dentro da família, não tocam no centro tático dessa luta. A retaliação econômica e política contra o

O MITO DA BELEZA

apetite feminino é muito mais forte a esta altura do que qualquer dinâmica familiar.

O problema já não pode ser encarado como uma questão pessoal. Se subitamente de 60% a 80% das universitárias não podem comer, é difícil acreditar que, repentinamente, de 60% a 80% das famílias tenham algum tipo de problema. Há uma doença no ar. Sua causa foi gerada propositalmente, e ela está atingindo as jovens.

Da mesma forma que a esbelta Donzela de Ferro não é de fato bonita, a anorexia, a bulimia e até mesmo a compulsão de comer, se compreendidas no nível simbólico, não são de fato doenças. Elas *começam*, como observa Susie Orbach, como reações lúcidas e mentalmente sãs a uma realidade social insensata: a de que a maioria das mulheres só pode estar satisfeita consigo mesma num estado permanente de inanição parcial. A anoréxica se recusa a permitir que o ciclo oficial a domine. Ao passar fome, ela o domina. Uma bulímica pode reconhecer a loucura da seita da fome, sua derrota implícita, sua negação do prazer. Uma pessoa mentalmente saudável resistirá a ter que escolher entre o alimento e a sexualidade — sendo a sexualidade hoje em dia comprada com a manutenção do corpo oficial. Ao vomitar, ela leva a melhor sobre a escolha masoquista. As doenças da nutrição são muitas vezes interpretadas como sintomáticas de uma necessidade neurótica de controle. No entanto, é sem dúvida sinal de saúde mental a tentativa de controlar algo que está tentando controlar a pessoa, especialmente se essa pessoa for uma jovem só e esse algo for uma poderosa indústria alimentada pelas necessidades de toda uma ordem mundial determinada. A legítima defesa, e não a insanidade, é a alegação correta quando se trata de problemas com a nutrição. A legítima defesa não implica nenhum estigma, enquanto a loucura é uma vergonha.

A histeria feminina vitoriana, misteriosa naquela época, faz sentido agora que a vemos à luz das pressões sociais da renúncia

A FOME

sexual e do encarceramento dentro de casa. A anorexia deveria ser de compreensão igualmente simples. O que a histeria foi para o fetiche do século XIX, da mulher assexuada trancada em casa, a anorexia é para o fetiche do final do século XX, da mulher faminta.

A anorexia está se propagando porque funciona. Ela não só soluciona o dilema da mulher jovem que se defronta com a seita da fome, como também a protege de ser molestada nas ruas e da coação sexual. Os operários da construção civil deixam em paz os esqueletos ambulantes. Não ter gordura significa não ter seios, co-xas, quadris ou nádegas, o que pelo menos agora quer dizer que não se estava "pedindo" que acontecesse. As revistas femininas dizem às mulheres que elas *podem* controlar seu corpo; mas as experiências pelas quais as mulheres passam em que são molestadas sexualmente fazem com que elas sintam que *não podem* controlar o que seu corpo supostamente provoca. Nossa cultura dá a cada jovem apenas dois sonhos nos quais possa imaginar seu corpo, como uma moeda de duas faces: uma pornográfica, a outra anoréxica; a primeira, para a noite, a segunda, para o dia; a primeira, supostamente para os homens; a segunda, para as outras mulheres. A jovem não tem a opção de se recusar a lançar essa moeda — como ainda não tem a de exigir um sonho melhor. O corpo anoréxico é sexualmente mais seguro como abrigo do que o corpo pornográfico.

Ao mesmo tempo, a anorexia serve aos interesses de instituições dominadas pelos homens ao processar, de forma tranquila, mulhe-res desfeminilizadas para que preencham posições mais próximas do poder. Ela está se infiltrando até as mulheres de todas as classes sociais de universidades e escolas da elite porque é ali que as mu-lheres estão chegando perto demais de posições de autoridade. Ali, ela demonstra como a fome frustra o acesso ao poder na vida de qualquer mulher. Centenas de milhares de jovens bem instruídas, que vivem e estudam no eixo da influência cultural, não estão causando problemas. A universitária anoréxica, à semelhança do judeu antissemita e do negro que se odeia, acaba se encaixando. Ela é uma castrada política, que tem exatamente a energia necessária para os estudos, tarefa que cumpre com perfeição e capricho, e para correr em círculos intermináveis na pista coberta. Ela não tem nenhuma energia para se irritar ou para se organizar, para procurar sexo, gritar num alto-falante, pedir mais dinheiro para ônibus noturnos, para programas de estudos femininos ou para querer saber onde é que estão todas as mulheres catedráticas. Reger uma classe mista meio cheia de mulheres mentalmente anoréxicas é uma experiência bem diferente da de reger uma classe meio cheia de alunas saudáveis e confiantes. Como naquelas mulheres a mulher foi riscada, a classe é mais semelhante a uma só de rapazes, que era como as coisas costumavam ser antes.

Para que nós mulheres permaneçamos no limite oficial do espectro do peso, é preciso que 95% de nós nos infantilizemos ou engessemos até certo ponto nossa vida mental. A beleza da magreza não está no que ela faz ao corpo, mas à mente, já que *o que é valorizado não é a magreza das mulheres, mas a fome, com a magreza sendo apenas um sintoma.* A fome exerce a atração de concentrar o foco de uma mente que "se soltou". Os bebês não conseguem se alimentar; os inválidos e os ortodoxos exigem dietas especiais. O hábito de seguir dietas faz com que nos consideremos bebês religiosos e doentes. Somente esta nova mística poderia se revelar forte e penetrante o suficiente para cumprir a tarefa abandonada pelo isolamento doméstico e pela castidade forçada. "Natural" é um termo contestado com acerto. Se existe um impulso mais natural, é o de satisfazer a fome. Se existe uma forma feminina natural, ela é aquela em que as mulheres são férteis e têm interesse sexual; *e não passam o tempo todo pensando nisso.* Manter-se com fome quando existem alimentos disponíveis, como as mulheres ocidentais estão

A FOME

fazendo, é o mesmo que se submeter a uma condição de vida mais artificial do que qualquer coisa que nossa espécie já tenha inventado. É mais absurdo do que o canibalismo.

O hábito da dieta é a essência da feminilidade contemporânea. A atitude de se recusar alimento é considerada correta na mulher, errada no homem. Para as mulheres, concluiu a Clínica de Estresse de Austin (Texas), "a preocupação com as dietas" estava fortemente relacionada a "características femininas positivas"; para os homens, a restrição alimentar estava vinculada a uma "feminilidade indesejável do ponto de vista social". Enquanto a mulher feminina da Mística Feminina se negava qualquer satisfação no mundo, o atual modelo de feminilidade "madura" e bem-sucedida se sujeita a uma vida de renúncia no próprio corpo.

Contudo, essa garantia de um ajuste invejável tem tão pouca validade quanto a anterior. Ela também se baseia numa mentira vital. Enquanto as mulheres "imaturas" na década de 1950 desejavam orgasmos clitoridianos e as mulheres "maduras" cediam passivamente, em nossos dias o desejo pela comida é interpretado num código sexual semelhante. É considerado um sinal de imaturidade que as mulheres comam com apetite, já que lhes dizem que assim elas arriscam sua sexualidade. Elas são consideradas maduras quando passam fome, com a promessa de conquistar a sexualidade dessa forma. Na década de 1970, quando o prazer clitoridiano foi recuperado, muitas mulheres devem ter se perguntado como haviam vivido num ambiente que o negava. Na década de 1980, as mulheres foram forçadas a negar sua língua, boca, lábios e barriga. Nos anos 1990, se nós mulheres pudermos recuperar o prazer do apetite, poderemos nos perguntar o que deu em nós nestes longos anos de fome mesquinha e sem sentido. A renúncia das mulheres no que diz respeito aos alimentos é representada hoje em dia como algo bom para seus companheiros e melhor ainda para elas mesmas. Fora da ação do mito da beleza, a fome feminina parecerá tão obviamente destrutiva do bem-estar das mulheres e de seus entes queridos quanto aquela antiga asfixia forçada das mulheres dentro de casa nos parece vista daqui.

O sexo, o alimento, a carne. Não é a saúde, nem o desejo dos homens, nem nenhuma lei da beleza o que nos impede de acreditar que possamos ter todos os três. É apenas uma ideologia política. As jovens acreditam naquilo que a memória não lhes sugere questionar, que elas não poderão ter sexo, alimentos e carne em abundância, que esses três termos se cancelam mutuamente.

FATALMENTE FÁCIL

É fatalmente fácil se tornar uma anoréxica. Quando eu tinha 12 anos, fui visitar uma prima mais velha, voluptuosa. "Eu tento", disse-me ao explicar os exercícios de respiração profunda que fazia antes de dormir, "visualizar minha barriga como algo que eu possa amar, aceitar e com que eu possa conviver." Ainda compactada no meu corpo de criança, fiquei alarmada com a ideia de que me tornar mulher implicaria ter de me dividir em partes que flutuavam por aí, já que minha prima dava a impressão de só se manter una por um esforço de concentração. Não foi uma ideia agradável. Os botões dos meus seios começavam a doer. Enquanto ela fazia os exercícios, folheei um exemplar da *Cosmopolitan,* que trazia um artigo com instruções para as mulheres sobre como se despir, se mostrar e se movimentar na cama com o parceiro, de forma a disfarçar a gordura.

Minha prima olhou para mim. "Você sabe seu peso?" Eu não sabia. "Por que não sobe na balança?" Dava para eu sentir como minha prima desejava estar num corpo simples e leve de 12 anos.

A FOME

Achei que aquilo só podia querer dizer que, quando eu me tornasse mulher, eu também desejaria sair do meu próprio corpo para ocupar o de alguma criança.

Um ano depois, enquanto estava debruçada sobre o bebedouro no corredor de minha escola, Bobby Werner, que eu conhecia de vista, me deu uma cutucada forte na parte macia de minha barriga, logo abaixo do umbigo. Uma década se passaria até que eu me desse conta de que ele era o gorducho da classe.

Naquela noite, deixei congelar no prato o molho da costeleta de carneiro. Eu via pegajosos nódulos de gordura, uma tira externa de algum material amarelo carbonizado, que se solidificava ao esfriar, com o carimbo da fiscalização sanitária em tinta azul comestível. O osso central, serrilhado, fora cortado por uma possante lâmina rotativa. Tive uma sensação desconhecida, uma náusea mesclada com o prazer do ódio. Ao me levantar faminta da mesa, um jato de virtude se acendeu sob meu esôfago, deixando-me inebriada. A noite toda eu o aspirei.

No dia seguinte, passei pelo bloquinho que minha mãe mantinha junto à máquina de lavar louça. Eu sabia o que estava escrito embora ele pertencesse a minha mãe e fosse confidencial: "½ toranja. Café preto. 4 bolachas. 1 picolé." Um garrancho forte: *"comi demais"*. Tive vontade de rasgá-lo. Bela recordação.

Eu já não tinha paciência para as confissões banais das mulheres. Podia sentir pela boca que o meu corpo tinha entrado em cetose, um desequilíbrio de eletrólitos — que bom. Estava chegando minha vez. Joguei os pratos na pia com a violência de uma declaração.

Aos 13 anos, eu estava ingerindo em calorias o equivalente aos alimentos à disposição das vítimas da fome sitiadas em Paris. Eu estudava com dedicação e me mantinha calada na sala de aula. Eu era um obediente brinquedo de corda. Não houve um professor, um diretor ou orientador pedagógico que me confrontasse com

293

O MITO DA BELEZA

alguma objeção ao meu evidente afastamento progressivo da terra dos vivos.

Havia muitas garotas famintas em minha escola, e todas elas eram um exemplo de perfeição para os professores. Deixavam que fizéssemos o que bem entendêssemos, acumulando nossas medalhas de ouro, enquanto nosso cabelo caía a mancheias e nossos olhos ficavam cada vez mais fundos. Sentíamos resistência quando movimentávamos os globos oculares. Eles deixavam que pendurássemos nossos ossos na corda suspensa na aula de ginástica, onde nada, a não ser a força de uma vontade exausta, ficava entre o teto, ao qual nos agarrávamos com mãos tão fracas que a juta parecia raspar a própria cartilagem, e o piso de madeira encerada uns dez metros abaixo.

Uma voz estranha substituiu a minha. Em nenhuma outra época falei tão baixo. Ela perdeu a expressão e o timbre, caindo num murmúrio sem graça e monótono, o oposto de estridente. Meus professores demonstravam sua aprovação. Não viam nada de errado com o que eu estava fazendo, e eu podia jurar que eles me olhavam com sinceridade. Em minha escola já não se dissecavam gatos sem dono, pois isso era considerado desumano. Não houve, porém, nenhuma interferência na experiência científica que eu dirigia a mim mesma: a de descobrir qual era o mínimo de alimento para manter vivo um ser humano.

Os sonhos que eu conseguia ter não tinham nada a ver com as visões adolescentes que os meninos, ou as meninas livres e saudáveis, têm. Não havia fantasias de sexo ou de fuga, de revolta ou de futuro sucesso. Todo o espaço de que eu dispunha para sonhar era tomado pela comida. Quando me deitava na cama, naquela postura sonhadora do adolescente, não encontrava posição confortável. Meus ossos faziam uma pressão de encontro ao colchão. Minhas costelas eram como ganchos; minha espinha, uma lâmina cega; e minha fome, um escudo pesado, tudo de que eu dispunha para

A FOME

afugentar as banalidades que se grudariam ao meu corpo como parasitas no instante em que ele desse um mau passo e entrasse no mundo das mulheres. Meu médico pôs a mão no meu ventre e disse que estava tocando minha espinha. Eu lançava um olhar gélido de ódio às mulheres que obviamente não tinham a coragem de sofrer como eu estava sofrendo.

Fiz um desenho: de mim mesma, muito pequena, enrodilhada numa espécie de toca, cercada de materiais para a construção de um ninho, com uma provisão de nozes e passas, protegida. Essa pequenez e um esconderijo dessa natureza eram o que eu mais desejava na época da vida em que Stephen Dedalus ansiava por explodir como um meteoro sobre o mundo. Qual era o significado daquele desenho? Não se tratava de uma vontade de voltar ao útero, mas ao meu corpo. Eu não estava querendo me sentir segura com relação às escolhas do mundo, mas queria estar isenta da obrigação de entrar num combate no qual eu só podia acreditar se me esquecesse de tudo a meu respeito e me sujeitasse a começar de novo, mais boba, como alguém que tivesse levado um golpe forte na nuca.

Eu teria de esquecer que elas eram minhas amigas e acreditar que na realidade eram minhas inimigas, as outras jogadoras de três--marias, minhas companheiras no roubo de brilho para os lábios com sabor de Pepsi: Gemma, Stacey e Kim, que costumavam ficar paradas em fileira ao meu lado no escuro do quarto da mamãe, olhando fixamente para o espelho. Com uma vela iluminando o queixo, por baixo, entoávamos apavoradas: *Não temos medo do Bicho Papão.* Eu sabia que, se me permitisse um mergulho no futuro, jamais seria capaz de estar assim outra vez: ombro a ombro diante do espelho, com o espírito do mal ali do outro lado; nada em nós mesmas, nada em nenhuma de nós.

A fome na adolescência foi, para mim, uma relutância prolongada a me tornar mulher, se isso significasse assumir uma posição de beleza. As crianças resistem a serem frustradas pelas convenções e muitas vezes percebem a loucura social em suas verdadeiras dimensões. Na sétima série, sabíamos o que estava por vir, e todas ficávamos furiosas, com um medo legítimo. Não uma loucura normal de adolescente, mas um pânico diante daquela anormalidade iminente. Como numa brincadeira a sério de Mamãe Posso Ir, sabíamos que a beleza ia nos mandar parar e, onde quer que estivéssemos, seria o fim.

"We learned the truth at 17", lamentava-se uma canção popular naquele ano, "that love was meant for beauty queens."* Nós pegávamos emprestado e emprestávamos maiôs novos, acabávamos com eles e jurávamos que nunca perdoaríamos o estrago. Quando Gemma e Kim posaram com o traseiro nu para a Polaroid de Stacey, Kim disse: "Ora, não se preocupe. Você estava mais perto da máquina." Gemma retorceu o pescoço diante do espelho, procurando a terrível verdade, enquanto Kim se perguntava como as palavras da mãe podiam sair de seu próprio cérebro.

Julie, cheia de confiança, a primeira a ter seios, já estava cínica na época de Ação de Graças. Como mais ninguém tinha aparência para ser a piranha da classe, foi-lhe atribuída a posição, e ela logo capitulou. Ela clareava o cabelo com Sun In e começou a sair com rapazes que tocavam em bandas de rock de garagem. Marianne, porque tinha longas pernas e um longo pescoço, corria da escola para seus *pliés* na barra, com o cabelo num coque, a cabeça muito alta, para se arquear, deslizar e se curvar até o cair da tarde. O teste de Cara não teve nenhum brilho mas, como seu cabelo formava uma trança da cor do trigo que lhe tocava a cintura, ela seria a Titânia na peça da escola. Emily, escandalosa e de nariz marcante, mesmo dormindo era melhor atriz do que Cara. Quando viu a lista do elenco, ela se voltou em silêncio para sua melhor amiga, que lhe entregou uma caixa de bombons de chocolate ao leite. Evvy, alta, forte e ossuda,

---

* "Aprendemos a verdade aos 17, a de que o amor era só para as mais bonitas." [*N. da T.*]

A FOME

viu Elise usar sua covinha enlouquecedora. Ela a esperou fora da sala de aula para lhe perguntar se ela se achava bonita. Elise disse que sim, e Evvy lhe jogou no rosto uma pipeta de ácido, roubada do laboratório de biologia da escola. Dodie detestava seu cabelo preto e crespo, que parecia não crescer nunca. Ela se aproximou pelas costas da loura Karen na aula de economia doméstica e lhe tosou um punhado de cabelo com a tesoura de picotar. Até mesmo Karen entendeu que não foi nada pessoal.

As coisas que víamos as mulheres fazer pela beleza pareciam loucura. Eu queria viajar, mas percebia que a beleza levava as mulheres em círculos. Minha mãe, uma bela mulher, aproveitava muito pouco dos prazeres que eu podia entender. Eu via que sua beleza a prejudicava. Era a abstinência de dentes cerrados em jantares festivos, a fúria diante da balança, massagens raivosas, fotografias de acusação coladas na geladeira. Ela ganhara a batalha — por que isso não bastava? Eu imaginava que seria bom ficar bonita como minha mãe, sem dúvida; mas nada daquilo me parecia bom o bastante para compensar aquele aviltamento interminável.

A anorexia foi o único meio que vislumbrei de manter no corpo a dignidade que eu tivera enquanto criança e que viria a perder como adulta. Era a única opção que parecia ser uma opção. Ao me recusar a assumir um corpo de mulher e receber uma classificação, optei por não ter todas as minhas escolhas futuras restritas a ninharias e não ter de aceitar escolhas que outros fariam por mim, com base em algo que para mim era insignificante, no que dissesse respeito a assuntos importantes. À medida que o tempo foi passando, porém, minhas opções iam se restringindo cada vez mais. Caldo de carne ou água quente com limão? O caldo tinha 20 calorias. Era melhor a água. O limão tinha quatro. Eu podia viver sem ele. Mal-Mal.

Agora, quando me forço a pensar naquela época — mais um bloqueio dos campos da memória, pela beleza —, minha tristeza

O MITO DA BELEZA

não consegue se livrar da raiva que a acompanha de perto. A quem devo acusar por aquele ano perdido? Quantos centímetros de altura perdi por não ter chegado cálcio suficiente aos meus ossos, com seus osteoblastos lutando para se multiplicar sem alimentação? Quantos anos mais cedo minha espinha fragilizada irá encurvar meu pescoço? Nos departamentos kafkianos desse ministério da fome, que me considerou culpada por um crime tão inespecífico quanto o de viver num corpo de mulher, a que porta recorro? Quem está obrigado a me indenizar pelos pensamentos abandonados, pela energia nunca encontrada, pelas explorações sequer levadas em consideração? Quem me deve pelo ano inteiro de ocupação de minha mente na época de seu desenvolvimento mais premente?

Em nossa interpretação dos danos causados pelo mito da beleza, ainda não é possível pôr a culpa em ninguém a não ser em nós mesmas. Pelo menos por mim, posso afinal declarar: "Aos 13 anos, quase morrer de inanição? Inocente. Aquela criança não pode ser culpada." Certamente existe uma culpa a ser atribuída, já com muito atraso. Mas ela não me pertence. Ela tem alguma outra origem; é alguma outra coisa.

As vítimas mais jovens, desde a mais tenra infância, aprendem a passar fome e a vomitar a partir da mensagem esmagadoramente poderosa de nossa cultura, que descobri não poder ser superada por nenhuma quantidade de amor e apoio paternos. Eu sabia que meus pais não queriam que eu passasse fome porque me amavam; mas o amor deles se opunha à mensagem do mundo exterior, que queria que eu passasse fome para me amar. As jovens sabem que são as mensagens do mundo exterior que elas devem respeitar se quiserem sair da proteção dos pais. Eu molhava meu dedo para sentir a direção dos ventos daquele mundo exterior. Já magra demais?, eu perguntava. E agora? Não? Agora?

O mundo exterior nunca passa para as meninas a mensagem de que seu corpo é valioso simplesmente porque elas estão nele.

A FOME

Enquanto nossa cultura não disser às meninas que elas são bem-vindas na forma que tiverem — que as mulheres têm valor com ou sem o pretexto da "beleza" —, as meninas continuarão a passar fome. As mensagens institucionais também recompensam a educação das mulheres na fome. No entanto, quando as lições foram levadas perigosamente a sério, elas ignoram as consequências, fortalecendo a doença. As anoréxicas querem ser salvas, mas não podem confiar em indivíduos, sejam orientadores, membros da família, sejam amigos. Isso seria precário demais. Elas são pontos de interrogação ambulantes e instigantes que pedem às escolas, universidades e aos outros porta-vozes do que é culturalmente aceitável nas mulheres que lhes digam, de forma inequívoca, que isso é intolerável. Isso é inaceitável. Nós não fazemos com que as mulheres passem fome aqui. Nós valorizamos as mulheres. Mostrando-se indiferentes aos estragos que a reação do sistema causou entre suas jovens, as escolas e universidades estão acabando com as filhas da América. E a Europa está aprendendo a fazer o mesmo com as suas. Não é preciso que se morra para que se seja considerada uma baixa. Não se pode dizer com acerto que uma anoréxica é um ser vivo. Ser anoréxica é manter um cômputo diário da aproximação de uma morte lenta; é pertencer aos mortos-vivos ambulantes.

Já que as instituições estão tratando essa epidemia como uma daquelas embaraçosas características femininas admitidas dentro do claustro, como, por exemplo, máquinas para venda automática de absorventes ou saias usadas por baixo de becas, não há luto oficial. Impede-se que as estudantes reconheçam abertamente que, no íntimo, sabem o que está acontecendo a sua volta. Não se permite que elas aleguem ser essa epidemia real e fatal, nem que ela esteja ocorrendo a seu lado e dentro de cada uma delas. Por isso, elas precisam reprimir um conhecimento apavorante, banalizá-lo, ou então culpar a vítima. Mais uma adoece. Outra desaparece. Ainda outra cai por terra.

Na faculdade, nunca tivemos tempo de chorar por Sally. Vestida em trapos como uma boneca de pano, em tecido riscadinho desbotado e bordado inglês, ela usava uma pluma de pavão num chapéu velho. Mantinha educadamente escondidas sua barriguinha de *kwashiorkor** e sua inteligência ferina, mas era capaz de destroçar uma argumentação como se fosse de algodão e apresentar, negligente, uma conclusão cristalina como o quartzo. Sua voz fraca faria uma pausa e seus lábios ficariam brancos de tão pressionados. Nas festas, ela costumava jogar a cabeça felpuda para trás, uma cabeça grande demais para o corpo, a fim de ter melhor condição de bater com ela repetidamente na parede mais próxima. Com o cérebro mais solto, ela dançava como um monstrinho de Dia das Bruxas, balançando os membros desconjuntados. Era uma fórmula fixa no *campus*: "Toquem alguma coisa boa para Sally dançar."

Ela foi embora de repente. Suas colegas de quarto tiveram de arrumar suas malas depois: a balança de precisão para pesar o meio pãozinho do dia; os pesos de mão de 7 quilos; o ensaio de uma lucidez devastadora, deixado na escrivaninha, inacabado.

Quando eu soube que sua força se esgotara, lembrei-me de uma bela tarde azul de outono, quando um grupo de estudantes saiu de uma sala de aula discutindo acirradamente. Ela deixou cair os livros com estrondo. Lançando para trás os ombros, dos quais seu suéter pendia deixando entrar grandes bolsões de ar gelado, ela se virou numa lenta pirueta e saltou bem no centro do grupo. Um rapaz a amparou antes que caísse e a entregou a mim, esperneando como um bebê impertinente.

Eu a segurei nos braços sem esforço. Ela conseguira. Conseguira burlar a lei da gravidade. Seus membros eram tão leves quanto

---

* *Kwashiorkor* é uma grave desnutrição causada por uma dieta rica em carboidratos e carente em proteínas. [*N. da T.*]

A FOME

ramos ocos de bétula, com a casca enrolada inteira, mas o cerne esfarelado, a seiva transformada em pó. Eu a abracei com facilidade porque nela não havia nada.

Feixes de gravetos, ossos em Nikes de solado gasto, avançando ruidosos num tempo implacável. As sombras dessas jovens eram as de bonecos de madeira de Java, com cabeças enormes, que desapareciam numa luz oblíqua. A boca seca como a de velhos, o passo instável, elas vão para casa com os joelhos inchados enquanto ainda é de manhã.

Nada justifica uma comparação com o Holocausto. Entretanto, quando nos deparamos com um grande número de corpos cadavéricos, esfaimados não pela natureza mas pelo homem, somos forçados a notar uma certa semelhança. O corpo faminto não tem condição de saber que pertence à classe média. O corpo aprisionado não sabe dizer que é considerado livre. A experiência de viver num corpo em grave estado de anorexia, mesmo que esse corpo more num próspero subúrbio, é a experiência de um corpo vivendo em Bergen-Belsen — isso se imaginarmos para o recluso de Belsen uma chance de 40% de prisão perpétua e 15% de morte. Essas duas experiências estão mais próximas uma da outra do que qualquer uma delas está da vida de um corpo pertencente à classe média do afluente Primeiro Mundo, que não esteja na prisão. Embora eu esteja tentando evitar as imagens de campos de extermínio, elas sempre voltam. Essas jovens não pesam mais do que os corpos documentados nos arquivos daquilo que foi legitimamente chamado de Inferno. Quando estão no estado mais grave, não têm mais o que comer; e não têm escolha. Por uma razão desconhecida, que deve ser de natureza fisiológica, num certo estágio da inanição elas perdem a capacidade de parar de passar fome, de resolver comer. Finalmente — como raramente é reconhecido — elas sentem fome. Eu sentia fome a cada instante em que estava consciente; eu sentia fome mesmo dormindo.

O MITO DA BELEZA

As mulheres devem denunciar a anorexia como um mal político perpetrado contra nós por uma ordem social que considera nossa destruição insignificante porque somos o que somos — inferiores. Deveríamos identificar a anorexia como os judeus identificam os campos de extermínio, como os homossexuais identificam a aids: como uma desgraça que não é exclusivamente nossa, mas que pertence a uma ordem social desumana.

A anorexia é um campo de concentração. Um quinto das jovens norte-americanas bem instruídas está recluso. Susie Orbach comparou a anorexia às greves de fome de prisioneiros políticos, especialmente das sufragistas. Mas o tempo das metáforas já passou. Ser anoréxica ou bulímica *é mesmo* ser um prisioneiro político.

A TERCEIRA ONDA: CONGELADA EM MOVIMENTO

Se examinarmos o relacionamento inerte da maioria das jovens com o feminismo, veremos que, com a anorexia e a bulimia, o mito da beleza está saindo vitorioso nessa ofensiva. Onde estão as ativistas da nova geração, o sangue novo para injetar energia no cansaço e na exaustão da segunda onda? Por que tantas estão tão caladas? Nas universidades, até um quinto delas está tão calado assim, por estar morrendo de fome. As pessoas em estado de inanição são notórias pela falta de entusiasmo para a organização. Aproxima-damente outras 50% são dominadas pela compulsão vergonhosa e trabalhosa de se virar pelo avesso nas latrinas dos maiores centros de ensino superior. As mesmas jovens que aparentemente seriam as herdeiras do movimento das mulheres não estão abraçando essa sua bandeira, talvez por nenhum motivo mais profundo do que o de muitas delas estarem doentes demais fisicamente para poder

A FOME

atender a qualquer coisa fora das exigências pessoais imediatas. No plano mental, a epidemia de transtornos alimentares pode afetar as mulheres desta geração de forma tal a tornar o feminismo visceralmente implausível. Ser mulher não é, obviamente, algo que justifique um combate armado; ser mulher faz com que se sinta fome, com que se seja fraca e doente.

Além disso, existem outros problemas de sucessão gerados pelo mito. As jovens de hoje herdaram vinte anos de propaganda da caricatura da Feminista Feia. Por isso "sou feminina, não feminista", afirma uma bacharelanda num artigo da revista *Time*. "Imagino uma feminista como alguém que seja masculina e não raspe as pernas." É grande o número de jovens que não percebem que outros retrataram "uma feminista" dessa forma para garantir que elas reagiriam como reagem. Outras, de maneira alarmante, culpam o movimento das mulheres pela reação do sistema contra ele — "Kathryn", uma jovem de 25 anos citada por Sylvia Ann Hewlett, descreve uma festa no escritório de advocacia onde trabalha. "Muitas vezes me ressinto [...] da forma pela qual a liberação das mulheres aumentou as expectativas dos homens." Ela se queixa de que há vinte anos um jovem advogado desejaria chegar de braços com uma "loura de arrasar", enquanto hoje ele e seus colegas lutam entre si para acompanhar a mulher mais bem-sucedida — "o único problema é que essas mulheres *yuppies* têm que ser tão charmosas quanto as louras de arrasar do passado." Finalmente, o mito procura desestimular em todas as jovens a identificação com as primeiras feministas — simplesmente porque elas são mais velhas. Os homens se permitem tradições que passam de geração a geração. Às mulheres só é permitida a moda, que a cada estação se torna obsoleta. Sob a influência dessa trama, o elo entre as gerações de mulheres fica enfraquecido por definição. O que passou é raramente exposto para admiração como peça da história ou da

O MITO DA BELEZA

tradição, mas ridicularizado pela rígida norma da moda como algo embaraçosamente *démodé*.

Para fazer uma refeição com uma jovem da atual geração, é preciso que se esteja preparado para presenciar sinais de grave enfermidade. Finge-se que não se vê o exame frenético do cardápio, o modo meticuloso de separar o molho. Se ela beber cinco copos de água e chupar e mastigar gelo, não se deve fazer nenhum comentário. Olha-se para o outro lado se ela começar a enfiar um pãozinho no bolso e tenta-se ignorar sua agitação incontida diante da aparição da bandeja de doces bem como sua longa e envergonhada ausência depois da refeição, antes do café. "Você está bem?" "Estou *ótima*." Como ousa perguntar?

Quando dividirem a conta, não terão compartilhado a refeição. O debate sempre renovado que os jovens de cada geração dão por certo, sobre como o mundo pode ser alterado para se adequar a sua visão, não será retomado para mulheres a uma mesa como essa. O carrinho da sobremesa chega antes; suas alças douradas parecem dominar o horizonte, ocultando a paisagem. O mundo terá de esperar. É assim que funciona.

Não há nenhum vilão emboscado junto à caixa registradora. Nenhum inimigo visível fez isso a vocês duas. Existe apenas o garçom, as toalhas de mesa estampadas a mão, a lousa com o cardápio do dia, o balde de gelo cheio de cubos que se derretem, o discreto corredor que leva ao banheiro com seu trinco corrediço. Disse Hannah Arendt que o mal é banal. Mas o que está feito está feito, e até parece que foi feito por suas próprias mãos. Vocês pedem os casacos, saem dali e se separam, sem ter dado vida a absolutamente nada em sua conversa.

As jovens e as mulheres são gravemente enfraquecidas por herdarem as consequências gerais de duas décadas de reação do mito da beleza. Outros fatores, porém, combinam essas pressões sobre

A FOME

as jovens de forma tão intensa que a surpresa não está no número de jovens que sofrem de transtornos alimentares. A surpresa está em existir alguma que não sofra.

As meninas e as jovens também estão passando fome porque o movimento das mulheres mudou as instituições educacionais e o local de trabalho o suficiente para fazer com que admitissem mulheres, mas ainda não o suficiente para mudar o machismo do próprio poder. As mulheres em escolas e faculdades mistas ainda estão isoladas umas das outras, sendo consideradas homens que não deram certo. As matérias voltadas para as mulheres em termos sociológicos, históricos e psicológicos ainda são mantidas à margem do currículo, e menos de 5% dos catedráticos são do sexo feminino. A visão de mundo ensinada às jovens é masculina. A pressão que elas sofrem é a de se adequarem à atmosfera masculina. Separadas das mães, as jovens nas universidades dispõem de poucos modelos mais velhos que não sejam do sexo masculino. Como podem aprender a amar o próprio corpo? As principais imagens de mulheres que lhes são oferecidas para admiração e imitação não são de mulheres mais velhas, sábias e influentes, mas de garotas de sua própria idade ou mais novas, que não são respeitadas por sua mente. Sob o aspecto físico, essas universidades são organizadas para homens e para mulheres desfeminilizadas. Elas são decoradas com retratos a óleo de homens; com gravações dos nomes retumbantes de homens; projetadas para os homens, como o Yale Club em Nova York, que vinte anos depois da admissão de mulheres ainda não tinha um vestiário feminino. Elas não são iluminadas para mulheres que queiram fugir de um estupro. Em Yale, os mapas policiais do *campus* mostrando os locais mais perigosos para o estupro foram mantidos fora do conhecimento do corpo de alunos, supostamente para que os pais não se alarmassem. As faculdades têm uma preocupação apenas superficial com o que ocorre com o

O MITO DA BELEZA

corpo das mulheres que não ocorre com o corpo dos homens. As estudantes percebem esse desejo por parte da instituição de que os problemas de seu corpo feminino simplesmente desapareçam. Em consequência, os próprios corpos começam a desaparecer.

Some-se a esse isolamento e a essa falta de reconhecimento o nível de expectativa sem precedentes de que são alvo as jovens ambiciosas. Sob certos aspectos, as mulheres mais velhas exploraram o melhor dos dois papéis sexuais. Cresceram como mulheres e abriram espaços para entrar no mundo profissional masculino. Aprenderam a afirmar os valores femininos e a dominar o trabalho dos homens. Elas são fortes pelos dois lados. Já as jovens foram enfraquecidas pelos dois lados. Criadas para concorrer como homens em instituições masculinas rígidas, elas também precisam manter até o mínimo detalhe uma feminilidade impecável. Os papéis sexuais, para essa geração de mulheres, não se harmonizaram, mas duplicaram. Espera-se das jovens de hoje que ajam como "homens de verdade" e que tenham a aparência de "mulheres de verdade". Os pais transferiram para as filhas as expectativas de sucesso outrora reservadas para os filhos homens; mas a obrigação de ser linda, herdada das mães, não foi suavizada em consequência disso.

As cerimônias que marcam o progresso representam bem esse conflito. Destinadas a iniciar os jovens num novo nível de poder ou de conhecimento, essas cerimônias suscitam uma emoção pouco feminina — o orgulho. No entanto, a cada rito de passagem por essas instituições, é exigido da jovem um pagamento em "beleza". Tranquilizador e lisonjeiro aos homens no poder, esse pagamento é exigido nessas ocasiões como prova de que a jovem realmente não tem nenhuma intenção séria demais ao conquistar esse diploma ou essa promoção. Por um lado, também aqui os poderosos reforçam o mito da beleza para neutralizar a vitória da mulher em questão.

A FOME

Por outro lado, as mulheres prestam homenagem ao mito nessas ocasiões, pedindo sua proteção, como um talismã que lhes permitirá alcançar o próximo estágio sem punições.

Nos anos 1950, "a domesticidade" era o que atenuava esses momentos de vitória. Como dizia um anúncio de Listerine: "O que era o diploma em comparação com aqueles cintilantes anéis de noivado que Babs e Beth estavam usando?" Hoje, a "beleza" se encarrega da mesma tarefa. "Faltam só 15 dias para a formatura de Becky. Quero que ela sinta orgulho de mim também." "Alba faz de sua dieta um doce sucesso." Num anúncio de Johnnie Walker, duas modelos de alta moda meditam: "ele não acha errado que eu ganhe mais do que ele". O *The New York Times* menciona o caso de uma mulher cujo namorado lhe deu implantes nos seios quando ela completou o doutorado. Uma tendência atual nos Estados Unidos é a de filhas que se formam ganharem uma cirurgia para implante nos seios enquanto os rapazes ganham a tradicional viagem por toda a Europa. As estudantes mais brilhantes das universidades são muitas vezes as que estão mais próximas da inanição. As mulheres estão fazendo cirurgia nos seios, lipoaspiração, rinoplastia, não só como prêmios por terem alcançado o poder — doutorados, heranças, *bat mitzvahs* — elas também estão agindo assim, e sendo solicitadas a agir assim, como uma forma de neutralizar seu acesso ao poder.

Esse impulso de sacrifício tem origem religiosa, a de agradar os deuses antes de iniciar o próximo estágio de uma jornada. E os deuses estão sedentos; eles pedem esses agrados. "Rapazes, é só isso", diz o administrador, preparando candidatos para bolsas de estudo Rhodes em Yale. "Garotas, por favor, fiquem mais um pouco para sugestões sobre roupas, postura e maquiagem." No almoço de entrevista, enquanto se perguntava aos rapazes como pretendiam salvar o mundo de si próprio, perguntaram a uma das moças como ela conseguia manter aquele corpo lindo.

O MITO DA BELEZA

As cerimônias comemorativas do progresso são reveladoras da necessidade dos poderosos de punir as mulheres através da beleza, já que a tensão de precisar reprimir o alarme diante do sucesso feminino é extraordinariamente formalizada nessas ocasiões. Deixam-se escapar insultos típicos do mito da beleza, como piadas sobre a morte em um enterro. As lembranças dessas cerimônias deveriam supostamente durar como fotos Polaroid que se solidificam em cores permanentes, *souvenirs* de uma conquista difícil. Para garotas e mulheres jovens, porém, o mito mantém aquelas cores sempre líquidas, de tal forma que, com uma só palavra, elas podem se mesclar adquirindo os tons uniformes da lama.

Em minha colação de grau, o orador oficial, Dick Cavett — que fora "irmão" do reitor da universidade numa sociedade secreta exclusivamente masculina — deparou-se com 2 mil jovens formandas de Yale, em suas becas e barretes de formatura, e lhes contou a seguinte história: quando ele estudara em Yale, não havia mulheres. Elas iam para Vassar. Lá, eram tiradas fotografias suas nuas na aula de ginástica para verificação da postura. Algumas das fotos acabavam no mercado clandestino de pornografia em New Haven. A graça da piada: ninguém queria comprar as fotos.

Fosse o insulto proposital ou não, ainda assim ele foi eficaz. Nós podíamos ter nos formado em Yale, mas ainda não seríamos pornografia digna de ser comprada. Hoje, 3 mil homens da classe de 1984 têm certeza de que se formaram naquela universidade e se lembram da formatura como deveriam, com orgulho. Muitas das 2 mil mulheres, porém, quando conseguem pensar naquele dia, relembram as sensações dos indefesos: exclusão, vergonha e um silêncio impotente e cúmplice. Não podíamos fazer um escândalo, pois aquele era o grande dia para nossos pais, para o qual muitos tinham vindo de longe. Nem eles poderiam reclamar, sentindo a mesma consideração por nós.

A FOME

O sol fazia evaporar a chuva, o microfone estalava, a lama se agitava e nós continuávamos sentadas, quietas, com uma sensação de tudo errado, por baixo daquelas becas quentes de poliéster. O orador nos transportara, por um instante, do agradável quadrilátero, onde fôramos levadas a acreditar que éramos queridas, para o bairro de mau gosto a quatro quarteirões de distância onde fotos roubadas de nosso corpo nu não encontravam quem as comprasse. À espera do pergaminho que honrava nossa mente, éramos devolvidas com relutante confusão a nosso corpo, que não valia nada como acabáramos de ouvir. Impossibilitadas de ficar sentadas imóveis durante o restante dos discursos, a não ser que separássemos nossa mente, que estava sendo festejada, de nosso corpo, que estava sendo ridicularizado, procedemos a essa separação. Queríamos as honrarias; nós as merecíamos. Os elogios e o escárnio vinham do mesmo palanque ao mesmo tempo. Mudamos de posição nas cadeiras.

Pagamos o preço que nos foi pedido. Com momentos como esse a ter que vivenciar, as estatísticas de jovens com transtornos alimentares, que parecem irreais, começam a ficar mais claras. Uma divisão como aquela produz náuseas. O orgulho de quatro anos de muito trabalho e esforço foi arrancado de nossas mãos no exato instante em que estávamos a ponto de tocá-lo, sendo maculado antes de nos ser devolvido. Em nossa boca, havia o gosto da bile de alguma outra pessoa.

A pressão da pornografia da beleza e as pressões do sucesso se combinam para atingir as mulheres ali onde elas são mais vulneráveis: em sua exploração da própria sexualidade com relação a seu sentido do próprio valor. A pornografia da beleza faz com que um transtorno alimentar pareça ser inevitável, até mesmo desejável, se uma jovem quiser achar que tem valor e que desperta o interesse sexual. Robin Lakoff e Raquel Scherr em *Face Value* [A primeira impressão] concluíram em 1984 que predominavam "entre as universitárias,

O MITO DA BELEZA

definições 'modernas' da beleza — saúde, energia, confiança em si mesma". "A má notícia" é que todas elas tinham "uma preocupação maior, com a forma e o peso de seu corpo. Todas queriam perder de 2 a 11 quilos, muito embora a maioria nem de longe [tivesse] excesso de peso. Elas entravam em detalhes minuciosos a respeito de cada falha de sua anatomia e falavam da enorme repulsa que sentiam ao se olharem no espelho." A "enorme repulsa" que elas sentem provém do aprendizado das rígidas convenções da pornografia da beleza, antes mesmo de descobrirem seu próprio valor sexual. Numa atmosfera dessas, os transtornos alimentares fazem muito sentido.

A GERAÇÃO ANORÉXICA/PORNOGRÁFICA

Quando mulheres de idades diferentes chegam a ter a rara oportunidade de conversar, o abismo entre as mais velhas e as das gerações anoréxicas/pornográficas produz graves mal-entendidos. "Isso é o que digo para atrair sua atenção" declara Betty Friedan a respeito de suas plateias universitárias.

> "Quantas de vocês já usaram uma cinta?" Elas riem. E eu prossigo [...] "Antigamente o fato de se ser mulher nos Estados Unidos significava que [...] você prendia sua carne num estojo de plástico rígido que tornava difícil a movimentação e a respiração, mas você não devia perceber isso. Ninguém perguntava por que se usava uma cinta, e também não se devia perceber os vergões vermelhos na barriga quando se tirava a cinta à noite." Depois eu pergunto, "Como posso esperar que vocês saibam como era usar cinta se vocês nunca usaram nada por baixo dos jeans, a não ser meias-calças e biquínis minúsculos?" Isso elas entendem. Explico, então, todo o caminho percorrido, onde estamos agora e por que motivo elas precisam começar a dizer: "Eu sou feminista."

A FOME

Para muitas jovens na plateia de Betty Friedan, a cinta é o próprio corpo. Elas não podem tirá-lo à noite. Os "biquínis minúsculos" não trouxeram a essa geração a despreocupada liberdade do corpo. Eles se tornaram acessórios que impõem às jovens elegantes perspectivas pseudossexuais que fixam novos limites sobre o que elas podem pensar, sobre como podem se mexer e sobre o que podem comer. A reação do sistema faz à mente dessas jovens, mente potencialmente muito mais livre do que nunca antes, aquilo que espartilhos, cintas e portões nas universidades já não conseguem fazer. A filha da geração pós-1960 vê, num só dia, mais imagens de mulheres impossivelmente "lindas" envolvidas em alguma postura "sexual" do que sua mãe viu durante toda a adolescência. Ela precisa que lhe mostrem ainda mais, se quisermos que conheça seu lugar. Pela saturação de imagens, o potencial explosivo dessa geração é desarmado com segurança.

As jovens nascidas depois de 1960 já são bastante doentes por terem visto pouca representação da sexualidade fora dos limites da pornografia da beleza. Não são, porém, tão doentes quanto a geração de crianças dos anos 1970; estas últimas, ainda mais jovens, são muito mais doentes. E as filhas dos anos 1980?

"A propagação do hábito das dietas em pré-adolescentes aumentou 'exponencialmente' nos últimos anos [...]. Temos conhecimento de ser comum o hábito da dieta na quarta e quinta séries", relata Vivian Meehan, presidente da Associação Nacional de Anorexia Nervosa e Transtornos Relacionados. Numa pesquisa com 494 estudantes da classe média em São Francisco, mais da metade se descreveu como tendo excesso de peso, embora apenas 15% realmente teriam esse excesso segundo parâmetros clínicos. Trinta e um por cento das meninas de 9 anos se achavam gordas demais, e 81% das de 10 anos já faziam regimes. Um artigo de 1989 em *The New York Times*, intitulado "Belezinhas na terra da maquiagem", descreve um novo campo no marketing de cosméticos para menininhas: as de 6 anos, "totalmente pintadas". Uma boneca, Li'l Miss Makeup, "lembra uma garota de 5 ou 6 anos". Quando se pincela água fria nela, "surgem sobrancelhas, pálpebras coloridas, unhas e lábios pintados e um sinalzinho em forma de coração".

Essas meninas, nascidas na época em que Ronald Reagan foi eleito pela primeira vez, estão revelando mutações de terceira geração da reação do sistema contra o movimento das mulheres. Elas nascem com uma deformidade congênita: não terão infância. Essa geração enfrentará problemas ainda maiores para conviver com o próprio corpo do que as filhas dos anos 1960 e 1970. Criadas para competir, desde suas recordações da mais tenra infância, elas associarão a feminilidade com a privação. A fome já está sendo erotizada para as meninas de hoje como uma porta de entrada para a sexualidade adulta. Para uma menina de 7 anos, em nosso tempo, subir numa balança e exclamar com horror constituem um ritual de feminilidade, indissociável da promessa de gratificação sexual, tanto quanto as poses provocantes de salto alto diante do espelho de minha geração e os vestidos de cetim branco das bonecas da geração de minha mãe. Se elas começarem a fazer regimes aos 7 anos e só forem fazer sexo em meados da adolescência, já será tarde demais. Terão passado metade da vida aprendendo o masoquismo como preparação para o prazer sexual. Terão tido pouca oportunidade de construir para o futuro memórias de uma vida erótica no corpo de criança, uno, edênico, satisfeito e que procura o prazer. Terão aprendido o masoquismo enquanto aprendem a sexualidade e entrarão numa adolescência longa e insegura, acossadas por mais mensagens da beleza como masoquismo, sem a proteção da integridade de um núcleo sexual isento de dor.

A FOME

FORA DO MUNDO

Com a proteção de acompanhantes já esquecida e a proteção da integridade sexual ainda não afirmada totalmente, as jovens são vulneráveis em formas inteiramente novas. Elas sem dúvida têm maior liberdade do que antes para se movimentarem desacompanhadas pelo mundo, mas, ironicamente, isso criou ainda mais um uso para os transtornos alimentares.

A antiga claustrofobia tem um novo fator irritante, mais desgastante do que nunca. A jovem sabe, mais do que sua mãe sabia em sua idade, o que está perdendo. Ela já provou o sabor. No poema de Christina Rossetti "O mercado dos goblins", uma irmã, que não provou do fruto proibido, permaneceu saudável. A outra experimentou um pouquinho da doçura e descobriu que ela causava dependência. Essa irmã precisava mais, precisava se fartar ou acabaria definhando.

A ameaça do perigo sexual faz do corpo da menina uma paisagem na qual ela precisa projetar o mundo exterior que agora se aproxima por todos os lados. Essa prisão domiciliar da adolescência conduz os sonhos de aventura e exploração a um despertar estéril. Marrakesh, Malabar, as ilhas Molucas; as fantasias de descobertas vão por água abaixo, e ela aprende a aplicar brilho para realçar o centro do lábio superior. Suas aventuras devem se restringir àquelas em que ela possa ser observada em segurança, porque as aventuras boas de fato a exporão a ser olhada com efeitos desastrosos. Enquanto seus colegas do sexo masculino saem Pelo Mundo Afora, ela e os grilhões dourados de sua "beleza" têm de se afastar do mundo.

Como adolescente, ela percebe com horror cada vez maior que não estavam brincando. Para ela, caminhar sozinha será uma atividade assustadora para sempre. A anorexia, a bulimia e as fixações na ginástica descarregam e amortecem a frustração da claustrofobia que acompanha a triste conscientização pela garota de que o mundo que ela imaginara e que acabara de herdar está fechado para ela pela ameaça da violência sexual.

Se ela comesse, teria a energia; mas a adolescência é organizada para a liberação segura das pressões masculinas. Desde os eventos atléticos às conquistas sexuais, até um pensativo passeio pelo bosque, os meninos têm saídas para aquela agitação da espera do voo. No entanto, se uma menina resolver usar toda sua cota de espírito aventureiro, libido e curiosidade, ela estará no mau caminho. Com grandes reservas de açúcar para dar início às atividades de exploração intelectual, amidos para converter em inquietação nas pernas que se alongam, gordura para estimular sua curiosidade sexual e o destemor resultante de uma despreocupação quanto à origem de sua próxima refeição — ela estará em maus lençóis.

E se ela não se preocupasse com seu corpo e comesse o suficiente para o crescimento que tem pela frente? Ela poderia rasgar as meias e "moshar" ao som dos Pogues, com uma carteira de identidade falsificada, voltando para casa descalça, sozinha, com os sapatos na mão, de madrugada; ela poderia tomar conta de crianças num abrigo para mulheres espancadas uma noite por mês; poderia descer de skate a Lombard Street com suas sete curvas de 180°, ou se apaixonar por seu melhor amigo e fazer alguma coisa a respeito disso, ou poderia perder horas olhando tubos de ensaio com o cabelo desarrumado; ou escalar um promontório com as colegas e se embebedar lá em cima; ou se sentar quando o Juramento à Bandeira determina que se fique em pé; ou pegar carona num trem de carga; ter amantes sem dizer seu sobrenome; ou fugir de casa para a vida no mar. Ela poderia se divertir com todas essas liberdades que parecem tão triviais para quem as tem como certas. Poderia ter a sério os sonhos que parecem tão óbvios para os que cresceram sabendo que esses sonhos estavam realmente a seu alcance. Quem sabe o que ela faria? Quem sabe como se sentiria?

A FOME

Só que, se *não se cuidar,* terminará violentada, grávida, impossível de controlar ou, simplesmente, poderá tornar-se o que hoje se chama de gorda. A adolescente sabe disso. Todos lhe dizem para ter cuidado. Ela aprende que fazer de seu corpo uma paisagem a ser dominada é preferível a qualquer tipo de loucura.

Fazer dietas é se cuidar, e se matricular numa clínica de fome é o máximo em cuidado.

A violência

É preciso sofrer para ser linda.

— Provérbio francês

As mulheres precisam se esforçar para serem lindas.

— W.B. Yeats

Disse também à mulher: Multiplicarei teus sofrimentos na gravidez. Em dor darás à luz os filhos; teu desejo será para teu marido, e ele te dominará.

— Gênesis 3:16

A fome faz com que o corpo da mulher a prejudique e faz com que a mulher maltrate seu corpo. Estudos com perpetradores de abusos revelam que a violência, uma vez iniciada, aumenta progressivamente. A cirurgia estética é a especialidade "médica" que mais cresce no país. Mais de 2 milhões de norte-americanos, pelo menos 87% do sexo feminino, já haviam passado por ela em 1988, número este que triplicou em dois anos. Durante a década de 1980, à medida que foram conquistando o poder, as mulheres, em quantidades sem precedentes, foram procurar a faca e se submeter a ela. Por que a cirurgia? Por que agora?

A VIOLÊNCIA

Desde os primórdios da história até pouco antes da década de 1960, o sexo das mulheres lhes causava dor. Dar à luz era uma dor atroz até a invenção do clorofórmio, em 1860, e, em razão da febre puerperal e de complicações durante o resguardo, representava um perigo mortal até o advento da antissepsia na década de 1880. Daí em diante, o sexo ainda trazia o risco de um aborto ilegal, com seus perigos de hemorragia, útero perfurado e morte por septicemia. "O trabalho" para a mulher significava o parto, de tal forma que o trabalho, o sexo, o amor, a dor e a morte, durante séculos, estavam entrelaçados num nó vivo no centro da consciência da mulher. O amor machucava, o sexo podia matar, o doloroso trabalho da mulher era um trabalho de amor. O que no homem seria masoquismo, para a mulher significava a sobrevivência.

O sexo começou a perder seu ferrão em 1965, quando, com o caso de *Griswold* versus *Connecticut*, a Suprema Corte dos Estados Unidos legalizou a venda de anticoncepcionais, e a pílula passou a ser amplamente receitada. Passou a doer ainda menos a partir do final da década de 1960 até o final dos anos 1980, quando o aborto seguro foi legalizado na maioria dos países ocidentais. À medida que as mulheres entraram para a força de trabalho remunerada e perderam sua dependência da permuta sexual pela sobrevivência, ele passou a doer ainda menos. Os costumes sociais em transformação e a defesa da sexualidade feminina por parte do movimento das mulheres começaram a tornar imaginável que o prazer que o sexo proporcionava às mulheres talvez pudesse superar de forma final e definitiva a dor. Os fios do sexo e da dor nas mulheres começavam afinal a se separar.

Com essa estranha e recente ausência da dor feminina, o mito colocou a beleza em seu lugar. Pois, tanto quanto as mulheres pudessem se lembrar, alguma coisa em ser mulher sempre doía. De uma geração para cá, isso foi sendo cada vez menos real. Mas nem

O MITO DA BELEZA

as mulheres nem a ordem social masculina podiam se adaptar de forma tão abrupta a um presente no qual o fato de ser mulher não era caracterizado e definido pela dor. Hoje, o que dói é a beleza.

Muitas mulheres aceitaram estoicamente essa nova versão da dor exigida pela beleza, porque a falta da dor sexual deixou um vazio na identidade feminina. Tanto os homens quanto as mulheres esperavam que as mulheres se adequassem à liberdade, sem qualquer esforço, com uma resistência sobre-humana. Só que não se aprende a liberdade facilmente da noite para o dia. Uma geração não é tempo suficiente para que se esqueçam cinco milênios de aprendizado de como suportar a dor. Se o sentido de identidade sexual de uma mulher esteve centrado na dor desde o registro mais remoto, quem é ela sem a dor? Se o sofrimento é a beleza e a beleza é o amor, ela não pode ter certeza de ser amada se não sofrer. Com esse condicionamento, é difícil visualizar um corpo feminino livre da dor e ainda desejável.

Mesmo fora da dor biológica do sexo feminino, as mulheres modernas só agora estão se recuperando de uma longa experiência de castigos pelo prazer, administrados pelo homem. O legislador grego Sólon determinou que uma mulher solteira apanhada num ato sexual podia ser vendida como escrava. O imperador Constantino decretou que uma virgem que fornicasse de livre vontade fosse queimada (seu castigo era mais brando se ela tivesse apenas sido violentada). A morte era o preço pago por uma mulher livre que tivesse relações sexuais com um homem escravizado. As leis de Rômulo davam ao marido o direito de matar a esposa adúltera. As adúlteras, na Arábia Saudita de nossos dias, são apedrejadas até a morte. A resistência à pílula abortiva RU486 deriva, em parte, por ela, relativamente, não causar dor. Os ativistas que se opõem ao aborto muitas vezes abrem exceção para casos de estupro e incesto, o que sugere que é seu desejo por sexo que a mulher deve pagar com a dor.

A VIOLÊNCIA

E muitas mulheres, através de uma memória que se estende por uma infinidade de gerações, de forma consciente ou não, sentem-se inclinadas a concordar.

A cirurgia estética transforma o corpo de mulheres feitas-por-mulheres, que compõem a grande maioria dos pacientes, em mulheres feitas-pela-mão-do-homem. Ela dominou as regiões da mente feminina que ficaram sem policiamento quando a sexualidade feminina parou de doer, e explorou nossa disposição de obedecer a uma voz autoritária que — enquanto experimentamos o desconforto dessa condição desconhecida de mulheres sem dor — nos adverte: "Cuidado, devagar."

OS FERIDOS QUE ANDAM

A indústria da cirurgia estética está em expansão por manipular conceitos de saúde e doença. Existe um nítido precedente histórico para o que os cirurgiões estão fazendo. Como Susan Sontag ressalta em *A doença como metáfora*, "saudável" e "doente" costumam ser julgamentos subjetivos que a sociedade faz para seus próprios fins. Há muito as mulheres vêm sendo definidas como doentes como um meio de sujeitá-las ao controle social. O que a moderna Era da Cirurgia está fazendo às mulheres é uma reencenação patente do que a medicina do século XIX fez para adoecer mulheres saudáveis e tornar passivas as mulheres ativas. A indústria da cirurgia adotou, para seu próprio lucro, a antiga atitude médica, que remonta à Grécia clássica mas que atingiu seu apogeu no culto da invalidez da mulher vitoriana, segundo a qual os desejos, impulsos e a fisiologia da mulher normal saudável são problemas patológicos. "Nas tradições do pensamento ocidental", escrevem Deirdre English e Barbara Ehrenreich em *Complaints and Disorders: The Sexual*

O MITO DA BELEZA

Politics of Sickness [Queixas e transtornos: a política sexual da doença], "o homem representa a integridade, a força e a saúde. A mulher é um 'homem aviltado', fraco e incompleto." O historiador Jules Michelet se refere às mulheres como "os feridos que andam".

A relação entre os médicos e as mulheres vem sendo pouco sincera pela maior parte de sua história. A cura dos doentes e o cuidado com eles eram basicamente conhecimentos femininos até o Iluminismo. A eficiência médica das mulheres foi um dos catalisadores das perseguições às bruxas que varreram a Europa do século XIV ao XVIII. A ascensão da ciência e a proibição da presença de curandeiras no parto estão relacionadas, e a profissionalização da medicina no século XIX barrou deliberadamente as mulheres de seu tradicional papel curativo.

A Era da Cirurgia assumiu o lugar da institucionalização da "doença mental" feminina, que por sua vez tinha substituído a institucionalização da histeria do século XIX, tendo cada fase da coação médica sempre descoberto novas formas de determinar que o que fosse feminino seria doente. Nas palavras de English e Ehrenreich: "A contribuição principal da medicina para a ideologia machista foi a de descrever as mulheres como doentes e como potencialmente prejudiciais à saúde dos homens." A "mentira vital" que equipara a feminilidade com a doença beneficiou os médicos em cada uma dessas três fases da história médica, proporcionando--lhes pacientes "doentes" e lucrativas onde quer que se pudessem encontrar mulheres de classe média. A antiga estrutura da coação médica de mulheres, temporariamente enfraquecida quando elas entraram para as faculdades de medicina em números substanciais, ganhou reforços dos médicos da beleza da Era da Cirurgia.

Os paralelismos entre os dois sistemas são notáveis. Os dois surgiram para atender à necessidade de uma ideologia que pudesse enfraquecer e desacreditar as mulheres de classe média cuja

A VIOLÊNCIA

instrução, lazer e isenção de restrições materiais poderiam levá-las longe demais em uma perigosa emancipação e participação na vida pública. De 1848 até o direito do voto ser conquistado pelas mulheres ocidentais, nas primeiras décadas do século XX, transcorreu um período de agitação feminista de intensidade incomparável, e a "Questão da Mulher" era uma crise social contínua. Em reação a isso, surgiu um novo ideal da "esfera isolada" da total domesticidade. Como o mito da beleza numa reação paralela contra o progresso das mulheres, esse ideal tinha seu preço de utilidade social: o culto da invalidez feminina, iniciado por "uma retração do campo visual que levava os médicos, com uma preocupação obsessiva, a enxergar as mulheres como órgãos de reprodução [...], uma distorção de percepção que, ao atribuir a ênfase principal aos órgãos sexuais, permitiu aos homens ver as mulheres como criaturas de outra espécie". Showalter também observa que

> durante as décadas entre 1870 e 1910, as mulheres da classe média estavam começando a se organizar em busca de educação superior, acesso às profissões liberais e direitos políticos. Ao mesmo tempo, tornaram-se epidêmicos os distúrbios nervosos femininos da anorexia nervosa, histeria e neurastenia. Surgiu, então, o "especialista dos nervos" de inspiração darwiniana para ditar o comportamento feminino adequado tanto fora do hospício quanto dentro dele [...] e para se opor aos esforços das mulheres no sentido de modificar suas condições de vida.

A mulher vitoriana era reduzida a seus ovários, como a mulher de hoje está reduzida a sua "beleza". Seu valor reprodutivo, à semelhança do valor "estético" de seu rosto e de seu corpo hoje em dia, "chegou a ser visto como um bem sagrado a ela confiado e que ela deveria proteger constantemente no interesse de sua descendência".

O MITO DA BELEZA

Enquanto os médicos vitorianos ajudaram a sustentar uma cultura que precisava encarar as mulheres através do determinismo ovariano, os cirurgiões estéticos modernos fazem o mesmo pela sociedade ao criar um sistema de determinismo da beleza. No último século, observa Showalter, "as mulheres eram os principais pacientes em clínicas cirúrgicas, estabelecimentos de hidroterapia e sanatórios de repouso forçado. Elas afluíram em grandes números aos novos especialistas das 'doenças femininas' da histeria e da neurastenia, bem como das terapias alternativas, como, por exemplo, a 'cura pela hipnose'", da mesma forma que são elas as principais pacientes das "terapias da beleza" da atual reação do sistema contra o feminismo. Essas atitudes, nas duas ideologias, permitem que os médicos atuem como uma vanguarda, impondo às mulheres o que a sociedade precisa delas.

A SAÚDE

Tanto o sistema médico vitoriano quanto o moderno reclassificam aspectos da feminilidade saudável como anormalidades grotescas. A medicina vitoriana "tratava a gravidez e a menopausa como doenças, a menstruação como um distúrbio crônico, o parto como uma ocorrência cirúrgica". Uma mulher menstruada era tratada com purgantes, remédios, banhos de assento e sanguessugas. Perseguia-se de forma obsessiva a regularização da menstruação, da mesma forma que se persegue hoje em dia o controle da gordura. "A correta fixação da função menstrual era considerada essencial para a saúde mental da mulher, não só durante os anos da adolescência como para toda sua vida. A menarca era" — como o ganho de peso na puberdade é hoje considerado — "o primeiro estágio de um perigo mortal." Manter a reprodução, como a manutenção da "beleza", era

A VIOLÊNCIA

tido como a função feminina de importância máxima, ameaçada pelo caos mental e lassidão moral da mulher. Da mesma forma que agem hoje em dia, os médicos de então ajudavam a mulher a manter "sua estabilidade diante de condições físicas de desvantagem esmagadora" e reforçavam nela "aquelas qualidades de autocontrole e diligência que auxiliariam a mulher a resistir às tensões do corpo e à fraqueza da natureza feminina".

Com o advento do médico de senhoras na época vitoriana, o antigo argumento religioso para chamar as mulheres de doentes *morais* foi transformado num argumento biomédico. Este por sua vez se transformou num argumento "estético", trazendo-nos ao ponto de partida. O raciocínio de nossos dias é ainda mais subjetivo do que a "mentira vital" dos vitorianos. Enquanto a terminologia médica daquela época precisava pelo menos se aproximar da "objetividade", os julgamentos estéticos atuais sobre quem está bem e quem está mal são tão impossíveis de serem comprovados, tão fáceis de serem manipulados, quanto a crença sobre uma nódoa na alma de alguma mulher. Além disso, a reclassificação moderna ganha mais dinheiro. Uma mulher que se considerasse doente de feminilidade não poderia comprar uma cura definitiva para seu problema. Já uma mulher que se acha doente de feiura feminina é atualmente convencida de que pode comprar tal cura.

A versão do século XIX da coação médica parece estranha a nossos olhos. Como conseguiram fazer com que as mulheres acreditassem que a menstruação, a masturbação, a gravidez e a menopausa fossem doenças? No entanto, conforme se solicita às mulheres modernas que acreditem que partes de nosso corpo normal e saudável estão doentes, entramos numa nova fase de coação médica tão apavorante que ninguém quer sequer examiná-la.

A reclassificação de mulheres saudáveis e bonitas como doentes e feias está ocorrendo sem nenhum empecilho. Desde o século XIX,

O MITO DA BELEZA

a sociedade tacitamente apoiou os esforços da profissão médica no sentido de confinar a vida das mulheres através de versões dessa reclassificação. Como essa é uma tarefa socialmente necessária, tanto agora quanto no século passado, essa especialidade é menos alvo de questionamentos realistas do que outras especialidades médicas em geral. A imprensa é tolerante ou favorável. E os principais funcionários, cujo trabalho beneficia a ordem social, são extraordinariamente bem pagos.

A finalidade do culto vitoriano da invalidez feminina era o controle social. Ela também era um símbolo ambíguo, como a "beleza". Subjetivamente, as inválidas exerciam através de sua condição o pouco poder de que dispunham, evitavam incômodas exigências sexuais e partos perigosos enquanto recebiam atenção especial de médicos sensíveis. Para o sistema, porém, tratava-se de uma solução política tão útil quanto a Donzela de Ferro. Nas palavras da escritora francesa Catherine Clément: "A histeria [era] tolerada porque de fato não tinha nenhum poder de realizar mudanças culturais. É muito mais seguro para a ordem patriarcal permitir que mulheres insatisfeitas exprimam suas queixas através de doenças psicossomáticas do que vê-las protestando por direitos legais e econômicos." A pressão social exigia que, por sua doença, as mulheres instruídas e ociosas da classe média não causassem problemas, e essa hipocondria forçada parecia à paciente uma doença real. Por motivos semelhantes, atualmente, a pressão social exige que nós mulheres esvaziemos as implicações da recente reivindicação de nosso corpo com a sensação da feiura, e essa autoestima forçosamente enfraquecida parece à paciente uma "feiura" real.

Os cirurgiões estão tomando a redefinição feminista da saúde como beleza, desvirtuando-a na ideia de que a "beleza" é a saúde e, por conseguinte, o que quer que estejam vendendo como saúde: a fome como saúde, a dor e a carnificina como saúde. Em tempos

A VIOLÊNCIA

passados, a angústia e a enfermidade já representaram a "beleza". No século XIX, a mulher tuberculosa, de olhos rutilantes, pele nacarada e lábios febris, era a ideal. *Gender and Stress* [Gênero e estresse] descreve a idealização das anoréxicas por parte dos meios de comunicação. A iconografia da época vitoriana idealizava "belas" histéricas desmaiando diante de médicos do sexo masculino, médicos em hospícios observando com lascívia o corpo debilitado das anoréxicas sob seus cuidados, e mais tarde manuais de psiquiatria sugerindo aos médicos que admirassem "o rosto calmo e belo" da mulher anestesiada que foi submetida à terapia por choques. Como a atual cobertura do ideal cirúrgico por parte do jornalismo destinado às mulheres, o jornalismo vitoriano tinha como alvo as mulheres arrebatadas pela atração sentimental da fraqueza feminina, da invalidez e da morte.

Há um século, a atividade feminina normal, especialmente aquela que conduziria a mulher ao poder, era classificada como feia e doentia. Se uma mulher lesse demais, seu útero se "atrofiaria". Se ela continuasse a ler, todo seu sistema reprodutivo deixaria de funcionar e, segundo o comentário médico da época, "teríamos diante de nós um ser híbrido repugnante e inútil". A menopausa era descrita como um golpe final, "a morte da mulher na mulher". "O término da vida reprodutiva de uma mulher consistia numa revolução mental tão profunda quanto seu início", produzindo, à semelhança do moderno desaparecimento da "beleza", "um nítido choque ao cérebro". Então, como agora, embora com uma racionalização diferente, a menopausa era representada como a causa da sensação de que "o mundo [...] está de cabeça para baixo, que tudo mudou, ou que alguma calamidade terrível, porém indefinida, aconteceu ou está agora por acontecer".

A participação na modernidade, na educação e no emprego era interpretada como causa de doenças em mulheres da era vito-

O MITO DA BELEZA

riana: "apartamentos quentes, aquecedores de ambiente a carvão, iluminação a gás, o hábito de dormir tarde, os alimentos pesados" transformavam essas mulheres em inválidas, da mesma forma que hoje em dia, segundo o texto dos cremes para a pele, "o aquecimento central, a poluição do ar, as lâmpadas fluorescentes etc." nos tornam "feias". Os vitorianos se opunham à educação superior para as mulheres imaginando zelosamente o dano que ela causaria a seus órgãos reprodutivos. Friedrich Engels alegava que "o trabalho prolongado frequentemente causa deformidades na bacia", e era tido como certo que "a instrução esterilizaria as mulheres", fazendo com que deixassem de ser sexualmente atraentes. "Quando uma mulher demonstra algum interesse científico, é porque há algo de errado com sua sexualidade." Os vitorianos insistiam que a libertação da mulher da "esfera isolada" prejudicava a feminilidade, da mesma forma que hoje nos pedem que acreditemos que a libertação da mulher do mito da beleza prejudica a beleza.

As mentiras vitais são resistentes. O controle da natalidade, por exemplo, dependendo do estado de espírito da sociedade, é definido pela profissão médica como algo que faz as mulheres ficarem doentes ou "lindas". Os médicos da era vitoriana alegavam que qualquer método de controle da natalidade causava "câncer galopante, esterilidade e ninfomania nas mulheres; [...] a prática tinha a probabilidade de criar uma mania que levaria ao suicídio". Até a década de 1920, o controle da natalidade era considerado "obviamente perigoso para a saúde", sendo a esterilidade e a "degeneração mental na prole subsequente" algumas de suas supostas consequências. Entretanto, quando a sociedade precisou de mulheres com disponibilidade sexual, muito embora surgissem imediatamente interrogações a respeito de sua segurança e de seus efeitos colaterais, as revistas femininas, mesmo assim, publicaram artigos entusiásticos sugerindo que a pílula anticoncepcional manteria as mulheres jovens e as tornaria mais *sexy*.

A VIOLÊNCIA

Da mesma forma, os cirurgiões — e as revistas femininas cada vez mais dependentes das matérias e da verba de propaganda proporcionada pelos cirurgiões — estão classificando como doença a atitude de liberdade com relação ao mito da beleza. Os anúncios dos santos óleos deram início a essa redefinição com a imitação das fotografias do jornalismo especializado em medicina de "doença" e "cura". Eles recorreram aos mais terríveis temores médicos de nossa época, os cânceres posteriores a acidentes nucleares e a aids. "Pés de galinha" parecem insignificantes quando comparados às insinuações feitas pelos anúncios com relação a doenças decorrentes da exposição a radiação e a lesões carcinogênicas, ao caos celular e ao enfraquecimento do sistema imunológico. "O sistema de tratamento mais avançado do século" é o da Elizabeth Arden, como se o envelhecimento exigisse uma quimioterapia. Night Repair, produto "comprovado pela ciência" da Estée Lauder, é aplicado com uma seringa e uma bolsa de borracha, como uma transfusão de sangue ou um medicamento líquido. A Vichy deixa que sua pele "se recupere". A Clarins fala de "recaída". A Elancyl descreve a gordura como uma "condição" que "deforma". Os médicos dão receitas; a Clarins, uma "Receita de Beleza", e a Clinique, um "Receituário". Os especialistas em câncer falam da recidiva da doença; a Clinique também. "Persista no tratamento. A 'recidiva' temporária será interrompida." A Ultima II produz Megadose.

Em 1985, Eugenia Chandris em *The Venus Syndrome* [A síndrome de Vênus] chamou os quadris e coxas grandes de "problema médico". Olhando imagens da fertilidade do período paleolítico, ela cometeu o solecismo de afirmar que "o problema perturba as mulheres desde aquela época". É claro que "o problema" só perturba as mulheres desde que foi chamado de problema, ou seja, na memória de pessoas ainda vivas. Caracteriza-se a gordura feminina

O MITO DA BELEZA

como se fosse não só substância morta, mas carcinogênica: "células que proliferam", gerando mais morte. Os vitorianos definiam toda atividade reprodutiva como enfermidade. Os cirurgiões estéticos de nossos dias definem como doenças todos os sinais que o corpo apresenta de sua atividade reprodutiva — marcas de estrias, seios caídos, seios que amamentaram e o peso que se acumula após o parto, em toda e qualquer cultura, à razão de 5 quilos por gravidez. É claro que a instrução jamais afetou os ovários de uma mulher, da mesma forma que os seios de uma mãe não perderam a sensibilidade; amamentar *é* erótico. Nem são eles anômalos; pelo contrário, cumpriram uma função básica do seio, a da lactação. Mas os cirurgiões estéticos descrevem os seios do pós-parto da mesma forma que os vitorianos descreviam os ovários de mulheres instruídas, como "atrofiados", termo que os médicos de outras especialidades reservam para a descrição dos músculos definhados e sem funcionamento dos paralíticos. Eles reclassificaram a carne da mulher adulta saudável como "celulite", uma "condição" inventada que chegou importada aos Estados Unidos pelas mãos da *Vogue* somente em 1973. Eles se referem a essa textura como "deformante", "repugnante", "cheia de toxinas". Antes de 1973, ela era a carne normal da mulher.

A saúde é um bom tema de propaganda. "'Provas' de que as atividades das mulheres fora de casa eram prejudiciais a sua saúde e a seu bem-estar, bem como ao de suas famílias e do país como um todo" deram ímpeto ao culto da domesticidade do século XIX, segundo Ann Oakley. Os ovários eram vistos como uma propriedade coletiva, não exclusiva da mulher, da mesma forma que o rosto e o contorno do corpo hoje em dia. Quem pode brigar com a saúde?

A VIOLÊNCIA

A RECLASSIFICAÇÃO INSTITUCIONALIZADA

Como fizeram no século passado, instituições respeitadas estão participando desse policiamento cultural das mulheres através da reclassificação. Em 1978, a Associação Médica Americana afirmou que a preocupação com a beleza era o mesmo que a preocupação com a saúde. O dr. Arthur K. Balin, presidente da Associação Americana de Envelhecimento, declarou o *The New York Times* que "seria benéfico aos médicos considerar a feiura não como uma questão estética, mas como uma doença". Nas publicações especializadas em cirurgia plástica, é impossível ver em que os cirurgiões distinguem a incisão de um seio canceroso da de um seio saudável. O dr. Daniel C. Tostesen da Harvard Medical School, que aceitou US$ 85 milhões da empresa Shiseido para pesquisas, ganha seu salário por essa reclassificação. Ele afirma que há uma "gradação leve e progressiva" entre, por um lado, os interesses médicos e da saúde e, pelo outro lado, os da "beleza e do bem-estar". Afirmações dessa natureza afetam mais as mulheres do que os homens, como é realmente sua intenção. São as mulheres que compõem o maior grupo de pacientes cirúrgicos e de compradores dos produtos Shiseido (nenhuma menção é feita à capacidade —ou a sua falta — de atração física dos drs. Balin e Tostesen). Quando os cirurgiões se reúnem em convenções para discutir "as deformidades do envelhecimento do rosto", o perfil que aparece no pôster é invariavelmente feminino.

Um homem é considerado "deformado" se um membro ou alguma feição lhe estiver faltando ou caso ele se afaste muito do fenótipo humano. Sempre que nós mulheres não nos harmonizamos com a Donzela de Ferro, porém, somos agora chamadas de monstruosas; e a Donzela de Ferro é exatamente aquilo com que nenhuma mulher se harmoniza, ou com que não se harmoniza para sempre. Atual-

O MITO DA BELEZA

mente pede-se à mulher que se sinta um monstro mesmo que ela seja saudável e tenha um funcionamento físico perfeito. Os cirurgiões recorrem aos dois pesos e duas medidas do mito, quando falam da função do corpo. A coxa de um homem é feita para andar, mas a de uma mulher é para andar e ter uma "bela" aparência. Se nós mulheres podemos caminhar, mas acreditamos que a aparência de nossos membros esteja errada, sentimos que nosso corpo não pode fazer o que deveria fazer. Sentimo-nos deformadas e incapacitadas de maneira tão autêntica quanto a relutante hipocondríaca vitoriana se sentia enferma.

A tragédia dessa reclassificação reside no fato de que durante a maior parte de nossa história, nós mulheres sofremos mesmo de algumas enfermidades — prolapsos do útero, morte prematura por cistos nos ovários, infecções vaginais e doenças venéreas incuráveis. A falta de higiene, a ignorância, a vergonha e a gravidez anual compulsória fizeram suas vítimas. Em comparação com o passado, as mulheres de hoje estão miraculosa e incomparavelmente bem, mas o mito nos nega a experiência desse bem-estar. Apenas uma geração após o término do incômodo físico de ser mulher, a nova possibilidade de nos sentirmos bem no corpo feminino foi destruída pelo mito da beleza.

Essa reciclagem da retórica sobre as doenças femininas é um insulto ao corpo saudável da mulher. Quando uma mulher moderna tem a ventura de ter um corpo que pode se movimentar, correr, dançar, brincar e levá-la ao orgasmo; com seios sem câncer, um útero saudável, uma vida duas vezes mais longa do que a da mulher vitoriana média, longa o suficiente para que seu caráter se exprima no rosto; tendo alimento suficiente e um metabolismo que a protege distribuindo carne onde e quando ela precisa; agora que ela tem a bênção de uma saúde e bem-estar maiores do que as expectativas de qualquer outra geração anterior, a Era da Cirurgia

A VIOLÊNCIA

desfaz essa sua sorte imensa. Ela decompõe em componentes defeituosos o dom de seu corpo vital e sensível e a individualidade de seu rosto, ensinando-a a vivenciar essa bênção vitalícia como uma maldição vitalícia.

Em consequência disso, mulheres plenamente capazes podem estar menos satisfeitas com o próprio corpo do que pessoas incapazes. "Os deficientes físicos", afirma um recente estudo citado em *The New York Times,* "geralmente exprimem uma satisfação geral com seu corpo", enquanto sabemos que mulheres fisicamente aptas não o fazem. Uma mulher em cada quatro moradoras da região da baía de São Francisco se submeteria a cirurgia estética se tivesse a oportunidade. O termo "deformado" já não é usado em discurso educado, a não ser para designar o rosto e o corpo de mulheres saudáveis normais, ali onde o jargão dos cirurgiões plásticos elabora a partir de nós o novo espetáculo de aberrações da natureza.

A "SAÚDE" É SAUDÁVEL?

Até que ponto a Era da Cirurgia é saudável? O fumo está em declínio entre todos os grupos à exceção das mulheres jovens. Trinta e nove por cento das mulheres que fumam afirmam fumar para manter o peso. Um quarto delas vai morrer de algum mal causado pelo cigarro, embora, para ser franca, seus cadáveres venham a pesar em média 2 quilos a menos do que o corpo das não fumantes vivas. Os cigarros Capri são anunciados como "os mais finos dos finos". A falecida Rose Cipollone, cujo marido processou a indústria do fumo por sua morte de câncer no pulmão, começou a fumar quando adolescente porque achava que "ficaria charmosa ou linda".

As dietas líquidas já provocaram pelo menos 60 mortes nos Estados Unidos, e seus efeitos colaterais incluem náusea, perda de

O MITO DA BELEZA

cabelos, tonturas e depressão. A compulsão ao exercício produz anemia e interrupção do desenvolvimento. Os implantes mamários tornam mais difícil detectar o câncer. As mulheres deixam para depois as mamografias, com medo de perder um seio e de se tornarem "mulher só pela metade".

O mito não está adoecendo as mulheres apenas sob o aspecto físico, mas também sob o mental. Attie e Brooks-Gunn em *Gender and Stress* afirmam que o hábito da dieta é uma causa crônica do estresse nas mulheres. O estresse é um dos mais graves fatores de risco médico, prejudicando o sistema imunológico e contribuindo para a pressão alta, as doenças cardíacas e o aumento das taxas de mortalidade no câncer. Ainda pior, o mito da beleza na Era da Cirurgia, na realidade, reproduz dentro da consciência das mulheres os sintomas clássicos da doença mental.

Os esquizofrênicos se caracterizam por uma noção perturbada dos limites do corpo. A imagem do próprio corpo para um neurótico é errática, extremamente positiva ou negativa. Os narcisistas acham que o que acontece a seu corpo não lhes acontece. Os psicóticos têm a sensação de que partes de seu corpo estão se soltando. Eles exibem comportamentos de massagens repetitivas, automutilação e temores de desintegração e de anulação progressiva. Expectativas de cirurgias e flutuações de peso sujeitam as mulheres a fronteiras do corpo pouco definidas. A ênfase na aparência lhes proporciona opiniões erráticas de si mesmas, extremamente negativas ou positivas. Uma enxurrada de imagens nos meios de comunicação mostra o corpo e o rosto da mulher partido em pedaços, que é como o mito da beleza quer que a mulher pense nas partes de seu próprio corpo. Uma série de técnicas embelezadoras exige dela massagens repetitivas e automutilação. Quando envelhece, pedem-lhe que acredite que sem a "beleza" ela resvala para o aniquilamento e a desintegração. Será possível que, ao nos submetermos a experiências

A VIOLÊNCIA

sintomáticas da doença mental, não tenhamos maior probabilidade de adoecer mentalmente? As mulheres são a grande maioria dos pacientes de doença mental.

Conhecer esses fatos, porém, não ajuda muito as mulheres, porque existe um padrão duplo para a "saúde" dos homens e a das mulheres. As mulheres não estão entendendo tudo errado quando fumam para perder peso. Nossa sociedade sem dúvida recompensa a beleza exterior em detrimento da saúde interior. As mulheres não devem ser culpadas por escolherem opções de curto prazo que embelezam, prejudicando a saúde a longo prazo, já que a duração de nossa vida é invertida sob o mito da beleza e não há nenhum incentivo social ou econômico para as mulheres viverem muito. Uma jovem magra com pulmões em estado pré-canceroso é mais recompensada socialmente do que uma velha robusta. Porta-vozes da sociedade vendem às mulheres a Donzela de Ferro e a chamam de "Saúde". Se o discurso público se preocupasse mesmo com a saúde das mulheres, ele se voltaria contra esse aspecto do mito da beleza.

O apogeu da vida, dos 40 aos 60 anos — quando muitos homens e, sem dúvida, a maioria das mulheres, estão no auge de seu vigor —, é considerado o ápice da vida masculina e o declínio da feminina (uma ironia especialmente incisiva já que esses anos representam o ápice sexual da mulher e o declínio sexual do homem). Essa duplicidade de padrão não se baseia em diferenças de saúde entre homens e mulheres de meia-idade, mas na desigualdade artificial do mito da beleza. A hipocrisia do uso da "saúde" como uma fachada para a Era da Cirurgia é que a verdadeira mensagem do mito tem como objetivo que a mulher viva com fome, morra jovem e seja um cadáver bonito.

A definição da "saúde" feminina segundo a Era da Cirurgia não é saudável. Será que aqueles aspectos definidos como "enfermos" são realmente doentes?

O MITO DA BELEZA

Seria possível ver os sinais do envelhecimento feminino como doentios, especialmente se se tivesse um grande interesse em fazer com que também as mulheres considerassem esses sinais da mesma forma. Ou seria possível ver que, se uma mulher é saudável, ela chega a viver até envelhecer. À medida que vai vivendo, ela reage, fala, revela emoções e vai criando o próprio rosto. As rugas mapeiam seu pensamento e se irradiam dos cantos de seus olhos após décadas de riso, reunindo-se como um leque que se fecha quando ela sorri. Essas rugas poderiam ser chamadas de uma rede de "graves lesões", ou seria possível perceber que, numa caligrafia precisa, o pensamento gravou marcas de concentração entre suas sobrancelhas e riscou de um lado a outro da testa os vincos horizontais da surpresa, da alegria, da compaixão e da boa conversa. Uma vida inteira de beijos, palavras e lágrimas aparece expressiva em volta de uma boca raiada como uma folha em movimento. A pele se solta no rosto e no pescoço, dando a suas feições uma moldura de dignidade sensual. Suas feições ficam mais fortes à medida que ela fica mais forte. Ela olhou a sua volta a vida inteira, e isso é evidente. Quando o cinza e o branco aparecem em seu cabelo, isso poderia ser chamado de um segredo sujo, ou poderia ser chamado de prata ou luar. Seu corpo se enche, ganhando gravidade como um banhista que enfrenta a água, tornando-se mais generoso como o restante dela. O escurecimento das olheiras, o peso das pálpebras, as hachuras que as sombreiam, revelam que tudo de que participou deixou nela sua complexidade e riqueza. Ela é mais escura, mais forte, mais solta, mais firme, mais *sexy*. A maturação de uma mulher que não parou de crescer é algo bonito de se ver.

Ou então, se sua renda de propaganda, seu salário de sete dígitos, ou ainda seu *status* sexual privilegiado dependerem disso, trata-se de uma condição que pode ser corrigida por cirurgia.

A VIOLÊNCIA

Quando se ganha US$ 1 milhão por ano com essas cirurgias — renda média dos cirurgiões estéticos nos Estados Unidos — é bem fácil chamar a gordura feminina de doença. Ou ela pode ser vista pelo que é, ou seja, normal, já que mesmo as mulheres saudáveis mais magras têm mais gordura do que os homens. Quando se observa a forma das curvas femininas nos quadris e nas coxas, pode-se dizer que se trata de uma deformidade anormal. Ou pode-se dizer a verdade: que 75% das mulheres têm essa forma e que barrigas, coxas e quadris redondos e macios eram considerados, sem questionamento, sensuais e desejáveis, até as mulheres conquistarem o voto. Seria possível reconhecer que a carne da mulher tem uma textura ondulante, densa e complexa; e que a forma pela qual a gordura se deposita no músculo feminino, nos quadris que abrigam e dão à luz os filhos e nas coxas que se abrem para o sexo é uma das qualidades mais provocantes do corpo feminino. Ou seria possível considerar que essa, também, é uma condição que pode ser corrigida por cirurgia.

Tudo o que for profunda e essencialmente feminino — a vida na expressão do rosto, o toque de sua pele, o formato dos seios, as transformações da pele após o parto — está sendo reclassificado como feio; e a feiura, como uma doença. Essas qualidades envolvem uma intensificação do poder feminino, o que explica por que motivo elas estão sendo reapresentadas como uma diminuição de poder. Pelo menos um terço da vida de uma mulher é caracterizado pelo envelhecimento; cerca de um terço de seu corpo é composto de gordura. Esses dois símbolos estão sendo transformados em condições passíveis de cirurgia — *para que* nós mulheres só nos sintamos saudáveis se formos dois terços do que poderíamos ser. Como pode um "ideal" ser feminino se ele é definido por quanto de uma característica feminina *não aparece* no corpo da mulher e por quanto da vida de uma mulher *não aparece* em seu rosto?

O MITO DA BELEZA

O LUCRO

Ele não pode ser feminino porque o "ideal" não envolve a mulher, mas o dinheiro. A atual Era da Cirurgia é, à semelhança do sistema médico da era vitoriana, movida pelo lucro fácil. A indústria da cirurgia estética nos Estados Unidos fatura US$ 300 milhões por ano, apresentando um crescimento anual da ordem de 10%. No entanto, à medida que as mulheres forem se acostumando ao conforto e à liberdade, ela não poderá continuar a depender do lucro decorrente da disposição das mulheres a sofrer por serem mulheres. Um mecanismo de intimidação deve ser posto em vigor para manter essa taxa de crescimento, que é maior do que a de qualquer outra "especialidade médica". O patamar de dor das mulheres precisa ser elevado, e um novo sentido de vulnerabilidade entranhado em nós, se a indústria quiser colher o lucro total dessa sua nova tecnologia atuante sobre culpas antigas. O mercado dos cirurgiões é imaginário já que não há nada de errado com o rosto ou o corpo das mulheres que uma mudança social não pudesse curar. Por isso, os cirurgiões, para obterem suas rendas, dependem da deformação da percepção de si mesma e da intensificação do ódio a si mesma por parte da mulher.

"O mito da fragilidade feminina e o culto bastante real da hipocondria da mulher que pareciam dar apoio ao mito beneficiavam diretamente os interesses financeiros da profissão médica", de acordo com Ehrenreich e English. No século XIX aumentou a concorrência entre os médicos. Eles se esforçavam freneticamente para se assegurar de um confiável grupo de pacientes entre mulheres ricas, uma "casta de clientes", que pudessem ser convencidas da necessidade regular de consultas em domicílio e de longas convalescenças. As sufragistas perceberam o verdadeiro objetivo por trás da invalidez feminina — os interesses dos médicos e as condições pouco naturais

A VIOLÊNCIA

que mantinham as mulheres confinadas. Mary Livermore, uma sufragista, protestou contra a "monstruosa suposição de que a mulher seja uma inválida por natureza", e denunciou "o imundo exército de 'ginecologistas'" que "parecem desejar convencer as mulheres de que elas possuem apenas um sistema de órgãos, e que esses estão sempre enfermos". A dra. Mary Putnam Jacobi relacionou a falta de saúde das mulheres diretamente a "sua nova função como pacientes lucrativas". Nas palavras de Ehrenreich e English, "como homem de negócios, o médico tinha um interesse direto num papel social feminino que exigisse que as mulheres fossem doentes".

Os cirurgiões estéticos dos tempos modernos têm um interesse financeiro direto num papel social para as mulheres que exija que elas se sintam feias. Eles não anunciam simplesmente para uma fatia de mercado que já existe. Seus anúncios criam novos mercados. É uma atividade de grande sucesso por estar situada em posição influente para criar sua própria procura através da harmonização dos anúncios com as matérias nas revistas femininas.

A indústria compra anúncios e obtém cobertura; as mulheres entram na faca. Elas gastam o dinheiro que têm e correm o risco. À medida que os cirurgiões enriquecem, eles conseguem espaço cada vez maior e mais atraente para sua propaganda. A edição de outubro de 1988 de *Harper's and Queen* é um exemplo típico, ao reunir um artigo favorável à cirurgia e propaganda de cirurgiões nas mesmas páginas, com a mesma proporção de espaço. No suplemento de saúde de *The New York Times* de julho de 1989, anúncios de jejuns controlados, hotéis-fazenda para gordos, clínicas para perda de peso, cirurgiões e especialistas em transtornos alimentares ocupam metade do espaço de propaganda. Em setembro de 1990, a cooperação mútua já se solidificara. A revista *Cosmopolitan* apresentava uma matéria exageradamente elogiosa numa edição patrocinada por propaganda de cirurgias de folha inteira e em quatro cores.

O MITO DA BELEZA

Chegou uma hora em que a relação entre a cirurgia estética, as verbas de propaganda, os riscos e as advertências está repetindo as restrições feitas pelos anunciantes de cigarros ao jornalismo contrário ao fumo, antes que a Diretoria Nacional de Saúde tomasse sua posição. Como os jornalistas recebem pouquíssimo estímulo para expô-los ou investigá-los (na realidade, eles recebem, sim, estímulo para não agir dessa forma, já que a principal organização de cirurgiões estéticos oferece um prêmio jornalístico de US$ 500, com duas passagens aéreas de graça), o *status* e a influência dos cirurgiões continuarão a se elevar. Como atendem a necessidades culturais, não biológicas, eles podem continuar a acumular poder sobre a vida ou a morte social e econômica das mulheres. Se isso acontecer, logo eles serão o que muitos parecem querer ser: deuses em miniatura, que ninguém vai querer irritar.

Se de repente as mulheres deixassem de se sentir feias, a especialidade médica que mais prospera passaria a ser a que mais definha. Em muitos estados dos Estados Unidos, onde qualquer médico sem especialização pode ser um cirurgião estético (ao contrário dos cirurgiões plásticos, que se especializam em queimaduras, traumatismos e defeitos de nascença), isso significaria para os médicos a volta à caxumba e às hemorroidas, condições que nenhuma propaganda pode agravar. Para que vivam bem como vivem, eles dependem de vender às mulheres uma sensação de feiura terminal. Se você disser a alguma mulher que ela está com câncer, não poderá fazer surgir nela a doença e sua agonia. Mas, se disser com bastante convicção a uma mulher que ela é feia, você de fato cria essa "doença", e sua agonia é real. Se você fizer um pacote em que seu anúncio saia ao lado de um artigo que promova a cirurgia estética, num contexto que faz com que nós mulheres nos sintamos feias e que nos leva a acreditar que as outras mulheres estão competindo dessa forma, você pagou pela promoção de uma doença que só pode ser curada por você mesmo.

338

A VIOLÊNCIA

Essa criação de mercado parece não se sujeitar à ética da genuína profissão médica. Os médicos que se dedicam à saúde perderiam todo o crédito se estimulassem comportamentos destrutivos da saúde com o objetivo de lucrar com isso. Os hospitais estão retirando investimentos da indústria do fumo e do álcool. O termo empregado para designar essa prática, investimento ético, reconhece que algumas relações de lucro na medicina são contrárias à ética. Os hospitais podem se dar ao luxo de tanta virtude porque seu universo de doentes e moribundos sempre se renova de forma natural. Já os cirurgiões estéticos têm de criar um universo de pacientes onde biologicamente não existe nenhum. Por isso, eles publicam anúncios de página inteira em *The New York Times* — mostrando a imagem de corpo inteiro de uma modelo famosa em trajes de banho, acompanhada de uma oferta de facilidades de crédito e prestações mensais baixas, como se os seios de uma mulher fossem algum par de bens de consumo duráveis — e tornam realidade seu sonho de doença em massa.

A ÉTICA

Embora a Era da Cirurgia já tenha começado, do ponto de vista social, ético e político ela permanece desconhecida. Ainda que a última coisa que nós mulheres precisamos seja que alguém nos diga o que podemos ou não podemos fazer com nosso corpo e que sejamos culpadas por nossas escolhas, o fato de nenhum debate ético se deter no aspecto da oferta da Era da Cirurgia é revelador. Essa atitude de *laissez-faire* é incoerente por uma série de razões. Muito debate e muita legislação restringem a compra de partes do corpo e protegem o corpo de riscos que lhe são apresentados pelo mercado livre. A lei reconhece que o corpo humano é fundamen-

O MITO DA BELEZA

talmente diferente de um objeto inanimado quando se trata de compra e venda. A lei nos Estados Unidos proíbe a comercialização da vagina, da boca ou do ânus na maioria dos estados. Ela considera crime a automutilação e o suicídio, e rejeita contratos baseados em pessoas assumirem riscos pessoais pouco razoáveis (neste caso, o risco da morte). O filósofo Immanuel Kant escreveu que a venda de partes do corpo transgride os limites éticos sobre o que pode ser vendido no mercado. A Organização Mundial de Saúde (OMS) condena a venda de órgãos humanos para transplante. Tanto a lei norte-americana quanto a britânica proíbem essa venda; o mesmo valendo para, pelo menos, outros vinte países. As experiências com fetos são proibidas nos Estados Unidos; e na Grã-Bretanha o Parlamento debateu a questão acirradamente. No caso de Baby M., nos Estados Unidos, o tribunal decidiu que é ilegal vender ou alugar um útero. Nos Estados Unidos e na Grã-Bretanha, é ilegal comprar um bebê. A discussão ética surge das pressões financeiras sobre uma mulher para que venda seu útero, ou sobre um homem para que venda um rim. Um angustiante debate nacional trata da vida e da morte do feto. Nossa disposição de enfrentar questões dessa natureza é tida como um sinal da saúde moral da sociedade.

A mercadoria com que os cirurgiões trabalham consiste em partes do corpo, e o método da venda é invasivo. O tecido fetal para experiências está morto; mesmo assim, suscita questões complexas. As mulheres sujeitas a experiências cirúrgicas ainda estão vivas. Os cirurgiões chamam de mortos os tecidos do corpo de uma mulher para poder matá-los com lucro. Uma mulher está viva por inteiro, ou só estão vivas aquelas suas partes que estão jovens e "lindas"? A pressão social no sentido de permitir que os velhos morram levanta questões sobre a eugenia. E o que dizer da pressão social para que uma mulher destrua a "deformidade" existente num corpo saudável ou elimine a idade de si mesma? Isso não diz nada sobre a saúde

A VIOLÊNCIA

moral da sociedade? Como pode aquilo que é errado na nação ser considerado não só certo como necessário no corpo da *mulher*? Será que não acontece nada de político ali?

Quando se trata das mulheres e do vazio ético aberto pela Era da Cirurgia, nenhuma diretriz se aplica e nenhum debate se segue. As pessoas mais violentas estabelecem limites para seus atos como um sinal de não terem perdido sua característica de ser humano. Um soldado se esquiva de matar um bebê; o Departamento de Defesa estipula seu limite no uso de gás tóxico; a Convenção de Genebra declara que, mesmo na guerra, existe o conceito do excesso. Todos concordamos que as pessoas civilizadas podem reconhecer a tortura e condená-la. Sob esse aspecto, porém, o mito da beleza parece existir fora da civilização. Até agora, não há nada que se possa chamar de limite.

O mito se baseia na falácia de que a beleza é uma forma de darwinismo, uma luta natural por recursos escassos, e que a natureza é sangrenta em unhas e dentes. Mesmo que se aceite a mentira de que a dor das mulheres em busca da beleza pode ser justificada — como os generais justificam a guerra — como parte de um inevitável conflito evolutivo, ainda é preciso reconhecer que em nenhum momento as pessoas civilizadas disseram dessa dor o que disseram dos excessos militares: chega, não somos animais.

O juramento hipocrático inclui o princípio da "não maleficência". Uma vítima de experiências médicas, citada em *The Nazi Doctors* [Os médicos nazistas], de Robert Jay Lifton, perguntou aos médicos: "Por que vocês querem me operar? Eu [...] não estou doente." As atividades dos cirurgiões estéticos contradizem claramente a ética dos médicos que se dedicam a tratar da saúde. Estes últimos seguem um código rígido, elaborado depois dos julgamentos em Nuremberg, de forma a proteger os pacientes de experiências médicas irresponsáveis. O código condena o risco excessivo nas experiências médicas; proíbe terminantemente as experiências que não tenham finalidade terapêutica. Insiste para que os pacientes escolham participar de livre e espontânea vontade. Obriga, ainda, à total revelação dos riscos para a obtenção do "consentimento" dos pacientes informados. Ao examinarmos suas atividades de um ponto de vista estritamente literal, não retórico, fica claro que os cirurgiões estéticos modernos estão transgredindo diariamente o código médico de Nuremberg.

As técnicas da cirurgia estética parecem ser desenvolvidas em experiências médicas irresponsáveis, usando mulheres desesperadas como cobaias. Nas primeiras tentativas de lipoaspiração na França, mangueiras possantes arrancaram das mulheres além de glóbulos compactos de tecidos vivos, conjuntos inteiros de nervos, dendritos e gânglios. Impávidos, os responsáveis pela experiência seguiram em frente. Nove mulheres francesas morreram dessa técnica *"aperfeiçoada"* *"que foi considerada um sucesso"* e trazida para os Estados Unidos. Médicos que praticam a lipoaspiração começam a empregá-la sem ter tido nenhuma experiência prática durante a formação. "Meu cirurgião nunca empregou essa técnica antes [...] por isso, vai usá-la em mim como 'experiência'", relata uma paciente dependente de cirurgias. Com o grampeamento do estômago, "os cirurgiões continuam a fazer experiências para descobrir técnicas melhores".

Para proteger os pacientes de experiências médicas, o Código de Nuremberg ressalta que, para que haja um consentimento autêntico, os pacientes devem ser informados de todos os riscos. Muito embora seja pedido aos pacientes que assinem dando seu consentimento, é extremamente difícil, se não impossível, obter informações precisas ou objetivas sobre a cirurgia estética. A maior parte da cobertura na imprensa salienta a responsabilidade da mulher em pesquisar médicos e procedimentos. Entretanto, se ler

A VIOLÊNCIA

somente revistas femininas, uma mulher pode ter conhecimento das complicações, mas não da probabilidade de sua ocorrência. Se ela se dedicar em tempo integral a essa pesquisa, mesmo assim não descobrirá a taxa de mortalidade. Ou ninguém que deveria saber essa taxa sabe; ou ninguém quer dizer. Uma porta-voz da Sociedade Americana de Cirurgia Plástica e Restauradora afirma: "Ninguém está controlando os números da taxa de mortalidade. Não existem registros para uma taxa de mortalidade geral." O mesmo vale para o Canadá. A Associação Britânica de Cirurgiões Plásticos Estéticos também declara que não existem estatísticas disponíveis. Uma fonte informativa sobre cirurgia estética admite uma morte a cada 30 mil cirurgias, o que deve querer dizer que pelo menos 67 mulheres norte-americanas morreram até agora, embora essa probabilidade nunca seja mencionada em artigos na imprensa popular. A maioria das fontes disponíveis omite o nível de risco, e todas omitem descrições dos níveis de dor, como demonstra um exame aleatório de conhecidos livros sobre o assunto. Em *About Face* [Reviravolta], os autores cobrem técnicas que incluem a lipoaspiração, o *peeling* químico e a abrasão química da pele, sem mencionar os riscos ou a dor. *The Beautiful Body Book* [O livro do corpo lindo] trata de procedimentos como a cirurgia do seio, a abrasão da pele e a lipoaspiração, sem mencionar os riscos, a dor, o endurecimento dos seios, as taxas de repetição da cirurgia ou as dificuldades para a detecção do câncer. A autora descreve a cirurgia de redução dos seios e a de "reposicionamento" (para os casos em que, em suas palavras, "o mamilo está mal colocado"). Essas técnicas eliminam de forma permanente a resposta erótica do mamilo. A autora de fato menciona esse efeito colateral, mas só para descartá-lo com a surpreendente opinião de um "Dr. Brink" que "me disse não ser incomum que as mulheres com seios excessivamente grandes tivessem pouca ou nenhuma sensação na área do mamilo de qualquer forma". Ela

O MITO DA BELEZA

prossegue, oferecendo "fatos" que são simplesmente errados, como é típico nesses livros. Ela informa erroneamente que a lipoaspiração resultou em "apenas quatro mortes" (*The New York Times* chegou a um total de 11 em 1987) e que "até hoje, não foi observado nenhum efeito negativo a longo prazo". A brochura da Poutney Clinic em sua lista de "riscos" não fala em dor, em perda da sensibilidade do mamilo nas cinco cirurgias de seios que oferecem, nem no risco de morte. A brochura do Serviço de Orientação Cirúrgica divulga uma clara inverdade, a de que o surgimento de tecidos cicatriciais após a cirurgia do seio "é raro", ocorrendo apenas "ocasionalmente", muito embora as estimativas para o desenvolvimento de cicatrizes na realidade se situem entre 10% de todos os casos até um máximo de 70%. O enfoque do cirurgião estético dr. Thomas D. Rees com relação ao consentimento informado é característico. Ele "dá às pacientes um documento destinado a lhes fornecer o máximo possível de informações práticas sem matar ninguém de medo da infinidade de complicações" que, apesar do que ele chama de raridade, "poderia ocorrer com elas". É também muito difícil saber quais fontes são parciais. *The Independent,* um respeitado jornal londrino, publicou um artigo favorável a cirurgias que terminava num anúncio de seu *Independent Guide to Cosmetic Surgery* [Guia do *Independent* para a cirurgia estética] (duas libras), que não dá destaque aos riscos e anuncia todos os cirurgiões qualificados na Grã-Bretanha. Uma mulher não pode saber quais são as chances de que lhe aconteça uma tragédia, até que aconteça. Somente sua ignorância permite aos cirurgiões estéticos a violação da letra e do espírito de Nuremberg.

Médicos que tratam da saúde respeitam o corpo saudável e invadem o doente apenas como último recurso. Os cirurgiões estéticos chamam corpos saudáveis de doentes para poderem invadi--los. Os primeiros evitam operar membros da própria família;

344

A VIOLÊNCIA

os últimos são os primeiros homens a quem a tecnologia concedeu a antiga fantasia masculina do mítico Pigmalião, o escultor que se apaixonou por sua própria criação. Pelo menos um cirurgião conseguiu reformar totalmente a mulher. Os médicos que tratam da saúde resistem a ser manipulados por dependentes químicos. Já existe uma classe de mulheres dependentes de cirurgias, "escravas do bisturi" que "se entregam [...] à cirurgia plástica como alguns de nós se entregam ao chocolate, compulsivamente. Nem o custo, nem a dor, nem contusões espantosas diminuem seu desejo por um pouco mais de escultura no próprio corpo". Um cirurgião dá a uma paciente dependente descontos da segunda operação em diante. As dependentes "vão de um médico a outro, em busca de operações múltiplas [...]. O exame que fazem de si mesmas passa a ser microscópico. Elas começam a se queixar de protuberâncias que uma pessoa normal nem vê". E os cirurgiões operam. O dr. Frank Dunton já retalhou uma mulher pelo menos umas seis vezes, "e espera continuar seu trabalho de modelagem. 'Acho que está tudo bem', diz ele, 'desde que o marido não reclame.'"

SALVAGUARDAS

A coação médica a serviço de uma mentira vital é menos controlada do que a medicina legítima. No século XIX, a cirurgia sexual era arriscada e pouco científica, com poucas restrições legais. Até cerca de 1912, os pacientes tinham maior probabilidade de serem prejudicados do que beneficiados por alguma intervenção médica. Em comparação com nossos dias, pouco se sabia sobre o funcionamento do corpo, e eram comuns estranhas experiências com os órgãos reprodutivos da mulher. A Associação Médica Americana não exercia nenhum controle legal sobre as pessoas que podiam se chamar de médicos. Os médicos tinham liberdade quase total para vender preparados causadores de dependência à base de narcóticos e curas milagrosas para nebulosos males femininos.

As novas atrocidades estão vicejando sem qualquer interferência das instituições que prometem salvaguardar o bem-estar dos cidadãos. Com um padrão de dois pesos e duas medidas para saber quem tem direito à defesa do consumidor, aparentemente o que se fizer às mulheres em nome da beleza não sofrerá nenhuma restrição. É ilegal alegar que algum produto faz crescer o cabelo, ou torna a pessoa mais alta, ou lhe restaura a virilidade, se isso não for verdade. É difícil de se imaginar que o medicamento para a calvície Minoxidil estivesse no mercado se ele tivesse matado nove franceses e pelo menos 11 norte-americanos. Em comparação, os efeitos a longo prazo de Retin-A ainda são desconhecidos. O dr. Stuart Yuspa do Instituto Nacional do Câncer se refere a sua prescrição como uma "experiência com seres humanos" — e a FDA ainda não o aprovou. Mesmo assim, dermatologistas o receitam para mulheres gerando um faturamento de mais de US$ 150 milhões ao ano.

As injeções de silicone da década de 1970, jamais aprovadas pela FDA, endureceram como "sacos de pedras", nas palavras do dr. Thomas Rees, nos seios das mulheres. É desconhecido o efeito carcinogênico do silicone a longo prazo, mas os cirurgiões ainda o injetam no rosto de mulheres. Surgiram "clínicas de *peeling*" onde profissionais sem nenhuma formação médica usam ácido para provocar queimaduras de segundo grau no rosto de mulheres. Somente em 1988 a FDA reprimiu a charlatanice dirigida a mulheres que queriam perder o peso, uma atividade de US$ 25 bilhões por ano. Durante os quarenta anos que antecederam essa repressão, médicos de má reputação prescreveram, para tratamento da obesidade "com aprovação médica", anfetaminas e outras drogas causadoras de dependência, altas doses de digitalina, um tônico cardíaco al-

A VIOLÊNCIA

tamente tóxico, injeções de urina de grávidas, jejuns prolongados, cirurgia no cérebro, amarração dos maxilares e desvio intestinal. Embora todas essas técnicas fossem recomendadas por médicos, nenhuma teve o respaldo de longos estudos em animais ou de experiências clínicas para verificação de sua segurança ou eficácia. Fórmulas para dietas comercializadas em massa ainda representam perigoso estresse para o corpo quando se volta à alimentação normal. A PPA (fenilpropanolamina), ingrediente de comprimidos dietéticos e de medicamentos para perda de peso à base de ervas, representa um risco para o coração, mas não precisa aparecer no rótulo do produto. As mulheres ainda recebem receitas de drogas derivadas da cocaína e da anfetamina para a perda de peso, mas isso não merece a atenção da força-tarefa do presidente contra as drogas. Essa falta de controle é em si mesma uma mensagem para as mulheres, mensagem esta que nós entendemos.

Na Grã-Bretanha, médicos que não estão registrados no Serviço Nacional de Saúde para realizar cirurgia estética inventam nomes de organizações de aparência sólida — como o Serviço de Cirurgia Estética, o Grupo de Aconselhamento Médico, o Serviço de Consultoria Cirúrgica — e usam em sua propaganda o símbolo das serpentes e do bastão alado de Asclépio, deus da medicina e da profissão médica. Essas organizações levam as mulheres a pensar que estão obtendo informações imparciais, quando na verdade o que fazem é conquistar novas pacientes por telefone, por meio de "orientadores" sem formação médica. Nos Estados Unidos, somente em 1989, dez anos após o início da Era da Cirurgia, foi realizada uma sessão do Congresso, convocada pelo deputado Ron Wyden (do Partido Democrata, do Oregon), para investigar o que uma testemunha chamou de "último refúgio dos vigaristas que cobram o que o mercado suportar" e sua propaganda, que "muitas vezes é enganosa e falsa [...], aproveitando-se das inseguranças das mulheres norte-americanas". Depoimentos acusaram a Comissão Federal de Comércio de não ter regulamentado a "profissão" e a culparam por permitir propaganda na década de 1970 e depois se omitir da responsabilidade pelo efeito dos anúncios. Um médico, doutor em cirurgia plástica, tem o registro do Conselho Americano de Cirurgia Plástica, tendo recebido essa formação. No entanto, uma mulher norte-americana, que ouve ser sua responsabilidade a de se certificar de que um médico tenha o registro, dificilmente saberá que existem mais de cem "conselhos" diferentes, com nomes aparentemente oficiais que não são regulamentados. Um total de 90% das cirurgias estéticas nos Estados Unidos é realizado em consultórios médicos não regulamentados. Finalmente, foi afirmado em depoimento no Congresso que "não existe um método padrão para triagem pré-operatória", de forma que qualquer mulher pode ser operada. O que fez o Congresso a respeito da situação, uma vez que se deparava com ela? Nada. A legislação proposta depois de o Congresso examinar 1.790 páginas de depoimentos chocantes está "em suspenso", diz o dr. Steve Scott, porta-voz do gabinete do congressista Wyden, mais de um ano depois. Por quê? Porque isso está acontecendo às mulheres pela beleza; logo, não é grave.

A CIRURGIA SEXUAL

E é ainda menos grave se estiver ligado ao sexo. Essa atividade se expandiu na década de 1980 em consequência da pornografia da beleza. Quando a aids reprimiu a promiscuidade heterossexual, homens e mulheres passaram a ter menor número de experiências sexuais em carne e osso que lhes dessem segurança no reconhecimento de que o sexo prazeroso tinha todos os tipos de aparência. Quando na cabeça das pessoas passou a haver um menor número

A VIOLÊNCIA

de imagens autênticas da sexualidade com as quais elas pudessem neutralizar a influência das imagens comerciais da sexualidade, "a escultura do corpo" ganhou vida, separando os sexos por meio de um narcisismo complementar que já nem mesmo tinha como objetivo a sedução. As mulheres levantavam pesos e "ficavam firmes"; mas são os homens que têm de "ficar firmes", e a "beleza" é necessária nas mulheres como uma desculpa para o poder masculino. Quando elas estavam com o corpo inteiro firme, mandavam abrir incisões na parte inferior do seio para a inserção de bolsas de gel transparente. Os músculos eram o punho de aço hipermasculino; os seios artificiais, a luva de veludo hiperfeminina. Esse ideal já não era uma "mulher nua", esse ser vulnerável. Com os seios feitos de produtos químicos, ele se livrara do máximo possível da "mulher" e da "nudez".

Entre 200 mil e 1 milhão de mulheres norte-americanas tiveram seus seios cortados para o implante de bolsas de gel químico. O jornalista Jeremy Weir Alderson, na revista *Self*, calcula que teriam sido mais de 1 milhão de mulheres e que os lucros se situariam entre US$ 168 milhões e US$ 374 milhões. (A cirurgia custa entre US$ 1.800 e US$ 4 mil.) Ele escreve que o seio é a parte do corpo que os cirurgiões mais operam: 159.300 cirurgias num ano, em comparação com 67 mil *liftings*. Essa cirurgia produz uma cicatriz endurecida em volta dos implantes em até sete casos em dez, os seios ficam duros como pedras e precisam ser abertos novamente para remoção dos implantes, ou os caroços são estourados com as próprias mãos pelo cirurgião que joga todo o peso do corpo sobre eles. Implantes de água salgada se esvaziam e precisam ser extraídos. Os fabricantes de implantes fornecem aos cirurgiões seguros de rotina para a cobertura de substituições (os cirurgiões compram as bolsas em embalagens de três pares de tamanhos diferentes). Os implantes de silicone vazam essa substância para dentro do corpo,

O MITO DA BELEZA

com efeitos desconhecidos. Publicações técnicas da área médica preveem problemas com o sistema imunológico e síndrome do choque tóxico. Os implantes dificultam a detecção do câncer. Num estudo realizado no Centro da Mama em Van Nuys, Califórnia, entre 20 pacientes de câncer com implantes, nenhum dos tumores do seio fora detectado precocemente e, quando a doença veio a ser descoberta, o câncer já atingira os gânglios linfáticos de 13 delas. A dra. Susan Chobanian, cirurgiã estética em Beverly Hills, afirma que "muito poucas mulheres desistem depois de saber dos riscos".

Um risco jamais mencionado em fontes ao alcance da maioria das mulheres é a morte do mamilo. Segundo Penny Chorlton, "qualquer cirurgia no seio pode e provavelmente irá afetar a estimulação erótica que a mulher até o momento possa ter tido, e isso deveria ser salientado pelo cirurgião *caso seja importante para a paciente*" (grifo meu). A cirurgia do seio é, portanto, em sua destruição da sensibilidade erótica, uma forma de mutilação sexual.

Imaginem o seguinte. Implantes no pênis, aumento do pênis, aperfeiçoamento do prepúcio, injeções de silicone nos testículos para corrigir a assimetria, injeções salinas com uma opção de três tamanhos, cirurgia para corrigir o ângulo da ereção, para elevar o escroto e torná-lo mais elegante. Fotos do pênis aumentado, antes e depois, publicadas na revista *Esquire*. Riscos: insensibilidade total da glande; diminuição da sensação sexual; eliminação permanente da sensação sexual; enrijecimento da glande ao ponto de atingir a consistência de plástico rígido; endurecimento e intumescimento dos testículos, com provável necessidade de repetição da cirurgia, e possível formação de tecidos cicatriciais que o cirurgião deverá desfazer com pressão manual; retração do implante; vazamento; consequências a longo prazo desconhecidas; necessidade de semanas de recuperação durante as quais o pênis não poderá ser tocado. Os homens se submetem a esses procedi-

A VIOLÊNCIA

mentos porque eles os tornam mais *sexy* aos olhos das mulheres, ou é isso o que lhes dizem.

As pessoas civilizadas concordarão que essas são mutilações tão horríveis que uma mulher nem mesmo deveria ser capaz de imaginá-las. Eu senti aversão ao descrevê-las. Você, se mulher, provavelmente se retraiu ao ler minhas palavras; se você for homem, sua repugnância foi sem dúvida quase física.

Contudo, como nós mulheres somos ensinadas a nos identificarmos com mais compaixão com o corpo de um homem ou de uma criança — ou de um feto, um primata ou um filhote de foca — do que com nosso próprio corpo, lemos matérias sobre agressões semelhantes a nossos órgãos sexuais quase entorpecidas. Do mesmo modo que a sexualidade feminina está virada pelo avesso para que nos identifiquemos mais com o prazer masculino do que com o feminino, o mesmo acontece com nossa identificação da dor. Seria possível protestar alegando que o seio e o pênis não são termos comparáveis. Protesto válido: a cirurgia dos seios não é uma clitoridectomia. Ela é só uma clitoridectomia pela metade.

Também seria possível alegar que não se trata de mutilação sexual de verdade porque as mulheres optam por ela. Na África Ocidental, as meninas muçulmanas incircuncisas não podem se casar. As mulheres da tribo amputam o clitóris com garrafas quebradas ou facas enferrujadas não esterilizadas, muitas vezes causando hemorragia e infecções e algumas vezes a morte. Lá as mulheres são as agentes. Seria possível dizer com a mesma perspicácia que essas mulheres "fazem isso a si mesmas".

Aproximadamente 25 milhões de mulheres na África sofreram mutilação sexual. A explicação corrente é a de que isso torna as mulheres mais férteis, quando a verdade é bem outra. Como observou Andrea Dworkin, o enfaixamento dos pés na China tinha também uma explicação sexual. Acreditava-se que o enfaixamento dos pés alterasse a vagina, provocando "uma exaltação sobrenatural" durante o sexo. Portanto, como explicou um diplomata chinês, o sistema "realmente não era opressor". Dworkin, porém, escreveu que "a carne muitas vezes apodrecia durante o enfaixamento e que porções da sola se descolavam" e "às vezes um ou mais dedos caíam". Era a essência da atração sexual. Nenhuma menina chinesa "podia suportar o ridículo de ser chamada de 'demônio de pés grandes' e a vergonha de não poder se casar". A explicação para a cirurgia plástica no seio também é a vontade de ser sexualmente desejável.

Como a cirurgia do seio, a mutilação genital foi trivializada. As atrocidades que acontecem às mulheres são de natureza "sexual" e não "política". Por isso, o Departamento de Estado nos Estados Unidos, a OMS e a Unicef as consideraram "atitudes culturais e sociais" e não fizeram nada a respeito. Afinal, porém, a OMS monitorou a prática. Daniel Arap Moi, presidente do Quênia, decretou sua proibição em 1982, quando soube que 14 meninas haviam morrido.

A cirurgia sexual no Ocidente não é recente. A sexualidade feminina normal era uma doença no século XIX, da mesma forma que os seios normais são considerados operáveis em nossos dias. O papel do ginecologista do século XIX era a "detecção, julgamento e punição" da doença sexual e do "crime social". A cirurgia pélvica se disseminou como um "reflexo social", já que o "orgasmo era uma doença; e a cura, sua eliminação".

A clitoridectomia vitoriana fazia com que as mulheres se comportassem. "As pacientes são curadas [...], eleva-se o sentido moral da paciente [...], ela passa a ser dócil, organizada, diligente e asseada." Os cirurgiões modernos alegam fazer com que as mulheres se sintam melhor, e isso é, sem dúvida, verdadeiro. As mulheres da classe média da era vitoriana tinham tão internalizada a ideia de que sua sexualidade era doentia que os ginecologistas estavam

A VIOLÊNCIA

"atendendo a suas orações". Afirma uma paciente de *lifting* do dr. Thomas Rees: "o alívio foi enorme". Uma das pacientes vitorianas do dr. Cushing, libertada pelo bisturi da "tentação" de se masturbar, escreveu que se abria para ela uma janela no céu. Diz uma paciente de rinoplastia do dr. Thomas Rees: "ela mudou minha vida. Como num passe de mágica."

As opiniões médicas vitorianas divergiam quanto à eficácia da castração das mulheres para fazê-las voltar a seu papel "normal". Um dr. Warner admitia, como o fazem os cirurgiões modernos, que os resultados eram provavelmente psicológicos, não físicos. Um certo dr. Symington-Brown estava de acordo, mas insistia que a operação ainda era válida por funcionar como "efeito de choque". Da mesma forma, a Era da Cirurgia intensifica a submissão das mulheres ao mito da beleza através da ameaça tácita. Se ela não for cuidadosa, precisará ser operada.

À semelhança dos critérios para as cirurgias modernas, segundo os quais pacientes de 20 e poucos anos são submetidas a *liftings* preventivos que são, nas palavras de um médico, "pura cascata de marketing", os critérios para a clitoridectomia tiveram a princípio uma definição restrita mas logo passaram a uma abrangência total. O dr. Symington-Brown começou as clitoridectomias em 1859. Na década de 1860 ele já estava também removendo os lábios. Foi adquirindo confiança e passou a operar até meninas de 10 anos, deficientes mentais, epilépticas, paralíticas e mulheres com problemas nos olhos. Uma dependente de cirurgias disse à revista *She*: "depois que se começa, o efeito é exponencial." Ele operou cinco vezes mulheres que queriam se divorciar — devolvendo a cada vez a esposa ao marido. "A cirurgia [...] era uma cerimônia de estigmatização que levava à submissão pelo pavor. [...] A mutilação, a sedação e a intimidação psicológica [...] parecem ter sido uma forma eficaz, embora brutal, de lavagem cerebral." "A clitoridectomia", escreve Showalter, "é a imposição cirúrgica de uma ideologia que restringe a sexualidade feminina à reprodução", da mesma forma que a cirurgia plástica do seio é a imposição de uma ideologia que restringe a sexualidade feminina à "beleza". As mulheres vitorianas se queixavam de terem sido levadas ao tratamento por ardis e coação, como se queixaram as mulheres norte-americanas que em 1989 descreveram à apresentadora de programa de entrevistas Oprah Winfrey as mutilações genitais a elas infligidas sem seu consentimento por um cirurgião convencido de poder melhorar seus orgasmos pela restauração cirúrgica.

Não se trata de coincidência que a cirurgia dos seios esteja em expansão numa época em que a sexualidade feminina representa uma ameaça tão grande. Isso também valia para a era vitoriana, quando os médicos tratavam a amenorreia com a colocação de sanguessugas diretamente na vagina ou na cérvix e cauterizavam o útero com corrimento com ácido crômico. "A operação [...] não é o que conta", diz uma paciente de rinoplastia, da mesma forma que nas mulheres vitorianas "não se dava nenhuma importância à agonia mental e à tortura física". Os cirurgiões estão se tornando astros da mídia. "O *glamour* e o prestígio" vieram envolver o cirurgião ginecológico, e os médicos muitas vezes aconselhavam a cirurgia em casos em que medidas menos dramáticas eram suficientes. A ovariotomia "passou a ser uma operação da moda, apesar de uma taxa de mortalidade às vezes da ordem de 40%. *Não só o ovário doente, mas também o normal era presa fácil para os cirurgiões do sexo*" (grifos meus). Basta que se abra uma brochura de cirurgia estética para que se veja como são normais e saudáveis os seios que agora são "presa fácil para os cirurgiões do sexo".

Os atuais cirurgiões do sexo exibem sua obra com orgulho. *Vida e amores de uma mulher demônio*, de Fay Weldon, reproduz uma fantasia moderna da mulher totalmente reconstruída que é exibida

A VIOLÊNCIA

a outros cirurgiões num coquetel. Os médicos da era vitoriana se vangloriavam do número de ovariotomias que haviam realizado e exibiam os ovários em bandejas de prata para plateias cheias de admiração em reuniões da Sociedade Ginecológica Americana.

A remoção dos ovários foi desenvolvida em 1872. No ano seguinte, foi recomendada para "condições não ovarianas", especialmente a masturbação, de tal forma que em 1906 cerca de 150 mil norte-americanas já não tinham seus ovários. "Condições não ovarianas" era um julgamento de caráter social destinado a impedir que "incapazes" procriassem e poluíssem a nação. "As 'incapazes' incluíam [...] qualquer mulher corrompida pela masturbação, pelo aborto e por práticas anticoncepcionais [...] desde a década de 1890 até a Segunda Guerra Mundial, as doentes mentais do sexo feminino eram 'castradas'."

A "Sociedade Cirúrgica dos Orifícios" oferecia, em 1925, formação cirúrgica em clitoridectomia e infibulação "por causa da enorme quantidade de sofrimento e doença que seria poupada ao sexo frágil". Há dez anos, um ginecologista de Ohio oferecia uma operação "Mark Z" de US$ 1.500 para reformular a vagina de forma a "tomar o clitóris mais acessível à estimulação direta pelo pênis". Um orgulho comum dos modernos cirurgiões estéticos é o de seu trabalho salvar as mulheres de uma vida de sofrimento e desgraça.

Existe um estilo de pornografia que gira em torno da agressão e cortes aos seios das mulheres. É assustador que o que parece ser considerado erótico na cirurgia de seios não é o fato de ela fazer com que as mulheres tenham seios naturalmente maiores ou melhores. Ninguém parece estar interessado em fingir que eles pareçam ser naturais. Nem que ela torne as mulheres mais "mulheres". Nem mesmo que ela torne os seios mais "perfeitos". O que assusta é a erotização da *própria cirurgia*. Uma revista da Hungria exibe os seios de beldades locais ao lado dos cirurgiões que os criaram.

Playboy publicou matérias com a cirurgia de Mariel Hemingway e Jessica Hahn — não eram tanto os seios; era a cirurgia. É assustador ver que agora, numa era de temor à mulher, a ideia de cientistas cortarem, invadirem e reconstruírem artificialmente os seios das mulheres parece representar o máximo do triunfo erótico.

A reconstrução artificial do seio pode a esta altura ter sentido erótico também para as mulheres. Depois de não mais que duas décadas de mutilação da sexualidade feminina por parte da pornografia da beleza, um seio sexualmente inerte pode ser considerado "melhor" à visão e ao tato do que um que esteja sexualmente vivo. A mesma censura tácita que edita as imagens de rostos e de formatos do corpo feminino também edita imagens do seio feminino, mantendo as mulheres na ignorância da verdadeira aparência dos seios. A cultura faz uma triagem minuciosamente impecável dos seios, quase nunca apresentando os que são moles, assimétricos, maduros ou que passaram pelas alterações da gravidez. Pela visão dos seios em nossa cultura, teríamos pouquíssima noção de que os seios de verdade têm tantos formatos e diferenças quanto as mulheres que os possuem. Como a maioria das mulheres raramente vê ou toca os seios de outra mulher, elas não fazem a menor ideia de como eles são, da forma como se mexem acompanhando o movimento do corpo ou de sua verdadeira aparência durante o ato sexual. Se considerarmos como os seios realmente variam em textura, é triste que mulheres de todas as idades tenham uma fixação em que eles sejam "firmes" e "empinados". Muitas jovens sentem agonias de vergonha por estarem convencidas de que só elas têm estrias. Como a censura da beleza mantém as mulheres em trevas profundas no que diz respeito ao corpo de verdade das outras mulheres, ela consegue fazer com que praticamente qualquer mulher ache que só seus seios são moles, baixos, caídos, pequenos, grandes, esquisitos ou decididamente errados, o que a priva do delicado erotismo do mamilo.

A VIOLÊNCIA

A tendência pela cirurgia do seio é criada por uma cultura que proíbe todos os seios que não sejam o Seio Oficial, chama de "sexo" as imagens que sobrevivem a essa edição, mantém as mulheres ignorantes de seu próprio corpo e do corpo de outras mulheres e fornece um serviço pouco regulamentado que distribui por alguns milhares de dólares ("Cada um?" "Não, os dois") a substituição permissível a mulheres desesperadas.

Num anúncio de televisão de um cirurgião estético norte--americano, a atriz na tela ronrona com o sorriso de uma mulher satisfeita. Nada em seu rosto é estranho. Está implícito que ela não está falando de seu rosto. Em geral, as mulheres não estão deixando que cortem seus seios por algum homem específico, mas para que possam vivenciar a própria sexualidade. Num ambiente doente, elas *estão* fazendo isso "por si mesmas". A maioria é casada ou tem um relacionamento estável. Um terço delas é de mães cujos seios, nas palavras dos cirurgiões, "se atrofiaram" depois da gravidez. Seus companheiros "negam categoricamente" terem incentivado a ideia da operação e alegam jamais terem criticado os seios das mulheres.

Essa mutilação sexual não envolve relações entre homens e mulheres de verdade. Ela fala da sexualidade da mulher presa na armadilha da reação do sistema, apesar dos homens que as amam. Em breve, nem mesmo parceiros amorosos serão capazes de salvar da faca a sexualidade de muitas mulheres. Hoje em dia, uma mulher precisa ignorar sua imagem nos olhos do amado, já que ele poderia admirá-la, para procurá-la nos olhos do Deus da Beleza, em cuja visão ela nunca é completa.

Qual é a característica do Seio Oficial que o faz eliminar todos os outros seios? De todos os formatos e tamanhos, o que ele melhor garante é a adolescência. É claro que moças muito jovens têm seios pequenos, mas isso também ocorre com muitas mulheres maduras. Muitas mulheres maduras têm seios grandes que não são "firmes" nem "empinados". Seios altos que também sejam grandes e firmes provavelmente pertencerão a uma adolescente. Numa cultura que teme o preço da autoconfiança sexual feminina, esses seios são a reconfortante garantia da extrema juventude — ignorância sexual e infertilidade.

Freud acreditava que a repressão da libido criava a civilização; no momento atual, a civilização depende da repressão da libido feminina. Em 1973, informa *Psychology Today,* um quarto das mulheres norte-americanas pesquisadas estava infeliz com o tamanho ou o formato dos próprios seios. Em 1986, os números já se elevavam a um terço. Não foram os seios das mulheres que mudaram nesse meio-tempo.

É por esse motivo que muitas mulheres se importam cada vez menos com o que a cirurgia faça a seus seios que possa repelir um interesse sexual que é meramente humano — um enrijecimento que dá aos seios a consistência de plástico duro. As mulheres relatam (ou, pelo menos, os artigos sobre cirurgia informam que as mulheres relatam) uma nova realização sexual depois da operação, mesmo que seus seios estejam sem vida e duros como pedra. Como isso pode acontecer? A sexualidade de muitas mulheres está tão voltada para o exterior em consequência da pornografia da beleza que elas realmente podem sentir maior excitação com órgãos sexuais que, embora mortos e imóveis, se encaixem visualmente nessa pornografia.

Por isso, implantes mamários, embora deem uma impressão estranha a seu parceiro e eliminem nela mesma toda a sensação, podem na realidade "liberar" sexualmente uma mulher. Eles se parecem com o padrão oficial. Eles fotografam bem. Tornaram-se um artefato — a negação-da-mulher — e nunca irão mudar, o objetivo máximo do mito da beleza. As partes do corpo em plástico não vão parar por aqui.

A VIOLÊNCIA

Não se espera que os cirurgiões revelem a parte da mulher que a tornará bonita a seus próprios olhos, mas que lhe garantam impor a seu corpo a fantasia oficial da cultura. Eles parecem não ter nenhuma ilusão a respeito de seu papel. Um anúncio numa publicação técnica cirúrgica mostra uma mão masculina peluda espremendo um implante gelatinoso. O gel (por sinal, feito pelos fabricantes do napalm) sai volumoso entre os dedos. O texto afirma que o produto "é natural ao tato" — da mão que comprime.

A ética médica trata a interferência na sexualidade masculina como uma atrocidade. Depo-Provera, um medicamento que diminui a libido de criminosos do sexo masculino, gera controvérsias porque intervir na sexualidade masculina é considerado uma barbárie. No entanto, a sexualidade feminina ainda é tratada pelas instituições como se fosse hipotética. Não são só os seios produzidos em fábricas que põem em risco a resposta sensual feminina; muitos outros procedimentos têm o mesmo efeito. (A pílula anticoncepcional, por exemplo, que supostamente tornaria as mulheres mais sensuais, na realidade reduz sua libido, um efeito colateral que raramente é informado a quem a usa.) Um dos riscos da cirurgia na pálpebra é a cegueira. Uma plástica do nariz apresenta o risco de prejudicar o olfato. A insensibilidade ao tato acompanha os *liftings*. Se o ideal cirúrgico é sensual, devem existir outros sentidos além dos cinco normais.

INSENSIBILIDADE

Uma quantidade suficiente de dor torna as pessoas insensíveis. Imaginem uma mulher "arrumada", caminhando por uma rua no inverno, com os galhos das árvores emitindo ruídos secos acima de sua cabeça. Ela está usando um traje misto de Carmen e dançarina de flamenco, uma criação exclusiva que é frágil e impressionante. Ela passou uma hora se maquiando, mesclando e matizando tonalidades, e agora exibe o rosto como se fosse uma obra de arte. Suas pernas cobertas por meias preta de seda estão dormentes com o frio do vento. A fenda profunda do vestido se abre com uma rajada, o que levanta pelinhos em sua pele. Seus tendões de Aquiles sofrem a pressão que os saltos altos e finos exercem para cima; e latejam sem parar. Só que as pessoas se voltam e não param de se voltar. Quem é *essa?* Cada olhar é como uma injeção. Enquanto os olhos continuarem a se voltar, ela realmente não sentirá frio.

Os reflexos de um corpo saudável o levam a evitar a dor. Mas a fixação na beleza é um anestésico, com a capacidade de tornar as mulheres ainda mais parecidas com objetos por meio da cauterização da sensação. Para dar sustentação a tecnologias cirúrgicas, o código da beleza está elevando nosso patamar da dor. Temos mesmo de evitar saber o que sentimos para sobreviver à Era da Cirurgia. Quanto mais sofremos, maior será nossa resistência psicológica à reabertura dos canais mentais que tivemos de fechar. Nos Experimentos de Milgram da década de 1950, pesquisadores colocaram as mãos dos participantes numa alavanca, dizendo-lhes que com ela dariam choques elétricos em pessoas que não estavam vendo. Em seguida, os cientistas deram instruções para que eles aumentassem os níveis dos choques. Os participantes, sem querer desobedecer a autoridades científicas que lhes diziam que tudo estava bem, e isolados da visão de suas "vítimas", elevaram as correntes elétricas a níveis fatais. Ao raiar da Era da Cirurgia, uma mulher aprende a se relacionar com o próprio corpo como os participantes da experiência se relacionavam com as vítimas dos choques. Isolada do corpo, instada a não vê-lo ou a não senti-lo como humano, ela está sendo ensinada pelas autoridades científicas a agir da pior forma possível.

A VIOLÊNCIA

Os choques elétricos não são uma simples metáfora. Fazem parte do controle sobre as mulheres desde que a eletricidade passou a ser utilizada. As inválidas vitorianas eram submetidas a choques galvânicos. A terapia do eletrochoque é empregada tipicamente em mulheres internadas em hospícios, e apresenta uma grande semelhança ao ritual da morte-e-ressurreição da cirurgia estética. Como a cirurgia, afirma Elaine Showalter em *The Female Malady* [A doença feminina] ela tem "o aspecto exterior de um poderoso ritual religioso, dirigido por uma figura masculina sacerdotal [...], [sua magia] provém da simulação da cerimônia de morte-e-ressurreição. Para a paciente, ela representa um rito de passagem no qual o médico elimina o eu 'mau' e desequilibrado e promove a ressurreição do eu 'bom'". Na visão do eletrochoque da poeta Sylvia Plath, um eu bom que renasce "não de uma mulher". "Por esse motivo, os pacientes com tendência suicida muitas vezes têm alívio com a terapia de eletrochoques. Ao acordar, eles têm a impressão de que em certo sentido morreram e renasceram, com as partes odiadas aniquiladas — literalmente eletrocutadas." Gerald McKnight descreve uma "terapia" contra o envelhecimento na qual são aplicados choques elétricos no rosto. A Lancôme fabrica um "produto para delinear o corpo com extrema precisão" que promete "atacar protuberâncias indesejáveis". Trata-se do "primeiro tratamento térmico de choque para o delineamento do corpo". Os choques elétricos promoveram a passividade em dissidentes políticos da União Soviética ao Chile.

Agora que as mulheres estão sendo convidadas a atuar como seus próprios administradores de eletrochoques, já não faz sentido detalhar casos e mais casos em que tudo deu errado ou repetir que a cirurgia é dispendiosa e extremamente dolorosa; e que é bem provável que você entregue seu corpo nas mãos de alguém que não está qualificado, não é regulamentado e não está do seu lado. Também já não faz muito sentido falar das mortes.

O MITO DA BELEZA

É essa apatia que é a verdadeira questão. Já está em vigor o efeito dessensibilizante global. A cada artigo sobre a cirurgia que detalhe seus horrores, o que muitos fazem, nós mulheres, por ironia, perdemos um pouquinho mais de nossa capacidade de nos condoermos de nosso próprio corpo e de nos identificarmos com nossa própria dor — um jeito de sobreviver, pois a cada artigo se intensifica a pressão social para que nos submetamos àqueles mesmos horrores. Nós mulheres sabemos das atrocidades, mas elas já não nos tocam.

À medida que forem se elevando as exigências do código da beleza e que as tecnologias cirúrgicas se tornem mais sofisticadas, esse processo de dessensibilização há de se acelerar. Procedimentos que ainda nos parecem bárbaros logo serão absorvidos pela zona de insensibilidade em constante expansão. O mito se espalha na direção leste. Procedimentos que já toleramos nos Estados Unidos ainda parecem repugnantes na Grã-Bretanha e revoltantes nos Países Baixos, mas no ano que vem as mulheres britânicas conseguirão evitar a náusea e as holandesas se sentirão meramente enjoadas. Partes de nosso corpo que hoje admiramos com prazer serão no ano que vem reclassificadas como novas deformidades. O patamar da dor exigida de nós subirá cada vez mais. Essa projeção é uma questão de aritmética. O número de cirurgias estéticas dobrava a cada cinco anos nos Estados Unidos até triplicar em apenas dois anos. Ele dobra a cada década na Grã-Bretanha. Toda uma cidade de mulheres, do tamanho de São Francisco, é operada por ano nos Estados Unidos; na Grã-Bretanha, uma cidadezinha do tamanho de Bath.

A questão consiste em nossa insensibilidade estar se adequando ao que o código da beleza exige de nós. A leitora acaba o artigo e olha as ilustrações. O rosto da mulher dá a impressão de que ela recebeu um golpe transversal aos malares com um cano de ferro. Os olhos estão enegrecidos. A pele dos quadris está coberta de contusões.

A VIOLÊNCIA

Os seios estão inchados e amarelados como olhos de alguém que sofra de hipertireoidismo e icterícia ao mesmo tempo. Os seios da mulher não se mexem. O sangue forma crostas abaixo das suturas. Há dois ou três anos, a leitora considerava alarmistas as imagens dessa natureza. Hoje ela se dá conta de que são promocionais. Já não se espera que ela reaja com a repulsa que a princípio sentia. As revistas femininas estabelecem o código da beleza. Deram enorme cobertura à cirurgia, em parte porque muito pouco do que acontece no mundo da beleza tem algo de novo. Essas matérias fazem com que nós leitoras acreditemos que não devemos recuar diante de nada, já que aparentemente outras leitoras, nossas concorrentes, estão se portando com bravura. O artigo típico, que descreve semanas de dores atrozes que terminam com uma mulher bela e feliz, provoca nas mulheres algo como uma compulsão consumista.

Uma mulher num abrigo para vítimas de violência uma vez descreveu para mim suas pernas como "uma contusão só, como se estivessem usando meias roxas". Numa entrevista para um livro de promoção da cirurgia estética, ouvida por acaso numa lanchonete de Manhattan, uma mulher que fizera lipoaspiração usou uma imagem semelhante. Não são as mutilações que precisam ser examinadas, mas a atmosfera em que vivemos que faz com que elas não tenham importância.

Entramos num estágio novo e apavorante da cirurgia estética. Todos os limites foram derrubados. Nenhuma quantidade de sofrimento ou risco de deformação consegue servir de freio. O que está acontecendo ao corpo da mulher no que diz respeito à cirurgia estética é semelhante ao que está acontecendo com o equilíbrio da vida no planeta. Estamos num momento decisivo da história.

O surgimento da Era da Cirurgia na década de 1980 resultou, sim, de alguns progressos tecnológicos na profissão. Entretanto, ela retirou muito mais energia da reação do sistema contra o femi-

O MITO DA BELEZA

nismo. Os dois fatores — os meios para alterar completamente as mulheres e a *determinação de fazê-lo* — nos levaram a uma extraordinária revolução mental acerca da vida na forma feminina. Com o desvio de retórica que reformulou a dor e a mutilação para que tivessem impacto reduzido, a consciência feminina vem tendo de enfrentar o tipo de destruição de regras com que se deparou o pensamento humano quando da fissão do átomo. Acompanhando a enorme expansão das possibilidades veio uma enorme expansão do perigo.

Se qualquer coisa no corpo de uma mulher pode ser transformada, algo de revolucionário — ou de demoníaco — ocorreu no outro universo do mito da beleza. Isso quer dizer que o cruel sistema antigo foi destruído? Que a ciência na realidade abriu um novo horizonte de beleza para aquelas mulheres que têm condição de pagar? Isso quer dizer que o amargurante sistema de castas, no qual algumas nascem "melhores" do que as outras, está acabado e que as mulheres estão livres?

Tem sido essa a interpretação popular. A Era da Cirurgia é um bem que não pode ser questionado. É a concretização do sonho norte-americano. Cada uma pode se recriar "melhor" num admirável mundo novo. É compreensível que ela tenha sido até mesmo interpretada como uma liberação feminista. A revista *Ms.* a saudou como uma "autotransformação"; na revista *Lear's*, uma cirurgiã exclama: "*Voilà!* Assim se chega à liberdade." Esse esperançoso anseio feminino por uma tecnologia mágica que destrua o mito da beleza e suas injustiças — com uma "beleza" que é quase justa porque se pode conquistá-la com a dor e pagar por ela com dinheiro — é uma reação comovente, porém míope.

Foi com o mesmo tipo de esperança que apresentaram a bomba atômica nos anos 1950. A bomba era, ao final de uma guerra total, como um equalizador mágico de nações desiguais. A cirur-

A VIOLÊNCIA

gia estética é hoje apresentada como o miraculoso pacificador no combate das mulheres sob o domínio do mito da beleza. Décadas foram necessárias para que as pessoas reconhecessem o verdadeiro impacto da era nuclear sobre a consciência humana. Quer ela volte a ser usada, quer não, a Bomba mudou para sempre a forma com que encarávamos o mundo.

Com a Era da Cirurgia, estamos no primeiro repuxo de uma onda cujo fim não podemos divisar. Contudo, o entusiasmo com que acolhemos essa nova tecnologia é tão míope quanto o otimismo com relação à Bomba que inundou o mercado com trajes de banho e personagens de história em quadrinhos de temática nuclear. Com a cirurgia estética, a consciência que vive dentro do corpo feminino está passando por uma transformação que pode implicar termos perdido para sempre as fronteiras do corpo, definidas e defendidas há tão pouco tempo, bem como nossa orientação pré-cirúrgica.

A Bomba nos afeta quer seja detonada, quer não. Quer uma mulher se submeta à cirurgia estética, quer não, sua mente está sendo moldada por sua simples existência. A *expectativa* da cirurgia continuará a crescer. Como o mito da beleza funciona num sistema de equilíbrio planejado, assim que um número suficiente de mulheres estiver transformado e a massa crítica for atingida, de tal forma que um excesso de mulheres se pareça com o "ideal", o "ideal" continuará sempre a mudar. Cortes e suturas sempre diferentes serão exigidas de nós mulheres se quisermos manter nossa sexualidade e nossa subsistência.

Em 1945, perdemos a ilusão de saber que o mundo sobreviveria ao indivíduo. A tecnologia tornou imaginável sua destruição. Por volta de 1990, a tecnologia apresentou o fim do corpo feminino feito pela mulher. Cada uma de nós perdeu a ilusão de simplesmente saber que tinha um corpo e um rosto que eram só seus e com os quais viveria toda sua vida.

Os anos decorridos entre o desenvolvimento da Bomba e a evolução da "nova forma de pensar" a guerra de Einstein foram os mais perigosos. Os seres humanos tinham os meios para a destruição do mundo, recorrendo a novas tecnologias na guerra convencional, mas ainda não estavam evoluídos o suficiente para deixar de imaginar a inevitabilidade da guerra convencional. Hoje em dia, nós temos acesso à capacidade tecnológica de fazer qualquer coisa com nosso corpo na luta pela "beleza", mas ainda nos falta desenvolver uma mentalidade que supere as antigas regras, que nos permita imaginar que esse combate entre mulheres não é inevitável. Os cirurgiões atualmente podem fazer qualquer coisa. Ainda não atingimos o estágio em que possamos nos defender, com uma determinação de não deixar que façam "qualquer coisa".

São tempos arriscados.

Novas possibilidades para as mulheres rapidamente se transformam em novas obrigações. É um passo muito curto o que separa "qualquer coisa pode ser feita pela beleza" de "qualquer coisa *deve* ser feita". O que precisa ser investigado antes de podermos começar a pensar num caminho que nos leve à segurança é a afirmação de que as mulheres escolhem essa dor de livre e espontânea vontade. Precisamos nos perguntar o que "escolha" e "dor" significam para as mulheres na Era da Cirurgia.

A DOR

O que faz existir a dor? A jurista Suzanne Levitt salienta que nos tribunais, para que se prove que algum mal foi feito, é preciso provar que se está em piores condições do que antes. Para ela, porém, como as mulheres são cercadas por uma espécie de "ruído de fundo" que as agride, não se considera que elas estejam prejudicadas quando

A VIOLÊNCIA

na verdade estão. O mesmo conceito parece valer para o reconhecimento dos danos causados às mulheres em nome da beleza. Como as mulheres supostamente são dependentes da "beleza", essa dependência que ameaça a vida não é real. Como as mulheres deveriam sofrer para serem lindas — como nosso sofrimento *é* lindo — a dor que sentimos é apenas um "mal-estar". Como o dinheiro das mulheres não é dinheiro de verdade, mas para alfinetes, e como as mulheres fazem loucuras pela "beleza" e o dinheiro nas mãos de um louco logo acaba, as práticas fraudulentas não são fraudes de fato e o dinheiro de brinquedo das mulheres está aí para isso mesmo. Como, para começar, nós mulheres somos seres deformados, não podemos realmente sofrer alguma deformação. Como somos por natureza fáceis de lograr em nossa busca da "beleza", nenhum logro é escandaloso.

A dor é verdadeira quando se consegue que os outros acreditem nela. Se ninguém acredita nela, a não ser você, sua dor é loucura, histeria ou sua própria incapacidade de se adequar. As mulheres aprenderam a se sujeitar à dor ao dar atenção a figuras autoritárias — médicos, sacerdotes, psiquiatras — que nos dizem que o que sentimos não é dor.

Pede-se às mulheres que sejam estoicas diante da dor da cirurgia como se pedia que o fossem durante o parto. A Igreja medieval fez valer a maldição de Eva, não permitindo nenhum alívio das dores do parto, segundo *Woman Hating* [Ódio às mulheres], uma análise da misoginia, de Andrea Dworkin. "A objeção católica ao aborto", diz Dworkin, "centrava-se especificamente na maldição bíblica que fazia do parto um castigo doloroso. Ela não estava ligada ao 'direito à vida' do feto." A poeta Adrienne Rich lembra às mulheres que "o patriarcado dizia à mulher em trabalho de parto que seu sofrimento era proposital — era *o* propósito de sua existência, que a nova vida que ela estava dando à luz (especialmente se fosse do

O MITO DA BELEZA

sexo masculino) tinha valor e que seu próprio valor dependia desse dar à luz". O mesmo vale para a "nova vida" da "beleza" cirúrgica. O Grupo da Mulher e da Ciência de Brighton, em *Alice Through the Microscope* [Alice através do microscópio], afirma que, nas enfermarias de maternidades normalmente se espera que a futura mamãe "se dissocie de seu corpo e do comportamento do corpo, permanecendo controlada e comportando-se 'bem'. A mulher que grita durante o parto, ou que chora depois, muitas vezes é levada a sentir que *não devia ter agido assim,* que se descontrolou, que seus sentimentos não são naturais, ou que não deveria se deixar dominar por eles." As mulheres que se submeteram a cirurgias estéticas relatam a mesma experiência.

As mulheres podem pensar em muitas ocasiões em que lhes disseram que aquilo que as estava machucando na realidade não estava. Lembro-me de um ginecologista de mãos grosseiras e insensíveis, que abriu o espéculo com raiva, lançando um meteoro de dor até a base de minha espinha. As fontanelas do meu crânio pareceram se separar, e a dor se derramou como gelo. "Pare de fazer caretas", disse-me ele. "Isso não dói." Ou uma técnica de depilação definitiva por eletrólise que perguntou a uma mulher se ela já havia feito eletrólise antes. "Fiz", respondeu a cliente. "O que você sabe a respeito dessa prática?" "Sei que dói demais." "Mas não dói", retrucou a técnica. Ou ainda as vozes que se ouvem nos telefones de atendimento a vítimas de estupro: "Eles disseram que não sabiam por que eu estava tão perturbada. Não havia nenhuma contusão. Era como se ele não tivesse me machucado." Ou a executiva que me descreveu sua cirurgia do nariz. "Foi depois de um caso de amor muito desagradável que eu acabei me prejudicando para me vingar do outro. Disseram que se eu fosse uma boa paciente, não sentiria dor de verdade e que só haveria um pouco de sangue. Eu não conseguia aguentar. Disse que estava doendo. Eles retrucaram que eu

A VIOLÊNCIA

estava exagerando. O sangue era tanto que minha irmã desmaiou quando me viu. E eles disseram, 'agora, olhe só o que você fez'."

Uma "escrava do bisturi" descreve um *peeling* na revista *She*. "Basicamente não tem nenhuma diferença de uma queimadura de segundo grau. [...] [O *peeling*] faz com que você fique escura e franzida, depois uma casca se forma e cai [...], demora algumas horas porque o produto é tão venenoso que não se pode correr o risco de que ele chegue à corrente sanguínea." O dr. Thomas Rees fala sem rodeios: "A abrasão e o *peeling* traumatiza [*sic*] a pele [...] com qualquer uma dessas técnicas, a pele pode ser removida em muita profundidade resultando num ferimento aberto [...] mortes [por parada cardíaca] já se seguiram a *peelings* químicos [...] a pele é congelada [para a dermoabrasão] até adquirir uma textura rígida como a de uma tábua, o que facilita a abrasão por uma escova giratória de arame impregnada com partículas de diamante." ("O lixamento da pele", informa ele aos leitores, "teve origem na Segunda Guerra Mundial, executado com lixas para a remoção de estilhaços incrustados na pele." A cirurgia plástica se desenvolveu após a Primeira Guerra Mundial em resposta a mutilações de guerra jamais vistas anteriormente.) Uma mulher que assistiu a uma sessão de abrasão de pele disse a um entrevistador que "se descobríssemos que isso estava sendo feito a pessoas na prisão, haveria um clamor internacional e [o país] seria denunciado à Anistia Internacional por tortura das mais apavorantes." O *peeling* químico, essa "tortura das mais apavorantes", apresenta, segundo Rees, um aumento de 34%.

Não é fácil descrever a dor física, e as palavras que costumamos usar para transmitir essa ideia raramente são apropriadas. A sociedade precisa estar de acordo de que existe um certo tipo de dor para poder aliviá-lo. O que as mulheres vivenciam na arena cirúrgica, sob uma máscara de ácido, expostas à boca de uma máquina de sucção, desacordadas à espera de que o osso de seu nariz seja quebrado, ainda é algo particular e que não pode ser mencionado.

A dor que sentem é negada por meio da trivialização. "Pode haver algum desconforto." "Ocorre algum mal-estar." "Um mínimo de contusões e inchaços." Ainda não se permite a comparação entre a dor que as mulheres norte-americanas e europeias sentem pela beleza e a dor de verdade, a dor digna da Anistia Internacional. Uma comparação dessas será chamada de exacerbação dos fatos. Mas ela devia valer, já que há mulheres que estão morrendo em consequência do abrandamento dos fatos.

A cirurgia dói, e como dói. Seguram você debaixo d'água o tempo suficiente para que pare de se debater. Você respira com guelras recém-abertas. Tiram você da água de novo, carregada e torcida, de bruços numa margem sem pegadas. Com seu espírito mantido em animação suspensa, eles passam cuidadosamente com um tanque sobre seu corpo ignorante.

Acordar dói, e voltar à vida normal dói demais. Um hospital, embora se chame de "luxuoso" ou alegue "atenção e cuidado" para com o paciente, é aviltante. Como uma prisão ou um hospício, onde quer que sua velha identidade fosse um problema, eles tiram sua roupa e lhe dão uma cama numerada.

O tempo em que esteve inconsciente é um tempo perdido de sua vida, e você jamais recuperará essas horas. Chegam visitas, mas você as vê através das águas que se fecharam em torno de sua cabeça, como uma outra espécie: a dos que estão bem. Depois de você ter sido cortada uma vez, por melhor que você viva, jamais apagará da memória o que sabe sobre como a morte é fácil e atenciosa.

A cirurgia estética não é "estética", e a carne do ser humano não é "plástica". Até mesmo os nomes retiram a gravidade do que ela é. Não se trata de passar um tecido a ferro para eliminar as rugas, de regular o motor de um carro ou de reformar roupas fora de moda,

A VIOLÊNCIA

as metáforas correntes. A trivialização e a infantilização permeiam a linguagem dos cirurgiões quando eles falam com as mulheres: "um cortezinho", uma "esticadinha" na barriga. Rees descreve da seguinte forma uma queimadura de segundo grau provocada por ácido no rosto: "Você se lembra quando estava na escola, ralou o joelho e se formou uma casca?" Essa fala para crianças deturpa a realidade. A cirurgia nos transforma para sempre, tanto no corpo quanto na mente. Se não começarmos a levá-la a sério, o milênio da mulher feita-pelo-homem estará sobre nós, e não teremos tido escolha.

A ESCOLHA

A dor pela "beleza" é banal por se supor que as mulheres a escolhem de livre e espontânea vontade. É essa convicção que impede que as pessoas vejam que o que a Era da Cirurgia está fazendo com as mulheres constitui uma violação dos direitos humanos. A fome, a náusea e as cirurgias invasivas da reação do sistema contra o feminismo são armas políticas. Através delas, uma tortura política amplamente disseminada está ocorrendo entre nós. Quando certo grupo de pessoas é mantido sem alimentos, forçado a vomitar com regularidade ou aberto e suturado repetidas vezes sem nenhum objetivo médico, chamamos isso de tortura. Nós mulheres sentimos menos fome, sangramos menos, se atuarmos como nossos próprios torturadores?

A maioria das pessoas dirá que sim, já que as mulheres fazem isso a si mesmas, e é algo que precisa ser feito. É, porém, ilógico concluir que existe uma qualidade diferente no sangue, na fome ou na queimadura de segundo grau se tiverem sido "escolhidos". Os terminais nervosos não sabem dizer quem pagou pelo retalhamento. A derme exposta não sente alívio pelo motivo que levou à queimadura. Quando se deparam com a dor da beleza, as pessoas reagem de forma irracional porque acreditam que os masoquistas merecem a dor que sofrem por gostarem dela.

Além do mais, nós mulheres aprendemos o que temos de fazer a partir do ambiente que nos cerca. As mulheres são sensíveis aos sinais que as instituições emitem, a respeito do que temos de fazer com nossa "beleza" para podermos sobreviver; e as instituições estão nos passando uma mensagem muito clara de que endossam qualquer grau de violência. Se a luta pela beleza é a guerra das mulheres, aquelas que traçam um limite são tratadas como covardes, da mesma forma que o são os pacifistas do sexo masculino. "Quem tem medo de cirurgia estética?", pergunta mordaz um cirurgião. A escolha das mulheres na Era da Cirurgia não é livre. Por isso, não temos nenhuma desculpa para não considerar real sua dor.

As mulheres só exercerão uma verdadeira escolha a respeito da cirurgia estética quando valer o seguinte:

Se não a aceitarmos, poderemos manter nosso meio de subsistência. Já examinamos como a transformação pela cirurgia se tornou uma exigência para o emprego e a promoção das mulheres. Folhetos de propaganda de cirurgia dão ênfase às pressões que as mulheres sofrem no sentido de manterem "a aparência jovem". Essa exigência é de fato criminosa. De acordo com a Lei de Saúde e Segurança do Trabalho de 1970, os empregadores "não poderão mais [...] pagar pela concordância dos seus empregados para que estes se sujeitem a condições de trabalho insalubres e sem segurança". A cirurgia, o uso de Retin-A e a privação calórica crônica são insalubres e não oferecem segurança, mas as mulheres que enfrentam a qualificação de beleza profissional não têm a escolha de lhes oferecer resistência e manter seu meio de sobrevivência.

A VIOLÊNCIA

Se não a aceitarmos, poderemos manter nossa identidade. O termo "escolha" não significa nada se a opção for entre sobreviver ou perecer. Um animal preso numa armadilha não opta por separar com os dentes a perna que ficou presa. A Donzela de Ferro está se fechando agora, com seu contorno de lâminas. O que sobrar estará preso e deverá ser cortado fora. Quando as mulheres falam de cirurgia, elas mencionam "defeitos" com os quais "não podem viver", e não estão sendo histéricas. Suas revistas fazem perguntas como "existe vida após os quarenta?" ou "existe vida acima do manequim 44?", e essas perguntas não são piadas. Nós mulheres optamos pela cirurgia quando nos convencemos de que não poderemos ser quem realmente somos sem ela. Se todas as mulheres pudessem escolher conviver consigo mesmas como são, a maioria provavelmente faria essa opção. Os medos de perda da identidade por parte das mulheres são justificados. "Escolhemos" uma pequena morte ao que nos é representado como uma vida impossível de ser vivida. "Escolhemos" morrer um pouco para poder renascer.

Se não a aceitarmos, poderemos manter nossa posição na comunidade. Em culturas tradicionais, como as da Grécia e da Turquia, considera-se obsceno que uma mulher mais velha use as cores vibrantes da juventude. Já existem comunidades "modernas" — Palm Springs, Beverly Hills, o Upper East Side de Manhattan — em que se considera deplorável que uma mulher mais velha não extirpe a pele flácida de seu pescoço.

Os homens geralmente pensam na coação como uma ameaça de perda de autonomia. Para as mulheres, a coação costuma assumir outra forma: a ameaça de perda da oportunidade de formar vínculos com os outros, de ser amada e de continuar a ser desejada. Os homens pensam que a coação ocorre principalmente por meio da violência física, mas as mulheres consideram a violência física tolerável em comparação com a dor da perda do amor. A ameaça da perda do amor pode fazer alguém voltar a se comportar mais rápido do que um punho erguido. Se pensamos nas mulheres como seres que saltarão através de rodas de fogo para manter o amor, é só porque a ameaça do desamor até agora vem sendo usada contra as mulheres, mais do que contra os homens, como uma forma de controle político coletivo.

Ridiculariza-se como narcisismo o desespero da mulher pela beleza. Mas as mulheres se desesperam na ânsia de se agarrar a um centro sexual que ninguém ameaça tirar dos homens, que mantêm sua identidade sexual apesar de imperfeições físicas e apesar da idade. Os homens não ouvem da mesma forma a mensagem de que o tempo está se esgotando e que eles nunca mais serão acariciados, admirados e gratificados. Um homem deve se imaginar vivendo com essa ameaça antes de chamar as mulheres de narcisistas. Ao lutar pela "beleza", muitas de nós, compreensivelmente, acreditam estar lutando pela própria vida, pela vida enriquecida pelo amor sexual.

Acompanha a ameaça da perda do amor a ameaça da invisibilidade. A velhice revela a essência da injustiça do mito. O mundo é dirigido por homens de idade; mas as mulheres velhas são eliminadas da cultura. Uma pessoa banida ou condenada ao ostracismo se torna uma negação de si mesma. O ostracismo e o banimento são eficazes e não deixam provas da coação: nenhuma grade, nenhuma lei, nenhuma arma. O ativista sul-africano Beyers Naudé disse à televisão britânica que "uma ordem de banimento pode facilmente levar as pessoas ao colapso". Poucos são os que suportam serem tratados como se fossem invisíveis. As mulheres fazem *liftings* numa sociedade na qual as que não os fazem parecem simplesmente sumir.

Os *liftings* provocam paralisia dos nervos, infecção, ulceração da pele, "morte da pele", formação de cicatrizes exageradas e depressão

A VIOLÊNCIA

no período pós-operatório. "Foi um choque. Parecia que eu tinha sido atingida por um caminhão! Estava inchada, toda roxa, patética [...]. Eu parecia uma louca [...], disseram-me que a essa altura muitas mulheres começam a chorar descontroladamente." "Dói muito depois, porque o maxilar inferior parece estar deslocado. Não se consegue sorrir. O rosto dói [...]. Eu tive traumatismo e terríveis contusões amareladas." "Uma forte infecção [...] hematomas [...], uma contusão em forma de meia-lua e três caroços separados, um deles do tamanho de uma gigantesca bala puxa-puxa [...]. Agora eu gosto de usar maquiagem!" Essas são citações de mulheres que fizeram *liftings,* publicadas em revistas femininas.

Eu gostaria de poder esquecer a imagem de uma pessoa que amo deitada no St. Vincent's Hospital, com os olhos cobertos por gazes lambuzadas de algum produto sulfúrico. Um tubo estava introduzido em uma veia delicada. Meio tonta, ela movia a cabeça para lá e para cá no travesseiro, como a de um bezerro de olhos vendados. Ela não via as pessoas que lhe queriam bem, paradas sem jeito em volta da cama de grades altas. Descendo de seus malares magníficos, passando pela boca elogiada, vinha uma linha brilhante de sangue. Ela parecia estar ali deitada em decorrência de alguma doença ou acidente, mas antes de entrar no hospital nada lhe ocorrera. Sua presença ali se devia ao fato de ter se tornado menos bonita do que fora, na opinião de alguns.

As mulheres estão aprendendo a dar um sorriso irônico diante de histórias desse tipo, porque a alternativa, ao que nos dizem, é realmente intolerável. As velhas desaparecem. As mães de nossas mães desapareciam, ao terem seu valor social reduzido quando o período de reprodução se encerrava.

No entanto, quaisquer que sejam as pressões atuais, o futuro cirúrgico não oferece escolha.

O MITO DA BELEZA

OS FUTUROS CIRÚRGICOS

A definição que os vitorianos davam às condições operáveis não parava de se ampliar. "A insanidade moral", como a feiura, era uma "definição que podia ser alterada de forma a aceitar praticamente qualquer tipo de comportamento considerado anormal ou destrutivo segundo os padrões da comunidade", escreve Elaine Showalter. "Os hospícios abriam suas portas para 'jovens de temperamento incontrolável [...] mal-humoradas, teimosas, maliciosas, que desafiassem todo tipo de controle doméstico; ou que necessitassem daquele freio a suas paixões sem o qual o caráter feminino se perde.'" Da mesma forma e pelas mesmas razões, nossa definição das condições operáveis não para de se ampliar. Na década de 1970, foi inventada a cirurgia de desvio do intestino (na qual parte do intestino é isolada para a perda de peso) e ela proliferou até que em 1983 já eram realizadas 50 mil dessas intervenções ao ano. A amarração de maxilares (no qual os maxilares são presos por arames para a perda de peso) também foi apresentada na década feminista de 1970, e o grampeamento do estômago (no qual o estômago é costurado para a perda de peso) teve início em 1976. "À medida que o tempo foi passando", informa a revista *Radiance*, "os critérios para a aceitação foram se afrouxando cada vez mais até que agora qualquer pessoa que seja apenas moderadamente gorducha pode encontrar um cirurgião que a aceite." Mulheres de 70 quilos já fizeram desvio do intestino. Muito embora o médico que criou essa técnica a restringisse a pacientes com mais de 50 quilos de excesso de peso, a FDA a aprovou para "praticamente qualquer pessoa que a deseje".

O desvio do intestino apresenta 37 possíveis complicações, incluindo-se aí desnutrição grave, danos ao fígado, falência hepática, irregularidade dos batimentos cardíacos, danos aos nervos e

A VIOLÊNCIA

ao cérebro, câncer do estômago, deficiência imunológica, anemia perniciosa e morte. Um paciente em cada dez apresenta úlceras dentro de seis meses. A taxa de mortalidade dos pacientes dessa cirurgia é nove vezes superior à de uma pessoa idêntica que não tenha se submetido a ela. Dois a quatro por cento dos operados morrem nos primeiros dias, e com o tempo o número de mortes pode ser bem mais alto. Os cirurgiões procuram pacientes ativamente e "não enfrentam nenhum problema para fazer com que os pacientes assinem formulários de consentimento em que reconhecem a possibilidade de graves complicações e até mesmo da morte".

Não surpreende, a esta altura, saber que entre 80% e 90% dos pacientes de sutura do estômago e desvio do intestino são do sexo feminino.

Enfim, todas as mulheres são operáveis. A lipoaspiração é a cirurgia estética de maior crescimento. Cento e trinta mil norte--americanas se submeteram a ela no ano passado, e os cirurgiões aspiraram mais de noventa toneladas de tecido do corpo delas. Como já vimos, segundo *The New York* Times, 11 mulheres morreram em decorrência desse procedimento. Pelo menos outras três morreram depois que o artigo foi publicado.

Entretanto, pelas conversas que tive com "consultoras" quando me fiz passar por uma cliente em potencial, eu não teria recebido essa informação.

— Quais são os riscos da lipoaspiração?
— Os riscos não têm muita importância. Sempre há um risco de infecção, que é pequeno, e um risco da anestesia, que também é pequeno.
— Será que alguém já morreu?
— Bem, talvez há uns dez anos, gente muito obesa.
— Hoje em dia não morre ninguém?
— Claro que *não*.

O MITO DA BELEZA

— Quais são os riscos da lipoaspiração?

— Não há risco, nenhum risco.

— Eu li que algumas pessoas morreram.

— Meu Deus, onde você leu uma coisa dessas?

— *The New York Times.*

— Não ouvi falar nisso. Não sei de nada sobre *The New York Times.* Tenho certeza de que, se fosse verdade, haveria manchetes por toda parte. Eles fazem um escândalo com qualquer coisinha.

— A lipoaspiração envolve algum risco?

— Não, não. Em geral, não há absolutamente nenhum risco. Absolutamente nenhum problema.

— Eu li que ocorreram algumas mortes.

— Bem, eu também li alguma coisa a respeito disso. Mas, desde que você esteja nas mãos de um especialista experiente, não deve haver problema, nenhum problema.

— Quais são os riscos da lipoaspiração?

— Há muito pouco risco; riscos mínimos.

— Será que alguém pode morrer?

— Acho que nunca.

— Quais são os riscos da lipoaspiração?

— São reduzidos, muito pequenos mesmo. São mínimos, algo como 1 em 1 milhão, ou coisa parecida. É muito simples. Não há muito o que possa dar errado em termos de efeitos colaterais permanentes; muito, muito pouco a dar errado.

— Existe algum risco de morte?

— Absolutamente nenhum. Não, não há. Nunca ouvi falar de uma complicação semelhante.

A VIOLÊNCIA

A morte poderia ser chamada de efeito colateral permanente. Sem a menor dúvida, ela poderia ser uma complicação. Exagerando um pouco, pôr em risco a vida poderia ser uma coisa mínima com que se preocupar, um risco diminuto, minúsculo, ínfimo. As mortes decorrentes de lipoaspiração não são mortes de verdade — o que é um consolo para as famílias dos falecidos. Os cirurgiões afirmam que "os benefícios superam de longe os riscos", o que é um julgamento de valor sobre a importância relativa de sua versão da "beleza" em comparação com a vida de uma mulher.

Um cirurgião poderia dizer que a preocupação com um ínfimo risco de morte é uma reação exagerada. As mortes são uma fração de um percentual do todo. Esse argumento vale sem dúvida para uma operação motivada por necessidade médica. Mas para a reformulação de mulheres jovens e saudáveis? Quantas terão de morrer até que sejam consideradas muitas, até que nos protejamos dentro de um círculo de segurança? Quatorze já morreram, e a contagem não parou por aí; cada uma delas com um nome, um lar, um futuro. E cada uma delas tinha concentrações normais de gordura ali onde o desenvolvimento sexual feminino se distingue do masculino; motivo pelo qual todo o resto teve de ser arriscado, tudo numa aposta pelo dobro ou nada e, para essas 14 mulheres, tudo perdido. Quando será a ocasião apropriada para notar o sangue nas mãos dos cirurgiões? Chegaremos a vinte? A trinta? A cinquenta mulheres saudáveis mortas antes de sentirmos uma resistência, antes de questionarmos um processo que faz com que nós mulheres arrisquemos nossa vida por uma "beleza" que não tem nada a ver conosco? Nesse ritmo, essas mortes são uma questão de tempo. A lipoaspiração é a técnica que mais cresce num campo que triplica de tamanho a cada dois anos. Antes que essa tendência se eleve de tal forma que nunca mais isso possa ser considerado apropriado, agora é a hora de recuar e notar 14 cadáveres femininos, de verdade,

O MITO DA BELEZA

de seres humanos. Quatorze mulheres mortas foi suficiente para o Quênia, mas não para os Estados Unidos.

O que é a lipoaspiração (supondo-se que você sobreviva a ela)? Se você estiver lendo o folheto promocional da Poutney Clinic, ela é assim:

APERFEIÇOAMENTO DA SILHUETA POR REDUÇÃO IMEDIATA DA GORDURA LOCALIZADA. [...] Uma das técnicas de maior sucesso é a desenvolvida para aperfeiçoar e remodelar o corpo. Com a lipectomia associada à lipólise e aspiração, uma pequena incisão é feita em cada região com excesso de gordura. Um tubo muito fino é inserido e, com movimentos hábeis e suaves, auxiliados por uma aspiração poderosa e uniforme, essa gordura indesejada (e muitas vezes de má aparência) é removida para sempre.

Se você estiver lendo um relato de testemunha ocular da jornalista Jill Neimark, ela é assim:

[Um] homem força um tubo plástico para dentro da garganta de uma mulher nua. Ele liga o tubo a um aparelho que, nas próximas duas horas, vai respirar por ela. A paciente está com os olhos fechados com esparadrapo, os braços estão esticados em posição horizontal e a cabeça pende ligeiramente para um lado. [...] Ela está num coma induzido quimicamente, conhecido como anestesia geral [...], o que se segue é de uma violência quase inacreditável. O cirurgião, dr. Leigh Lachman, começa a enfiar e a puxar a cânula, com a rapidez de um pistão, abrindo caminho por espessas redes de gordura, nervos e tecido de sua perna. O médico está pronto para a sutura. Quase dois litros de tecido e sangue foram aspirados de dentro dela; mais do que isso a exporia ao risco de infecção generalizada e perda de líquidos que levariam ao choque e à morte. [...] Ele tira o esparadrapo dos olhos dela, e ela mostra um olhar

A VIOLÊNCIA

fixo, sem visão. "Muita gente tem dificuldade em voltar. Acordar alguém da anestesia é a parte mais perigosa da operação." [...] [que] pode levar a uma infecção generalizada, dano excessivo aos capilares e perda de líquido que podem resultar em choque e coma.

A lipoaspiração mostra o caminho do futuro. Ela é a primeira de muitas técnicas que virão para as quais as mulheres serão aceitas em virtude de serem mulheres.

A EUGENIA

Nós mulheres somos candidatas a cirurgias por sermos consideradas inferiores, avaliação esta que compartilhamos com outros grupos segregados. Feições raciais não brancas são "deformidades" também. A propaganda da Poutney Clinic oferece "uma aparência ocidental para os olhos" da oriental a quem "falta uma dobra bem definida na pálpebra superior". O texto elogia "o nariz caucasiano ou 'ocidental'", ridiculariza "os narizes asiáticos" os "afro-caribenhos ('com a extremidade gorda e arredondada que precisa de correção')" e os "narizes orientais ('com a extremidade [...] perto demais do rosto')". Além disso, "o nariz ocidental que exige correção invariavelmente exibe algumas das características dos narizes (não brancos) [...] embora o trabalho necessário seja mais sutil". As mulheres brancas, lado a lado com as negras e as orientais, se submetem à cirurgia não em consequência de uma vaidade egoísta, mas por uma reação racional à discriminação física.

Quando examinamos a linguagem da Era da Cirurgia, um processo conhecido de degradação ecoa em nossa mente. Em 1938, parentes alemães de bebês deformados solicitavam a eutanásia. Robert Jay Lifton escreve que naquela atmosfera o Terceiro Reich

O MITO DA BELEZA

enfatizava "o dever de ser saudável", pedia ao povo que "renunciasse ao antigo princípio individualista do 'direito ao próprio corpo'" e caracterizava os fracos e doentes como "comedores inúteis".

Recordemos o processo de reclassificação e como ele se amplia, uma vez começada a violência. Os médicos nazistas começaram por esterilizar as pessoas com invalidez crônica, depois com pequenos defeitos, em seguida os "indesejáveis". No final, crianças judias sadias eram apanhadas pela rede porque o fato de serem judias já era uma doença suficiente. A definição da vida doente e dispensável logo se tornou "frouxa, abrangente e cada vez mais conhecida". Os "comedores inúteis" eram simplesmente postos numa "dieta sem gordura" até que morressem de inanição. Eles já haviam recebido nutrição insuficiente, "e a ideia de não alimentá-los era algo que pairava no ar". Recordemos a caracterização de partes da mulher como já feridas, amortecidas, deformadas ou mortas. "Essas pessoas", diziam os médicos nazistas ao se referirem aos "indesejáveis", "já estão mortas". Uma linguagem que definia os "inadequados" como menos do que vivos acalmava a consciência dos médicos. Eles eram chamados de "lastro humano", "vida indigna da vida", "cascos vazios de seres humanos". Recordemos o uso da "saúde" como justificativa do derramamento de sangue. A visão de mundo desses médicos estava baseada no que Robert Jay Lifton chama de "inversão das funções de curar/matar". Eles salientavam a função terapêutica de eliminação das crianças fracas e deformadas como meio de manter a nação saudável, "para garantir que as pessoas realizem o plano potencial de sua herança racial e genética" e "para reverter a decadência racial".

Lembremo-nos do linguajar trivializante dos cirurgiões. Quando os médicos alemães descartavam crianças por meio de injeções, não se tratava de "assassinato, mas de pôr para dormir". Lembremo--nos das manobras burocráticas dos cirurgiões não especializados.

A VIOLÊNCIA

O Comitê do Reich para o Registro Científico de Doenças Graves Hereditárias e Congênitas, escreve Lifton, "dava a impressão de um respeitável conselho médico-científico, muito embora seu diretor [...] fosse formado em economia agrícola [...], essas instituições de 'observação' forneciam uma aura de fiscalização médica para evitar enganos, quando de fato não era realizado nenhum exame ou observação real". Justificava-se a experimentação médica em "criaturas que, por serem inferiores aos humanos, podem ser estudadas, alteradas, manipuladas, mutiladas ou mortas — a serviço [...], em última análise, da recriação da humanidade". Lembremo--nos da insensibilidade. Tanto as vítimas quanto os executores dos experimentos viviam num estado de "extremo entorpecimento", pois, na "atmosfera de Auschwitz [...], qualquer tipo de experimento era considerado possível".

Nas palavras de Lifton, "o médico [...] se não viver numa situação moral [...] em que os limites sejam muito claros [...] é muito perigoso".

A desumanização crescente segue um padrão inflexível e bem documentado. Para que alguém se submeta à cirurgia estética, é preciso que se sinta que algumas partes do corpo não são dignas da vida, muito embora ainda estejam vivas, e que a sociedade concorde com isso. Essas ideias estão se infiltrando na atmosfera geral, trazendo o odor desagradável da eugenia, pois o mundo do cirurgião estético se baseia na supremacia biológica, algo que as democracias ocidentais supostamente não devem admirar.

A DONZELA DE FERRO FOGE AO CONTROLE

Nós mulheres corremos riscos por nossa atual falta de compreensão da Donzela de Ferro. Ainda acreditamos na existência de algum

O MITO DA BELEZA

ponto em que a cirurgia é refreada por um limite natural, a silhueta do corpo feminino "perfeito". Isso já não é verdade. O "ideal" nunca esteve ligado ao corpo da mulher, e de agora em diante a tecnologia pode permitir que o "ideal" faça o que ele sempre procurou fazer: abandonar de todo o corpo feminino para reproduzir suas mutações no espaço. A fêmea da espécie humana não é mais o ponto de referência.

O "ideal" afinal se tornou totalmente inumano. Uma modelo ressalta em *Cosmopolitan* que "o ideal hoje em dia é um corpo musculoso com seios grandes. A natureza não faz mulheres assim". De fato, as mulheres já não veem versões da Donzela de Ferro que representem o corpo feminino natural. "Atualmente", diz o dr. Stephen Herman do Albert Einstein College of Medicine Hospital, "creio que quase todas as modelos famosas fizeram algum tipo de cirurgia para aumentar os seios." "Muitas modelos", admite outra revista feminina, "agora consideram uma sessão com o cirurgião plástico parte dos requisitos do trabalho que exercem." Cinquenta milhões de norte-americanos assistem ao concurso de Miss América. Em 1989, cinco candidatas, dentre elas a Miss Flórida, a Miss Alasca e a Miss Oregon, haviam sido remodeladas por um único cirurgião plástico do Arkansas. As mulheres estão se comparando — e os rapazes estão comparando as moças — com uma nova espécie que é a não mulher híbrida. Os atrativos naturais das mulheres jamais foram o objetivo do mito da beleza, e a tecnologia afinal cortou o cordão umbilical. Ela diz, isso aqui não me agrada; ele opera. Ela diz, e o que acha disso aqui; ele corta.

O fantasma do futuro não é o de que nós mulheres seremos escravizadas, mas de que seremos robôs. Em primeiro lugar, seremos subservientes a uma tecnologia cada vez mais sofisticada para a vigilância sobre nós mesmas, como, por exemplo, o Futurex-5000, ou o Analisador da Composição do Corpo da Holtain, um equipamento

A VIOLÊNCIA

portátil para análise da gordura provido de luz infravermelha e um computador do tamanho da mão que aplica correntes elétricas através de eletrodos colocados nos pulsos e nos tornozelos. Passaremos, em seguida, a alterações mais sofisticadas de imagens do "ideal" na mídia. A "realidade virtual" e a "recomposição fotográfica" tornarão a perfeição cada vez mais surreal. Depois, alcançaremos tecnologias que substituirão o corpo feminino, defeituoso e mortal, pedacinho por pedacinho, por peças artificiais "perfeitas". Isso não é ficção científica. A substituição das mulheres já teve início com a tecnologia da reprodução. Na Grã-Bretanha e nos Estados Unidos, está bastante adiantada a pesquisa no sentido de desenvolver uma placenta artificial. Segundo estudiosos da ciência, "estamos agora entrando numa era em que disporemos do conhecimento científico e técnico para negar às mulheres a oportunidade da reprodução, ou para ter essa oportunidade somente com o material genético de outras pessoas". Ou seja, a tecnologia existe para prósperos casais brancos alugarem os úteros de mulheres pobres de qualquer raça para a gestação de bebês brancos. Como o parto "destrói" o corpo, a perspectiva de mulheres ricas contratando mulheres pobres para realizar essa deselegante tarefa reprodutiva em seu lugar é iminente. E a cirurgia estética nos dá poucas razões para duvidar de que, quando existir a tecnologia para tal, as mulheres pobres sofrerão pressões para vender materiais corporais verdadeiros — seios, pele, cabelo ou gordura — para servir à reformulação de mulheres ricas, como algumas pessoas atualmente vendem órgãos e sangue. Se isso parecer absurdamente futurista, tente voltar só dez anos atrás e imagine que alguém lhe dissesse que a alteração invasiva em massa dos seios e quadris das mulheres ocorreria tão rápido.

A tecnologia continuará a desestabilizar radicalmente o valor social do corpo feminino. Estão em desenvolvimento produtos para predeterminar o sexo, com taxas de sucesso entre 70% e

O MITO DA BELEZA

80%. Quando esses produtos estiverem à venda, pode-se prever, com base em preferências sexuais registradas no mundo inteiro, que a proporção de mulheres para homens cairá acentuadamente. No futuro próximo, adverte um grupo de cientistas, "as mulheres poderiam ser criadas tendo em vista algumas qualidades especiais, como a passividade e a beleza". Implantes de seios ajustáveis são uma realidade hoje em dia, permitindo que as mulheres se adaptem às preferências de cada parceiro. Os japoneses já aperfeiçoaram uma gueixa-robô em tamanho natural, provida de pele artificial.

Os primeiros sinais de produção em massa do corpo feminino ainda são a exceção. A produção em massa da mente feminina é que está em toda parte. As mulheres são o sexo drogado. Entre 1957 e 1967, o consumo de psicotrópicos (sedativos, tranquilizantes, antidepressivos, moderadores do apetite) aumentou em 80%, e 75% dos consumidores desses medicamentos são do sexo feminino. Em 1979, já eram feitas 160 milhões de receitas de tranquilizantes, mais de 60 milhões apenas para o Valium. Entre 60% e 80% dessas receitas eram para mulheres, e o abuso do Valium é registrado como o problema mais comum com medicamentos atendido nas emergências de hospitais. Hoje em dia, na Grã-Bretanha e nos Estados Unidos é duas vezes maior o número de mulheres do que o de homens que tomam tranquilizantes. É um escândalo no Canadá a prescrição excessiva de tranquilizantes para as mulheres. Em todos os três países, as mulheres são as principais pacientes de eletrochoques, psicocirurgia e medicamentos psicotrópicos.

Essa história recente da mulher como alvo farmacêutico prepara o caminho para "uma nova era de 'cosméticos farmacêuticos'", incluindo-se entre eles a fluoxetina, medicamento antidepressivo da Lilly Industries à espera de aprovação da FDA, que será apresentado ao mercado como uma pílula para perda de peso. *The Guardian* informa que outro produto, a efedrina, semelhante à adrenalina, acelera

A VIOLÊNCIA

o ritmo metabólico. Ainda um terceiro, o DRL26830A, emagrece os pacientes, apesar de induzir "tremores transitórios". Muito embora seja evidente que "existe uma preocupação dentro da indústria farmacêutica de que eles possam criar graves problemas éticos", porta--vozes da indústria já estão preparados para "abrir o campo para usos mais 'cosméticos' do que médicos". As mulheres consomem drogas, segundo um órgão de controle às drogas, mencionado no artigo, "para serem consideradas mais femininas. A mulher 'feminina' [...] é magra, passiva, submissa aos homens e 'não expressa emoções como a raiva, a frustração ou a agressividade'." A nova onda de modificadores do humor de orientação cosmética pode resolver de uma vez por todas o problema das mulheres, à medida que formos nos drogando para entrar num perpétuo estado de alegria, submissão e passividade, bem como de uma esbeltez cronicamente sedada.

Quaisquer que sejam as ameaças do futuro, podemos ter uma boa certeza do seguinte: nós mulheres em nosso estado "cru" ou "natural" continuaremos a ser transferidas da categoria "mulher" para a categoria "feio" e forçadas pela vergonha a aceitar uma identidade física de linha de produção. À medida que cada mulher for cedendo à pressão, essa pressão vai adquirir tal intensidade que se tornará compulsória, até que nenhuma mulher que se preze tenha coragem de aparecer com um rosto sem nenhuma alteração cirúrgica. O mercado livre competirá para retalhar os corpos femininos a preços mais baixos, embora com menos cuidado, oferecendo cirurgias simples em clínicas de liquidação. Numa atmosfera dessas, será apenas uma questão de tempo até que reposicionem o clitóris, suturem a vagina para um ajuste mais perfeito, afrouxem os músculos da garganta e eliminem o reflexo do vômito. Cirurgiões de Los Angeles desenvolveram e implantaram a pele transparente, através da qual os órgãos internos podem ser vistos. Diz uma testemunha, "é o máximo do *voyeurismo*".

A máquina está aí à porta. Será que ela é o futuro?

Para além do mito da beleza

Será que poderemos produzir algum outro futuro, no qual seja ele quem esteja morto e nós, maravilhosamente vivas?

O mito da beleza combateu as novas liberdades das mulheres transpondo diretamente para nosso corpo e nosso rosto os limites sociais impostos à vida da mulher. Em consequência disso, precisamos agora nos fazer as perguntas sobre nosso lugar no nosso corpo, da mesma forma que as mulheres da geração passada questionaram sobre seu lugar na sociedade.

O que é uma mulher? Ela é o que é feito dela? A vida e a experiência de uma mulher têm valor? Se isso é verdade, ela deveria ter vergonha delas? O que há afinal de tão fantástico em ter uma aparência jovem?

A ideia de que o corpo de uma mulher tem fronteiras que não podem ser invadidas é bastante recente. Está evidente que não desenvolvemos essa ideia o suficiente. Podemos ampliá-la? Ou será que as mulheres são o sexo maleável, inatamente adaptado a ser modelado, cortado e submetido à invasão física? O corpo feminino merece a mesma noção de integridade do corpo masculino? Existe uma diferença entre a moda da vestimenta e a moda do corpo das mulheres? Supondo-se que um dia as mulheres pudessem ser alteradas de forma barata, indolor e sem nenhum risco, será isso o que nós devemos desejar? Será que a expressividade da maturidade e da velhice devem se extinguir? Será que não perderemos nada se ela se extinguir?

A identidade de uma mulher representa alguma coisa? Ela deve ser forçada a querer ter a aparência de outra pessoa? Existe algo implicitamente desagradável na textura da carne feminina? As falhas da carne feminina substituem as antigas falhas da mente feminina. Nós mulheres já confirmamos não haver nada de inferior com nossa mente. Será que nosso corpo é mesmo inferior?

E a "beleza" corresponderá realmente ao sexo? A sexualidade de uma mulher tem relação com sua aparência? Ela terá o direito à autoestima e ao prazer sexual por ser uma pessoa, ou deverá conquistá-los através da "beleza", como antes o fazia através do casamento? O que é a sexualidade feminina? Como ela é? Ela tem alguma relação com a forma na qual é representada em imagens comerciais? Ela é algo que as mulheres precisam adquirir como um produto? O que realmente une os homens às mulheres?

Nós mulheres somos bonitas, ou não?

É claro que somos. Mas não acreditaremos nisso como precisamos acreditar se não começarmos a dar os primeiros passos fora dos limites do mito da beleza.

Tudo isso quer dizer que não podemos usar batom sem sentir culpa?

Pelo contrário. Isso significa que temos de separar do mito tudo aquilo que ele cercou e manteve como refém: a sexualidade feminina, os vínculos entre as mulheres, o prazer visual, o prazer sensual em tecidos, formas e cores, enfim, o prazer feminino, puro ou obsceno. Podemos dissolver o mito e sobreviver a ele mantendo o sexo, o amor, a atração e o estilo não só intactos, mas ainda mais vibrantes do que antes. Não estou atacando nada que faça as mulheres se sentirem bem; só o que faz com que nos sintamos mal. Todas nós gostamos de ser desejadas e de nos sentir bonitas.

O MITO DA BELEZA

No entanto, há uns 160 anos, as mulheres ocidentais de classe média vêm sendo controladas por diversos ideais sobre a perfeição feminina. Essa tática antiga e eficaz funcionou tomando o melhor da cultura feminina e anexando a ele as exigências mais repressoras das sociedades dominadas pelos homens. Essas formas de resgate foram impostas ao orgasmo feminino na década de 1920, ao lar, aos filhos e à família na década de 1950, à cultura da beleza na de 1980. Com essa tática, em cada geração nós perdemos tempo debatendo os sintomas com maior paixão do que a doença.

Podemos ver esse padrão da *promoção interesseira de ideais* — eloquentemente salientada na obra de Barbara Ehrenreich e Deirdre English — em toda a nossa história recente. Precisamos atualizá-lo com o mito da beleza, para atingi-lo de uma vez por todas. Se não o fizermos, assim que destruirmos o mito da beleza, uma nova ideologia surgirá em seu lugar. Em essência, o mito da beleza não está ligado à aparência, às dietas, à cirurgia ou aos cosméticos, tanto quanto a Mística Feminina não estava ligada ao serviço doméstico. Ninguém que seja responsável pelos mitos da feminilidade a cada geração realmente se importa com os sintomas.

Os arquitetos da Mística Feminina não acreditavam de verdade que um chão que parecesse um espelho indicasse uma virtude fundamental nas mulheres. Durante minha própria vida, quando a ideia da irregularidade psíquica de origem menstrual foi inabilmente ressuscitada como um último recurso para refrear as exigências do movimento das mulheres, ninguém estava realmente convencido da incapacidade menstrual *por si*. Da mesma forma, o mito da beleza não se importa nem um pouco com o peso das mulheres. Ele não quer saber da textura do cabelo ou da maciez de nossa pele. Nossa intuição nos diz que, se todas voltássemos amanhã para dentro de casa e disséssemos que na verdade não estávamos agindo a sério, que não precisamos dos empregos, da autonomia,

PARA ALÉM DO MITO DA BELEZA

dos orgasmos, do dinheiro, o mito da beleza se afrouxaria de imediato, tornando-se mais confortável.

Essa percepção facilita a visão e a análise das verdadeiras questões por trás dos sintomas. Da mesma forma que o mito da beleza realmente não se importava com nossa aparência desde que nos sentíssemos feias, nós devemos nos certificar de que nossa aparência não tenha a menor importância desde que nos sintamos bonitas.

A verdadeira questão não tem a ver com o fato de nós mulheres usarmos maquiagem ou não, ganharmos peso ou não, nos submetermos a cirurgias ou as evitarmos, nos trajarmos com esmero ou não, transformarmos nosso corpo, rosto e nossas roupas em obras de arte ou ignorarmos totalmente os enfeites. *O verdadeiro problema é nossa falta de opção.*

Sob o domínio da Mística Feminina, praticamente todas as mulheres de classe média estavam condenadas a uma atitude compulsiva com relação à domesticidade, quaisquer que fossem suas inclinações pessoais. Agora que esse sistema foi em grande parte desfeito, aquelas mulheres que têm uma inclinação pessoal para serem donas de casa impecáveis podem segui-la, e aquelas mulheres que têm o mínimo interesse possível nesse tipo de atividade dispõem de um nível (relativo) de opção. Ficamos relaxadas, e o mundo não acabou. Depois que desfizermos o mito da beleza, uma situação semelhante — de uma sensatez tão óbvia, embora tão distante de nossa posição atual — há de caracterizar nossa relação com a cultura da beleza.

O problema com os cosméticos existe somente quando as mulheres se sentem invisíveis ou repreensíveis sem eles. O problema com o trabalho fora de casa existe apenas quando nós nos detestamos se não trabalharmos fora. Quando uma mulher é forçada a se enfeitar para conseguir ser ouvida, quando ela precisa de boa aparência para proteger sua identidade, quando passa fome para manter o emprego, quando precisa conquistar um amante para poder cuidar dos filhos, é exatamente isso o que faz com que a "beleza" doa. Porque o que incomoda as mulheres no mito da beleza não são os enfeites, a expressão da sexualidade, o tempo gasto se arrumando ou o desejo de conquistar alguém. Muitos mamíferos se arrumam, e todas as culturas usam adornos. Não está em questão o que é "natural" ou "não natural". A verdadeira luta é entre a dor e o prazer, a liberdade e a obrigação.

Os trajes e os disfarces serão de uma alegria descontraída quando a mulher tiver o direito a uma identidade sólida como uma rocha. Roupas que realcem a sexualidade feminina não serão nada de especial quando nossa sexualidade estiver sob nosso controle. Quando a sexualidade feminina estiver plenamente afirmada como uma paixão legítima que brota de dentro, para ser dirigida sem nenhum estigma ao objeto escolhido por nosso desejo, as roupas ou o jeito sexualmente expressivo que possamos assumir já não poderão ser usados para nos envergonhar, nos culpar ou nos posicionar como alvo de assédio do mito da beleza.

O mito da beleza propôs às mulheres uma falsa escolha. O que eu serei, *sexy* ou séria? Precisamos rejeitar esse dilema falso e forçado. Considera-se que a sexualidade masculina é intensificada por sua seriedade. Ser ao mesmo tempo uma pessoa séria e um ser sexual é ser inteiramente humano. Vamos nos voltar contra aqueles que nos oferecem esse pacto do diabo e nos recusar a acreditar que, ao escolher um aspecto do eu, devemos por isso abdicar do outro. Num mundo em que as mulheres tenham escolhas verdadeiras, as escolhas que fizermos a respeito de nossa aparência serão afinal consideradas o que realmente são: nada de mais.

Nós mulheres poderemos nos enfeitar despreocupadamente com objetos bonitos quando não houver nenhuma questão de *nós*

PARA ALÉM DO MITO DA BELEZA

sermos objetos ou não. Estaremos livres do mito da beleza quando pudermos optar por usar nosso corpo, nosso rosto e nossas roupas simplesmente como uma forma de expressão em meio a toda uma gama de outras. Podemos nos vestir bem para nosso prazer, mas devemos defender nossos direitos em voz alta.

Muitos escritores tentaram lidar com os problemas da fantasia, do prazer e do charme, expulsando-os da utopia feminina. Mas o charme é apenas uma demonstração da capacidade do ser humano de se encantar, e não é basicamente destrutivo. Nós precisamos dele, só que redefinido. Não podemos dispersar uma religião exploradora com o ascetismo; ou a má poesia, com poesia nenhuma. Só podemos combater o prazer doloroso com o puro prazer.

Não sejamos ingênuas, porém. Estamos tentando criar novos significados para a beleza num ambiente que não quer que escapemos impunes. Para termos a aparência que quisermos ter — e sermos ouvidas como merecemos ser — precisaremos de nada mais nada menos do que uma terceira onda do feminismo.

A FALA

O problema com qualquer debate sobre o mito da beleza está no reflexo sofisticado que ele usa. Praticamente qualquer mulher que tente levantar essas questões é punida por ele através do exame minucioso de sua aparência. É surpreendente observar como é meticulosa nossa compreensão dessa punição implícita. Sabemos bem como ela funciona num típico beco sem saída do mito da beleza: não importa qual seja a aparência de uma mulher, ela será usada para prejudicar o que a mulher estiver dizendo e fará com que as observações que ela faça a respeito de aspectos do mito da beleza na sociedade sejam consideradas problemas pessoais dela.

O MITO DA BELEZA

Infelizmente, como a mídia costuma descrever a aparência das mulheres de uma forma que trivializa ou deprecia o que elas estejam dizendo, as mulheres que estão lendo ou assistindo à televisão costumam ser dissuadidas de se identificar com outras mulheres no contexto público — o objetivo antifeminista máximo do mito da beleza. Sempre que rejeitamos uma mulher na televisão ou na imprensa, ou não prestamos atenção ao que diz, porque nossa atenção foi distraída por seu tamanho, sua maquiagem, suas roupas ou seu penteado, o mito da beleza está operando com a máxima eficiência.

Para uma mulher se tornar reconhecida, ela precisará encarar a sujeição a um escrutínio físico invasivo, no qual por definição, como vimos, nenhuma mulher consegue se sair bem. Para uma mulher falar sobre o mito da beleza (como sobre outras questões das mulheres em geral), *não existe nenhuma aparência correta que ela possa ter.* Não há uma atitude neutra ou despercebida que se permita às mulheres nessas horas. Elas são consideradas ou "feias" demais ou "bonitas" demais para que se acredite no que dizem. Esse reflexo está funcionando bem sob o aspecto político. Hoje em dia, muitas mulheres, quando falam nas razões pelas quais não se envolvem mais em movimentos e grupos centrados na mulher, elas muitas vezes focalizam diferenças que não são programáticas ou de visão de mundo, mas de estética e estilo pessoal. Se tivermos sempre em mente as origens antifeministas e o objetivo reacioná-rio desse direcionamento da atenção, poderemos frustrar o mito. Se rejeitarmos a afirmação insistente de que a aparência de uma mulher *é seu discurso,* se ouvirmos umas às outras fora dos limites do mito da beleza, isso já será um passo político à frente.

A CULPA

A culpa é o que alimenta o mito da beleza. Para desmontá-lo, tratemos de nos recusar para sempre a culpar a nós mesmas e a outras mulheres pelo que ele, com sua força imensa, vem tentando fazer. A mudança mais importante que devemos ter como objetivo consiste na seguinte atitude: quando, no futuro, alguém tentar usar o mito da beleza contra nós, nós não mais olharemos no espelho para ver o que fizemos de errado. Nós mulheres poderemos nos organizar quanto à discriminação no emprego com base na aparência, somente quando examinarmos as reações comuns a essas queixas ("Ora, por que você estava usando aquele suéter justo demais?" "E então, por que não faz alguma coisa para mudar?") e as rejeitarmos. Não poderemos erguer a voz contra o mito enquanto não acreditarmos profundamente que não há nada de objetivo na forma pela qual o mito atua — que quando nós mulheres somos chamadas de feias demais ou bonitas demais para fazer aquilo que desejamos fazer, isso não tem nada a ver com nossa aparência. Nós mulheres podemos reunir a coragem para falar sobre o mito em público se tivermos em mente que as críticas ou os elogios a nossa aparência nunca faltarão. Em tudo isso não há nada de pessoal; é tudo de natureza política.

As reações de reflexo que surgiram para nos calar sem dúvida aumentarão de intensidade. "Para você é fácil dizer isso." "Você é bonita demais para ser feminista." "Não é de admirar que ela seja feminista. Olha só para ela." "O que é que ela espera, vestida daquele jeito?" "É nisso que dá a vaidade." "O que faz você pensar que estavam assoviando para você?" "Que roupa ela estava usando?" "Vai sonhando" "Não se engane." "Já não há desculpa para uma mulher aparentar a idade que tem." "Quem desdenha quer" "Uma piranha." "Uma desmiolada." "Ela está se mostrando para ver o que consegue." Ao reconhecermos essas reações pelo que realmente são, pode se tornar mais fácil encarar os elogios ou os insultos coercitivos, ou os dois, e fazer algumas cenas há muito proteladas.

A tarefa será difícil. Falar sobre o mito da beleza toca num nervo que, para a maioria de nós, em algum nível está muito exposto. Precisaremos ter compaixão por nós mesmas e por outras mulheres com relação a nossos fortes sentimentos acerca da "beleza" e ter muita delicadeza com esses sentimentos. Se o mito da beleza é uma religião, é porque nós mulheres sentimos falta de rituais que nos incluam; se ele é um sistema econômico, é porque ainda recebemos salários injustos; se ele é a sexualidade, é porque a sexualidade feminina ainda é um continente desconhecido; se ele é uma guerra, é porque são negados a nós mulheres meios de nos vermos como heroínas, intrépidas, estoicas e rebeldes; se ele é a cultura das mulheres, é porque a cultura dos homens ainda nos oferece resistência. Quando reconhecermos que o mito é poderoso por ter se apossado de tanto do que de melhor havia na consciência feminina, poderemos voltar as costas a ele para observar com maior clareza tudo que ele vem tentando substituir.

UMA TERCEIRA ONDA DO FEMINISMO

E é essa nossa situação. O que podemos fazer?

Devemos acabar com a QBP; apoiar a sindicalização da mão de obra feminina; transformar em pontos para negociação trabalhista a coação à "beleza", a discriminação pela idade, as condições insalubres de trabalho, como, por exemplo, a cirurgia forçada, e os dois pesos, duas medidas em questões de aparência. As mulheres na televisão e em outras profissões altamente discriminatórias devem se organizar para ondas e mais ondas de processos. Devemos insistir

PARA ALÉM DO MITO DA BELEZA

em que entrem em vigor normas igualitárias para a vestimenta, respirar fundo e contar nossas histórias.

Muitas vezes se diz que devemos fazer com que a moda e a propaganda nos incluam, mas esse é um engano perigosamente otimista com relação à forma pela qual o mercado funciona. A propaganda direcionada às mulheres opera através da depreciação da autoestima. Se ela estimular nossa autoestima, não será eficaz. Vamos abandonar essa esperança de que o código da beleza venha a nos incluir totalmente. Ele não o fará, porque, se o fizer, terá perdido sua função. Enquanto a definição da "beleza" vier de fora das mulheres, nós continuaremos a ser manipuladas por ela.

Nós reivindicamos a liberdade de envelhecer e manter nossa sexualidade, mas ela acabou se cristalizando na condição de envelhecer "permanecendo jovem". Começamos a usar roupas confortáveis, e o desconforto migrou para se instalar em nosso corpo. A beleza "natural" dos anos 1970 se tornou o próprio símbolo. A beleza "saudável" dos anos 1980 criou uma epidemia de novas doenças, e "a força como beleza" nos escravizou a nossos músculos. Esse processo continuará a cada esforço que as mulheres façam no sentido de reformular o código da beleza até que transformemos radicalmente nossa relação com ele.

O mercado não está aberto a atividades conscientizadoras. É um desperdício de energia atacar as imagens do mercado. Tendo em vista a história recente, elas iriam acabar tendo a evolução que tiveram.

Embora não possamos atingir as imagens de forma direta, podemos extinguir sua força. Podemos lhes virar as costas, olhar umas para as outras e descobrir imagens alternativas da beleza numa subcultura feminina; podemos procurar peças, músicas, filmes que iluminem as mulheres em três dimensões; descobrir biografias de mulheres, a história das mulheres, as heroínas que a cada geração são enterradas e esquecidas; preencher as lacunas terríveis e "lindas". Podemos nos erguer, a nós mesmas e a outras mulheres, para escapar do mito, mas só se estivermos dispostas a procurar alternativas, dar apoio a elas e realmente examiná-las.

Como nossa paisagem imaginária se desbota num tom de cinza quando tentamos pensar para além do mito, nós mulheres precisamos de ajuda cultural para imaginar o caminho livre. Durante a maior parte de nossa história, a representação das mulheres, de nossa sexualidade e de nossa verdadeira beleza não esteve em nossas mãos. Depois de apenas vinte anos do grande avanço, tempo durante o qual nós procuramos definir as coisas por nós mesmas, o mercado, mais influente do que qualquer artista solitário, apoderou-se da definição de nosso desejo. Devemos permitir que imagens de ódio à mulher utilizem nossa sexualidade por seus royalties? Precisamos insistir em criar cultura a partir de nosso desejo; criar quadros, romances, peças e filmes poderosos, sedutores e autênticos o suficiente para derrubar e superar a Donzela de Ferro. Vamos expandir nossa cultura para isolar o sexo com relação à Donzela de Ferro.

Ao mesmo tempo, teremos de nos lembrar de como nossa cultura de massa é rigorosamente censurada pelos anunciantes de produtos de beleza. Enquanto o horário nobre da televisão e a imprensa em geral dirigida às mulheres forem sustentados pelos anunciantes de produtos de beleza, a síntese de como as mulheres aparecem na cultura de massa será ditada pelo mito da beleza. Sem que haja diretrizes, está implícito que raramente serão criadas histórias que focalizem com admiração uma mulher "não produzida". Se pudéssemos ver uma mulher de 60 anos que aparenta sua idade apresentando um telejornal, uma grande brecha se abriria no mito da beleza. Enquanto isso, deixemos bem claro que o mito governa as ondas televisivas *somente* porque os produtos desse processo compram o espaço de propaganda.

PARA ALÉM DO MITO DA BELEZA

Finalmente, podemos manter sempre aguçado nosso faro analítico, prestando atenção às formas pelas quais a Donzela de Ferro pode afetar o modo como vemos e absorvemos suas imagens, e como reagimos a elas. Com essa conscientização, rapidamente elas passam a ter a aparência do que realmente são — ou seja, bidimensionais. Elas simplesmente perdem o efeito que exerciam. Somente quando se tornarem entediantes para nós, elas evoluirão de forma a se *adaptarem* à transformação na mentalidade das mulheres. Um anunciante não tem como influir numa apresentação se não houver ninguém assistindo. Numa reação ao tédio enorme por parte das mulheres, os criadores da cultura serão forçados a apresentar imagens tridimensionais de mulheres a fim de nos envolver de novo. Por meio de nosso repentino desinteresse pela Donzela de Ferro, podemos provocar o surgimento de uma cultura que realmente nos trate como pessoas.

Na transformação do ambiente cultural, as mulheres que trabalham na mídia em geral representam uma vanguarda decisiva. Já ouvi muitas mulheres do ramo expressando sua frustração diante dos limites que restringem o tratamento de questões do mito da beleza. Muitas se queixam de uma impressão de isolamento com relação à ampliação desses limites. Talvez o debate renovado em termos mais políticos acerca do mito da beleza na mídia, e a gravidade de suas consequências, venha a forjar novas alianças em apoio àquelas mulheres na imprensa, na televisão e no rádio que estão ansiosas por combater o mito da beleza bem no meio do fogo cruzado.

Quando formamos uma contracultura pessoal com imagens significativas da beleza, a Donzela de Ferro rapidamente começa a dar uma impressão de violência indesejável. Outras formas de visão começam a nos ocorrer.

"Rosemary Fell não era exatamente linda. Não, não se poderia chamá-la de linda. Bonitinha? Bem, se a analisássemos por partes

O MITO DA BELEZA

[...]. Mas por que ser tão cruel ao ponto de dissecar uma pessoa?" (Katherine Mansfield); "Para Lily, a beleza parecia algo sem sentido, já que não lhe trazia nada no tocante a paixão, soltura, companheirismo ou intimidade[...]" (Jane Smiley); "Ela era de uma beleza espantosa. [...] A beleza tinha esse preço — chegava pronta demais, perfeita demais. Imobilizava a vida, como que paralisada. Eram esquecidas as pequenas agitações, o enrubescimento, a palidez, alguma estranha deformação, alguma luz ou sombra que tornava o rosto irreconhecível por um instante enquanto lhe acrescentava alguma qualidade que dali em diante seria vista para sempre. Era mais simples ocultar tudo isso sob o disfarce da beleza" (Virginia Woolf); "Se existe alguma coisa por trás de um rosto, esse rosto melhora com a idade. As rugas revelam personalidade e distinção. Elas mostram que se viveu, que se pode ter aprendido alguma coisa." (Karen de Crow); "Embora ela agora estivesse com mais de 50 anos [...] era fácil acreditar em tudo que se ouvira sobre as paixões que inspirara. As pessoas que foram muito amadas mantêm, mesmo na velhice, uma qualidade radiante, difícil de descrever mas inconfundível. Até uma pedra sobre a qual o sol brilhou o dia inteiro guarda o calor após o anoitecer [...] esse fulgor agradável." (Dame Ethel Smyth).

O culto à beleza demonstra uma carência espiritual de rituais e ritos de passagem femininos. Precisamos desenvolver e elaborar rituais femininos melhores para preencher o vazio. Poderemos criar entre amigas e entre redes de amigas novos ritos e comemorações frutíferas que celebrem o ciclo da vida da mulher? Já temos chás de bebê e chás de cozinha, mas o que dizer da purificação, da confirmação, da cura e de cerimônias de renovação pelo parto, pela primeira menstruação, pela perda da virgindade, formatura, primeiro emprego, casamento, pela recuperação depois de uma decepção ou de um divórcio, por um mestrado ou doutorado, pela

PARA ALÉM DO MITO DA BELEZA

menopausa? Qualquer que seja a forma orgânica que esses ritos assumam, precisamos de comemorações diferentes e positivas, não negativas, para balizar o ciclo da vida da mulher.

Para proteger nossa sexualidade do mito da beleza, podemos acreditar na importância de a tratarmos, alimentarmos, cuidarmos como se fosse um bichinho ou uma criança. A sexualidade não é inerte nem determinada, mas, como um ser vivo, muda com aquilo de que se nutre. Podemos evitar imagens gratuitamente violentas ou exploradoras do sexo; e, quando nos depararmos com elas, podemos pedir a nós mesmas que a encaremos pelo que são. Podemos selecionar aqueles sonhos e visões que incluam uma sexualidade livre de exploração ou de violência; e tentar prestar a mesma atenção ao que nossa imaginação consome que agora prestamos ao que nosso corpo consome.

Pode ser difícil visualizar um erotismo de qualidade hoje em dia. Estudos sobre a sexualidade tendem a estancar diante da hipótese de que a sexualidade não tem como evoluir. Para a maioria das mulheres, porém, fantasias de coisificação ou de violência são aprendidas superficialmente através de uma fina camada de imagens. Em minha opinião, essas fantasias podem sofrer o processo inverso com a mesma facilidade, pela reversão consciente de nosso condicionamento — com a insistência na associação do prazer à reciprocidade. Nossas ideias a respeito da beleza sexual estão abertas a mais transformações do que percebemos.

Especialmente para a geração anoréxica/pornográfica, precisamos de uma reaproximação radical com a nudez. Muitas mulheres já descreveram a grande revelação que se segue a até mesmo apenas uma experiência de nudez coletiva entre mulheres. Esta é uma sugestão fácil de ser ridicularizada, mas a maneira mais rápida de se desmistificar a Donzela de Ferro nua é através da promoção de retiros, festivais, excursões que incluam a nudez coletiva — seja na

O MITO DA BELEZA

natação, banhos de sol, saunas, seja em repouso livre. Os grupos de homens, desde as associações acadêmicas até os clubes de atletismo, compreendem o valor, a sensação de coesão e de estima pelo próprio sexo gerados por esses momentos. Uma única revelação da beleza de nossa infinita variedade vale mais do que as palavras. Uma única experiência dessas é, especialmente para uma jovem, forte o suficiente para que ela desminta a Donzela de Ferro.

Quando nos deparamos com o mito, as perguntas que devemos fazer não são a respeito do rosto e do corpo das mulheres, mas a respeito das relações de poder da situação. Quem se beneficia com isso? Quem determina? Quem lucra? Qual é o contexto? Quando alguém comenta a aparência de uma mulher em sua presença, ela pode se perguntar se isso é da conta dessa pessoa; se as relações de poder são equiparáveis; se ela se sentiria bem retribuindo com o mesmo tipo de comentário pessoal.

Chama-se muito mais vezes a atenção da mulher para sua aparência por algum motivo político do que por ser ela um componente da atração e do desejo genuínos. Podemos aprender a melhorar nossa capacidade de distinguir a diferença — o que é em si um exercício de liberação. Não precisamos condenar o desejo, a sedução ou a atração física — qualidade muito mais democrática e subjetiva do que o mercado quer que descubramos. Precisamos, apenas, rejeitar a manipulação de natureza política.

A ironia está no fato de uma beleza maior prometer aquilo que só uma solidariedade feminina mais ampla pode realizar. O mito da beleza pode ser derrotado para sempre por meio do ressurgimento enérgico do ativismo político, centrado nas mulheres, da década de 1970 — uma terceira onda do feminismo — atualizada de forma a assumir as novas questões da década de noventa. Nesta década, em especial para as mulheres jovens, alguns dos inimigos estão mais calados, mais espertos e mais difíceis de ser apanhados. Para

PARA ALÉM DO MITO DA BELEZA

alistar mulheres jovens, precisaremos definir nossa autoestima em termos políticos; classificá-la, lado a lado com o dinheiro, empregos, creches, segurança, como um recurso vital para as mulheres que é *deliberadamente* mantido em níveis inferiores aos da procura.

Não estou dizendo que tenho pronto um plano de ação. Sei apenas que alguns dos problemas mudaram. Cheguei à convicção de que há milhares de jovens prontas e dispostas para juntar forças a uma terceira onda feminista entre iguais, que, ao lado das clássicas reivindicações feministas, assumiria os novos problemas originados da transformação do *zeitgeist* e da reação do sistema contra o feminismo. O movimento precisaria lidar com as ambiguidades da assimilação. As jovens revelam sensações de pavor e isolamento no interior do sistema, ao contrário de se sentirem iradas e unidas do lado de fora dele, e essa distinção faz sentido segundo a ótica da reação do sistema. A melhor forma de deter uma revolução é dar às pessoas algo a perder. Seria necessário dar conotação política aos transtornos alimentares, ao relacionamento extraordinariamente intenso das jovens com as imagens e à influência dessas imagens sobre sua sexualidade. Seria preciso convencê-las de que não se tem muito direito sobre o próprio corpo quando não se pode comer. Seria necessário analisar a propaganda antifeminista herdada por essas jovens e lhes dar instrumentos para não se deixarem enganar por ela, incluindo-se argumentos como este, para enxergar o que ela esconde. Embora transmitisse intacta a tradição do feminismo, essa terceira onda precisaria ser, como todas as ondas do feminismo, um movimento de base. Por mais sábio que seja o conselho da mamãe, nós sempre ouvimos as colegas, nossas iguais. Ela teria de incluir em seu projeto comemorações alegres, expansivas, barulhentas, em igual proporção com o trabalho sério e o esforço renhido. Tudo isso pode começar a partir da rejeição da mentira perniciosa que está paralisando as jovens; a mentira chamada de pós-feminismo, a

O MITO DA BELEZA

santa esperança de que todas as batalhas foram ganhas. Essa palavra assustadora está fazendo com que as jovens que se deparam com os mesmos velhos problemas mais uma vez ponham a culpa em si mesmas — já que tudo foi acertado, não foi? Ela as priva das armas da teoria e faz com que se sintam sós de novo. Jamais falamos com complacência da era pós-democrática. Sabemos que a democracia é um ser vivo e vulnerável que todas as gerações precisam renovar. O mesmo vale para aquele aspecto da democracia representado pelo feminismo. Passemos, portanto, adiante.

Nós aprendemos a ansiar pela "beleza" em sua forma contemporânea porque estávamos descobrindo ao mesmo tempo que a luta feminista ia ser muito mais difícil do que supúnhamos. A ideologia da "beleza" era um atalho que prometia a nós, agitadoras, um placebo histórico: que poderíamos ser confiantes, valorizadas, ouvidas com atenção, respeitadas e que poderíamos fazer exigências sem medo. (Na realidade, é duvidoso que a "beleza" fosse o verdadeiro desejo. Nós mulheres podemos querer a "beleza" para termos condição de voltar para dentro de nosso corpo e ansiamos pela perfeição para podermos esquecer essa coisa toda. A maioria das mulheres, no íntimo, se lhes fosse dada a escolha, preferiria um eu sexual e corajoso e não a imposição de um Outro eu lindo e genérico.)

Os textos dos anúncios de produtos de beleza prometem esse tipo de coragem e liberdade — "Trajes de praia para as belas e corajosas"; "Uma aparência nova, destemida"; "Um destemor natural"; "Pensamento radical"; "Asas da Liberdade — para a mulher que não tem medo de abrir a boca e se destacar". Essa coragem e confiança não se concretizarão enquanto não pudermos nos apoiar nos ganhos materiais que só podem ser alcançados quando considerarmos as outras mulheres como nossas aliadas e não como nossas concorrentes.

PARA ALÉM DO MITO DA BELEZA

A década de 1980 tentou nos subornar com promessas de soluções individuais. Chegamos ao limite do que pode ser feito em prol do progresso feminino pela versão individualista do mito da beleza, e ele não é suficiente. Seremos, para sempre, 2% dos executivos de alto nível, 5% dos professores catedráticos e 5% dos sócios majoritários se não nos unirmos para essa próxima grande investida. É óbvio que malares proeminentes e bustos mais firmes não nos proporcionarão o que precisamos para ter visibilidade e confiança de verdade. Somente um compromisso renovado com os aspectos básicos do progresso político feminino — com programas de creches, leis antidiscriminatórias eficazes, licença-maternidade, controle da reprodução, salários justos e penas genuínas por violência sexual — suprirá essa necessidade. Não teremos tudo isso enquanto não nos identificarmos com os interesses das outras mulheres, e não permitirmos que nossa solidariedade natural supere os obstáculos à organização originados pela rivalidade e competição provocadas artificialmente em nós pela reação do sistema contra o feminismo.

A terrível verdade é que, mesmo que o mercado promova o mito, ele não teria poder algum se as mulheres não o utilizassem umas contra as outras. Para qualquer mulher poder superar o mito, ela precisará do apoio de muitas mulheres. A mudança mais difícil, porém mais necessária, não virá dos homens nem da mídia, mas das mulheres — da forma pela qual encaramos as outras mulheres e nos comportamos com relação a elas.

COLABORAÇÃO ENTRE GERAÇÕES

Os vínculos entre as gerações de mulheres precisam ser refeitos se quisermos todas nos salvar do mito da beleza e salvar o avanço das mulheres de seu destino histórico — o da periódica reinvenção

O MITO DA BELEZA

da roda. Gill Hudson, editora de *Company,* revela a extensão da influência da reação do sistema contra o feminismo entre as jovens. Ela declara que as mulheres jovens "não querem de forma alguma ser conhecidas como feministas" porque "o feminismo não é considerado *sexy*". Seria triste e absurdo que as mulheres do futuro próximo tivessem de lutar de novo as mesmas batalhas de antes, desde o início, só por causa do isolamento entre as mais novas e as mais velhas. Seria patético se as jovens tivessem de começar tudo de novo por termos sido enganadas por uma campanha pouco original que nos últimos vinte anos descreveu o movimento das mulheres como "desinteressante sob o aspecto sexual", campanha esta que tinha como objetivo ajudar as jovens a esquecer, para começar, quem lutou para que o sexo fosse *sexy*.

Como as jovens não serão encorajadas por nossas instituições a estabelecer essas relações, só poderemos superar o mito se explorarmos ativamente modelos mais úteis do que os que as revistas femininas nos fornecem. Temos uma urgente necessidade de contato entre as gerações. Precisamos ver o rosto das mulheres que possibilitaram nossa liberdade. Elas precisam ouvir nosso agradecimento. As mulheres jovens vivem perigosamente "sem mãe", sem proteção, sem orientação, sob o ponto de vista institucional, e precisam de modelos e mentoras. O trabalho e a experiência das mulheres mais velhas ganham abrangência e influência quando transmitidos a alunas, aprendizes, *protégées*. No entanto, as duas gerações terão de resistir a impulsos que se entranharam de fora para dentro contra a colaboração entre as gerações. Se somos jovens, estamos bem treinadas para evitar a identificação com as mulheres mais velhas. Se somos mais velhas, tendemos a ser um pouco rigorosas com as mais novas, encarando-as com impaciência e desdém. O mito da beleza foi projetado artificialmente para lançar as gerações das mulheres

PARA ALÉM DO MITO DA BELEZA

umas contra as outras. Nosso fortalecimento consciente desses vínculos devolve a nosso ciclo vital a integridade que o mito da beleza desejaria impedir que descobríssemos.

DIVIDIR E CONQUISTAR

O fato é que as mulheres, na realidade, não oferecem perigo umas às outras. Fora dos limites do mito, as outras mulheres dão uma boa impressão de ser aliadas naturais. Para que as mulheres aprendessem a se temer mutuamente, tivemos de ser convencidas de que nossas irmãs possuem alguma arma secreta, misteriosa e poderosa que será usada contra nós — sendo essa arma imaginária a "beleza".

A essência do mito — e motivo pelo qual ele foi tão útil no combate ao feminismo — está em sua capacidade de dividir. É possível vê-la e ouvi-la por toda parte. "Não me odeie por eu ser linda" (L'Oréal). "Eu realmente detesto minha professora de aeróbica. Acho que o ódio é uma boa motivação." "Você a odiaria. Ela tem de tudo." "As mulheres que saem lindas da cama realmente me irritam." "Você não odeia as mulheres que podem comer dessa forma?" "Nenhum poro. Chega a dar enjoo." "Alta, loira. Você não sente vontade de matá-la?" A rivalidade, o ressentimento e a hostilidade provocados pelo mito da beleza são profundos. É comum que irmãs se lembrem com mágoa de uma ser designada "a bonita". Muitas mães têm dificuldades de encarar o crescimento das filhas. A inveja entre as melhores amigas é uma cruel realidade do amor feminino. Mesmo mulheres que são amantes descrevem uma competição pela beleza. É doloroso para as mulheres falarem da beleza porque, sob o domínio do mito, o corpo de uma mulher é usado para magoar uma outra. Nosso rosto e nosso corpo se transformam em instrumentos para castigar outras mulheres,

O MITO DA BELEZA

muitas vezes usados sem nosso controle e contra nossa vontade. Atualmente, a "beleza" é um sistema econômico no qual algumas mulheres descobrem que o "valor" de seu rosto e de seu corpo entra em choque com o de outras mulheres, a contragosto. Essa comparação constante, na qual o valor de uma mulher flutua por meio da presença de uma outra, divide e conquista. Ela força as mulheres a uma crítica penetrante das "escolhas" que outras mulheres fazem com relação à aparência. Só que esse sistema que lança as mulheres umas contra as outras não é inevitável.

Para superar essa tendência à divisão, as mulheres terão de destruir um grande número de tabus que proíbem que se fale dela, incluindo aquele que não permite que as mulheres falem do lado escuro de ser tratada como um belo objeto. Em meio a dezenas de mulheres a quem ouvi, fica claro que a intensidade da dor que uma dada mulher sofre através do mito da beleza não tem absolutamente nenhuma relação com sua aparência em comparação com um ideal cultural. (Nas palavras de uma famosa modelo de moda: "Quando saí na capa da *Vogue* italiana, todos me disseram como eu estava linda. Eu só pensava 'Não posso acreditar que não estejam vendo todas aquelas rugas'.") As mulheres que encarnam a Donzela de Ferro podem ser vítimas do mito tanto quanto as que são submetidas a suas imagens. O mito pede às mulheres que sejam ao mesmo tempo cegamente hostis à "beleza" nas outras mulheres e cegamente invejosas dessa mesma "beleza". Tanto a hostilidade quanto a inveja beneficiam o mito e prejudicam todas as mulheres.

Enquanto a mulher "linda" fica por um curto período no topo do sistema, é claro que isso está longe de ser o divino estado de graça que o mito divulga. O prazer gerado por uma mulher se transformar em um objeto de arte vivo, o ruído nos ouvidos e o delicado borrifo da admiração na superfície da pele, é um certo tipo de poder, especialmente quando o poder está em falta. Ele não

PARA ALÉM DO MITO DA BELEZA

é muito, porém, se for comparado ao prazer de voltar para sempre para dentro do próprio corpo; o prazer de descoberta do orgulho sexual, a alegria de uma sexualidade feminina comum que destrói as divisões da "beleza"; o prazer de despir o constrangimento, o narcisismo e a culpa como se fossem uma cota de malha; o prazer da liberdade de esquecer isso tudo.

Somente então as mulheres serão capazes de falar sobre o que a "beleza" realmente envolve: a atenção de pessoas desconhecidas, prêmios pelo que não fizemos, sexo com homens que querem nos alcançar como se fôssemos um troféu, hostilidade e ceticismo por parte das outras mulheres, a adolescência que se amplia além de seus limites, o envelhecimento cruel e uma luta longa e árdua em busca da identidade. Aprenderemos, também, que o que é bom em relação à "beleza" — a promessa da confiança, da sexualidade e do amor-próprio de uma individualidade saudável — consiste realmente em qualidades que não têm nada a ver com a "beleza" em si, mas que todas as mulheres merecem e, à medida que o mito for sendo desfeito, estarão à disposição de todas elas. O melhor que a "beleza" oferece nos pertence de direito por sermos mulheres. Quando separarmos a "beleza" da sexualidade, quando festejarmos a individualidade de nossas feições e de nossas características, te-remos acesso a um prazer em nosso corpo que nos una em vez de nos dividir. O mito da beleza terá ficado no passado.

Entretanto, enquanto continuarmos censurando umas nas ou-tras as verdades acerca de nossas experiências, a "beleza" perma-necerá mistificada e ainda mais útil para aqueles que desejam nos controlar. A realidade inaceitável é a de vivermos sob um sistema de castas. Ele não é inato e permanente; não se baseia no sexo, em Deus ou em Jesus Cristo. Ele pode e deve ser transformado. A situação está fechando o cerco, e já não sobra muito tempo para adiar a conversa.

O MITO DA BELEZA

Quando a conversa começar, as barreiras artificiais do mito passarão a se desfazer. Saberemos que, só porque uma mulher tem uma bela aparência, isso não quer dizer que ela se sinta assim; e ela pode se sentir linda, sem dar essa impressão ao primeiro olhar. Mulheres magras podem se sentir gordas; as jovens um dia envelhecerão. Quando uma mulher olha para outra, ela não tem a menor possibilidade de saber qual é a imagem íntima que aquela mulher faz de si mesma. Embora desperte inveja por aparentar estar no controle da situação, ela pode estar passando fome. Embora ela transborde das roupas, pode estar invejavelmente satisfeita sob o aspecto sexual. Uma mulher pode ser corpulenta por ter uma autoestima elevada ou baixa demais. Ela pode cobrir o rosto com maquiagem pelo desejo de paquerar escandalosamente ou pelo desejo de se esconder. Todas as mulheres já passaram pela experiência de serem tratadas relativamente bem ou mal de acordo com sua cotação do dia. Embora isso gere enorme confusão no sentido de identidade de uma mulher, também significa que as mulheres em geral têm acesso a um leque de experiências muito mais amplo do que a "beleza" fotografada nos levaria a crer. Podemos acabar descobrindo que a forma pela qual interpretamos as aparências hoje em dia nos diz pouco, e que temos, independentemente de nossa aparência, o mesmo espectro de sentimentos: às vezes agradáveis, às vezes desagradáveis, sempre femininos, numa integração comum que supera as grades infinitas que o mito da beleza tenta criar entre nós.

As mulheres culpam os homens por olhar sem escutar. Mas nós fazemos o mesmo; talvez ainda mais do que eles. Temos de parar de interpretar a aparência umas das outras como se a aparência fosse uma linguagem, um compromisso político, valor ou agressão. É muitíssimo possível que o que uma mulher queira dizer *às outras* seja muito mais complexo e cheio de compreensão do que a mensagem truncada que sua aparência lhe permite transmitir.

PARA ALÉM DO MITO DA BELEZA

Comecemos com uma reinterpretação da "beleza" que negue *a competição, a hierarquia e a violência*. Por que motivo o orgulho e o prazer de uma mulher têm de representar a dor para outra mulher? Os homens somente entram em competição no campo sexual quando estão concorrendo nesse campo, mas o mito coloca as mulheres em competição "sexual" em qualquer situação. É rara a competição por um parceiro sexual específico. Como geralmente não se trata de uma competição "pelos homens", ela não é inevitável do ponto de vista biológico.

Nós mulheres competimos assim "pelas outras mulheres" em parte por sermos devotas da mesma seita e em parte para preencher, mesmo que temporariamente, o buraco negro criado pelo mito já de início. A concorrência hostil pode muitas vezes comprovar o que a atual organização sexual reprime: nossa atração física mútua. Se redefinirmos a sexualidade de forma a afirmar a atração que existe entre nós, o mito já não nos atingirá. A beleza das outras mulheres não será uma ameaça ou um insulto, mas um prazer e uma homenagem. Nós poderemos nos vestir e nos adornar sem medo de magoar e trair outras mulheres, ou de sermos acusadas de falsas lealdades. Poderemos, então, nos enfeitar para festejar o prazer compartilhado do corpo feminino, agindo assim "para as outras mulheres", numa oferta positiva, e não negativa, do eu.

Quando nos permitirmos a vivência dessa atração física, o mercado não mais poderá lucrar com sua representação dos desejos dos homens. Nós, sabendo em primeira mão que a atração por outras mulheres assume muitas formas, já não acreditaremos que as qualidades que nos tornam desejáveis sejam um mistério lucrativo.

Através da transformação de nossos preconceitos mútuos, teremos os meios para dar início a uma vivência da beleza sem competição. A "outra mulher" é representada pelo mito como um perigo desconhecido. "Venha conhecer a outra mulher", diz uma propaganda de tintura para cabelos da Wella, referindo-se à imagem que a mulher terá "depois". A ideia é que a "beleza" transforma essa outra mulher — mesmo nossa própria imagem idealizada — num ser tão desconhecido que se torna necessária uma apresentação formal. É uma expressão que sugere ameaças, amantes, glamorosas destruidoras de relacionamentos.

Destruímos o efeito do mito quando abordamos a Outra Mulher desconhecida. Como nossas experiências comuns da demonstração de interesse se originam na maioria das vezes de homens reagindo a nossa beleza, não é de surpreender que mulheres que nos observam em silêncio possam nos ser apresentadas como antagonistas.

Podemos diluir essa suspeita e essa distância. Por que não devemos ser galantes, gentis e sedutoras umas com as outras? Vamos nos encantar mutuamente com um pouco daquela atenção esfuziante que com muita frequência reservamos exclusivamente para os homens: vamos nos elogiar umas às outras, demonstrar nossa admiração. Podemos entrar em contato com a Outra Mulher — olhar em seus olhos, dar-lhe uma carona quando ela pede, abrir a porta quando está difícil para ela. Quando nos aproximamos na rua e damos, ou recebemos, aquele olhar defensivo, desconfiado, da cabeça aos pés, e se deixássemos nossos olhos encarar os da outra? E se déssemos um sorriso?

Esse movimento no sentido de uma visão da beleza sem competição já está avançando. O mito sempre negou às mulheres a honra. Aqui e ali, as mulheres estão elaborando códigos de honra que as protejam dele. Nós nos abstemos de críticas fáceis. Nós nos derramamos em elogios autênticos. Evitamos elegantemente situações em que nossa beleza esteja sendo usada para prejudicar outras mulheres. Recusamo-nos a lutar por uma atenção masculina qualquer. Uma candidata ao título de Miss Califórnia em 1989 tira de seu maiô uma flâmula que diz: OS CONCURSOS DE BELEZA

PARA ALÉM DO MITO DA BELEZA

PREJUDICAM TODAS AS MULHERES. Uma atriz de cinema conta que, ao fazer uma cena de nudez, recusou-se, num gesto de consideração para com as mulheres na plateia, a primeiro moldar o corpo pela ginástica. Já estamos começando a descobrir meios de não sermos rivais e de não sermos instrumentos.

Essa nova perspectiva transforma não nossa aparência, mas nossa forma de ver. Começamos a ver o rosto e o corpo das outras mulheres pelo que são, já sem a superposição da Donzela de Ferro. Tomamos fôlego quando vemos uma mulher rir. Alegramo-nos por dentro quando vemos uma mulher com um andar majestoso. Sorrimos para o espelho, vemos as rugas que se formam nos cantos de nossos olhos e, satisfeitas com essa imagem, sorrimos mais uma vez.

Embora as mulheres possam transmitir essa nova perspectiva umas para as outras, aceita-se de bom grado a participação dos homens na derrubada do mito. Sem dúvida, alguns homens abusaram do mito da beleza contra as mulheres, da mesma forma que alguns homens abusaram dos punhos. Existe, porém, uma firme conscientização entre os dois sexos no sentido de que os verdadeiros agentes que fazem vigorar o mito hoje em dia não são os homens enquanto indivíduos, maridos ou amantes, mas as instituições que dependem do domínio masculino. Ambos os sexos parecem estar descobrindo que a força total do mito deriva pouco das relações sexuais particulares e muito do megálito cultural e econômico "lá fora", no domínio público. Cada vez mais, ambos os sexos sabem que estão sendo enganados.

Ajudar as mulheres a desestruturar o mito é, no entanto, algo do próprio interesse dos homens em um nível mais profundo. A próxima será a vez deles. Os anunciantes recentemente perceberam que o enfraquecimento da confiança sexual funciona seja qual for o sexo do consumidor. Segundo *The Guardian,* "os homens estão preferindo olhar para o espelho do que para as garotas. Homens lindos podem ser vistos hoje em dia vendendo de tudo...". Usando imagens

O MITO DA BELEZA

da subcultura homossexual masculina, a propaganda começou a retratar o corpo masculino num mito da beleza próprio. Conforme essas imagens se concentram mais na sexualidade masculina, elas prejudicarão a autoestima sexual dos homens em geral. Como os homens têm um condicionamento ainda maior para se isolarem de seu corpo, e para competir em níveis de excesso desumano, seria concebível que a versão masculina possa prejudicar os homens ainda mais do que a versão feminina prejudicou as mulheres.

Alguns psiquiatras estão prevendo um aumento nas estatísticas masculinas de transtornos alimentares. Agora que os homens estão sendo vistos como um mercado virgem a ser explorado pelo ódio a si mesmo, começaram a surgir imagens que dizem aos homens heterossexuais as mesmas meias-verdades, sobre o que as mulheres querem e como elas veem, tradicionalmente transmitidas às mulheres heterossexuais a respeito dos homens. Se eles caírem nessa armadilha e ficarem presos, isso não será uma vitória para as mulheres. Na realidade, ninguém sairá ganhando.

Também é do interesse dos homens desfazer o mito porque a sobrevivência do planeta depende disso. A Terra já não tem como suportar uma ideologia de consumo baseada no desperdício insaciável decorrente da insatisfação material e sexual. Precisamos começar a tirar uma satisfação duradoura daquilo que consumimos. Nosso planeta é considerado feminino, uma dadivosa Mãe Natureza, da mesma forma que o corpo feminino é considerado infinitamente alterável pelo homem e para o homem. Estamos servindo tanto a nós mesmas quanto a nossas esperanças para o planeta ao insistir numa nova realidade feminina na qual se baseie uma nova metáfora para a Terra: a do corpo feminino com sua integridade orgânica que deve ser respeitada.

A crise ambiental exige uma nova forma de pensar que seja comunitária, coletiva e não antagônica; e precisamos dela com urgência.

PARA ALÉM DO MITO DA BELEZA

Podemos rezar e esperar que as instituições masculinas desenvolvam esse raciocínio sofisticado e atípico dentro dos próximos anos. Ou podemos recorrer à tradição feminina, que o aperfeiçoa há mais de 5 mil anos, e adaptá-lo à esfera pública. Já que o mito da beleza elimina a tradição feminina, mantemos em aberto uma opção crucial para o planeta quando lhe oferecemos resistência.

Também mantemos em aberto opções para nós mesmas. Não precisamos transformar nosso corpo, precisamos transformar as regras. Para além dos limites do mito, nós ainda seremos culpadas por nossa aparência por aqueles que precisam nos culpar. Vamos, portanto, parar de nos culpar, parar de correr e de pedir desculpas, para começar de uma vez por todas a fazer o que quisermos. Sob o domínio do mito, a mulher "linda" não sai ganhando. Ninguém mais sai ganhando. Nem a mulher que fica sujeita à contínua adulação por parte de desconhecidos, nem aquela que se nega qualquer tipo de atenção. Não sai ganhando a mulher que usa uniforme, nem a que tem um traje exclusivo para cada dia do ano. Não sai ganhando quem se esforça para atingir o ápice de um sistema de castas, mas, sim, quem se recusa terminantemente a ficar preso dentro de um sistema desses. Sai ganhando a mulher que se considera linda e que desafia o mundo a se transformar para poder realmente vê-la.

Sai ganhando a mulher que se dá, bem como às outras mulheres, a permissão de comer; de despertar interesse sexual; de envelhecer; de usar macacão, uma tiara de pedras falsas, um vestido de Balenciaga, uma estola de segunda mão, ou botas de combate; de se esconder toda ou de sair praticamente nua; de fazer o que bem quiser seguindo nossa própria estética ou a ignorando. A mulher sai ganhando quando percebe que o que cada mulher faz com seu próprio corpo — sem coação, sem violência — é exclusivamente de sua conta. Quando muitas mulheres se afastarem desse sistema isoladamente, ele começará a se dissolver. As instituições, alguns

O MITO DA BELEZA

homens e algumas mulheres continuarão a usar nossa aparência contra nós, mas nós não nos deixaremos levar.

Pode existir uma definição da beleza que seja favorável às mulheres? Claro que sim. O que está faltando é uma atitude de brincadeira. O mito da beleza é prejudicial, grave e circunspecto porque muita coisa, um excesso de coisas, depende dele. O prazer da brincadeira está na ausência de importância. Uma vez que se esteja jogando a dinheiro, qualquer que seja o valor, o jogo passa a ser uma guerra ou uma jogatina compulsiva. No mito, tratou-se de um jogo pela vida, por um amor questionável, por uma sexualidade desesperada e desonesta e sem a possibilidade da escolha de não aceitar regras desconhecidas. Sem escolha, sem livre-arbítrio, sem a frivolidade, não era um jogo de verdade.

Para nos salvar, porém, podemos imaginar uma vida num corpo que não tenha o peso do valor; uma pantomima, uma teatralidade voluntária que brota da abundância de amor a nós mesmas. Uma redefinição da beleza que seja favorável às mulheres reflete nossas redefinições do que é o poder. Quem disse que precisamos de uma hierarquia? Ali onde eu vejo a beleza pode ser que você não veja. Algumas pessoas parecem mais desejáveis a mim do que a você. E daí? Minha percepção não tem nenhuma autoridade sobre a sua. Por que a beleza deveria ser exclusiva? A admiração pode incluir tantos aspectos. Por que a raridade impressiona? O alto valor da raridade é um conceito masculino, que tem mais a ver com o capitalismo do que com o desejo. Qual é a graça de desejar mais o que não pode ser encontrado? Em comparação, as crianças são muito comuns, sendo, mesmo assim, altamente valorizadas e consideradas bonitas.

Como as mulheres poderiam agir para além dos limites do mito da beleza? Quem saberia dizer? Talvez nós nos deixássemos engordar e emagrecer, apreciando as variações sobre o tema, e evitaríamos a dor porque, quando alguma coisa dói, ela começa a nos parecer feia.

PARA ALÉM DO MITO DA BELEZA

Quem sabe não passemos a nos enfeitar com verdadeiro prazer, com a impressão de estarmos adornando o que já é lindo. Talvez, quanto menor for a dor a que submetamos nosso corpo, tanto mais bonito ele nos pareça. Talvez esqueçamos de incitar desconhecidos a nos admirarem, e descubramos que isso não nos faz nenhuma falta. Talvez aguardemos o envelhecimento de nosso rosto com expectativa positiva e nos tornemos incapazes de considerar nosso corpo um monte de imperfeições, já que não há nada em nós que não nos seja precioso. Pode ser que não queiramos mais ser a mulher do "depois".

Por onde começar? Vamos perder a vergonha. Ser vorazes. Procurar o prazer. Evitar a dor. Vestir, tocar, beber e comer o que tivermos vontade. Ser tolerantes com as escolhas das outras mulheres. Procurar o sexo que quisermos e lutar ferozmente contra o que não quisermos. Escolher nossas próprias causas. E, depois de superarmos e transformarmos as regras de tal forma que nosso sentido da beleza não possa ser abalado, vamos cantar essa beleza, enfeitá-la, exibi-la e nos deleitar com ela. Numa política sensual, ser mulher é bonito.

Uma definição da beleza que tenha amor pelas mulheres supera o desespero com a brincadeira, o narcisismo com o amor a si mesma, o despedaçamento com a inteireza, a ausência com a presença, a inércia com a animação. Ela admite que as pessoas sejam radiantes: que essa luz seja emitida pelo rosto e pelo corpo, em vez de ser uma luz dirigida para o corpo, ocultando o eu. Essa luz é *sexy*, variada e surpreendente. Seremos capazes de vê-la em outras mulheres sem medo e afinal poderemos vê-la em nós mesmas.

Na geração passada, Germaine Greer fez uma pergunta acerca das mulheres. "O que vocês vão fazer?" O que as mulheres fizeram resultou em um quarto de século de revolução social cataclísmica. A próxima fase de nosso progresso como indivíduos, como uma união de mulheres e como habitantes de nosso corpo e deste planeta depende agora do que decidirmos ver quando olharmos no espelho.

O que *vamos* ver?

AGRADECIMENTOS

Devo este livro ao apoio de minha família: Leonard, Deborah e Aaron Wolfe, Daniel Goleman, Tara Bennet-Goleman, Anasuya Weil e Tom Weil. Agradecimentos especiais a minha avó, Fay Goleman, cuja vida — como pioneira do atendimento a famílias, professora universitária, esposa, mãe e feminista de primeira hora — é uma contínua fonte de inspiração, e de cujo estímulo infatigável dependi. Sou grata a Ruth Sullivan, Esther Boner, Lily Rivlin, Michele Landsberg, Joanne Stewart, Florence Lewis, Patricia Pierce, Alan Shoaf, Polly Shulman, Elizabeth Alexander, Rhonda Garelick, Amruta Slee e Barbara Browning por suas vitais contribuições a minha obra. Jane Meara e Jim Landis foram muito generosos em sua ponderada atenção editorial. Colin Troup foi uma fonte sempre disponível de diversão, troca de ideias e ajuda. Reconheço também meu débito para com as teóricas da feminilidade da segunda onda, sem sua luta com essas questões eu não teria podido começar a minha.

NOTAS

O mito da beleza

Página

23 Cirurgia estética: *Standard and Poor's Industry Surveys* (Nova York, Standard and Poor's Corp., 1988).

26 A pornografia como gênero de maior expressão: Ver "Crackdown on Pornography: A No-Win Battle", *U.S. News and World Report,* 4 de junho de 1984. A Associação de Consultores de Moda e Imagem teve triplicado o quadro de associados entre 1984 e 1989 (Annetta Miller e Dody Tsiantar, *Newsweek,* 22 de maio de 1989). Durante os cinco ou seis anos anteriores a 1986, as despesas de consumo subiram de US$ 300 bilhões para US$ 600 bilhões.

26 Trinta e três mil mulheres norte-americanas: University of Cincinnati College of Medicine, 1984. S. C. Wooley e O. W. Wooley, "Obesity and Women: A Closer Look at the Facts", *Women's Studies International Quarterly,* vol. 2 (1979), p. 69–79. Dados publicados novamente em "33,000 Women Tell How They Realy Feel About Their Bodies", *Glamour,* fevereiro de 1984.

26 Pesquisas recentes revelam: Ver dr. Thomas Cash, Diane Cash e Jonathan Butters, "Mirror-Mirror on the Wall: Contrast Effects and Self-Evaluation of Physical Attractiveness", *Personality and Social Psychology Bulletin,* setembro de 1983, vol. 9, nº 3. A pesquisa do dr. Cash revela muito pouca ligação entre o quanto as mulheres "são atraentes" e o quanto elas "se sentem atraentes". Todas as mulheres por ele tratadas eram, segundo ele, "extremamente atraentes", mas elas se comparavam apenas com modelos, não com outras mulheres.

28 Muito pouco para mim: Lucy Stone, citada em Andrea Dworkin, *Pornography: Men Possessing Women* (Nova York, Putnam, 1981), p. 11.

O MITO DA BELEZA

28   Uma boneca: Germaine Greer, *The Female Eunuch* (Londres, Paladin Grafton Books, 1970), p. 55, 60.

29   O mito: Ver também a definição de Roland Barthes. "Ele transforma a história em natureza [...]. O mito tem a função de dar a uma intenção histórica uma justificativa natural e de fazer o contingencial parecer eterno." Roland Barthes, "Myth Today", *Mythologies* (Nova York, Hill and Wang, 1972), p. 129.

      A definição do antropólogo Bronislaw Malinowski de "um mito de origem" é aplicável ao mito da beleza. Um mito de origem, escreve Ann Oakley, "tende a ser mais reforçado em épocas de tensão social, quando o estado de coisas retratado no mito é questionado". Ann Oakley, *Housewife: High Value/Low Cost* (Londres, Penguin Books, 1987), p. 163.

29   Platônica: Ver o exame da Beleza em *O banquete* de Platão. Para a diversidade dos padrões de beleza, ver Ted Polhemus, *BodyStyles* (Luton, Inglaterra, Lennard Publishing, 1988).

29   Seleção sexual: Darwin não estava convencido: Ver Cynthia Eagle Russett, "Hairy Men and Beautiful Women", *Sexual Science: The Victorian Construction of Womanhood* (Cambridge, Mass., Harvard University Press, 1989), p. 78–103.

      Na página 84, Russett cita Darwin. "O homem é mais forte no corpo e na mente do que a mulher, e no estado selvagem ele a mantém numa servidão muito mais abjeta do que machos de qualquer outro animal. Não surpreende, portanto, que ele tenha conquistado o poder de seleção [...]. Como as mulheres há muito são selecionadas pela beleza, não surpreende que algumas de suas variações sucessivas tivessem sido transmitidas exclusivamente ao mesmo sexo; consequentemente, que elas tivessem transmitido a beleza num grau algo maior para sua prole feminina em vez de para a prole masculina, tornando-se assim, segundo a opinião geral, mais bonitas do que os homens." O próprio Darwin percebeu a incoerência evolutiva dessa ideia de que, nas palavras de Russett, "algo de estranho ocorrera na escada da evolução: entre os seres humanos, a fêmea não escolhia, mas era escolhida". Essa teoria "implicava uma estranha quebra da continuidade evolutiva", observa ela. "Nas próprias palavras de Darwin, ela representava uma reversão bastante surpreendente nas tendências da evolução."

      Ver também Natalie Angier, "Hard-to-Please Females May Be Neglected Evolutionary Force", *The New York Times,* 8 de maio de 1990, e Natalie Angier, "Mating for Life? It's Not for the Birds or the Bees", *The New York Times,* 21 de agosto de 1990.

NOTAS

29   Evolução: Ver Evelyn Reed, *Woman's Evolution: From Matriarchal Clan to Patriarchal Family* (Nova York, Pathfinder Press, 1986); e Elaine Morgan, *The Descent of Woman* (Nova York, Bantam Books, 1979). Ver especialmente "o primata superior", p. 91.

30   A Deusa: Rosalind Miles, *The Women's History of the World* (Londres, Paladin Grafton Books, 1988), p. 43. Ver também Merlin Stone, *When God Was a Woman* (San Diego, Harvest Books, 1976).

30   A tribo wodaabe: Leslie Woodhead, "Desert Dandies", *The Guardian,* julho de 1988.

    Na tribo fulani da África Ocidental, as jovens escolhem seus maridos com base na beleza. "Os candidatos [...] participam do *yaake,* uma fileira em que se apresentam cantando e dançando, ficando na ponta dos pés e fazendo caretas, virando, revirando os olhos e sorrindo exageradamente para exibir os dentes para os jurados. Essa apresentação dura horas seguidas, e os participantes são estimulados pelo prévio consumo de drogas. Durante todo o tempo, algumas velhas na plateia lançam críticas àqueles que não estejam à altura do ideal de beleza do povo fulani." [Polhemus, *op. cit.*, 21]

    Ver também Carol Beckwith e Marion van Offelen, *Nomads of Niger* (Londres, William Collins Sons & Co. Ltd., 1984), citada em Carol Beckwith, "Niger's Wodaabe: People of the Taboo", *National Geographic,* vol. 164, nº 4, outubro de 1983, p. 483–509.

    Escavações do período paleolítico sugerem que eram aos machos da espécie humana, e não às fêmeas, que se destinavam os adornos nas sociedades pré-históricas. Nas comunidades tribais modernas, os homens em geral se enfeitam no mínimo tanto quanto as mulheres e muitas vezes detêm um "monopólio virtual" sobre os adornos. Os povos nuba do Sudão, waligigi da Austrália e os homens do Mount Hagen na Nova Guiné também passam horas se pintando e retocando o penteado para atrair as mulheres, cuja toalete demora apenas alguns minutos. Ver Polhemus, *op. cit.*, p. 54–55.

31   Tecnologias: Ver, por exemplo, Beaumont Newhall, *The History of Photography from 1839 to the Present* (Londres, Seeker & Warburg, 1986), p. 31. Fotografia *Academie,* c. 1845, fotógrafo desconhecido.

35   Indústrias poderosas: os produtos dietéticos pertencem a um setor que gera US$ 74 bilhões por ano nos Estados Unidos, somando um terço do total anual de despesas com alimentos. Ver David Brand, "A Nation of Healthy Worrywarts?", *Time,* 25 de julho de 1988.

35   A indústria das dietas que gera US$ 33 bilhões por ano: Molly O'Neil, "Congress Looking into the Diet Business", *The New York Times,* 28 de março de 1990.

O MITO DA BELEZA

35   A da cirurgia plástica estética, de US$ 300 milhões: *Standard and Poor's Industry Surveys,* op. cit. 1988.

35   A da pornografia com seus US$ 7 bilhões: "Crackdown on Pornography", op. cit.

35   Mentiras vitais: Daniel Goleman, *Vital Lies, Simple Truths: The Psychology of Self-Deception* (Nova York, Simon and Schuster, 1983) p. 16–17, citando a frase de Henrik Ibsen: "A mentira vital permanece oculta, protegida pelo silêncio, por álibis, pela completa negação da família."

37   Uma vocação "maior": John Kenneth Galbraith, citado em Michael H. Minton e Jean Libman Block, *What is a Wife Worth?* (Nova York, McGraw-Hill, 1984), p. 134–135.

37   A Feminista Feia: Marcia Cohen, *The Sisterhood: The Inside Story of the Women's Movement and the Leaders Who Made it Happen* (Nova York, Ballantine Books, 1988), p. 205, 206, 287, 290, 322, 332.

38   Dizendo palavrões como um soldado: Betty Friedan, *The Feminine Mystique* (Londres, Penguin Books, 1982), p. 79, citando Elinor Rice Hays, *Morning Star: A Biography of Lucy Stone* (Nova York, Harcourt, 1961), p. 83.

38   A imagem desagradável: Friedan, *op. cit.*, p. 87.

O trabalho

Página

39   Mulheres norte-americanas no mercado de trabalho: Ruth Sidel, *Women and Children Last: The Plight of Poor Women in Affluent America* (Nova York, Penguin Books, 1987), p. 60.

40   Mulheres britânicas tinham trabalho remunerado: U.K. Equal Opportunities Commission, *Towards Equality: A Casebook of Decisions on Sex Discrimination and Equal Pay, 1976–1981,* panfleto. Ver também: U.K. Equal Opportunities Commission, *Sex Discrimination and Employment: Equality at Work: A Guide to the Employment Provisions of the Sex Discrimination Act 1975,* panfleto, p. 12.

42   Pré-história: Rosalind Miles, *The Women's History of the World* (Londres, Paladin Grafton Books, 1988), p. 152.

42   Modernas sociedades tribais: *ibid.*, p. 22.

42   Duquesa de Newcastle: A citação integral é a seguinte: "As mulheres vivem como *morcegos* ou *corujas,* trabalham como *bestas de carga* e morrem como *vermes", ibid.*, p. 192.

NOTAS

42 Nenhum trabalho era árduo demais: *ibid.*, p. 155, citando Viola Klein, *The Feminine Character: History of an Ideology*, 2ª ed. (Urbana, University of Illinois Press, 1971).

43 Fadiga: *ibid.*, p. 188.

43 Instituto Humphrey: Humphrey Institute, University of Minnesota, *Looking to the Future; Equal Partnership Between Women and Men in the 21st Century*, citado em Debbie Taylor *et al.*, *Women: A World Report* (Oxford, Oxford University Press, 1985), p. 82.

43 O dobro de horas dos homens: *Report of the World Conference for the United Nations Decade for Women*, Copenhague, 1980, A/Conf. 94/35.

43 Uma mulher paquistanesa: Taylor *et al.*, *op. cit.*, p. 3.

43 Não serem trabalho: Ann Oakley, *Housewife: High Value/Low Cost* (Londres, Penguin Books, 1987), p. 53.

43 Subiria em 60%: Sidel, *op. cit.*, p. 26.

43 Mão de obra francesa: Sylvia Ann Hewlett, A *Lesser Life: The Myth of Women's Liberation in America* (Nova York, Warner Books, 1987).

43 O trabalho voluntário: Yvonne Roberts, "Standing Up to Be Counted", *The Guardian* (Londres), entrevista em 1989 com Marilyn Waring, autora de *If Women Counted: A New Feminist Economics* (São Francisco, Harper & Row, 1988). Ver também Waring, p. 69.

43 Produto nacional bruto: Taylor *et al.*, *op. cit.*, p. 4.

43 Nancy Barrett: "Obstacles to Economic Parity for Women", *The American Economic Review*, vol. 72 (maio de 1982), p. 160–165.

44 Trinta e seis minutos: Arlie Hochschild com Anne Machung, *The Second Shift: Working Parents and the Revolution at Home* (Nova York, Viking Penguin, 1989).

44 Serviços domésticos: Michael H. Minton com Jean Libman Block, *What Is a Wife Worth?* (Nova York, McGraw-Hill), p. 19.

44 Setenta e cinco por cento do trabalho doméstico: Hochschild e Machung, *op. cit.*, p. 4. Ver também Sarah E. Rix, org., *The American Woman, 1988–89: A Status Report*, Capítulo 3, Rebecca M. Blank, "Women's Paid Work, Household Income and Household Well-Being", p. 123–161 (Nova York, W. W. Norton & Co., 1988).

44 Os norte-americanos casados: Claudia Wallis, "Onward Women!", *Times International*, 4 de dezembro de 1989.

44 Requerem oito horas a mais: Heidi Hartmann, "The Family as the Locus of Gender, Class and Political Struggle: The Example of Housework", em *Signs: Journal of Women in Culture and Society*, vol. 6 (1981), p. 366–394.

O MITO DA BELEZA

44   Itália: Hewlett, op. cit.

44   Menos lazer: Taylor *et al.*, *op. cit.*, p. 4.

44   Quênia: Ibid

44   Chase Manhattan Bank: Minton e Block, *op. cit.*, p. 59-60.

45   Estudantes universitários nos Estados Unidos: Wallis, op. cit.

45   Estudantes universitários no Reino Unido: UK. Equal Opportunities Commission, *The Fact About Women Is...*, panfleto, 1986.

46   As mulheres norte-americanas no mercado de trabalho: Sidel, *op. cit.*, p. 60.

46   Marilyn Waring: citada em Roberts, op. cit.

46   Patricia Ireland: citada em Wallis, op. cit.

46   Mulheres com filhos no mercado de trabalho norte-americano: *ibid.*

46   Mães no Reino Unido: U.K. Equal Opportunities Commission, op. cit.

47   A única fonte de sustento: Sidel, op. cit.

47   Marvin Harris: citado em Minton e Block, *op. cit.*

50   Parágrafo VII: Ver Rosemarie Tong, *Women, Sex and the Law* (Totowa, N.J., Rowman and Littlefield, 1984), p. 65-89.

50   Lei da Discriminação Sexual de 1975/Grã-Bretanha: Ver U.K. Equal Opportunities Commission, *Sex Discrimination and Employment,* em especial p. 12-13: "A discriminação sexual nos casos em que o sexo é uma 'qualificação ocupacional genuína' para a função, ou para parte da função, em virtude de: (a) autenticidade ou forma física — por exemplo, para um modelo ou um ator." Ver também *Sex Discrimination: A Guide to the Sex Discrimination Act 1975,* U.K. Home Office, panfleto (2775) Dd8829821 G3371, p. 10.

      A Lei da Discriminação Sexual de 1984 da Austrália não cobre a discriminação pela aparência. A partir de 1990, o procurador geral federal ampliará a jurisdição da Lei da Comissão da Igualdade de Oportunidade e dos Direitos Humanos de forma a cobrir a discriminação com base na "idade, antecedentes médicos, antecedentes criminais, deficiência, estado civil, incapacidade mental, intelectual ou psiquiátrica, nacionalidade, incapacidade física, preferências sexuais e atividades sindicais", mas a discriminação com base na aparência não será levada em conta. Ver também Australia, Human Rights and Equal Opportunity Commission, *The Sex Discrimination Act 1984: A Guide to the Law,* panfleto, agosto de 1989.

50   O sonho norte-americano: Sidel, *op. cit.*, p. 22.

54   Helen Gurley Brown: Ver *Sex and the Single Girl* (Nova York, Bernard Geis, 1962).

55   Demissão de comissárias de bordo: Ver Marcia Cohen, *op. cit.*, p. 394. Uma comissária de bordo explica que a atmosfera sexualizada da cabine

NOTAS

de passageiros é projetada expressamente para diminuir o medo de voar dos passageiros do sexo masculino. "Eles imaginam que uma leve excitação sexual ajudará a distrair as pessoas" do perigo (Hochschild, 1983, citado em Albert J. Mills, "Gender, Sexuality and the Labour Process", em Jeff Hearn *et al.*, *The Sexuality of Organization* (Londres, Sage Publications, 1989), p. 94.

55   Ou ser presa: *Time,* 7 de junho de 1971, citado em Roberta Pollack Seid, *Never Too Thin: Why Women Are at War with Their Bodies* (Nova York, Prentice--Hall, 1988).

55   Imagem de Coelhinha: *Weber* versus *Playboy Club of New York, Playboy Clubs International, Inc, Hugh Hefner,* App. No. 774, Case No. CSF22619–70, Human Rights Appeal Board, New York, Nova York, 17 de dezembro de 1971. Ver também *St. Cross* versus *Playboy Club of New York,* CSF222618–70.

57   "Todas as mulheres são coelhinhas": Gloria Steinem, *Outrageous Acts and Everyday Rebellions* (Nova York, Holt, Rinehart & Winston, 1983), p. 69.

57   20% dos cargos gerenciais: Hewlett, *op. cit.*

57   Xerox Corporation: Catherine McDermott ganhou o processo somente depois de uma luta de 11 anos nos tribunais de Nova York; Seid, *op. cit.*, p. 22, citação de "Dieting: The Losing Game", *Time,* 20 de janeiro de 1986, p. 54.

57   Um sexto dos candidatos ao mestrado em administração de empresas nos Estados Unidos: Hewlett, *op. cit.*

58   Padrões de aparência: Christine Craft, *Too Old, Too Ugly and Not Deferential to Men* (Nova York, Dell, 1988).

58   "Âncoras masculinos: de 40 a 50": *ibid.*, p. 37.

59   "Mulheres na casa dos quarenta": *ibid.*, p. 204.

61   ELA VALE TUDO ISSO?: Richard Zoglin, "Star Power", *Time,* 7 de agosto de 1989, p. 46–51. A frase de abertura do artigo é a seguinte: "Em primeiro lugar vem sua bela aparência de loura, de impacto, mas com um traço saudável, mais para rainha do baile do colégio do que para glamorosa beldade de Hollywood." O artigo prossegue. "[Sawyer] se ressente de seus feitos jornalísticos serem diminuídos por perguntas a respeito de sua aparência..." Ver também a obsessão com a aparência de Jessica Savitch, descrita em Gwenda Blair, *Almost Golden: Jessica Savitch and the Selling of Television News* (Nova York, Avon Books, 1988). (O texto da capa diz: "Ela foi a Marilyn Monroe do telejornalismo")

61   Ideia tão castradora: *ibid.*, p. 77.

63   Características físicas: *Miller* versus *Bank of America,* 600 F. 2d 211 9th Circuit, 1979, citado em Tong, *op. cit.*, p. 78.

63   *Barnes* versus *Costle,* 561 F. 2d 983 (D.C. Circuit 1977), citado em Tong, *op. cit.*, p. 81.

O MITO DA BELEZA

64   Mechelle Vinson: *Meritor Savings Bank, FSB* versus. *Vinson,* 106 S. Circuit 2399 (1986).

64   *Hopkins* versus *Price-Waterhouse:* 741 F.2d 1163; S. Ct., 1775. Ver também Laura Mansuerus, "Unwelcome Partner", *The New York Times,* 20 de maio de 1990.

65   *Nancy Fahdl* versus *Police Department of City and County of San Francisco* [Departamento de Polícia da Cidade e do Condado de São Francisco]: 741 F.2d 1163, citado em Suzanne Levitt, "Rethinking Harm: A Feminist Perspective", tese de doutorado não publicada, Yale University Law School, 1989.

65   *Tamini* versus *Howard Johnson Company, Inc.:* citado em *ibid.*

65   *Andre* versus *Bendix Corporation:* 841 F.2d 7th Circuit, 1988, citado em *ibid.*

65   *Buren* versus *City of East Chicago, Indiana:* 799 F.2d 1180 7th Circuit, 1986, citado em *ibid.*

65   *Diaz* versus *Coleman:* Conversa com a advogada Ursula Werner, Yale University Law School, New Haven, Connecticut, 15 de abril de 1989.

66   *M. Schmidt* versus *Austicks Bookshops, Ltd.:* U.K. Industrial Relations Law Reports (IRLR) [Relatórios de Jurisprudência de Relações Industriais do Reino Unido] 1977, p. 360–361.

66   *Jeremiah* versus *Ministry of Defense:* 1 Queen's Bench (QB) 1979, p. 87; ver também *Strathclyde Regional Council* versus *Porcelli, IRLR, 1986, p. 134.*

66   Dan Air: Ver U.K. Equal Opportunities Commission, "Formal Investigation Report: Dan Air", janeiro de 1987. Dan Air perdeu o processo.

67   Trajes: *Maureen Murphy e Eileen Davidson* versus *Stakis Leisure, Ltd., The Industrial Tribunals, Escócia, 1989.*

67   *Sisley* versus *Britannia Security Systems, Ltd.:* Industrial Court Reports, 1983, p. 628–636.

67   *Snowball* versus *Gardner Merchant, Ltd.:* IRLR, 1987, p. 397; ver também *Balgobin e Francis* versus *London Borough of Tower Hamlets [Administração Regional de Tower Hamlets em Londres],* IRLR, 1987, p. 401.

67   *Wileman* versus *Minilec Engineering, Ltd.:* IRLR, 1988, p. 145.

69   Uma mulher de 54 anos: Hearn *et al., op. cit.,* p. 82.

69   Regras informais: *ibid.,* p. 149.

70   Contradição: *ibid.,* p. 143.

70   Violações: *ibid.,* p. 148.

70   Assédios sexuais: Numa pesquisa com 9 mil leitoras da *Redbook,* 88% relataram assédio sexual no local de trabalho. Hearn *et al., op. cit.,* p. 80.

No Reino Unido, onde não existe uma lei especifica que trate do assunto, 86% das gerentes e 66% das funcionárias "haviam presenciado" assédios

NOTAS

sexuais, segundo pesquisa do Alfred Marks Bureau. Um estudo do Serviço Público Britânico revelou que 70% das funcionárias haviam passado pela experiência. Ver British Society of Civil and Public Servants [Sociedade Britânica de Funcionários Públicos], *Sexual Harassment: A Trade Union Issue,* panfleto, p. 14. Para maiores informações sobre assédios sexuais, ver Constance Backhouse e Leah Cohen, *Sexual Harassment on the Job* (Englewood Cliffs, N.J., Prentice-Hall, 1982), e Catharine A. MacKinnon, *Sexual Harassment of Working Women* (New Haven, Yale University Press, 1979), em especial o capítulo 3, "Sexual Harassment: The Experience", p. 25-55. Ver também a p. 17: "Quantos milhares de empregadores contratam mulheres por sua atração 'estética'?"

Desde 1981, o número de queixas registradas de assédio sexual quase dobrou, sendo 94% delas apresentadas por mulheres, a maioria com acusações graves, i.é., agressão sexual, contato físico ou ameaças de perda do emprego. Somente 31% dos veredictos foram favoráveis à querelante. Ver David Terpstra, University of Idaho, e Douglas Baker, Washington State University, citados em "Harassment Charges: Who Wins?", *Psychology Today,* maio de 1989.

70 Provocaram os comentários: Nancy DiTomaso, "Sexuality in the Workplace: Discrimination and Harassment", em Hearn et. al., *op. cit.,* p. 78. Catharine A. MacKinnon cita um estudo realizado pelo Instituto Unido das Mulheres Trabalhadoras, no qual as mulheres que haviam sido molestadas tinham uma "tendência a achar que o incidente fora de sua responsabilidade, que elas deviam ter feito alguma coisa, enquanto indivíduos, para suscitar ou estimular aquele comportamento, que aquilo era 'meu problema' [...] Quase um quarto das mulheres numa pesquisa afirmou se sentir 'culpada'." MacKinnon, *Sexual Harassment of Working Women,* p. 47. Os advogados de defesa de acusados de estupro podem, sob o ponto de vista jurídico, mencionar os trajes "provocantes" de uma mulher como prova em casos de estupro em todos os estados, à exceção da Flórida: "Nature of Clothing Isn't Evidence in Rape Cases, Florida Law Says", *The New York Times,* 3 de junho de 1990.

71 Sugestões não verbais ambíguas: Barbara A. Gutek, "Sexuality in the Workplace: Social Research and Organizational Practise", em Hearn *et al., op. cit.,* p. 61.

71 Molloy: citado em Deborah L. Sheppard, "Organizations, Power and Sexuality: The Image and Self-Image of Women Managers", em Hearn *et al., op. cit.,* p. 150.

71 O traje do sucesso: John T. Molloy, "Instant Clothing Power", *The Woman's Dress for Success Book* (Nova York, Warner Books, 1977), capítulo 1.

O MITO DA BELEZA

72   Em pé de igualdade: *ibid.*

72   Estratégia ultrapassada: Molloy observa que "artigos que defendiam qualquer tipo de traje para as mulheres eram escritos por representantes da indústria da moda que não queriam se impor uma camisa de força afirmando que uma peça seria melhor do que outra". Molloy, *ibid.*, p. 27.

72   Pesquisa de Molloy: *ibid.*, p. 48.

75   Uma considerável parcela de homens: Gutek, *op. cit.*, p. 63–64.

75   Usar sua aparência: "Eu uso minha aparência pessoal para alcançar objetivos no trabalho" é uma frase com a qual mais homens do que mulheres concordam. Segundo um recente estudo realizado pelo psicólogo Andrew DuBrin, do Rochester Institute of Technology, entre 300 homens e mulheres, 22% dos homens usam a aparência para progredir, em comparação com 14% das mulheres; 22% dos homens contra 15% das mulheres admitem recorrer à manipulação; e 40% dos homens em comparação com 29% das mulheres usam o charme. Citado em Marjory Roberts, "Workplace Wiles: Who Uses Beauty and Charm?", *Psychology Today,* maio de 1989.

       Segundo Barbara A. Gutek, "minhas pesquisas descobriram indícios relativamente insignificantes de que as mulheres rotineiramente ou mesmo ocasionalmente usam sua sexualidade para tentar conquistar algum objetivo dentro da organização. Existe ainda menor comprovação para a posição de que as mulheres alcançaram o sucesso ou a promoção no trabalho com o uso de sua sexualidade [...] Em comparação com as mulheres, pode ser que os homens não só recorram ao sexo com maior frequência no trabalho, como também tenham mais sucesso ao fazê-lo!" [Hearn *et al.*, *op. cit.*, p. 63–64.]

78   Elegância profissional: Levitt, *op. cit.*, p. 31–34.

79   Todos os registros remanescentes: Miles, *op. cit.*, p. 155.

79   Em 1984, nos Estados Unidos, mulheres: Sidel, *op. cit.*, p. 61.

79   Estimativas [...] de 54 a [...]: *ibid.*

79   No Reino Unido: Hewlett, *ibid.*

79   A diferença de remuneração nos Estados Unidos: Hewlett, *ibid.*

79   Valorização pessoal: Rosabeth Kanter, ver *Men and Women of the Corporation* (Nova York, Basic Books, 1977), citado em Sidel, *op. cit.*, p. 62.

80   Não têm certeza de seu valor: *ibid.*, p. 63.

80   20 dentre as 420 ocupações: *ibid.*, p. 61.

80   Arlie Hochschild concluiu: Ver Hearn *et al.*, *op. cit.*; ver também Hochschild com Machung, *op. cit.*

81   A melhor opção econômica: Catharine A. MacKinnon, *Feminism Unmodified: Discourses on Life and Law* (Cambridge, Mass., Harvard University

NOTAS

Press, 1987) p. 24–25, citando Priscilla Alexander, Força-Tarefa da NOW sobre a prostituição; o gigolô fica com grande parte ou a maior parte desse valor. Ver também Moira K. Griffin, "Wives, Hookers and the Law", *Student Lawyer,* janeiro de 1982, p. 18, citado em MacKinnon, *ibid.,* p. 238.

81   O dobro: *ibid.,* p. 238.

81   Remuneração da Miss América: Ellen Goodman, "Miss America Gets Phonier", *The Stockton* (Calif.) *Record,* 19 de setembro de 1989.

82   "Grandes dúvidas": Liz Friedrich, "How to Save Yourself from Financial Ruin", *The Observer* (Londres), 21 de agosto de 1988.

83   Mina Shoemaker: Tong, *op. cit.,* p. 84.

83   Desse tipo de imagens: Tong, *ibid.* Ver também Zillah R. Eisenstein, *The Female Body and the Law* (Berkeley, Calif., University of California Press, 1988).

83   Está sendo feita uma comparação direta: Ver *Strathclyde* versus *Porcelli, op. cit.*

83   "Mulher nua no cartaz": *ibid.*

84   "Terno de lã cinza": Maureen Orth, "Looking Good at Any Cost", *New York Woman,* junho de 1988.

85   Discriminação pela renda. *Ibid.* Orth cita outros exemplos de despesas. Sessões de ginástica personalizada, US$ 1.240 por mês. Retin-A, seis consultas com a dermatologista a US$ 75 cada. "Reconstrução" elétrica do rosto de Janet Sartin, US$ 2 mil por série que dura seis meses. "As executivas agora consideram o ato de se cuidar uma despesa profissional legitima", escreve Orth. "A manutenção pessoal invadiu o código tributário." "Models and Prostitutes", em MacKinnon, *Feminism Unmodified,* p. 24.

85   Mulheres em cargo de vice-presidente: Wallis, *op. cit.*

85   Cansaço: Deborah Hutton, "The Fatigue Factor", *Vogue* britânica, outubro de 1988.

86   Probabilidade de 60% de ser pobre: Hewlett, *op. cit.*

86   Uma norte-americana idosa: Sidel, *op. cit.*

86   Na Grã-Bretanha: Taylor *et al., op. cit.,* p. 14. Os benefícios pagos às idosas britânicas estão descritos em U.K. Equal Opportunities Commission, 1986. *The Fact About Women Is...*

86   A alemã ocidental média que se aposenta: Taylor *et al., op. cit.,* p. 34.

87   Previdência privada: Sidel, *op. cit.,* p. 161.

87   No ano 2000: Taylor *et al., op. cit.,* p. 11, citando a Conferência das Nações Unidas sobre o Envelhecimento, Viena, 1982.

87   Tempo suficiente: Hewlett, *op. cit.*

O MITO DA BELEZA

90   Nunca parava de tentar: MacKinnon, *Feminism Unmodified,* p. 227. "As mulheres", observa também MacKinnon, "são recompensadas ao acaso e punidas sistematicamente por serem mulheres. Nós não somos recompensadas sistematicamente e punidas ao acaso, como geralmente se supõe."

A cultura

Página

92   Mulheres anônimas: Ver Marina Warner, *Monuments and Maidens: The Allegory of the Female Form* (Londres, Weidenfield and Nicholson, 1985).

92   Os homens olham: John Berger, *Ways of Seeing* (Londres, Penguin Books, 1988), p. 47.

94   Essa tradição: Jane Austen, *Emma* (1816) (Nova York e Londres, Penguin Classics, 1986), p. 211; George Eliot, *Middlemarch* (1871–1872) (Nova York e Londres, Penguin Books, 1984); Jane Austen, *Mansfield Park* (1814) (Nova York e Londres, Penguin Classics, 1985); John Davie, org., Jane Austen, *Northanger Abbey, Lady Susan, The Watsons and Sanditon* (Oxford, Oxford University Press, 1985); Charlotte Brontë, *Villette* (1853) (Nova York e Londres, Penguin Classics, 1986), p. 214; Louisa May Alcott, *Little Women* (1868–1869) (Nova York, Bantam Books, 1983), p. 237; ver também Alison Lurie, *Foreign Affairs* (Londres, Michael Joseph, 1985); Fay Weldon, *The Life and Loves of a She-Devil* (Londres, Hodder, 1984); Anita Brookner, *Look at Me* (Londres, Jonathan Cape, 1984).

96   Felação e sentimentalismo: "Bookworm", *Private Eye,* 19 de janeiro de 1989.

97   Fugindo ao controle: *Peter Gay, The Bourgeois Experience: Victoria to Freud, Volume II: The Tender Passion* (Nova York, Oxford University Press, 1986), p. 99. Em 1879 foram fundados Radcliffe Annexe em Harvard bem como Somerville College e Lady Margaret Hall em Oxford. A Cambridge University abriu cursos para mulheres em 1881.

97   Cinquenta mil exemplares: Janice Winship, *Inside Women's Magazines,* (Londres, Pandora Press, 1987), p. 7.

98   A imprensa colaborou: John Q. Costello, *Love, Sex, and War: Changing Values, 1939–1945* (Londres, Collins, 1985).

100   Eu ideal: Cynthia White, *Women's Magazines, 1963–1968,* citado em Ann Oakley, *Housewife: High Value/Low Cost* (Londres, Penguin Books, 1987), p. 9.

100   Betty Friedan: Friedan, "The Sexual Sell", em *The Feminine Mystique* (Londres, Penguin Books, 1982), p. 13–29. Todas as citações até a página 104 são dessa fonte.

NOTAS

101 A renda da publicidade de "cosméticos/artigos de toalete": Magazine Publishers of America, "Magazine Advertising Revenue by Class Totals, January--December 1989", Information Bureau, A.H.B., janeiro de 1990.

103 Já não estavam gastando tanto com roupas: Roberta Pollack Seid, *Never Too Thin* (Nova York, Prentice-Hall, 1989).

103 Estilo para todas: Elizabeth Wilson e Lou Taylor, *Through the Looking Glass: A History of Dress from 1860 to the Present Day* (Londres, BBC Books, 1989), p. 193.

103 Uma forte queda: Marjorie Ferguson, *Forever Feminine: Women's Magazines and the Cult of Femininity* (Gower, Inglaterra, Aldershot, 1983), p. 27.

"Qual foi o papel das revistas femininas em tudo isso [na plataforma do feminismo]?", perguntou Ferguson. "A maioria dos editores, ocupados tentando resolver o problema de como atingir melhor o público ou de como evitar a queda na circulação, tinha consciência de que alguma mudança estava acontecendo fora de seus escritórios, mas muitas vezes lhes faltava a informação sistemática sobre a natureza e a extensão dessas mudanças. [...] Alguns editores relacionavam o fato de as mulheres estarem saindo para trabalhar à redução do 'tempo' para as revistas femininas e da 'necessidade' delas.

"'E ainda temos a questão de as mulheres saírem para trabalhar fora. Quando se trabalha fora, tem-se menos tempo; suas necessidades são diferentes, e talvez possam até ser atendidas pela televisão, pelos jornais ou pelo jornal de programação da televisão.' (Editor de uma publicação semanal para mulheres)."

Helen Gurley Brown, editora de *Cosmopolitan,* aumentou sua circulação de 700 mil em 1965 para 2.890 milhões exemplares por mês em 1981. De acordo com Brown, "*Cosmopolitan* é a sofisticada irmã mais velha de todas as moças [...] *Cosmopolitan* diz que você pode conseguir o que quiser se realmente se esforçar, se não ficar esperando sentada com o nariz colado no vidro da janela [...]. Nós mantemos nosso perfil, um artigo sobre saúde, um sobre sexo, dois sobre emoções [...], um sobre o relacionamento entre homem e mulher, um sobre carreiras, um conto e um trecho de alguma importante obra de ficção, assim como nossas colunas de sempre." Citado em Ferguson, p. 37.

104 O Visual Nu: Seid, *op. cit.*, p. 217.

105 Número de artigos relacionados a dietas aumentou em 70%: *ibid.*, p. 236.

105 Para 66 no mês de janeiro: *ibid.*

105 300 livros sobre dietas à venda: *ibid.*

105 Espécie híbrida, meio homem, meio mulher: Gay, *op. cit.*

O MITO DA BELEZA

105 O senador Lane: *ibid.*

105 Mulheres degeneradas: *ibid.* Ver também Barbara Ehrenreich e Deirdre English, *Complaints and Disorders: The Sexual Politics of Sickness* (Old Westbury, N.Y., City University of New York, Feminist Press, 1973).

105 As feministas eram criticadas: Gay, *op. cit.*, p. 227.

106 A inveja não levará você a lugar nenhum: Marcia Cohen, *The Sisterhood: The Inside Story of the Women's Movement and the Leaders Who Made It Happen* (Nova York, Fawcett Columbine, 1988), p. 151; citações de *Commentary* e de *The New York Times,* também de Cohen, *ibid.*, p. 261.

106 Um punhado de mulheres feias: *ibid.*, p. 261.

106 Pete Hamill: citado em Cohen, p. 287.

106 Norman Mailer: citado em Cohen, p. 290.

106 AS MULHERES ESTÃO SE REBELANDO: *ibid.*, p. 205.

110 Rios e córregos: *ibid.*, p. 82–83, 133.

113 Mal informadas: April Fallon e Paul Rozin, "Sex Differences in Perceptors of Body Size", *Journal of Abnormal Psychology,* vol. 92, n.º 4 (1983). "Nossos dados sugerem que as mulheres estão mal informadas e exageram o grau de magreza desejado pelos homens."

113 A confiança: Cohen, *op. cit.*, p. 91.

114 Orgulho de sua identidade: citado em J. Winship, *op. cit.*, p. 7.

119 Fragilidade da palavra: Lewis Lapham, *Money and Class in America: Notes on the Civil Religion* (Londres, Picador, 1989), p. 283.

119 Leitores como um mercado: Lawrence Zuckerman, "Who's Minding the Newsroom?", *Time,* 28 de novembro de 1988.

119 Watergate: Thomas Winship, ex-editor de *The Boston Globe,* citado em Zuckerman, *op. cit.*

120 Vender produtos: Daniel Lazare, "Vanity Fare", *Columbia Journalism Review* (maio/junho de 1990), p. 6–8.

120 Atmosfera: *ibid.*, p. 6–8. Lazare ressalta que uma revista norte-americana, *Vanity Fair,* proporciona cobertura elogiosa a gigantes da moda e dos cosméticos. Somente na edição de setembro de 1988, esses beneficiários da promoção editorial compraram cinquenta páginas de anúncios a até US$25 mil por página.

120 650 anúncios por semana: Mark Muro, "A New Era of Eros in Advertising", *The Boston Globe,* 16 de abril de 1989.

120 Destruir a resistência: *ibid.*

121 A pornografia [...] US$ 7 bilhões por ano: MacKinnon, *Feminism Unmodified, op. cit.*, citando Galloway e Thornton, "Crackdown on Pornography — A

NOTAS

No-Win Battle", *U.S. News and World Report,* 4 de junho de 1984; ver também Catherine Itzin e Corinne Sweet, da Campanha contra a Pornografia e Censura na Grã-Bretanha, "What Should Wc Do About Pornography?", *Cosmopolitan* britânica, novembro de 1989; J. Cook, "The X-Rated Economy", *Forbes,* 18 de setembro de 1978 (US$ 4 bilhões por ano); "The Place of Pornography", *Harper's,* novembro de 1984 (US$ 7 bilhões por ano).

Nos últimos 15 anos, esse setor cresceu 1.600 vezes e tem agora mais pontos de venda do que a rede McDonald's. Ver Jane Caputi, *The Age of Sex Crime* (Bowling Green, Ohio, Bowling Green State University, Popular Press, 1987).

121 Somente nos Estados Unidos, US$ 1 milhão por dia: Consumer Association of Penang, *Abuse of Women in the Media* (Oxford, Oxford University Press, 1985), citado em Debbie Taylor *et al., Women: A World Report* (Oxford, Oxford University Press, 1985), p. 67.

121 Revistas britânicas, Angela Lambert, "Amid the Alien Porn", *The Independent,* 1º de julho de 1989.

121 A pornografia sueca: Gunilla Bjarsdal. Estocolmo, Legenda Publishing Research, 1989.

121 Nos Estados Unidos, 18 milhões de homens: Taylor *et al., op. cit.,* p. 67.

121 Um norte-americano em cada dez: John Crewdson, *By Silence Betrayed: Sexual Abuse of Children* (Nova York, Harper & Row, 1988), p. 249.

121 Mais lidas no Canadá: Caputi, *op. cit.,* p. 74.

121 Pornografia na Itália: Instituto de Estudos Econômicos e Políticos, Itália; pesquisa realizada por Mondadori Publishing, 1989.

121 Cada vez mais violenta: Ver Andrea Dworkin, *Pornography: Men Possessing Women* (Nova York, Putnam, 1981), em especial "Objects", p. 101–128. A respeito de Herschel Gordon Lewis, ver Caputi, *op. cit.,* p. 91. Quanto à concorrência com a pornografia, ver também Tony Garnett, diretor de *Handgun,* Weintraub Enterprises, citado em "Rape: That's Entertainment?", Jane Mills, produtora, *Omnibus,* BBC1, 15 de setembro de 1989. Segundo Garnett, "um dos motivos pelos quais é provável que um filme como esse seja financiado reside no fato de ele girar em torno de uma cena de estupro. Houve [...] considerável pressão dos diversos distribuidores que o controlavam. A maioria das pessoas envolvidas ficou muito decepcionada com o filme, particularmente com o estupro porque ele não era excitante, e me perguntaram se eu não tinha algumas cenas cortadas que pudéssemos reaproveitar para torná-lo mais excitante, porque é isso que dá bilheteria."

122 30% da programação provém dos Estados Unidos: "Stars and Stripes Everywhere", *The Observer,* 8 de outubro de 1989.

O MITO DA BELEZA

122 71% importados: Paul Harrison, *Inside the Third World: The Anatomy of Poverty* (Londres, Penguin Books, 1980).

122 Número de aparelhos de televisão na Índia: Edward W. Desmond, "Puppies and Consumer Boomers", *Time,* 14 de novembro de 1989. (Em 1984, anunciantes indianos começaram a patrocinar programas.)

122 A desregulamentação internacional das ondas de rádio: o governo holandês está preocupado com a televisão comercial e a pornografia proveniente de Luxemburgo via satélite. Alguns ministros europeus creem que "até o fim da próxima década os impérios da mídia controlados pelos Estados Unidos exercerão domínio total sobre a radiodifusão mundial". [John Palmer, "European Ministers Divided Over US 'Media Imperialism'", *The Guardian,* 3 de outubro de 1989.]

Em "Review and Appraisal: Communication and Media", trabalho apresentado à Conferência Mundial para Examinar e Avaliar os Resultados da Década das Nações Unidas pelas Mulheres, Nairóbi, 1985 (A/CONF. 116/5), uma pesquisa internacional concluiu que na mídia há pouca representação das transformações dos papéis femininos. No México, as mulheres são "a alma do lar" ou o "objeto sexual". Na Turquia, a mulher típica na mídia é "a mãe, esposa, símbolo sexual"; a Costa do Marfim realça seu "charme, beleza, frivolidade, fragilidade". Citado em Taylor et al., *op. cit.,* p. 78.

122 US$ 9 bilhões: "Stars and Stripes Everywhere", *op. cit.*

122 Guerra de ostentação: "You Must Be Joking", *The Guardian,* 10 de outubro de 1989.

122 Liberdades contraditórias: Cynthia Cockburn, "Second Among Equals", *Marxism Today,* julho de 1989.

122 *Glamour*: Ver David Remnick, "From Russia with Lycra", *Gentlemen's Quarterly,* novembro de 1988.

122 *Reform:* David Palliser, *The Guardian,* 16 de outubro de 1989.

122 Negoda: "From Russia with Sex", *Newsweek,* 17 de abril de 1989.

122 China: Ver "The Queen of the Universe", *Newsweek,* 6 de junho de 1988.

123 Tatiana Mamanova: citado em Caputi, *op. cit.,* p. 7.

123 Silêncios: J. Winship, *op. cit.,* p. 40.

123 Parecessem inteligentes: Penny Chorlton, *Cover-up: Taking the Lid Off the Cosmetics Industry* (Wellingborough, Reino Unido, Grapevine, 1988), p. 47; também Gloria Steinem, "Sex, Lies and Advertising", *Ms.,* setembro de 1990.

123 Pressão de anunciantes [...] cabeças grisalhas: Michael Hoyt, "When the Walls Came Tumbling Down", *Columbia Journalism Review,* março/abril de 1990, p. 35–40.

NOTAS

123 Steinem: Ver Gloria Steinem, *Outrageous Acts and Everyday Rebellions* (Nova York, Holt, Rinehart and Winston, 1983), p. 4.

124 Não durante sua vida: Marilyn Webb, "Gloria Leaves Home", *New York Woman,* julho de 1988.

125 Dez presidentes: Lisa Lebowitz, "Younger Every Day", *Harper's Bazaar,* agosto de 1988.

125 Mais em publicidade: Chorlton, *op. cit.*, p. 46.

125 Ações de empresas de cosméticos: *Standard and Poor's Industry Surveys* (Nova York, Standard and Poor's Corp., 1988). Nos Estados Unidos, em 1987, o setor de produtos de higiene pessoal, artigos de toalete e cosméticos somou US$ 18,5 bilhões, com os cosméticos compondo 27% do total; ver Robin Marantz Henig, "The War on Wrinkles", *New Woman,* junho de 1988.

Grande parte do crescimento se deve aos baixos preços dos derivados do petróleo, em especial do etanol, que é a base da maior parte dos produtos. "Um importante fator subjacente ao desempenho do setor", segundo dados dos *Standard and Poor's Industry Surveys* de 1988, "vem sendo a relação favorável entre custos e preços."

125 Editoras de beleza: Chorlton, "Publicity Disguised as Editorial Matter", em *Cover-up, op. cit.*, p. 46–47.

125 Dalma Heyn: Pat Duarte, "Older, but Not Invisible", *Women's Center News* (Centro de Mulheres do Condado de San Joaquin, Calif.), vol. 12, n.° 12 (agosto de 1988), p. 1–2.

126 Bob Ciano: citado em *ibid.*, p. 2.

127 Renda publicitária: uma única edição da *Harper's and Queen,* em outubro de 1988, trazia o equivalente a £ 100 mil em anúncios da indústria de cosméticos: Gerald McKnight, *The Skin Game: The International Beauty Business Brutally Exposed* (Londres, Sidgwick and Jackson, 1987), p. 65.

127 Orçamento publicitário [...] depende dos alimentos dietéticos: Magazine Publishers of America, *op. cit.*

A religião

Página

132 *Reze e o peso desaparece*: Roberta Pollack Seid, *Never Too Thin* (Nova York, Prentice Hall, 1989), p. 107.

135 Tradição: Ver Carol Gilligan, *Uma voz diferente: Psicologia da diferença entre homens e mulheres da infância à idade adulta.* (Rio de Janeiro, Rosa dos Tempos, 1990).

O MITO DA BELEZA

136   Bendita [...] entre as mulheres: missal da Igreja Católica Romana.

136   Valor excedia o dos rubis: Provérbios 3:10–31.

137   Havia mais mulheres do que homens: Nancy F. Cott, *The Bonds of Womanhood: Woman's Sphere in New England, 1780–1835* (New Haven, Yale University Press, 1977), p. 126.

138   Ministro: Ver Ann Douglas, *The Feminization of American Culture* (Nova York, Knopf, 1977).

138   Harriet Martineau: Cott, *op. cit.*, p. 138.

138   Morfologia: *ibid.*, p. 139.

139   A história da criação: Gênesis, 2:21–23.

140   Sede [...] perfeitos: Mateus 5:48

140   Wilson: citado em Gerald McKnight, *The Skin Game: The International Beauty Business Brutally Exposed* (Londres, Sidgwick & Jackson, 1989), p. 158.

140   Segunda classe: Oscar Wilde, *Lecture on Art,* citado em Richard Ellman, *Oscar Wilde* (Londres: H. Hamilton, 1987)

141   Não há homem nem mulher: Epístola aos Gálatas 3:28.

141   Homens encaram seu próprio de forma [...] positiva: Daniel Goleman, "Science Times", *The New York Times,* 15 de março de 1989, citando April Fallon e Paul Rozin, "Sex Differences in Perceptors of Body Size", *Journal of Abnormal Psychology,* vol. 4 (1983). Ver também John K. Collins *et al.*, "Body Percept Change in Obese Females After Weight Loss Reduction Therapy", *Journal of Clinical Psychology,* vol. 39 (1983): *Todas* as 68 mulheres entre os 18 e os 65 anos se consideraram mais gordas do que realmente eram.

141   Extremamente insatisfeito: "Staying Forever Young", *San Francisco Chronicle,* 12 de outubro de 1988.

141   Maioria feminina dos inscritos em programas para perda de peso: Ver Eva Szekely, *Never Too Thin* (Toronto, The Women's Press, 1988).

142   Simpósio: "Views on Beauty: When Artists Meet Surgeons", *The New York Times,* 20 de junho de 1988.

142   Fragen: Ronald Fragen, "The Holy Grail of Good Looks", *The New York Times,* 29 de junho de 1988.

142   Rees: dr. Thomas Rees com Sylvia Simmons, *More Than Just a Pretty Face: How Cosmetic Surgery Can Improve Your Looks and Your Life* (Boston, Little, Brown, 1987), p. 63.

143   Niôsome: Anúncio do Niôsome Système Anti-Age.

144   Kim Chernin: Ver *The Obsession: Reflections on the Tyranny of Slenderness* (Nova York, Harper & Row, 1981), p. 39.

NOTAS

145   Tabus da menstruação: Rosalind Miles, *The Women's History of the World* (Londres, Grafton Books, 1988), p. 108–109.

149   Vigilância: Elaine Showalter, *The Female Malady: Women, Madness and English Culture, 1830–1980* (Nova York, Pantheon Books, 1985), p. 212.

149   Vigiai, pois: Marcos 13:35.

149   Fique parada em pé: Alexandra Cruikshank *et al.*, *Positively Beautiful: Everywoman's Guide to Face, Figure and Fitness* (Sydney e Londres, Bay Books, 1988), p. 25.

149   Almas: Cott, *op. cit.*, p. 136.

149   Richard Stuart: Seid, *op. cit.*, p. 169–170.

153   Laços da morte: Salmo 116.

158   Os homens interrompem as mulheres: Dale Spender, *Man Made Language* (Londres e Nova York, Routledge and Kegan Paul, 1985). Ver também Laura Shapiro, "Guns and Dolls", *Newsweek,* 28 de maio de 1990; e Edward B. Fiske, "Even at a Former Women's College, Men Are Taken More Seriously, A Researcher Finds", *The New York Times,* 11 de abril de 1990.

159   Hipnotizadores e recrutadores profissionais de adeptos para seitas: Willa Appel, *Cults in America: Programmed for Paradise* (Nova York, Holt, Rinehart & Winston, 1983).

160   Olhem fixamente: todas as citações de membros de seitas são de Appel, *ibid.*

162   Vigarice em grande escala: McKnight, *op. cit.*, p. 20.

163   Herstein: *ibid.*, p. 24–25.

164   Profissionais da indústria: citado em *ibid.*, p. 74.

164   Roddick: citado em *ibid.*, p. 55–56.

164   Disney: citado em *ibid.*, p. 17.

164   Sugiyama: citado em *ibid.*, p. 4.

164   Kligman: *ibid.*, p. 39.

165   FDA: *ibid.*, p. 17–29.

167   Punir ninguém: Deborah Blumenthal, "Softer Sell in Ads for Beauty Products", *The New York Times,* 23 de abril de 1988, p. 56.

167   Rejuvenescimento: British Code of Advertising, Section C.I. 5.3.

168   Serviço de creches: Felicity Barringer, "Census Report Shows a Rise in Child Care and Its Costs", *The New York Times,* 16 de agosto de 1990.

170   As mulheres estão realmente sob ataque [...] 44%: Ver Diana E. H. Russell, *Rape: The Victim's Perspective* (Nova York, Stein & Day, 1975).

170   21% [...] violência física: Angela Browne, *When Battered Women Kill* (Nova York, Free Press, 1987), p. 4–5.

O MITO DA BELEZA

170 Uma mulher britânica em cada sete é violentada: Ruth E. Hall, *Ask Any Woman: A London Inquiry into Rape and Assault* (Bristol, Reino Unido, Falling Wall Press, 1985).

171 O padrão de vida cai: Lenore Weitzman, "Social and Economic Consequences of Property, Alimony and Child Support Awards", *University of California Los Angeles Law Review,* vol. 28 (1982), p. 1118-1251.

171 Pensão: Ver Ruth Sidel, *Women and Children Last: The Plight of Poor Women in Affluent America* (Nova York, Penguin Books, 1987), p. 104.

171 A renda média: *ibid.*, p. 18.

171 Assédios: Ver Catharine A. MacKinnon, *Sexual Harassment of Working Women: A Case of Sex Discrimination* (New Haven, Yale University Press, 1979); também Rosemarie Tong, *Women, Sex and the Law* (Totowa, N.J., Rowman and Littlefield, 1984).

171 As mulheres ganham [...]: Sidel, *op. cit.*, p. 17.

173 O número de divórcios: Debbie Taylor *et al.*, *Women: A World Report* (Oxford, Oxford University Press, 1985), p. 13.

174 Alimentos: Linda Wells, "Food for Thought", *The New York Times Magazine,* 30 de julho de 1989.

177 La Prairie: Anthea Gerrie, "Inject a Little Fun into Your Marriage", "Male and Femail", *Mail on Sunday,* 1988.

177 Células fetais: McKnight, *op. cit.*, p. 84.

177 Preços: citado em Linda Wells, "Prices: Out of Sight", *The New York Times Magazine,* 16 de julho de 1989.

178 Custo do produto: citado em McKnight, *op. cit.*, p. 66.

179 Seitas: Appel, *op. cit.*, p. 113-137. Ver também Chernin, *op. cit.*, p. 35-36, a respeito de seitas.

181 Põe uma guarda: baseado no Salmo 141:3.

184 Vigilantes do Peso: estatísticas internacionais dos Vigilantes do Peso, *Viva* holandesa, setembro de 1989.

185 Appel, *op. cit.*, p. 1-21.

185 *Ibid.*, p. 31.

186 *Ibid.*, p. 50.

187 *Ibid.*, p. 59.

187 *Ibid.*, p. 61.

187 *Ibid.*, p. 64.

187 *Ibid.*, p. 133.

188 *Ibid.*, p. 72.

NOTAS

191   Lasch: Ver Christopher Lasch, *The Culture of Narcissism: American Life in an Age of Diminishing Expectations* (Nova York, Warner Books, 1979).

O sexo

Página

193   Kinsey: Alfred Kinsey *et al.*: *Sexual Behavior in the Human Female* (Filadélfia, W. B. Saunders Co., 1953); citado em Debbie Taylor *et al..*, *Women: a World Report* (Oxford, Oxford University Press, 1985), p. 62.

193   Com sua destruição: Rosalind Miles, *The Women's History of the World* (Londres, Paladin Grafton Books, 1988), p. 115.

194   O sexo se aprende: Ver Elaine Morgan, *The Descent of Woman* (Nova York, Bantam Books, 1972), p. 76, 77. De acordo com Morgan:

> "Seria possível se imaginar que a cópula fosse um processo tão básico e 'instintivo' que seria muito pouco afetado pelo aprendizado e pela imitação [...], mas no que diz respeito ao sexo essa suposição estaria errada, pelo menos no que se refere aos primatas. As experiências de Harlow e Harlow na década de 1950 comprovaram irrefutavelmente que, se um macaco bebê for criado em total isolamento, sem condição de experimentar com seus colegas de idade ou de observar a cópula dos mais velhos (o que os jovens primatas fazem sempre que possível, com enorme curiosidade e muitas vezes com uma proximidade inconveniente), quando ele crescer, não fará a menor ideia do que se espera dele e, se for macho, morrerá sem descendentes."

200   Jack Sullivan: citado em Jane Caputi, *The Age of Sex Crime* (Bowling Green, Ohio, Bowling Green State University Popular Press, 1987), p. 63.

200   Siskel: citação, *ibid.*, p. 84. A vida e a arte se aproximaram na década de 1980. No romance *Confessions of a Lady Killer* [Confissões de um assassino de mulheres], um assassino sexual ataca feministas; em *Um agente na corda bamba*, o protagonista tem a fantasia de estrangular uma feminista que trabalha dando apoio a vítimas de estupro. Em dezembro de 1989, um homem atirou em 14 moças no Canadá, aos gritos de "Odeio as feministas".

201   Liga dos Atores de Cinema: "Actresses Make Less Than Men, New Study Says", *San Francisco Chronicle*, 2 de agosto de 1990.

202   França: "French Without Fears", *The Observer* (Londres), 17 de setembro de 1989.

203   Ao lado da revista *Time*: Susan G. Cole, *Pornography and the Sex Crisis* (Toronto, Amanita Enterprises, 1989), p. 37.

O MITO DA BELEZA

203 As autoridades na Suécia: Anita Desai, "The Family — Norway", em Taylor *et al.*, *op. cit.*, p. 24.

203 Censura da revista *Spare Rib*: Caroline Harris e Jennifer Moore, "Altered Images", *Marxism Today*, novembro de 1988, p. 24–27.

204 Judy Chicago: Jonetta Rose Barras, "U.D.C.'s $1.6 Million Dinner", *The Washington Times*, 18 de julho de 1990.

204 Um filme de mulheres canadenses foi proibido: Caputi, *op. cit.*, p. 72.

206 A própria fantasia: Taylor *et al.*, op. cit., p. 66.

207 Menos propensos a acreditar numa vitima de estupro: Neil M. Malamuth e Edward Donnerstein, orgs., *Pornography and Sexual Aggression* (Nova York, Academic Press, 1984).

207 Dessensibilizante: Dolph Zillman e Jennings Bryant, "Pornography, Sexual Callousness and the Trivialization of Rape", *Journal of Communication*, vol. 32 (982), p. 16–18.

207 Trivializem a gravidade: Donnerstein e Linz, "Pornography: Its Effect on Violence Against Women", em Malamuth e Donnerstein, orgs., *op. cit.*, p. 115–138.

207 Somente a violência: Edward Donnerstein e Leonard Berkowitz, "Victim Reactions in Aggressive Erotic Films as a Factor in Violence Against Women", *Personality and Social Psychology Bulletin*, vol. 41 (1981), p. 710–724.

207 Wendy Stock, "The Effects of Pornography on Women", depoimento à Comissão sobre Pornografia do Ministério da Justiça dos EUA [Attorney General's Commission on Pornography], 1985.

207 Carol L. Krafka, "Sexually Explicit, Sexually Violent and Violent Media: Effects of Multiple Naturalistic Exposures and Debriefing on Female Viewers", tese de doutorado, University of Wisconsin, 1985.

210 Consumismo: Barbara Ehrenreich, Elizabeth Hess e Gloria Jacobs, *Re-Making Love: The Feminization* of Sex (Londres, Fontana/Collins, 1986), p. 110.

215 Orgasmo: para estatísticas do orgasmo, ver Shere Hite, *The Hite Report* (Londres, Pandora Press, 1989), p. 225–270.

215 Kaplan: Helen Singer Kaplan, *The New Sex Therapy* (Nova York, Brunner/ Mazel, 1974).

215 Seymour Fischer: Ver *Understanding the Female Orgasm* (Nova York, Bantam Books, 1973).

215 Mulheres britânicas: Wendy Faulkner, "The Obsessive Orgasm: Science, Sex and Female Sexuality" em Lynda Birke *et al.*, *Alice Through the Microscope* (Londres, Virago Press, 1980), p. 145. Ver também R. Chester e C. Walker,

NOTAS

"Sexual Experience and Attitudes of British Women", em R. Chester e J. Peel, *Changing Patterns of Sexual Behaviour* (Londres, Academic Press, 1979).

215 Dinamarquesas: K. Garde e I. Lunde, "Female Sexual Behaviour: A Study of a Random Sample of Forty-Year-Old Women", *Maturita*, vol. 2 (1980).

215 Mulheres sudanesas: A. A. Shandall, "Circumcision and Infibulation of Females" Faculdade de Medicina, Universidade de Cartum; citação em Taylor et al., *op. cit.*, p. 61.

219 Tolamente conclui: Alice Walker, "Coming Apart", em *You Can't Keep a Good Woman Down* (San Diego, Harcourt Brace Jovanovich, 1981), p. 41–53.

219 Eu fantasio: Nancy Friday, *My Secret Garden: Women's Sexual Fantasies* (Londres, Quartet Books, 1985), p. 147.

220 Grande insatisfação: dr. Thomas Cash, Diane Cash e Jonathan Butters, "Mirror-Mirror on the Wall: Contrast Effects and Self-Evaluation of Physical Attractiveness", *Personality and Social Psychology Bulletin*, vol. 9 (3), setembro de 1983.

220 Hutchinson: Jane E. Brody, "Personal Health", *The New York Times*, 20 de outubro de 1988.

224 O velho a beijou: Miles, *op. cit.*, p. 97, 141.

232 Enlevadas: Ver Carol Cassell, *Swept Away: Why Women Confuse Love and Sex* (Nova York, Simon & Schuster, 1984); para uma explicação psicanalítica da superdeterminação do corpo feminino, ver Dorothy Dinnerstein, *Sexual Arrangements and the Human Malaise* (Nova York, Harper Colophon, 1977).

232 Nos Estados Unidos, 48,7% dos abortos: "Paths to an Abortion Clinic: Seven Trails of Conflict and Pain", *The New York Times*, 8 de maio de 1989.

232 Uma pesquisa com amostragem aleatória de 1983: Relatório da Comissão de Los Angeles sobre Agressões a Mulheres. Ver Page Mellish, org. "Statistics on Violence Against Women", *The Backlash Times*, 1989.

233 Pelo marido ou ex-marido: Diana E.H. Russell, citada por Angela Brown em *When Battered Women Kill* (Nova York, Free Press, 1987), p. 100. Para estupros conjugais nos EUA, uma esposa em dez, ver David Finkelhor e Kersti Yllo, *License to Rape: Sexual Abuse of Wives* (Nova York, The Free Press, 1985). As estatísticas de Menachem Amir, agora consideradas muito baixas, mostram taxas de estupro de 50% com mulheres negras e 12%, ou 1 em 8, com mulheres brancas. Ver Menachem Amir, *Patterns in Forcible Rape* (Chicago, University of Chicago Press, 1971), p. 44. Ver também Diana E. H. Russell, *Rape in Marriage* (Bloomington, Indiana University Press, 1982), p. 66.

O MITO DA BELEZA

233   Famílias holandesas: Ver *Geweld tegen vrouwen in heteroseksuele relaties* (Renee Romkers, 1989); *Sexueel misbruik van meisjes door verwanten* (Nel Draijer, 1988).

233   Na Suécia: Pesquisa realizada por Gunilla Bjarsdal. Estocolmo, Legenda Publishing Research, 1989. Para um panorama internacional da incidência de estupro por parte do cônjuge, ver Diana E. H. Russell, "Wife Rape in Other Countries", em *Rape in Marriage,* p. 333–354.

233   No Canadá: Caputi, *op. cit.,* p. 54.

233   Na Grã-Bretanha: R. Hall, S. James e J. Kertesz, *The Rapist Who Pays the Rent* (Bristol, Inglaterra, Falling Wall Press, 1981). O estupro pelo cônjuge não era crime no Canadá até 1983, na Escócia até 1982, e ainda não é crime na Inglaterra e em muitos estados dos Estados Unidos.

233   Mulheres londrinas: Ruth Hall, *Ask Any Woman: A London Inquiry into Rape and Sexual Assault* (Bristol, Inglaterra, Falling Wall Press, 1981).

233   Epidêmica: Mellish, *op. cit.* Também Lenore Walker, "The Battered Woman", *The Backlash Times,* 1979, p. 20. Walker estima que até 50% de todas as mulheres serão espancadas em algum ponto da vida.

233   Pesquisa Harris: Ver Browne, *op. cit.*

234   94% a 95% dos casos: *ibid.,* p. 8.

234   Agressões a cada ano: *ibid.,* p. 4–5.

234   Um quarto dos crimes violentos nos Estados Unidos: M. Barret e S. McIntosh, em Taylor *et al., op. cit.*

234   Pesquisadores em Pittsburgh: Browne, *op. cit.,* p. 4–5.

234   Uma canadense casada: Linda McLeod, *The Vicious Circle* (Ottawa, Canadian Advisory Council on the Status of Women, 1980), p. 21. Uma mulher no Canadá estuprada a cada 17 minutos: Ver Julie Brickman, "Incidence of Rape and Sexual Assault in Urban Canadian Population", *International Journal of Women's Studies,* vol. 7 (1984), p. 195–206.

234   Num estudo do Instituto Nacional de Saúde Mental: Browne, *op. cit.,* p. 9.

234   Incesto: Kinsey *et al., op. cit., Sexual Behavior in the Human Female,* citado em John Crewdson, *By Silence Betrayed: Sexual Abuse of Children in America* (Boston, Little, Brown, 1988), p. 25.

234   Diana Russell: relatado em *ibid.,* p. 25.

234   Bud Lewis: *ibid.,* p. 28.

235   Pesquisa no mundo inteiro [...] sai ano: Taylor *et al, op. cit.*

235   Pacientes de anorexia [...] abusos sexuais: Deanne Stone, "Challenging Conventional Thought", entrevista com os drs. Susan e Wayne Wooley, *Radiance,* verão de 1989.

NOTAS

235   Elizabeth Morgan: citação em Joyce Egginton, "The Pain of Hiding Hilary", *The Observer,* 5 de novembro de 1989.

236   Seu prazer sexual não seja uma coisa boa: Caputi, *op. cit.*, p. 116.

237   Os teóricos [...] da pornografia: Ver Susan Griffin, *Pornography and Silence* (Londres, The Women's Press, 1988); Susan G. Cole, *Pornography and the Sex Crisis* (Toronto, Amanita, 1989); Andrea Dworkin, *Pornography: Men Possessing Women* (Nova York, Putnam, 1981); Gloria Steinem, "Erotica vs. Pornography", em *Outrageous Acts and Everyday Rebellions* (Nova York, Hoit, Rinehart and Winston, 1983), p. 219–232; Susanne Kappeler, *The Pornography of Representation* (Minneapolis, University of Minnesota Press, 1986).

239   Entre os pais norte-americanos e britânicos, 12%: "Striking Attitudes", *The Guardian,* 15 de novembro de 1989, citando *The British Social Attitudes Special International Report* de Roger Jowell, Sharon Witherspoon e Lindsay Brook (Londres, Social and Community Planning Research, Gower, 1989).

239   MTV: citado em Caputi, *op. cit.*, p. 39.

240   Alice Cooper: Adam Sweeting, "Blame It on Alice", *The Guardian,* 1º de dezembro de 1989.

240   Revista *Ms.*: Robin Warshaw, *I Never Called It Rape: The Ms. Report on Recognizing, Fighting and Surviving Date and Acquaintance Rape* (Nova York, The Ms. Foundation for Education and Communication com Sarah Lazin Books, 1988), p. 83; pesquisa realizada por Mary P. Koss, Kent State University, com o Centro para Prevenção e Controle do Estupro.

241   Estão diretamente relacionadas ao estupro por parte de pessoas conhecidas: *ibid.*, p. 96.

241   "Gosto de dominar uma mulher": a pesquisa foi realizada por Virginia Greenlinger, Williams College, e Donna Byrne, State University of New York — Albany; citado em Warshaw, p. 93.

241   8% dos estudantes universitários haviam estuprado: *ibid.*, p. 84. A pornografia que os participantes liam consistia em *Playboy, Penthouse, Chic, Club, Forum, Gallery, Genesis, Oui* ou *Hustler.*

241   58% dos estudantes universitários: John Briere e Neil M. Malamuth, "Self--Reported Likelihood of Sexually Aggressive Behavior: Attitudinal versus Sexual Explanations", *Journal of Research in Personality,* vol. 37 (1983), p. 315–318.

241   30% consideravam mais atraentes os rostos que demonstrassem perturbação: Alfred B. Heilbrun, Jr., Emory; Maura P. Loftus, Auburn University; citados em *ibid.*, p. 97. Ver também N. Malamuth, J. Heim e S. Feshbach, "Sexual

O MITO DA BELEZA

Responsiveness of College Students to Rape Depictions: Inhibitory and Disinhibitory Effects", *Social Psychology,* vol. 38 (1980), p. 399.

242 Entre 3.187 mulheres; Warshaw, *op. cit.*, p. 83.

242 Ataques cardíacos: *ibid.*, p. 11.

242 Auburn University: *ibid.*, p. 13-14. Também na Auburn University, o catedrático Barry L. Brukhart revelou que 61% dos estudantes do sexo masculino afirmaram ter tocado uma mulher sexualmente contra a vontade dela.

242 Não chamam a experiência de "estupro": *ibid.*, p. 3, 51, 64, 66, 117.

242 Violência por parte dos parceiros em encontros marcados: Browne, *op. cit.*, p. 42.

243 Entre 14 e 18 anos: Ver estudo de Jacqueline Goodchild *et al.*, citado em Warshaw, *op. cit.*, p. 120.

243 Uma recente pesquisa em Toronto: Caputi, *op. cit.*, p. 119.

247 A preocupação com o rosto e o cabelo: Daniel Goleman, "Science Times", *The New York Times,* 15 de março de 1989.

251 William Butler Yeats: "For Ann Gregory", em *The Collected Poems of W. B. Yeats* (Londres, MacMillan, 1965).

252 Mary Gordon: *Final Payments* (Londres, Black Swan, 1987).

254 Gertrude Stein: citação em Arianna Stassinopoulos, *Picasso: Creator and Destroyer* (Nova York, Simon & Schuster, 1988).

A fome

Página

264 Woolf: Virginia Woolf, *A Room of One's Own* (San Diego, Harcourt Brace Jovanovich, 1981): reimpressão da edição de 1929.

264 Associação Americana de Bulimia e Anorexia; citação em Joan Jacobs Brumberg, *Fasting Girls: The Emergence of Anorexia Nervosa as a Modern Disease* (Cambridge, Mass., Harvard University Press, 1988), p. 20.

265 Entre 5% e 20% das universitárias: Brumberg, *op. cit.*, p. 12.

265 Cinquenta por cento das universitárias: *Ms.*, outubro de 1983. Uma recente pesquisa da University of California em São Francisco revelou que "*todas* [grifo meu] as de 18 anos disseram que estavam recorrendo a vômitos, jejuns, laxantes ou a moderadores de apetite para controle de peso". [Jane Brody, "Personal Health", *The New York Times*, 18 de março de 1987.]

266 Bulímicas: citação em Roberta Pollack Seid, *Never Too Thin: Why Women Are at War with Their Bodies* (Nova York, Prentice Hall, 1989), p. 21.

NOTAS

266   Taxa de mortalidade: L. K. G. Hsu, "Outcome of Anorexia Nervosa: A Review of the Literature", *Archives of General Psychiatry*, vol. 37 (1980), p. 1041–1042. Para um panorama completo da literatura sobre o assunto, ver dr. L.K. George Hsu, *Eating Disorders* (Nova York, The Guildford Press, 1990).

266   Nunca se recuperam totalmente: Brumberg, *op. cit.*, p. 24.

266   As consequências clínicas: Brumberg, *op. cit.*, p. 26. De acordo com *The Penguin Encyclopaedia of Nutrition* (Nova York, Viking, 1985): "Os dentes do paciente são desgastados pela acidez do suco gástrico ejetado. O desequilíbrio químico do sangue pode levar a sérias alterações nos batimentos cardíacos e a falência renal. Não são incomuns ataques epilépticos. A irregularidade da menstruação [conduz à infertilidade]", *op. cit.*

266   Incapacidade de se desenvolver: Seid, *op. cit.*, p. 26, citando Michael Pugliese *et al.*, "Fear of Obesity: A Cause of Short Stature and Delayed Puberty", *New England Journal of Medicine,* 1º de setembro de 1983, p 513–518. Ver também Rose Dosti, "Nutritionists Express Worries About Children Following Adult Diets", *Los Angeles Times,* 29 de junho de 1986.

266   50% das britânicas sofrem: Julia Buckroyd, "Why Women Still Can't Cope with Food", *Cosmopolitan* britânica, setembro de 1989.

267   Propagação para a Europa: Hilde Bruch, *The Golden Cage: The Enigma of Anorexia Nervosa* (Nova York, Random House, 1979), citação em Kim Chernin, *The Obsession: Reflections on the Tyranny of Slenderness* (Nova York, Harper & Row, 1981), p. 101.

267   Na Suécia: Cecilia Bergh Rosen, "An Explorative Study of Bulimia and Other Excessive Behaviours", Instituto de Pesquisa Rei Gustavo V, Instituto Karolinska, Estocolmo, e Departamento de Sociologia e Escola de Serviços Sociais, Universidade de Estocolmo, Suécia (Estocolmo, 1988). "O isolamento social e os problemas econômicos foram considerados os dois efeitos mais negativos da bulimia. Embora as consequências físicas fossem graves, isso não desencorajava os pacientes. [...] Em todos os casos, a bulimia foi considerada causa de isolamento e retraimento social" [p. 77].

267   Adolescentes italianos: Professor N. Frighi, "Le Sepienze", Instituto pela Saúde Mental, Universidade de Roma, 1989; estudo com mais de 4.435 estudantes de ensino médio.

267   Classe média: Brumberg, *Fasting Girls*, p. 9. De 90% a 95% dos pacientes de anorexia são jovens, brancas, do sexo feminino e desproporcionalmente das classes média e alta. O "contágio" se restringe aos Estados Unidos, Europa Ocidental, Japão e regiões que passam por uma "rápida ocidentalização" [*Ibid.*, p. 12–13], Estudos recentes revelam que, quanto maior é a renda de um homem, menor é o peso de sua esposa [Seid, *op. cit.*, p. 16].

O MITO DA BELEZA

268   A aparência doentia: Ann Hollander, *Seeing Through Clothes* (Nova York, Viking Penguin, 1988), p. 151.

268   A modelo média [...] 23%: do fato relatado em Verne Palmer, "Where's the Fat?", *The Outlook,* 13 de maio de 1987, citação do dr. C. Wayne Callaway, diretor do Centro para a Nutrição Clínica na George Washington University; citado em Seid, *op. cit.,* p. 15.

268   Twiggy; citação em Nicholas Drake, org., *The Sixties: A Decade in Vogue* (Nova York, Prentice Hall, 1988).

269   Garotas da Playboy: Ver David Garner *et al.,* "Cultural Expectations of Thinness in Women", *Psychological Reports,* vol. 47 (1980), p. 483–491.

269   25% fazendo regime: Seid, *op. cit.,* p. 3.

270   Pesquisa da *Glamour:* pesquisa realizada pelos drs. Wayne e Susan Wooley, da University of Cincinnati College of Medicine, 1984: "33,000 Women Tell How They Really Feel About Their Bodies", *Glamour,* fevereiro de 1984.

272   Obesidade [...] doenças cardíacas: Ver "Bills to Improve Health Studies of Women", *San Francisco Chronicle,* 1º de agosto de 1990. De acordo com a deputada Barbara Mikulski (Partido Democrata, Maryland), quase toda a pesquisa sobre doenças cardíacas é realizada com homens. Os Institutos Nacionais da Saúde gastam apenas 13% de seus recursos em pesquisas sobre a saúde da mulher.

273   J. Polivy e C. P. Herman: "Clinical Depression and Weight Change: A Complex Relation", *Journal of Abnormal Psychology,* vol. 85 (1976), p. 338–340. Citação em Ilana Attie e J. Brooks-Gunn, "Weight Concerns as Chronic Stressors in Women", em Rosalind C. Barnett, Lois Biener e Grace K. Baruch, orgs., *Gender and Stress* (Nova York, The Free Press, 1987), p. 237.

275   Outras teorias: Rudolph M. Bell, *Holy Anorexia* (Chicago e Londres: The University of Chicago Press, 1985); Kim Chernin, *The Hungry Self: Women, Eating and Identity* (Londres, Virago Press, 1986); Marilyn Lawrence, *The Anorexic Experience* (Londres, The Women's Press, 1984); Susie Orbach, *Hunger Strike: The Anorectic's Struggle as a Metaphor for our Age* (Londres, Faber and Faber, 1986); Eva Szekeley, *Never Too Thin* (Toronto, The Women's Press, 1988); Susie Orbach, *Fat Is a Feminist Issue* (Londres, Arrow Books, 1989).

276   Roma: Sarah Pomeroy, *Goddesses, Whores, Wives and Slaves: Women in Classical Antiquity* (Nova York, Schocken Books, 1975), p. 203. Sob o império de Trajano, a quota dos meninos era de 16 sestércios, e a das meninas, de 12; numa doação do século II, os meninos recebiam 20 sestércios e as meninas, 16 [*ibid.*].

NOTAS

276 Infanticídio: M. Piers, *Infanticide* (Nova York, W. W. Norton, 1978); e Marvin Harris, *Cows, Pigs, Wars and Witches: The Riddles of Culture* (Nova York, Vintage, 1975).

276 Botsuana: Ver Jalna Hammer e Pat Allen, "Reproductive Engineering: The Final Solution?", em Lynda Birke *et al.*, *Alice Through the Microscope: The Power of Science over Women's Lives* (Londres, Virago Press, 1980). p. 224.

276 Turquia: Debbie Taylor *et al.*, *Women: A World Report* (Oxford, Oxford University Press, 1985), p. 47.

277 Menos nutritivo: v. L. Leghorn e M. Roodkowsky, "Who Really Starves?", *Women and World Hunger* (Nova York, s. ed., 1977).

277 Não estão com fome: embora tanto Kim Chernin quanto Susie Orbach descrevam esse padrão de comportamento, elas não concluem que ele sirva diretamente à manutenção de um objetivo político.

277 Anêmicas: Taylor *et al.*, *op. cit.*, p. 8, citando E. Royston, "Morbidity of Women: The Prevalence of Nutritional Anemias in Developing Countries", World Health Organization Division of Family Health (Genebra, 1978).

278 Numa amostragem de bebês: Susie Orbach, *op. cit.*, p. 40–41.

279 A mulher saudável de 20 anos: Seid, *op. cit.*, p. 175.

279 38% de gordura no corpo: Anne Scott Beller, *Fat and Thin* (Nova York, Farrar, Straus and Giroux, 1977); para um exame da teoria do ponto de equilíbrio (o peso que o corpo defende), ver Seid, *op. cit.*, p. 182. Ver também Gina Kolata, "Where Fat Is Problem, Heredity Is the Answer, Studies Find", *The New York Times,* 24 de maio de 1990.

279 As necessidades calóricas: Derek Cooper, "Good Health or Bad Food? 20 Ways to Find Out", *Scotland on Sunday,* 24 de dezembro de 1989; Sarah Bosely, "The Fat of the Land", *The Guardian,* 12 de janeiro de 1990.

279 Mulheres que fazem exercícios: Seid, *op. cit.*, p. 40.

280 Câncer ovariano: *ibid.*, p. 29.

280 Ovários que não funcionam: Saffron Davies, "Fat: A Fertility Issue", "Health Watch", *The Guardian,* 30 de junho de 1988.

280 Frisch: Rose E. Frisch, "Fatness and Fertility", *Scientific American,* março de 1988.

280 Bebês abaixo do peso normal ao nascer: *British Medical Journal,* citação na *Cosmopolitan* britânica, julho de 1988.

280 Mas desejo: Seid, *op. cit.*, p. 290–291.

280 Desenvolvendo seios: Magnus Pyke, *Man and Food* (Londres, Weidenfeld and Nicolson, 1970), p. 140–145.

O MITO DA BELEZA

280 Loyola University: Seid, *op. cit.*, p. 360, citando Phyllis Mensing "Eating Disorders Have Severe Effect on Sexual Function", *Evening Outlook,* 6 de abril de 1987.

281 Quem faz exercícios perde o interesse no sexo: Seid, *op. cit.*, p. 296, citando Alayne Yatres *et al.*, "Running — An Analogue of Anorexia?", *New England Journal of Medicine,* 3 de fevereiro de 1983, p. 251–255.

281 Ausência de atividade sexual por parte das anoréxicas; Brumberg, *op. cit.*, p. 267.

281 Ausência de atividade sexual em pacientes de bulimia: Mette Bergstrom, "Sweets and Sour", *The Guardian,* 3 de outubro de 1989.

281 Na Índia: Taylor *et al.*, *op. cit.*, p. 86.

281 Inanição parcial infligida pela própria pessoa: Seid, *op. cit.*, p. 31.

281 University of Minnesota: Ver *ibid.*, p. 266; trechos de Attie e Brooks-Gunn, *Gender and Stress, op. cit.*

282 Isolamento social: Ver Rosen, *op. cit.* Ver também Danita Czyzewski e Melanie A. Suhz, orgs., Hilde Bruch, *Conversations With Anorexics* (Nova York, Basic Books, 1988). Ver também Garner *et al.*, *op. cit.*, p. 483–491.

283 Confissões histéricas: Seid, *op. cit.*, p. 266–267.

283 Grande fome [holandesa]: Pyke, *op. cit.*, p. 129–130.

283 Gueto de Lodz: Ver Lucian Dobrischitski, org., *The Chronicles of the Lodz Ghetto* (New Haven, Yale University Press, 1984). Ver também Jean-Francis Steiner, *Treblinka* (Nova York, New American Library, 1968).

283 Alimentos racionados: Paula Dranov, "Where to Go to Lose Weight", *New Woman,* junho de 1988.

284 A privação do alimento: Seid, *op. cit.*, p. 266.

284 Transtornos alimentares causados pelo hábito das dietas: Attie e Brooks-Gunn, *op. cit.*, p. 243: "De acordo com essa perspectiva, a dieta se transforma numa dependência, mantida por (1) sensações de euforia associadas ao sucesso na perda de peso, que exigem o prolongamento da restrição calórica para manter os efeitos agradáveis do alívio de tensão; (2) alterações fisiológicas através das quais o corpo se adapta à privação do alimento; e (3) a ameaça dos sintomas de reação do organismo associados à volta ao consumo de alimentos, incluindo-se aí o rápido aumento de peso, o desconforto físico e a disforia."

287 Woolf, *op. cit.*, p. 10.

291 Clínica de Estresse de Austin: Raymond C. Hawkins, Susan Turell, Linda H. Jackson, Austin Stress Clinic, 1983: "Desirable and Undesirable Masculine and Feminine Traits in Relation to Students' Dieting Tendencies and Body Image Dissatisfaction", *Sex Roles,* vol. 9 (1983), p. 705–718.

NOTAS

299 Mostrando-se indiferentes: a Conferência Intercolegial sobre Transtornos Alimentares, mencionada por Brumberg [*op. cit.*] realmente atraiu representantes de muitas faculdades. No entanto, segundo os centros femininos de algumas das universidades norte-americanas mais conceituadas, as da Ivy League, os transtornos alimentares não são objeto de atenção a não ser no nível dos grupos de ajuda mútua e sem dúvida nunca no nível administrativo. O orçamento de um semestre inteiro destinado ao Centro Feminino da Yale University é de US$ 600, US$ 200 a mais do que em 1984. "Estudantes universitárias interessadas no tema relatam que os jejuns, o controle do peso e as farras gastronômicas fazem parte da vida normal nos *campi* norte-americanos." [Brumberg, *op. cit.*, p. 264, citando K. A. Halmi, J. R. Falk e E. Schwartz, "Binge-Eating and Vomiting: A Survey of a College Population", *Psychological Medicine* 11 (1981), p. 697–706.]

310 Repulsa: citado em Robin Tolmach Lakoff e Raquel L. Scherr, *Face Value: The Politics of Beauty* (Londres e Boston, Routledge and Kegan Paul, 1984), p. 141–142, 168–169.

310 Friedan: Betty Friedan, *Lear's*, "Friedan, Sadat", maio/junho de 1988.

311 Meehan: citado em Jean Seligman, "The Littlest Dieters", *Newsweek,* 27 de julho de 1987.

312 Cosméticos para menininhas: Linda Wells, "Babes in Makeup Land", *The New York Times Magazine*, 13 de agosto de 1989.

A violência

Página

316 Durante a década de 1980: O total de mais de 2 milhões de norte-americanos se compara a 590.550 em 1986, o que já representava um aumento da ordem de 24% em relação a 1984. Ver *Standard and Poor's Industry Surveys* (Nova York, Standard and Poor's Corp., 1988) e Martin Walker, "Beauty World Goes Peanuts", *The Guardian* (Londres), 20 de setembro de 1989. No entanto, como 80% dos *liftings* de olhos e do rosto e das plásticas de nariz são realizadas em pacientes do sexo feminino, como o são praticamente todas as cirurgias plásticas dos seios e as operações de lipoaspiração, a verdadeira proporção entre homens e mulheres deve ser superior a 87%, o que faz crer que a cirurgia estética só possa ser compreendida adequadamente como um *processamento de feminilidade.* Para números, ver Joanna Gibbon, "A Nose by Any Other Shape", *The Independent* (Londres), 19 de janeiro de 1989.

O MITO DA BELEZA

316 A violência, uma vez iniciada: Angela Browne, *When Battered Women Kill* (Nova York, Free Press, 1987), p. 106.

318 O imperador Constantino: Sarah Pomeroy, *Goddesses, Whores, Wives and Slaves: Women in Classical Antiquity* (Nova York, Schocken Books, 1975), p. 160.

319 Sontag: Susan Sontag, *Illness as Metaphor* (Nova York, Schocken Books, 1988).

320 Homem aviltado: Barbara Ehrenreich e Deirdre English, *Complaints and Disorders: The Sexual Politics of Sickness* (Old Westbury, N.Y., The Feminist Press, 1973); "Seres híbridos inúteis e repugnantes", *ibid.*, p. 28.

320 Michelet: citado em Peter Gay, *The Bourgeois Experience, Volume II: The Tender Passion* (Nova York, Oxford University Press, 1986), p. 82.

321 Esfera isolada: Ver Sarah Stage, *Female Complaints: Lydia Pinkham and the Business of Women's Medicine* (Nova York, W. W. Norton, 1979), p. 68.

321 1870–1910: Elaine Showalter, *The Female Malady: Women, Madness and English Culture, 1830–1980* (Nova York, Pantheon Books, 1985), p. 18. Ver também Mary Livermore, "Recommendatory Letter" e "On Female Invalidism" da Dra. Mary Putnam Jacobi, em Nancy F. Cott, org., *Root of Bitterness: Documents of the Social History of American Women* (Nova York, Dutton, 1972), p. 292, 304.

322 As mulheres eram as principais pacientes: Showalter, *op. cit.*, p. 56.

322 A medicina vitoriana: Ehrenreich e English, *op. cit.*, p. 60.

324 Catherine Clément: "Enclave Esclave", em Elaine Marks e Isabelle de Courtivron, orgs., *New French Feminisms: An Anthology* (Nova York, Schocken Books; 1981), p. 59.

325 O rosto calmo: Showalter, *op. cit.*

325 A menopausa: John Conolly, "Construction", citado em Showalter, *op. cit.*, p. 59.

325 A modernidade: Stage, *op. cit.*, p. 75.

326 Engels: citação em Ann Oakley, *Housewife: High Value/Low Cost* (Londres, Penguin Books, 1987), p. 46–47.

326 Interesse científico: Ver Peter Gay, *The Bourgeois Experience, Volume II: The Tender Passion* (Nova York, Oxford University Press, 1986).

326 Surgissem [...] interrogações a respeito de sua segurança: Vivien Walsh, "Contraception: The Growth of a Technology", The Brighton Women and Science Group, *Alice Through the Microscope: The Power of Science over Women's Lives* (Londres, Virago Press, 1980), p. 202.

NOTAS

327 Classificando como doença [...] a liberdade: Ver Carlotta Karlson Jacobson e Catherine Ettlings, *How to Be Wrinkle Free* (Nova York, Putnam, 1987): "As rugas [...] podem não constituir um risco de vida no sentido exato, mas o estresse e a ansiedade que produzem podem alterar (se não ameaçar) a qualidade da vida." As autoras descrevem tratamentos de choque da pele "destinados a fazer com que [a pele] volte a sua melhor forma". De acordo com as autoras, Steven Genender injeta uma toxina no músculo da face para que ele não expresse emoções; outros seccionam esses músculos para que o rosto fique impassível.

327 Imagens da fertilidade do período paleolítico: Eugenia Chandris, *The Venus Syndrome* (Londres, Chatto & Windus, 1985).

329 Balin: "Despite Risks, Plastic Surgery Thrives", *The New York Times,* 29 de junho de 1988.

329 Dr. Tostesen: "Harvard and Japanese Cosmetics Makers Join in Skin Research", *The New York Times,* 4 de agosto de 1989. A University of Pennsylvania também aceitou doações da indústria dos cosméticos para uma bolsa de pesquisa da "beleza e do bem-estar" no valor de US$ 200 mil.

331 Os deficientes físicos; Daniel Goleman, "Dislike of Own Body Found Common Among Women", *The New York Times,* 19 de março de 1985.

331 Região da baía: "Staying Forever Young", *San Francisco Chronicle,* 12 de outubro de 1988.

331 Rose Cipollone: "Coffin Nails", *The New York Times,* 15 de junho de 1988.

331 As dietas liquidas: Carla Rohlfing, "Do the New Liquid Diets Really Work?", *Reader's Digest,* junho de 1989; ver também "The Losing Formula", *Newsweek,* 30 de abril de 1990.

332 Mais difícil detectar o câncer: Num estudo com vinte pacientes de câncer do seio com implantes, os pesquisadores descobriram que nenhum dos tumores havia sido detectado cedo por meio de radiografias e que o câncer já havia se propagado até os gânglios linfáticos de treze delas na época em que foi detectado: Michele Goodwin, "Silicone Breast Implants", *The New Haven Advocate,* 13 de março de 1989. O Grupo de Pesquisa da Saúde Pública e do Cidadão apresentou queixa contra os fabricantes de implantes Dow Corning Corp., citando a própria pesquisa realizada pelos fabricantes na qual 23% das fêmeas de ratos com implantes de silicone haviam tido câncer. O Grupo também salienta que os implantes vêm recebendo acompanhamento somente há dez ou doze anos, tempo insuficiente para o surgimento do câncer. A literatura especializada da Sociedade Americana de Cirurgia Plástica e Restauradora nega qualquer tipo de risco.

O MITO DA BELEZA

332   Doença mental: Stanley Grand, "The Body and its Boundaries: A Psycho-analytic View of Cognitive Process Disturbances in Schizophrenia", *International Review of Psychoanalysis*, vol. 9 (1982), p. 327.

332   Estresse: Daniel Goleman, "Researchers Find That Optimism Helps the Body's Defense System" "Science Times", *The New York Times*, 20 de abril de 1989.

332   Esquizofrenia: Daniel Brown, Harvard Medical School, citado em Daniel Goleman, "Science Times", *The New York Times*, 15 de março de 1985.

333   A criação da doença mental: os transtornos alimentares estão se transformando num processo de mutilação, o que faz surgir uma nova onda de mulheres que se retalham. "Um número cada vez maior de mulheres jovens que se dilaceram [...]. Uma bulímica se entregava a comer e vomitar até perder o controle de tal forma que 'pegou uma faca e a enfiou no estômago'." [MaggyRoss, "Shocking Habit", *Company*, setembro de 1988]. Três "jovens atraentes" que se sentiam "fisicamente repugnantes" e "más por dentro" faziam regularmente um desenho com até sessenta cortes diagonais nos antebraços, sentindo-se entorpecidas e desligadas. "Eu não aguentava esse tipo de julgamento", disse uma delas [Michele Hanson, "An End to the Hurting", *Elle*, outubro de 1988].

335   US$ 1 milhão: Gerald McKnight, *The Skin Game: The International Beauty Business Brutally Exposed* (Londres, Sidgwick and Jackson, 1989).

336   Lucro com cirurgias: *Standard and Poor's Industry Surveys*, 1988.

337   Como homem de negócios: Ehrenreich e English, *op. cit.*, p. 26.

340   As experiências com fetos, órgãos humanos: Ver *The New York Times*, 1º de agosto de 1988. Ver também Wendy Varley, "A Process of Elimination", *The Guardian*, 28 de novembro de 1989, e Aileen Ballantyne, "The Embryo and the Law", *The Guardian*, 8 de setembro de 1989.

    "Existem, numa sociedade civilizada, certas coisas que o dinheiro não pode comprar": veredicto do caso Baby M. *In re Baby M.*, 537 A2d 1227 (N.J.) 1988; *In re Baby M.*, 225 N.J. Super. 267 (S. Ct., N.J., 1988) 73.

341   Robert Jay Lifton, *The Nazi Doctors: Medical Killing and the Psychology of Genocide* (Nova York, Basic Books, 1986).

342   Experimentos: "Usá-la em mim como 'experiência'": citação em Maria Kay, "Plastic Makes Perfect", *She*, julho de 1988.

342   Experiências com o grampeamento do estômago: Paul Ernsberger, "The Unkindest Cut of All: The Dangers of Weight-Loss Surgery", *Radiance*, verão de 1988.

    O dr. Stuart Yuspa, do Instituto Nacional do Câncer, refere-se à prescrição de Retin-A/tretonoína como "experimento em seres humanos". [Jane E. Brody, "Personal Health", *The New York Times*, 16 de junho de 1988.]

NOTAS

342 Nuremberg: o Código de Ética dos Experimentos com Seres Humanos foi promulgado em 19 de agosto de 1947, no Tribunal Militar de Nuremberg. [Ver David A. Frankele, "Human Experimentation: Codes of Ethics", em Amnon Karmi, org., *Medical Experimentation* (Ramat Gan, Israel, Turtledove Publishing, 1978).] A Faculdade de Medicina de Berlim adaptou um texto (de Thomas Percival, de 1803), uma versão do qual foi mais tarde adaptada pela Associação Médica Americana, que proíbe "arriscar a vida de qualquer ser humano [...] pela experimentação inútil ou por meios duvidosos" e condena a degradação do médico quando ele emprega sua arte "com [...] objetivos imorais".

Em setembro de 1948, a Assembleia Geral da Associação Médica Mundial adotou a Declaração de Genebra: "Um médico em nenhuma hipótese fará, autorizará ou tolerará que seja feito nada que enfraqueça a resistência física ou mental de um ser humano, a não ser para a prevenção de alguma doença ou para seu tratamento."

O Código de Nuremberg destinava-se a "fazer vigorar 'princípios gerais já existentes quanto à experimentação em seres humanos, aceitos por todas as nações civilizadas' Os tribunais alemães, depois de Nuremberg, "passaram a considerar tecnicamente toda operação médica ou outro tratamento que invada o corpo humano como lesão corporal, o que em geral exige uma justificativa através do consentimento do paciente informado." [A. Karmi, "Legal Problems", em *Medical Experimentation*.]

Sem a "liberdade de escolha", o procedimento é criminoso: "É de consenso geral que experimentos científicos não podem ser realizados sem o *livre consentimento* da pessoa que a eles se sujeita, após receber as devidas informações." [Gerfried F. Scher, citado em Karmi, *op. cit.*, p. 100.] Além disso, "a decisão de participar numa experiência clinica de natureza científica deve ser totalmente livre e isenta da influência de qualquer tipo de dependência". [*Ibid.*, p. 101.]

A cirurgia estética viola também códigos atuais da ética médica, de acordo com a adaptação do código efetuada pelo principal consultor médico dos Estados Unidos nos julgamentos de guerra.

"O consentimento voluntário do ser humano envolvido é absolutamente essencial. Isto significa que a pessoa envolvida deveria ser legalmente capaz para dar tal consentimento; deveria estar numa situação que lhe proporcionasse o livre exercício da escolha, sem a interferência de nenhum elemento de força, fraude, logro, coação, astúcia ou qualquer outra forma de coerção ou constrangimento: ela deveria também ter conhecimento suficiente sobre

O MITO DA BELEZA

o tema em questão para poder tomar uma decisão esclarecida e criteriosa. O dever e a responsabilidade pela garantia da qualidade do consentimento cabem a quem realiza o experimento. (Menores de idade não podem dar consentimento). [...] O grau de risco a correr não deveria jamais superar aquele estabelecido pela importância humanitária do problema a ser resolvido pelo experimento." Com relação a fraude, logro etc., o Tribunal Estadual de Michigan determinou que a "atmosfera inerentemente coercitiva" em torno de um experimento médico tornava "impossível um consentimento verdadeiramente informado". Quanto à maturidade de menores para dar o consentimento, alguns cirurgiões estéticos abriram um novo mercado entre meninas adolescentes. Essas menores são operadas com o consentimento dos pais, apesar de serem menores.

Quanto a experimentos não terapêuticos: "Os riscos a correr devem estar numa *proporção razoável* com relação aos possíveis benefícios. Se *o experimento envolver um risco real à vida da pessoa envolvida, seu consentimento não terá validade mesmo que ele tenha sido informado dessa possibilidade* [...]. O mesmo vale para os casos em que haja um risco real de se prejudicar de forma grave e duradoura a saúde do paciente." [grifos meus]

Para o bem do próprio paciente, a natureza experimental de novos tratamentos deve ser revelada. "Seu consentimento geral com o tratamento sem conhecimento de seu caráter experimental não é suficiente." A legislação que trata do exercício da medicina nos Estados Unidos depende dos conceitos de Normas de Atendimento [Standards of Care] para distinguir entre aqueles procedimentos médicos e cirúrgicos amplamente aceitos pela profissão médica e aqueles que não são aceitos. Segundo Martin L. Norton, "deveríamos [...] encarar qualquer coisa que se faça a um paciente que não tenha efeito terapêutico direto ou que não contribua para o diagnóstico de seu mal como um experimento". [*Ibid.*, p. 107–109]

343 Possibilidade de morte de 1 para 30 mil: Joanna Gibbon, *Independent Guide to Cosmetic Surgery (The Independent,* 1989), panfleto, p. 7.

De acordo com o *Guide,* os implantes de silicone para aumento dos seios "infiltram-se em outras partes do corpo, e as consequências a longo prazo são desconhecidas". Existe também uma probabilidade entre 10% e 40% de que o tecido cicatricial se enrijeça numa espécie de "bola de críquete", exigindo "uma outra operação para eliminar essa cápsula". [*Ibid.*, p. 8.] McKnight, *op. cit.*, afirma que a probabilidade de que os implantes endureçam é de 70%. O dr. Peter Davis, do St. Thomas Hospital, na Inglaterra, declara que "há relatos de que a mortalidade tenha aumentado em 10% nos Estados

NOTAS

Unidos". [McKnight *op. cit.*, p. 114, 120.] "Se os médicos [norte-americanos] admitissem uma taxa de insucesso na faixa de 10%, que é normal em nossa experiência a cada mil *liftings* do rosto, eles perderiam sua clientela. Vejamos a prótese do seio que realizamos aqui há anos. Ela tem uma incidência de complicações da ordem de 70%. Mesmo assim, nos Estados Unidos há quem fale em 1%. Somente um de nós deve estar dizendo a verdade."

344   Mortes por lipoaspiração: Wenda B. O'Reilly, *The Beautiful Body Book: A Guide to Effortless Weight Loss* (Nova York, Bantam, 1989).

344   Lipoaspiração [...] total de 11: Robin Marantz Henig, "The High Cost of Thinness", *The New York Times Magazine,* 28 de fevereiro de 1988.

344   Um máximo de 70%: Ver McKnight, *op. cit.* Quando perguntei à porta-voz da Sociedade Americana de Cirurgia Plástica e Restauradora qual seria a probabilidade de "contração capsular", em suas palavras, ela disse que era impossível responder. "Alguns cirurgiões têm 10% e alguns 90%." "Não existem pesquisas com estatísticas da incidência de complicações?" "Não. Cada mulher é diferente da outra. Não é justo dizer a uma mulher que ela não pode ser operada em razão da possibilidade desses números."

345   Dependentes: Ver Maria Kay, "Plastic Makes Perfect", *She,* julho de 1988: "Dói muito depois, porque os maxilares parecem estar deslocados [...] tem-se de fazer uma dieta líquida [...] as partículas de alimentos provocam infecções se ficarem presas nos pontos, mas, seja como for, não se consegue mastigar. Não se consegue sorrir. O rosto dói. Meu rosto inchou como o de um hamster, e eu tive traumatismo e terríveis contusões amareladas." O *peeling* químico "faz com que você fique escura e franzida; depois uma casca se forma e cai". Ver também "Scalpel Slaves Just Can't Quit!", *Newsweek,* 11 de janeiro de 1988.

346   Dois pesos e duas medidas: Ver "Government to Ban Baldness, Sex Drugs", *Danbury* (Conn.) *News Times,* 8 de julho de 1989.

347   A fraude: Paul Ernsberger, "Fraudulent Weight-Loss Programs: How Hazardous?", *Radiance,* outono de 1985, p. 6; "Investigating Claims Made by Diet Programs", *The New York Times,* 25 de setembro de 1990.

347   Na Grã-Bretanha: a Associação Médica Britânica emitiu um comunicado em que deplora o acesso direto de pacientes a clínicas de cirurgia estética, mas não há nada que o Conselho Geral de Medicina possa fazer.

348   Noventa por cento [...] não regulamentados: Cable News Network, 19 de abril de 1989; ver também Claude Solnick, "A Nip, a Tuck, and a Lift", *New York Perspectives,* 11–18 de janeiro de 1991, p. 12–13.

O MITO DA BELEZA

348   Depoimento no Congresso: Ver Federal Trade Commission Report, *Unqualified Doctors Performing Cosmetic Surgery: Policies and Enforcement Activities of the Federal Trade Commission, Parts I, II and III, Serial no. 101–7.*

349   Weir: Jeremy Weir, "Breast Frenzy", *Self,* abril de 1989.

350   Morte do mamilo: Penny Chorlton, *Cover-up: Taking the Lid Off the Cosmetics industry* (Wellingborough, Reino Unido, Grapevine, 1988), p. 244. Ver também a literatura especializada da Sociedade Americana de Cirurgia Plástica e Restauradora.

350   Mutilação genital: Gloria Steinem, "The International Crime of Genital Mutilation", em *Outrageous Acts and Everyday Rebellions* (Nova York, Holt, Rinehart & Winston, 1983), p. 292–300.

351   Enfaixamento de pés: Andrea Dworkin, *Woman Hating* (Nova York, Dutton, 1974), p. 95–116.

353   Dr. Symington-Brown: Sarah Stage, *Female Complaints: Lydia Pinkham and the Business of Women's Medicine* (Nova York, W. W. Norton, 1981), p. 77.

354   Weldon: Fay Weldon, *The Life and Loves of a She-Devil* (Londres, Coronet Books, 1983): "Temos a vaga impressão de que um dia um cavaleiro numa bela armadura passará galopante, verá a beleza oculta da alma, apanhará a donzela, colocará uma coroa em sua cabeça e a fará rainha. Mas na minha alma não há beleza [...] por isso tenho de criar a minha própria; e, como não posso mudar o mundo, vou me transformar" (p. 56). Weldon escreveu um artigo favorável à cirurgia para *New Woman,* novembro de 1989.

354   Ovariotomias: Stage, *op. cit.*; também Ehrenreich e English, *op. cit.*, p. 35.

361   Eletrochoque: *Newsweek,* 23 de julho de 1956, relata que um programa de modificação do comportamento usava choques elétricos quando os participantes comiam seus alimentos preferidos; citação em Seid, *op. cit.*, p. 171.

361   Choques elétricos: Showalter, *op. cit.*, p. 217, citando Sylvia Plath, *The Journals of Sylvia Plath,* Ted Hughes e Frances McCullough, orgs. (Nova York, Dial Press, 1982), p. 318.

366   O mal: Suzanne Levitt, "Rethinking Harm: A Feminist Perspective", Yale Law School, tese de doutorado não publicada, 1989.

367   Direito à vida: Andrea Dworkin, *op. cit.*, p. 140.

367   Rich: Adrienne Rich, *Of Woman Born: Motherhood as Experience and Institution* (Londres, Virago Press, 1977).

368   Se dissocie: Lynda Birke *et al.*, "Technology in the Lying-In Room", em *Alice Through the Microscope, op. cit.*, p. 172.

370   Trivialização: Ver Lewis M. Feder e Jane Maclean Craig, *About Face* (Nova York, Warner Books, 1989): "Da mesma forma que uma costureira pode

NOTAS

reformar uma peça fazendo os necessários 'cortes e ajustes', assim pode o cirurgião estético alterar os contornos da pele do rosto" [p. 161].

372 A saúde no trabalho: Occupational Safety and Health Act of 1970 [Lei de Saúde e Segurança no Trabalho], United States Code, Title 29, Sections 651–658.

374 Os *liftings*: "Foi um choque" citação em Jeanne Brown, "How Much Younger My Short Haircut Made Me Look!", *Lear's,* julho/agosto de 1988. Ver também Saville Jackson, "Fat Suction — Trying It for Thighs", *Vogue,* outubro de 1988: "A parte interna de minhas coxas está *preta*. Eu estou horrorizada, mas o cirurgião parece inteiramente satisfeito."

Há diversas interpretações "feministas" da cirurgia estética. A cirurgiã Michele Copeland, em "Let's Not Discourage the Pursuit of Beauty", *The New York Times,* 29 de setembro de 1988, recomenda que as mulheres "queimem seus sutiãs" com a cirurgia dos seios. A Dra. Carolyn J. Cline, em "The Best Revenge: Who's Afraid of Plastic Surgery?", *Lear's,* julho/agosto de 1988, exorta as mulheres a fazer *liftings* do rosto. "Pronto! Vocês alcançaram a liberdade."

376 A insanidade moral: a expressão é atribuída a John Conolly, um inovador no campo dos hospícios, citado em Showalter, *op. cit.,* p. 48. Ver também Phyllis Chesler, Ph. D., *Women and Madness* (Garden City, N.Y., Doubleday, 1972).

376 Grampeamento do estômago: Ver Paul Ernsberger, "The Unkindest Cut of All", op. cit.

377 Noventa toneladas de gordura: Harper's Index, *Harper's,* janeiro de 1989.

380 Neimark: Jill Neimark, "Slaves of the Scalpel", *Mademoiselle,* novembro de 1988, p. 194–195.

381 Lifton: Robert Jay Lifton, *The Nazi Doctors: Medical Killing and the Psychology of Genocide* (Nova York, Basic Books, 1986), p. 31.

381 Expansão das categorias: *ibid.,* p. 56. "O excesso de zelo" era muito difundido, tendo como desculpa o fato de ser um produto do "idealismo da época".

382 "Essas pessoas já estão mortas": frase atribuída ao médico nazista Karl Bunding, citada em *ibid.,* p. 47.

382 Vida indigna da vida: *ibid.,* p. 302.

382 Trivialização: *ibid.,* p. 57.

382 Terapia liberadora para a raça: *ibid.,* p. 26.

383 O Comitê do Reich: *ibid.,* p. 70.

383 Qualquer tipo de experimento: *ibid.,* p. 294.

383 "O médico": Vale recordar ao leitor o Juramento de Hipócrates, por se relacionar ao tema abordado.

O MITO DA BELEZA

Juro por Apolo médico, por Esculápio, por Hígia, por Panaceia e por todos os deuses e deusas, para que sejam minhas testemunhas, que cumprirei, de acordo com a minha capacidade e raciocínio, este voto e este compromisso. [...] Farei uso de tratamento para ajudar os doentes de acordo com a minha capacidade e raciocínio, mas jamais com a intenção de ferir ou causar o mal. [...] Prometo me manter puro e santo tanto na minha vida quanto na minha arte. Em qualquer casa que eu entre, entrarei para ajudar os doentes e abster-me-ei de praticar o mal ou qualquer malefício proposital. [...] Ora, se eu cumprir este voto e não o desrespeitar, possa eu para sempre conquistar uma boa reputação entre todos os homens pela minha vida e pela minha arte. No entanto, se eu o descumprir, faltando com a minha palavra, que me aconteça o contrário.

383   O médico [...] muito perigoso: *ibid.*, p. 430.

384   *Cosmopolitan:* Catherine Houck, "The Rise and Fall and Rise of the Bosom", *Cosmopolitan,* junho de 1989.

384   Todas as modelos famosas: dr. Steven Herman, citado em *Glamour,* setembro de 1987.

384   Miss América: Ellen Goodman, "Misled America: The Pageant Gets Phonier", *Stockton* (Calif.) *Record,* 19 de setembro de 1989.

385   Placenta artificial: Jalna Hammer e Pat Allen, "Reproductive Engineering: The Final Solution?", em *Alice Through the Microscope, op. cit.*, p. 221. Também estão sendo pesquisados uma pele artificial e um comprimido que interfere na glândula pituitária de forma a aumentar a altura.

385   Grossman: Edward Grossman, citado em Hammer e Allen, *op. cit.*, p. 210, relaciona as "vantagens" proporcionadas por uma placenta artificial. Grossman relata que tanto os chineses quanto os russos estão interessados na placenta artificial.

385   Entrando numa era: Hammer e Allen, *op. cit.*, p. 211.

385   A gestação de bebês brancos: Conferência, Catharine A. MacKinnon, Yale University Law School, abril de 1989. Em 1990, foi aberto um processo de custódia de um bebê nascido de um útero "alugado", sem parentesco genético.

385   Para predeterminar o sexo: Hammer e Allen, *op. cit.*, p. 215.

386   A passividade e a beleza: *ibid.*, p. 213.

386   Psicotrópicos: Oakley, *op. cit.*, p. 232.

386   Valium: Ruth Sidel, *Women and Children Last: The Plight of Poor Women in Affluent America* (Nova York, Penguin Books, 1987), p. 144.

386   Tranquilizantes: Debbie Taylor *et al.*, *Women: A World Report* (Oxford, Oxford University Press, 1985), p. 46.

NOTAS

386 As anfetaminas surgiram em 1938, sendo seus riscos desconhecidos. Em 1952, já eram produzidas anualmente nos Estados Unidos quase trinta toneladas do medicamento, enquanto os médicos as receitavam regularmente para a perda de peso: Roberta Pollack Seid, *Never Too Thin: Why Women Are at War with Their Bodies* (Nova York, Prentice Hall, 1989), p. 106.

387 Esbeltez sedada: John Allman, "The Incredible Shrinking Pill", *The Guardian*, 22 de setembro de 1989.

BIBLIOGRAFIA

O mito da beleza

DE BEAUVOIR, Simone. *The Second Sex.* Nova York, Penguin, 1986. (1949)

GREER, Germaine. *The Female Eunuch.* Londres, Paladin Grafton Books, 1985.

REED, Evelyn. *Sexism and Science.* Nova York, Pathfinder Press, 1978.

_____. *Woman's Evolution: From Matriarchal Clan to Patriarchal Family.* Nova York, Pathfinder Press, 1975.

RUSSETT, Cynthia Eagle. *Sexual Science. The Victorian Construction of Womanhood.* Cambridge, Mass., Harvard University Press, 1989.

STONE, Merlin. *When God was a Woman.* San Diego, Harvest, 1976.

WALKER, Barbara G. *The Crone: Woman of Age, Wisdom, and Power.* Nova York, Harper & Row, 1988.

O trabalho

ANDERSON, Bonnie S. e Judith P. Zinsser. *A History of Their Own: Women in Europe from Prehistory to the Present.* Vols. I e II. Nova York, Harper & Row, 1988.

CAVA, Anita. "Taking Judicial Notice of Sexual Stereotyping *(Price Waterhouse* versus *Hopkins,* 109 S. Ct. 1775)", em *Arkansas Law Review* Vol. 43 (1990), p. 27–56.

COHEN, *Marcia. The Sisterhood: The Inside Story of the Women's Movement and the Leaders Who Made It Happen.* Nova York, Fawcett Columbine. 1988.

CRAFT, *Christine. Too Old, Too Ugly, and Not Deferential to Men.* Nova York, Dell, 1988.

EISENSTEIN, Hester. *Contemporary Feminist Thought.* Londres, Unwin Paperbacks, 1985.

EISENSTEIN, Zillah R. *The Female Body and the Law*. Berkeley, University of California Press, 1988.

HEARN, Jeff, Deborah L. Sheppard, Peta Tancred-Sheriff e Gibson Burrell, orgs. *The Sexuality of Organization*. Londres, Sage Publications, 1989.

HEWLETT, Sylvia Ann. *A Lesser Life*. Nova York, Warner Books, 1986.

HOCHSCHILD, Arlie, com Anne Machung. *The Second Shift: Working Parents and the Revolution at Home*. Nova York, Viking, 1989.

KANOWITZ, Leo. *Women and the Law: The Unfinished Revolution*. Albuquerque, University of New Mexico Press, 1975.

LEFKOWITZ, Rochelle e Ann Withorn, orgs. *For Crying Out Loud: Women and Poverty in the United States*. Nova York, Pilgrim Press, 1986.

MACKINNON, Catharine A. *Feminism Unmodified: Discourses on Life and Law*. Cambridge, Mass., Harvard University Press, 1987.

———. *Sexual Harassment of Working Women*. New Haven, Yale University Press, 1979.

———. *Toward a Feminist Theory of the State*. Cambridge, Mass., Harvard University Press, 1989.

MILES, Rosalind. *The Women's History of the World*. Londres, Paladin, 1989.

MILLETT, Kate. *Sexual Politics*. Londres, Virago, 1985.

MINTON, Michael, com Jean Libman Block. *What is a Wife Worth?* Nova York, McGraw-Hill, 1983.

MOLLOY, John T. *The Woman's Dress for Success Book*. Nova York, Warner Books, 1977.

OAKLEY, Ann. *Housewife: High Value/Low Cost*. Londres, Penguin, 1987.

RICHARDS, Janet Radcliffe. "The Unadorned Feminist" em *The Sceptical Feminist: A Philosophical Enquiry*. Harmondsworth, Inglaterra, Penguin, 1980.

RADFORD, Mary F. "Beyond *Price Waterhouse* versus *Hopkins* (109 S. Ct. 1775): A New Approach to Mixed Motive Discrimination" em *North Carolina Law Review*. Vol. 68 (março de 1990), p. 495–539.

———. "Sex Stereotyping and the Promotion of Women to Positions of Power", em *The Hastings Law Journal*. Vol. 41 (março de 1990), p. 471–535.

RIX, Sarah E., org. *The American Woman, 1988–89: A Status Report*. Nova York, W. W. Norton, 1988.

ROWBOTHAM, Sheila. *Woman's Consciousness, Man's World*. Harmondsworth, Inglaterra, Penguin, 1983.

BIBLIOGRAFIA

SIDEL, *Ruth. Women and Children Last: The Pligth of Poor Women in Affluent America.* Nova York, Penguin, 1986.

STEINEM, Gloria. *Outrageous Acts and Everyday Rebellions.* Nova York, Holt, Rinehart and Winston, 1983.

SWAN, Peter N. "Subjective Hiring and Promotion Decisions in the Wake of Ft. Worth (*Watson* versus *Fort Worth Bank & Trust,* 108 S. Ct. 2777), Antonio (*Wards Cove Packing Co., Inc.* versus *Antonio,* 109 S. Ct. 2115) and Price Waterhouse (*Price Waterhouse* versus *Hopkins,* 109 S. Ct. 1775)", em *The Journal of College and University Law.* Vol. 16 (primavera de 1990), p. 553–72.

TAYLOR, Debbie *et al. Women: A World Report.* Oxford, Oxford University Press, 1985.

TONG, Rosemary. *Women, Sex and The Law.* Totowa, N. J., Rowman & Allanheld, 1984.

WARING, Marilyn. *If Women Counted: A New Feminist Economics.* Nova York, Harper & Row, 1988.

A religião

APPEL, Willa. *Cults in America: Programmed for Paradise.* Nova York, Henry Holt, 1983.

COTT, Nancy F. *The Bonds of Womanhood: "Woman's Sphere" in New England, 1780–1835.* New Haven, Yale University Press, 1977.

————. *Root of Bitterness: Documents of the Social History of American Women.* Nova York, Dutton, 1972.

GALANTER. Marc, org. *Cults and Religious Movements: A Report of the American Psychiatric Association.* Washington, D.C., The American Psychiatric Association, 1989.

HALPERIN, David A., org. *Psychodynamic Perspectives on Religion, Sect and Cult.* Boston, J. Wright, PSG Inc., 1983.

HASSAN, Steven. *Combating Cult Mind Control.* Nova York, Harper & Row, 1988.

LASCH, Christopher. *The Culture of Narcissism: American Life in an Age of Diminishing Expectations.* Nova York, W. W. Norton, 1979.

MCKNIGHT, Gerald. *The Skin Game: The International Beauty Business Brutally Exposed.* Londres, Sidgwick & Jackson, 1989.

O MITO DA BELEZA

A cultura

BERGER, John. *Ways of Seeing.* Londres, Penguin Books, 1988.

BROOKNER, Anita. *Look at Me.* Londres, Triad Grafton, 1982.

CHORLTON, Penny. *Cover-up: Taking the Lid Off the Cosmetics Industry.* Wellingborough, Inglaterra, Grapevine, 1988.

FERGUSON, Marjorie. *Forever Feminine: Women's Magazines and the Cult of Femininity.* Brookfield, Inglaterra, Gower, 1985.

FRIEDAN, Betty. *The Feminine Mystique.* Londres, Penguin Books, 1982.

———. *The Second Stage.* Nova York, Summit Books, 1981.

GAMMAN, Lorraine e Margaret Marshment, orgs. *The Female Gaze: Women as Viewers of Popular Culture.* Londres, The Women's Press, 1988.

GAY, Peter. *The Bourgeois Experience: Victoria to Freud. Volume I: Education of the Senses.* Oxford, Oxford University Press, 1984.

———. *The Bourgeois Experience: Victoria to Freud. Volume II: The Tender Passion.* Oxford, Oxford University Press, 1986.

KENT, S. e J. Morreau, orgs. *Women's Images of Men.* Nova York, Writers and Readers Publishing, 1985.

LAPHAM, Lewis H. *Money and Class in America: Notes on the Civil Religion.* Londres, Picador, 1989.

OAKLEY, Ann. *The Sociology of Housework.* Oxford, Basil Blackwell, 1985.

REICH, Wilhelm. *The Mass Psychology of Fascism.* Nova York, Penguin Books, 1978.

ROOT, Jane. *Pictures of Women: Sexuality.* Londres, Pandora Press, 1984.

WILSON, Elizabeth e *Lou* Taylor. *Through the Looking Glass: A History of Dress from 1860 to the Present Day.* Londres, BBC Books, 1989.

WINSHIP, Janice. *Inside Women's Magazines.* Londres, Pandora Press, 1987.

O sexo

BROWNMILLER, Susan. *Against Our Will: Men, Women and Rape.* Nova York, Simon & Schuster, 1975.

CARTER, Angela. *The Sadean Woman: An Exercise in Cultural History.* Londres, Virago Press, 1987.

CAPUTI, Jane. *The Age of Sex Crime.* Londres, The Women's Press, Ltd., 1987.

CASSELL, Carol. *Swept Away: Why Women Fear Their Own Sexuality.* Nova York, Simon & Schuster, 1984.

BIBLIOGRAFIA

CHODOROW, Nancy J. *Feminism and Psychoanalytic Theory.* New Haven, Yale University Press, 1989.

COLE, Susan G. *Pornography and the Sex Crisis.* Toronto, Amanita, 1989.

COWARD, Rosalind. *Female Desire: Women's Sexuality Today.* Londres, Paladin, 1984.

CREWDSON, John. *By Silence Betrayed: The Sexual Abuse of Children in America.* Nova York, Harper & Row, 1988.

DANICA, Elly. *Don't: A Woman's Word.* Londres, The Women's Press, 1988.

DINNERSTEIN, Dorothy. *Sexual Arrangements and the Human Malaise.* Nova York, Harper Colophon, 1976.

DWORKIN, Andrea. *Pornography: Men Possessing Women.* Londres, The Women's Press, 1984.

EHRENREICH, Barbara e Deirdre English. *For Her Own Good: 150 Years of the Experts' Advice to Women.* Nova York, Anchor/Doubleday, 1979.

_____. Elizabeth Hess e Gloria Jacobs. *Re-Making Love: The Feminization of Sex.* Nova York, Anchor/Doubleday, 1986.

ESTRICH, Susan. *Real Rape.* Cambridge, Mass., Harvard University Press, 1987.

FINKELHOR, David. *Sexually Victimized Children.* Nova York, The Free Press, 1979.

_____. e Kersti Yllo. *License to Rape: Sexual abuse of Wives.* Nova York, The Free Press, 1985.

FIRESTONE, Shulamith. *The Dialectic of Sex.* Nova York, Bantam, 1971.

FRIDAY, Nancy. *My Secret Garden: Women's Sexual Fantasies.* Nova York, Pocket Books, 1974.

FOUCAULT, Michel. *The History of Sexuality. Vol. 1: An Introduction.* Nova York, Vintage, 1980.

GRIFFIN, Susan. *Pornography and Silence.* Nova York, Harper & Row, 1984.

HITE, Shere. *The Hite Report on Female Sexuality.* Londres, Pandora Press, 1989.

KATZ, Judy H. *No Fairy Godmothers, No Magic Wands: The Healing Process After Rape.* Saratoga, Calif., R&E Publishers, 1984.

KINSEY, A. C., W. B. Pomeroy, C. E. Martin e P. H. Gebhard, orgs. *Sexual Behavior in the Human Female.* Filadélfia, W. B. Saunders Co., 1948.

MINOT, Susan. *Lust and Other Stories.* Boston, Houghton Mifflin, 1989.

MITCHELL, Juliet e Jacqueline Rose, orgs.; *Feminine Sexuality. Jacques Lacan and the École Freudienne.* Londres, MacMilllan, 1982.

_____. *Psychoanalysis and Feminism: Freud, Reich, Lang and Women.* Nova York, Vintage Books, 1974.

O MITO DA BELEZA

RUSSELL, Diana E. H. *The Politics of Rape: The Victim's Perspective.* Nova York, Stein & Day, 1984.

_____. *Rape in Marriage.* Bloomington, Ind., Indiana University Press, 1990.

_____. "The Incidence and Prevalence of Intrafamilial and Extrafamilial Sexual Abuse of Female Children" em *International Journal of Child Abuse and Neglect,* 7 (1983), p. 133–139.

SNITOW, Ann; Christine Stansell e Sharon Thompson, orgs. *The Powers of Desire.* Nova York, Monthly Review Press, 1983.

SULEIMAN. Susan Rubin. *The Female Body in Western Culture.* Cambridge, Mass. Harvard University Press, 1986.

VANCE, Carol S., org. *Pleasure and Danger: Exploring Female Sexuality.* Boston, Routledge and Kegan Paul, 1984.

WALKER, Alice. *You Can't Keep a Good Woman Down.* San Diego, Harvest, 1988.

WARSHAW, Robin. *I Never Called It Rape.* Nova York, Harper & Row, 1988.

WOOLF, Virginia. *Three Guineas.* Nova York, Penguin Books, 1982.

A fome

ATWOOD, Margaret, *The Edible Woman.* Londres, Virago Press, 1989.

BARNETT, Rosalind C., Lois Biener e Grace K. Baruch, orgs. *Gender and Stress.* Nova York, The Free Press, 1987.

BELL, Rudolph, *Holy Anorexia.* Chicago, The University of Chicago Press, 1985.

BRUCH, Hilde, Danita Czyzewski e Melanie A. Suhr, orgs. *Conversations with Anorexics.* Nova York, Basic Books, 1988.

_____. *Eating Disorders: Obesity, Anorexia Nervosa and the Person Within.* Londres, Routledge and Kegan Paul, 1974.

_____. *The Golden Cage: The Enigma of Anorexia Nervosa.* Londres, Open Books, 1978.

BRUMBERG, Joan Jacobs. *Fasting Girls: The Emergence of Anorexia Nervosa as a Modern Disease* Cambridge, Mass., Harvard University Press, 1988.

CHERNIN, Kim. *The Hungry Self: Women, Eating and Identity.* Londres, Virago Press, 1986.

_____. *The Obsession: Reflections on the Tyranny of Slenderness.* Nova York, Perennial Library, 1981.

HOLLANDER, Ann. *Seeing Through Clothes.* Nova York, Penguin, 1988.

BIBLIOGRAFIA

HSU, L. K. George. *Eating Disorders*. Nova York, The Guilford Press, 1990.

JACOBUS, Mary, Evelyn Fox Keller e Sally Shuttleworth, orgs. *Body/Politics: Women and the Discourses of Science*. Nova York, Routledge, 1990. Ver em especial Susan Bordo, "Reading the Slender Body", p 83–112.

LAWRENCE, Marilyn. *The Anorexic Experience*. Londres, The Women's Press, 1988.

————· org. *Fed Up and Hungry*. Londres, The Women's Press, 1987.

ORBACH, Susie. *Fat Is a Feminist Issue*. Londres, Hamlyn, 1979.

————·*Hunger Strike: The Anorectic's Struggle as a Metaphor for our Age*. Londres, Faber and Faber, 1986 (especialmente p. 74–95).

POMEROY, Sarah, B. *Goddesses, Whores, Wives and Slaves: Women in Classical Antiquity*. Nova York, Schocken Books, 1975.

PYKE, Magnus. *Man and Food*. Londres, Weidenfeld & Nicolson, 1970.

SEID, Roberta Pollack. *Never Too Thin: Why Women Are at War with Their Bodies*. Nova York, Prentice Hall, 1989.

SZEKELEY, Eva. *Never Too Thin*. Toronto, The Women's Press, 1988.

TOLMACH LAKOFF, Robin e Raquel L. Scherr. *Face Value: The Politics of Beauty*. Boston, Routledge and Kegan Paul, 1984.

WOOLF, Virginia. *A Room of One's Own*. San Diego, Harvest/HBJ, 1989.

A violência

Brighton Women and Science Group. *Alice Through the Microscope: The Power of Science Over Women's Lives*. Londres, Virago Press, 1980.

CHESLER, Phyllis. *Women and Madness*. Garden City, N. Y., Doubleday & Co., 1972.

DWORKIN, Andrea. *Letters from a War Zone: Writing 1976–1987*. Londres, Secker & Warburg, 1988.

————· *Woman Hating*. Nova York, E. P. Dutton, 1974.

KAPPELER, Susanne. *The Pornography of Representation*. Minneapolis, University of Minnesota Press, 1986.

KARMI, Amnon, org. *Medical Experimentation*. Ramat Gan, Israel, Turtledove Publishing, 1978.

KOONZ, Claudia. *Mothers in the Fatherland: Women, the Family and Nazi Politics*. Londres, Methuen, 1987.

LIFTON, Robert Jay. *The Nazi Doctors: Medical Killing and the Psychology of Genocide*. Nova York, Basic Books, 1986.

RICH, *Adrienne. Of Woman Born: Motherhood as Experience and Institution*. Nova York, Virago Press, 1986.

SHOWALTER, *Elaine. The Female Malady: Women, Madness and English Culture, 1830–1980*. Nova York, Penguin, 1987.

SILVERMAN, William A. *Human Experimentation: A Guided Step Into the Unknown*. Oxford, Oxford University Press, 1985.

SOLOMON, Michael R., org. *The Psychology of Fashion*. Lexington, Mass., Lexington Books, 1985.

SONTAG, Susan. *A Susan Sontag Reader*. Nova York, Vintage Books, 1983.

STAGE, Sarah. *Female Complaints: Lydia Pinkham and the Business of Women's Medicine*. Nova York, W. W. Norton, 1981.

WELDON, Fay. *The Life and Loves of a She-Devil*. Londres, Coronet Books, 1983.

Geral

BANNER, Lois W. *American Beauty*. Nova York, Knopf, 1983.

BROWNMILLER, Susan. *Femininity*. Nova York, Simon & Schuster, 1984.

FREEDMAN, Rita Jackway. *Beauty Bound*. Lexington, Mass., Lexington Books, 1986.

HATFIELD, Elaine e Susan Sprecher. *Mirror, Mirror: The Importance of Looks in Everyday Life*. Albany, State University of New York Press, 1986.

KINZER, Nora Scott. *Put Down and Ripped Off: The American Woman and the Beauty Cult*. Nova York, Crowell, 1977.

ÍNDICE REMISSIVO

"A crise das revistas" (Hoyt), 119

Abaixo de zero (Ellis), 245

aborto, 110, 111, 145, 177, 194, 197, 232, 238, 317, 318, 355, 367, 433n

About Face [Reviravolta], 343, 458n

Academia Americana de Cirurgia Estética [American Academy of Cosmetic Surgery], 142

adolescência, 322, 357, 409, 456
  anorexia e, 19, 266, 267
  comportamento sexual na, 228, 243, 312
  da autora, 17, 294, 295
  de meninos em contraste com meninas, 140, 228

adultério, punição para, 318

advogados, 45, 46, 64, 66-68, 75, 79, 303, 429n

África,
  circuncisão feminina na, 351

Agência Federal de Alimentos e Medicamentos [Food and Drug Administration — FDA], 21, 22, 162, 165, 166, 168, 346, 376, 386, 439n

aids, 170, 198, 204, 232, 244, 245, 302, 327, 348

Alcott, Louisa May, 95, 432n

Alderson, Jeremy Weir, 349, 458n

Alemanha, República Federal da, pensões na, 86

alfabetização, 32, 33, 97, 224

Alice Through the Microscope [Alice através do microscópio] (Brighton Women and Science Group), 368

alimentação, Ritos da Beleza e, 145, 182, 188

alimentares, transtornos, 20, 267, 274, 275, 282, 284
  pornografia da beleza e, 185
  v. também anoréxicas, anorexia; bulimia

alimentos, 28, 42, 101, 113, 124, 127, 152, 181-183, 185, 185, 189, 191, 213, 261, 267, 274-278, 282 - 285, 288, 290-294, 326, 330, 371, 423n, 437n, 440, 450n, 457n, 458n
  como linguagem simbólica, 274, 275
  culpa e, 174, 271, 272, 278, 284
  valor social e, 275
  v. também anoréxicas, anorexia; bulimia; dietas, adoção de dietas; transtornos alimentares; fome

amamentação, 127, 220, 274, 278, 328

ambiental, crise, 414

American Anorexia and Bulimia Association [Associação Americana de Anorexia e Bulimia], 264

O MITO DA BELEZA

amor, 54, 96, 155, 175, 187, 196, 205, 207, 209, 210, 212-214, 219, 227, 237, 245, 249, 251-253, 298, 317, 318, 373, 374, 417
  amor-próprio, 28, 45, 48, 52, 61, 79, 80, 83, 128, 144, 171, 212, 214, 220, 250, 252, 285, 409

Andre versus *Bendix Corporation*, 65, 428*n*

animais, comportamento sexual dos, 30, 194

anoréxica/pornográfica, geração, 401

anoréxicas, anorexia, 14, 19, 20, 187, 191, 269, 284, 287, 288, 289, 290, 292, 297, 299, 299, 301, 302, 313, 321, 325, 401, 444*n*, 446*n*, 447*n*, 450*n*
  definição de, 181, 267
  efeitos clínicos de, 266, 284, 285
  estatísticas sobre, 19, 235, 264-267, 311
  mortes por, 265
  sexo e, 236, 238, 281
  teorias sobre, 274, 287

ansiedade, 17, 18, 35, 36, 52, 113, 145, 173, 201, 220, 239, 273, 284
  revistas femininas e, 107,
  trabalho e, 53

anticoncepcionais, métodos, 194, 197, 232, 246, 268, 317, 326, 355, 359
  visão vitoriana dos, 326

aparência:
  comportamento vs., 31
  dos homens, 23, 78, 79
  padrão duplo, 60, 333
  v. também mito da beleza, beleza; roupas; cirurgia estética
  visões instáveis sobre a adequação da, 69

apetite, proibição do, 145

Appel, Willa, 150, 160, 161, 180-182, 185-188, 439*n*, 440*n*

Arábia Saudita, 318

"ardis femininos", 75

Arendt, Hannah, 304

arte, imagens de mulheres na, 32

Associação Britânica de Cirurgiões Plásticos Estéticos [British Association of Aesthetic Plastic Surgeons] (Grã--Bretanha), 343

Associação Médica Americana [American Medical Association], 329, 345, 455*n*

"Assunto para pensar" (Wells), 174

atrizes, 23, 49, 109, 111, 269, 296, 357, 412, 413

Attie, Ilana, 284, 285, 332, 448*n*, 450*n*

Atwood, Margaret, 224

Auburn University, estudo da, 242, 445*n*, 446*n*

Austen, Jane, 94, 95, 432*n*

Austin (Texas), Clínica de Estresse de, 291, 450*n*

Austrália, 426*n*
  incesto na, 235
  transtornos alimentares na, 267

autoestima, 31, 152, 324, 397, 403, 410
  obsessão com o peso e, 271, 273, 286
  sexualidade e, 389, 414

autoridade, roupas e, 58, 71, 72

"Babes in Makeup Land" [Belezinhas na Terra da Maquiagem], 311

Baby M, caso de, 340, 454*n*

bailarinas, anorexia de, 269

Balin, Arthur K., 329, 453*n*

bancos, caixas de, 81

bancos, funcionárias de alto escalão em, 46

Bangladesh, 276
  divórcio em, 173

Barbados, divórcio em, 173

Barnard College, 203

Barnard, Christiaan, 165

Barnes versus *Costle*, 63, 427*n*

Barrett, Nancy, 43, 425*n*

Beaton, Cecil, 110

Beautiful Body Book, The, [O livro do corpo lindo], 343, 457*n*

ÍNDICE REMISSIVO

Beauvoir, Simone de, 254

beleza, concursos de, 30, 106, 122, 123, 384, 412

beleza, pornografia da, 27, 196, 203, 207, 213, 214, 216, 219, 220, 237, 238, 256, 310, 311

cirurgia estética e, 208, 348, 356, 358

sexo e, 194, 199, 212, 217, 222, 225, 226, 238

transtornos alimentares e, 185, 309

"bombardeio de amor", 187

Bélgica, televisão na, 122

Bell, Rudolph, 274, 448n

Berger, John, 92, 432n

Bergstrom, Mette, 281, 450n

Binet, Alfred, 256

Blakely, Mary Kay, 123

Blumenthal, Deborah, 167, 439n

Bonds of Womanhood, The [Laços da Natureza Feminina] (Cott), 137, 438n

Bordo, Susan, 132

Boston Globe, 120, 434n

Boswell, John, 276

Botsuana, 276, 449n

brincadeira, 111, 296, 416, 417

Brontë, Charlotte, 95, 432n

Brooks-Gunn, J., 284, 285, 332, 448n, 450n

Brown University, 242

Brown, Helen Gurley, 54, 426n, 433n

Bruch, Hilde, 237, 266, 284, 447n, 450n

Brumberg, Joan Jacobs, 132, 138, 152, 265, 266, 274, 281, 446n, 447n, 450n, 451n

luz radiosa, 155

bulimia, 19, 20, 187, 236, 264, 265, 267, 288, 302, 313, 446n, 447n, 454n

consequências clínicas da, 266

sexo e, 281

teorias sobre, 274

Buren versus *City of East Chicago,* 65, 428n

cabeleireiros, 79

Câmara de Comércio, EUA, 85

Canadá, 87, 177, 233, 343, 386, 441n, 444n

pornografia no, 121

câncer, 157, 280, 327, 329-333, 338, 343, 346, 350, 377, 449n, 453n, 454n

Caputi, Jane, 200, 435n, 436n, 441n, 442n, 444n, 445n, 446n

cartazes de garotas atraentes, 83

Carter, Rosalynn, 58

casamento, 39, 54, 171, 190, 213, 214

mercado de trabalho comparado com, 81

sexo fora do, 146, 221

Cassell, Carol, 232, 443n

Católica, Igreja, medieval, 133, 181, 367

Cavett, Dick, 308

celulite, 328

censura:

revistas femininas e, 123, 125, 126, 442n

sexo e, 199, 203, 228

Centro da Mama, 350

Chandris, Eugenia, 327, 453n

Chase Manhattan Bank, 44, 426n

Chernin, Kim, 144, 183, 227, 265, 274, 438n, 440n, 447n, 448n, 449n

Chicago, Judy, 204, 442n

China:

enfaixamento dos pés na,

Revolução Cultural na,

Chobanian, Susan,

choque elétrico, 151, 189, 360, 361, 386, 458n

Chorlton, Penny,

Ciano, Bob,

cinema, sexo e,

cintas,

Cipollone, Rose,

cirurgia de desvio intestinal,

cirurgia estética,

dependência da, 62, 87, 342 345, 353, 354

escolha e, 88, 320, 371, 372

O MITO DA BELEZA

ética e, 339, 341

futuro da, 319, 385

lipoaspiração, 307, 342-344, 363, 377-381, 451n, 457n

dessensibilização e, 343, 344, 362

dor e, 28, 151, 319, 361, 363, 367, 370

seios pós-parto e, 357

lucro e, 26, 35, 334, 336, 360, 387

riscos da, 157, 329, 343, 359, 377, 379

Ritos da Beleza e, 142

salvaguardas contra, 345, 346

implantes mamários, 15, 17, 18, 307, 332, 349, 350, 356, 357, 358, 386, 453n, 456n

cirurgia:

desvio, 376

Era da, 319, 320, 330-333, 336, 339, 341, 347, 353, 360, 363-366, 371, 372, 381

plástica sexual, 348 - 352,

cirurgia plástica, 26, 35, 62, 87, 157, 235, 236, 329, 343, 345, 348, 352, 354, 369, 424n, 453n, 457n, 458n

Clément, Catherine, 324, 452n

clitoridectomia, 193, 351-353, 355

clubes, revistas como, 55, 114

coação,

masculina vs. feminina, visão da, 184, 373

médica, 320, 323, 345

sexual, 241, 242, 289

"Coming Apart" [Partindo-se em pedaços] (Walker), 443n

códigos de vestimenta, 65, 66

Coelhinha, Imagem de, 55-57, 427n

Cole, Susan G., 203, 208, 239, 240, 244, 441n, 445n, 451n

Colômbia, divórcio na, 173

Columbia Journalism Review, 119, 434n, 436n

Comissão de Igualdade de Oportunidade no Emprego [Equal Employment Opportunity Commission], 55

Comissão de Recursos Humanos para a Guerra, 98, 99

Comissão Federal de Comércio [Federal Trade Commission], 22, 348

comissárias de bordo, 54, 55, 58, 66, 426n

Comitê do Reich para o Registro Científico de Doenças Graves Hereditárias e Congênitas, 383, 459n

Commentary, 106, 434n

Complaints and Disorders [Queixas e transtornos] (English e Ehrenreich), 319, 434n, 452n,

concorrência:

através da beleza, 53, 79, 411

visual, 120, 121

Congresso dos EUA, 172, 204, 347, 348, 458n

consciência, religião e, 130, 131, 153

Conselho Americano de Cirurgia Plástica [American Board of Plastic Surgery], 348

Conselho Nacional pelas Liberdades Civis [National Council for Civil Liberties], 83

consumismo sexual, 210

controle:

falta de, entre trabalhadoras, 48, 71

invalidez feminina e, 324

mito da beleza e, 51, 80, 144

corpo, partes do corpo:

masculino vs. feminino, 57, 231, 254, 388

mente vs., 69, 182, 184, 319, 386

noção do, doença mental e, 266, 332

venda do, 340, 385

v. também tópicos específicos

cosméticos, indústria cosmética, 21, 22, 98, 101, 114, 125, 162, 165, 166, 391

para crianças, 312

preços dos, 101, 177, 178

tecidos fetais em, 177

Cosmopolitan, 107, 111, 117, 292, 337, 384, 433n, 435n, 447n, 449n, 460n

ÍNDICE REMISSIVO

Costello, John, 98, 99, 432*n*
Cott, Nancy, 137, 138, 438*n*, 439*n*, 452*n*
Cover-up [Acobertamento] (Chorlton), 125, 436*n*-438*n*
Craft, Christine, 59-64, 427*n*
creches, 47, 89, 98, 109, 110, 168, 213, 403, 405, 439*n*,
Criação, história da, 139-141, 438*n*
criatividade, 33, 50, 53
cuidados com a pele, 21, 107, 108, 144, 148, 154, 157, 159, 160, 162, 164, 172-177, 191, 326, 327, 343, 374
culpa,
  mito da beleza e, 395, 409
  QBP e, 52
  Ritos da Beleza e, 143-145, 150, 188, 189, 271
  sexo e, 70, 71, 139, 176, 193, 194, 201
  transferência de, 101, 105
Cults in America [Seitas nos Estados Unidos], 160, 439*n*, 465*n*
Cultura do Narcisismo, A (Lasch), 191
cultura, 92-95, 104, 109
  feminina, 103, 112, 115, 117, 118, 127, 196, 198, 390, 397
  heroínas e, 93, 94, 96, 103, 105, 204, 219, 397
  transformação da, 23
  geral vs. de massa, 17, 35, 93, 96, 108, 112, 240, 244, 259, 398

Dan Air, 66, 428*n*
Darwin, Charles, 29, 422*n*
darwinismo, beleza como, 341
Denning, lorde, 66,
Departamento da Indústria e Comércio, britânico (DTI), 167
Departamento de Estado, EUA, 352
Depo-Provera, 359
desejo, 52, 107, 116, 145, 199, 208, 213, 220, 222, 228, 230-232, 259, 402, 411

dor e, 318, 319
gordura e, 271, 280, 281
Diaz versus Coleman, 65, 428*n*
dietas líquidas, 331, 453*n*, 457*n*
dietas, adoção de dietas, 22, 273, 281, 283, 286, 332, 433*n*
  desejo e, 146, 280
  estatísticas sobre, 105
  feminilidade e, 268, 291
  obediência e, 184, 273
  pré-adolescentes, 311
  religião e, 181, 183, 187, 290
  salvaguardas da FDA e, 346
  transtornos alimentares e, 20, 284, 285, 347, 450*n*
dietas, indústria das, 14, 27, 35, 152, 423*n*
Dinamarca:
  sexo na, 215, 443*n*
  trabalhadoras na, 85
dinheiro, beleza como, 40, 53
Dinner Party, The [O jantar], (Chicago), 204
Direitos Civis, Lei dos (1964), Parágrafo VII da, 50, 63
direitos reprodutivos, 28
discriminação,
  institucional, 61, 63, 171, 381
  no emprego, 27, 40, 41, 64, 73, 395
  pela beleza, 62
  pela renda, 85, 86, 431*n*
  pelo sexo, 49, 50, 55, 57, 60, 62, 66, 67, 426*n*
  racial, 88
Disney, Anthea, 164, 439*n*
divórcio, 110, 171, 173, 211, 353, 400, 440*n*,
Doença como metáfora, A (Sontag), 319
doença mental, 265, 266, 320, 332, 333, 454*n*
domesticidade, culto à, 99, 246, 307, 328, 391
  mito da beleza como substituto do, 27, 37, 103, 321

475

Donzela de Ferro, 36, 37, 82, 120, 130, 181, 199, 227, 257, 267, 274, 275, 288, 324, 329, 333, 373, 383, 384, 398, 399, 401, 402
   fome e, 269, 270, 283, 285
   liberdade da, 413
   mito da beleza e, 113, 408
   sexo e, 207, 218, 232, 256, 279
dor, 141, 194, 212, 317-319, 336, 341, 343, 344, 351, 360, 363, 366-372, 408, 411, 417
   insensibilidade e, 359, 362, 383
"Dr. Brink", 343
Douglas, Ann, 138, 438n
Dunton, Frank, 345
dupla jornada, 45-47
Dworkin, Andrea, 351, 352, 367, 421n, 435n, 445n, 458n

Ebert, Roger, 200
educação, 25, 33, 34, 46, 57, 81, 96, 97, 114, 186, 222, 226, 229, 299, 321, 325, 326
Ehrenreich, Barbara, 210, 237, 319, 320, 336, 337, 390, 434n, 442n, 452n, 454n, 458n
Eliot, George, 94, 432n
Ellis, Bret Easton, 245
Emma (Austen), 94, 432n
enfaixamento dos pés, 351, 352, 458n
Engels, Friedrich, 326, 452n
engenheiras, 45
English, Deirdre, 319, 320, 336, 337, 390, 434n, 452n, 454n, 458n
"Epithalamion" (Spenser), 93
escolha:
   para além do mito da beleza e, 388, 392, 404, 416, 417
escravidão, 34, 37, 240, 245, 247, 318, 345, 369
Escravos de Nova York (Janowitz), 245
esfera isolada, *v.* domesticidade, culto à, 32, 321, 326, 452n
Esquire, 106, 350

estômago, grampeamento do, 342, 376, 454n, 459n
estresse pós-traumático, síndrome do, 243
estupro, 64, 120, 196, 201, 207, 214, 236, 244, 305, 318, 429n, 435n, 441n-446n
   em encontros marcados, 240-243
   fantasias de, 200, 202, 208, 237
   pesquisa sobre, 110, 170, 232-234, 242
ética médica, 359, 455n
ético, investimento, 339
eugenia, 340, 381, 383
evolução, mito da beleza e, 26, 29, 97

Face Value [A primeira impressão] (Lakoff e Scherr), 309, 451n, 469n
Fahdl, Nancy, 65, 428n
Fahdy, Mohammed, 142
família, 32, 34, 35, 52, 114, 135, 173, 184, 212, 213, 233-235, 261, 275, 277, 278, 287, 288, 328, 344
Famine Within, The [A fome por dentro], 272
fantasias:
   com alimentos, 284
   sexuais, 35, 206, 219, 280, 281
"fase liminar", 150
Fasting Girls [Garotas em jejum] (Brumberg), 265, 446n, 447n
fatalismo, 154
Faulkner, Wendy, 215, 221, 442n
Fee, Ingrid, 58
Female Malady, The [A doença feminina] (Showalter), 148, 361, 439n, 452n
feminilidade, 23, 27, 34, 38, 53, 65, 99, 103, 116, 135, 137, 141, 197, 211, 213, 238, 286, 312, 320, 322, 323, 326, 390
   adoção de dietas e, 291
   negócios e, 72, 306
feminismo, 15, 107, 173, 393, 396
   amor e, 209, 210
   caricatura da Feminista Feia e, 106

ÍNDICE REMISSIVO

controle do peso e, 273, 286, 302, 303, 371
desmonte do mito da beleza e, 402-405
mito da beleza como reação contra, 25-27,
37, 132, 190, 200, 322, 406, 407
na Europa Oriental, 122
revistas femininas e, 110, 433n
trabalho e, 172
Feminization of American Culture, The [A
feminização da cultura americana],
(Douglas), 138, 438n
fetichismo, 255
Fischer, Seymour, 215, 442n
fobia do sol, 157
fome, 20, 86, 103, 127, 174, 183, 188-190,
261, 263, 265, 276, 277, 282-284, 288-
295, 298, 299, 301-303, 305, 316, 333,
371, 391, 410, 449n
efeitos mentais da, 258, 270, 272, 274,
280, 286
erotização da, 268, 312
grande mudança na percepção do peso
e, 271
Solução dos Sete Quilos e, 270
v. também anoréxicas, anorexia; bulimia
Fonda, Jane, 149
Fortune, 46
fotografias, 31, 32, 112, 125-127, 131, 140,
155-157, 163, 196-198, 232, 283, 297,
308, 327, 358, 385, 410, 423n
Fragen, Ronald A., 142, 438n
França,
lipoaspiração na, 342,
medieval, 276
televisão na, 122, 202
trabalhadoras na, 40, 43, 425n
Freud, Sigmund, 237, 255, 358
Friday, Nancy, 219, 443n
Friedan, Betty, 27, 28, 38, 100, 102, 103,
107, 110, 310, 311, 424n, 432n, 451n
Frisch, Rose E., 449n
fumo, 272, 331, 338, 339

funcionárias de escritório, 42, 87, 89
Fundo Nacional para as Artes [National
Endowment for the Arts — NEA], 204

Galbraith, John Kenneth, 37, 424n
garçonetes, 55, 66-68
Gay, Peter, 97, 105, 221, 432n, 433n, 434n,
452n
Gender and Stress [Gênero e estresse] (Attie e Brooks-Gunn), 325, 332, 448n,
450n
gerações, colaboração entre, 406
gerentes, 46, 48, 68, 70, 171, 428n
Gilligan, Carol, 135, 437n
Ginsberg, Allen, 261
Glamour, 20, 108, 111, 122, 270, 354, 421n,
436n, 448n, 460n
Goldstein, Al, 217
Goleman, Daniel, 35, 36
Gordon, Mary, 252, 446n
Gordura é uma questão feminista (Orbach), 274
gordura, gordos, 143, 146, 147, 149, 182,
185, 271, 278, 279, 285, 289, 314, 379
como problema, 271, 292, 327, 380
dos homens vs. das mulheres, 268, 271,
279
na arte, 267, 274
saúde e, 179, 272, 280, 327, 335
Grã-Bretanha, 104, 177, 197, 199, 340,
385, 386
adoção de dietas na, 281
alimentos na, 277
anorexia e bulimia na, 266, 267
assédio sexual na, 70, 83, 84, 429n
cirurgia estética na, 343, 344, 347, 362,
457n
discriminação sexual na, 27
estupro na, 208, 233, 444n
idosas na, 86, 431n

O MITO DA BELEZA

incesto na, 235
indústria de cosméticos na, 123, 167
Lei da Discriminação Sexual da, 50, 426n
pornografia na, 121,
QOG na, 49
rendas na, 79, 162
sexo na, 201, 215,
trabalhadoras na, 40, 47, 67, 68, 85, 89, 424n
transtornos alimentares na, 281
graça, 37, 147, 152, 154, 156, 408
Grande Mentira, 259
gravidez, 177, 232, 238, 316, 328, 330, 356, 357
visão vitoriana da, 322, 323
Greer, Germaine, 28, 106, 220, 226, 417, 422n
Griffin, Susan, 237, 431n, 445n
Griswold versus Connecticut, 317
Grove, Dr., 163
Grupo da Mulher e da Ciência de Brighton [Brighton Women and Science Group], 368
Guardian (Londres), 122, 240, 386, 413, 423n, 425n, 436n, 445n, 449n-451n, 454n, 461n
Guerra Mundial, Primeira, 98, 369
Guerra Mundial, Segunda, 40, 355, 369
fome na, 284
Gutek, Barbara A., 75, 429n, 430n

Hahn, Jessica, 356
Hamill, Pete, 106, 434n
Hamilton, David, 197, 438n
Hardy, Thomas, 96
Hariton, E., 208
Harper's and Queen, 196, 337, 437n
Harper's Bazaar, 97, 125, 437n
Harper's, 119, 120, 435n, 459n

Harris, Marvin, 47, 426n
Harris, pesquisa, 233, 444n
Hartmann, Heidi, 44, 425n
Hefner, Hugh, 56, 217, 427n
Helena Rubinstein, Fundação, 178, 203
Hemingway, Mariel, 356
Herman, C. P., 273, 448n
Herman, Stephen, 384, 460n
heroínas, 93, 94, 96, 103, 105, 204, 219, 396, 397
Herstein, Morris, 163, 166, 439n,
Hess, Elizabeth, 210, 442n
Hewlett, Sylvia Ann, 303, 425n-427n, 430n, 431
Heyn, Dalma, 125, 126, 437n
histeria, 132, 180, 282, 288, 289, 320-322, 324, 367
Hite, Shere, 215, 220, 442n
Hochschild, Arlie, 44, 80, 425n, 427n, 430n
Holanda, televisão na, 122
Hollander, Ann, 268, 274, 448n
Hollander, Xaviera, 229
Holy Anorexia [Santa anorexia] (Bell), 274, 448n
homens:
aparência dos, 58-60, 74, 78, 158, 196, 223, 350
beleza dos, 23, 29, 140, 225
com sobrepeso, 142
cultura geral e, 36, 92, 108
desmonte do mito da beleza no interesse dos, 247, 249-251, 253, 259, 260, 413, 414
envelhecimento dos, 86, 88, 140, 374
meritocracia e, 46
no telejornalismo, 59
remuneração dos, 78, 79, 81, 85, 171
respeito pelos, 48
saúde dos, 271, 329

ÍNDICE REMISSIVO

sexualidade dos, 75, 146, 197, 201, 202, 206, 207, 222, 224, 228, 232, 255, 256

trabalho doméstico dos, 42 - 45

transtornos alimentares entre, 291, 414

homossexualidade, 209, 216, 245, 302, 414

Hopkins versus *Price-Waterhouse*, 64, 428n

Hopkins, Sra., 64

hormônios, 280

Housewife [Dona de casa] (Oakley), 100, 422n, 425n, 432n, 452n

Hoyt, Michael, 119, 120, 436n

Hudson, Gil, 406

Hungria, 355

Hungry Self, The [O eu faminto] (Chernin), 274

Hutchinson, Marcia Germaine, 220, 443n

Ibsen, Henrik, 35, 424n

idade, envelhecimento, 22, 26, 31, 56, 60, 114, 140, 143, 144, 152, 162, 164-166, 168, 170, 179, 253, 327, 329, 332, 334, 335, 361, 397, 409, 410, 415, 417, 431n

revistas femininas e, 51, 101, 125

Ritos da Beleza e, 158-161, 182

telejornalismo e, 58, 59

identidade, 22, 31, 89, 93, 100, 126, 150, 180, 252, 270, 273, 318, 373, 387, 389, 391, 392, 409, 410, 434n

cirurgia estética e, 151, 370

Ritos da Beleza e, 185, 186

sexual, 18, 19, 237, 374

imagem, igualdade de, 71, 72

imagens de mulheres:

Coelhinha, 55, 56

como feministas, 38, 104, 105

em revistas, 117, 118, 120, 126-128, 195

mito da beleza e, 25, 26, 80, 82, 133, 219, 235, 256, 275, 305, 332, 408, 412

na arte, 32, 93

sexo e, 107, 196, 198-208, 210, 216, 218, 231, 349, 403

tecnologia e, 126, 239

implantes mamários, 15, 17, 18, 307, 332, 349, 350, 358, 359, 386, 453n, 456n

inanição, inanição parcial, 36, 266, 281-286, 288, 298, 301, 302, 307, 382, 450n

v. também anoréxicas, anorexia

incesto, 235, 236, 318, 444n

Independent (Londres), 344, 435n, 451n, 456n

Independent Guide to Cosmetic Surgery [Guia do *Independent* para a cirurgia estética], 344, 456n

Índia:

alimentos na, 276, 281

incesto na, 235

televisão na, 122

individualismo, masculino vs. feminino, 381, 405

Indonésia, 173

infância, crianças, 33, 75, 95, 207, 227, 228, 266, 292, 296, 298, 311, 312, 382, 416

abuso sexual de, 201, 233, 234-236

brilho de, 155

cosméticos para, 312

trabalhadoras com filhos, 47, 426n

infanticídio feminino, 276, 449n

insensibilidade, dor e, 350, 359, 362, 383

Instituto Humphrey de Questões Públicas, 43, 425n

Instituto Nacional de Saúde Mental [National Institute of Mental Health (NIMH)], 234, 444n

invalidez feminina, 319, 321, 324-326

Ireland, Patricia, 46, 426n

Irlanda, 203

isolamento, 13, 52, 69, 89, 92, 282, 284, 287, 290, 306, 403, 406, 447n, 450n

revistas femininas e, 399

Ritos da Beleza e, 134, 136, 137

O MITO DA BELEZA

Israel, incesto em, 235
Itália:
  alimentos na, 277
  pornografia na, 121, 435*n*
  trabalho doméstico na, 44
  transtornos alimentares na, 267

Jacobi, Mary Putnam, 337, 452*n*
Jacobs, Gloria, 210, 442*n*
Janowitz, Tama, 245
Japão, transtornos alimentares no, 267, 447*n*
Jeremiah versus *Ministry of Defense*, 428*n*
John Lewis Partnership, lojas, 68
Johnson, Virginia E., 203
Joyce, James, 95, 228, 445*n*
judaico-cristã, tradição, 139, 142, 145
  predisposição contrária às mulheres da, 138
judaísmo, Ritos da Beleza e, 133, 134, 136, 146
judeus, alimentos e, 283, 302
Juramento Hipocrático, 341
juventude, como "bela", 31, 59, 87

Kant, Immanuel, 340
Kaplan, Helen, 215, 442*n*
"Kathryn", 303
Keats, John, 253
Kinsey, Alfred, 193, 215, 234, 235, 441*n*, 444*n*
Kligman, Albert, 164, 165, 439*n*
Kohlenberg, Stanley, 166
Krafka, Carol, 207, 442*n*

Lachman, Leigh, 380
Ladies' Home Journal, 108, 110
Lakoff, Robin, 309, 451*n*
Lane, James Henry, 105
Lapham, Lewis, 119, 434*n*
Lasch, Christopher, 191, 441*n*

Lear's, 364, 451*n*. 459*n*
Lecture on Art [Palestra sobre a arte] (Wilde), 140, 438*n*
Lei de Igualdade de Oportunidade no Emprego [Equal Employment Opportunity Act] (1972), 49, 57
lei:
  padrões de aparência e, 56-58, 64, 67, 73
  QBP e, 49, 50, 63
  sexo e, 40, 49, 190, 203, 208, 237
Levin, Jennifer, 244
Levitt, Suzanne, 78, 366, 428*n*, 430*n*, 458*n*
Lewis, Bud, 234, 444*n*
Lewis, Herschel Gordon, 121
Li'l Miss Makeup, 312
liberdade:
  imagem física como restrição à, 26, 35, 109, 123, 130, 388
  material, 273
  sexual, 146, 197, 224
  social, 24, 25, 259, 272
Life, 109, 126
liftings do rosto, 349, 353, 359, 374, 375, 451*n*, 457*n*, 459*n*
Lifton, Robert Jay, 284, 341, 381-383, 454*n*, 459*n*
Liga dos Atores de Cinema, 201, 441*n*
lipoaspiração, 307, 342-344, 363, 377-381, 451*n*, 457*n*
Liu, Aimee, 269
Livermore, Mary, 337, 452*n*
Los Angeles Times, 235, 447*n*
Love Me Tender [Ama-me com ternura] (Texier), 245
Love, Sex and War [O amor, o sexo e a guerra], (Costello), 98, 432*n*
Loyola University, Clínica de Disfunções Sexuais da, 280, 450*n*
lucro, sistema médico e, 319, 336-339
Lust [Luxúria] (Minot), 245
luz, Ritos da Beleza e, 141

ÍNDICE REMISSIVO

M. Schmidt versus *Austicks Bookshops, Ltd.,* 66, 428n

MacArthur, John R., 120

MacKinnon, Catharine A., 81, 90, 202, 429n-432n, 434n, 440n, 460n

Mahler, Vanessa, 277

Mailer, Norman, 106, 434n

Malamuth, Neil, 240, 442n, 445n

Mamanova, Tatiana, 123, 436n

Man Made Language [Linguagem feita pelo homem] (Spender), 158, 439n

manipulação de imagens por computador, 163

Mansfield Park (Austen), 95, 432n

maquiagem, *v.* cosméticos, indústria cosmética, 30, 59, 65, 67, 68, 73, 74, 108, 115, 123, 148, 149, 151, 156, 160, 178, 307, 311, 375, 391, 394, 410

Marks, Ronald, 167

Marrocos, alimentos no, 277

Martineau, Harriet, 138

masoquismo, fome e, 288

v. também sadomasoquismo da beleza

Masters, William H., 203

masturbação, 215, 216, 225, 227, 228, 245, 280, 323, 353, 355

Maureen Murphy and Eileen Davidson versus *Stakis Leisures, Ltd.,* 66, 428n

maxilares, amarração de, 347, 375, 376, 457n

McDermott, Catherine, 57, 427n

McKnight, Gerald, 162, 166, 177, 178, 361, 437n-440n, 454n, 456n, 457n

medicamentos, 22, 166, 327, 346, 347, 359, 386, 461n

medicina, 320, 327, 347, 452n, 455n-457n

cirurgia sexual e, 345, 352

ética e, 339-345

lucro e, 336, 337, 339, 360, 387

reclassificação institucionalizada e, 323, 324, 382

saúde e, 319, 322

Meehan, Vivian, 311, 451n

memento mori, 154

menopausa, visão vitoriana da, 322, 323

menstruação, 20, 145, 146, 246, 279, 281, 322, 323, 390, 400, 439n, 447n

mente, fome e,

mentiras vitais, 35, 424n

coação médica e, 326

na ideologia da beleza, 50

"Mercado dos goblins, O" (Rossetti), 313

meritocracia, 42, 45, 46, 51, 53

Meritor Savings Bank, 64, 428n

Metromedia Inc., processo contra, 60, 61

Meu jardim secreto (Friday), 219

México, divórcio no, 173, 436n

Michael Reese Hospital, 280

Michaels, Daniel L., 166

Michelet, Jules, 320, 452n

Middlemarch (Eliot), 94, 432n

Miles, Rosalind, 42, 79, 145, 161, 193, 224, 423n, 424n, 430n, 439n, 441n, 443n

Milgram, Experimentos de, 360

Miller versus *Bank of America,* 63, 427n

mineiras de carvão, 83

Minnesota, University of, 281, 425n, 445n, 450n

Minot, Susan, 245

Miss América, concurso, 81, 106, 269, 384, 431n, 460n

Mística Feminina, 27, 28, 33, 37, 40, 100, 102-104, 158, 246, 247, 291, 390, 391

Mística feminina, A (Friedan), 100

mito da beleza, beleza, 25-38, 388-417

antes da Revolução Industrial, 31

base biológica, sexual e evolutiva do, 29, 30

como pensamento estático, 35

como sistema monetário, 29, 39, 40, 53

comportamento estipulado pelo, 27, 31

desmonte do, 34, 40, 395

481

O MITO DA BELEZA

diferenças culturais no, 29, 30
exportação do, 121, 122
história contada pelo, 29, 30
internalização do, 128,
introdução ao, 25-38, 421n-424n
masculina, 30, 423n
política do, 26, 27, 34, 35, 40
reinterpretação do, 410, 411
seleção sexual e, 29, 422n
uso sexual do, 29, 30
moda, indústria da moda, v. roupas, 17, 18,
22, 23, 33, 72, 73, 84, 92, 104, 107, 120,
125, 133, 134, 150, 156, 160, 196, 198,
200, 218, 258, 268, 269, 273, 278, 285,
303, 304, 307, 354, 370, 388, 397, 408,
421n, 430n, 434n
modelos, 13, 17, 20-23, 27, 28, 49, 54, 66,
68, 72, 73, 81, 82, 107, 109, 122, 124,
126, 127, 133, 140, 159, 196, 196, 200,
221, 268, 307, 339, 384, 406, 408,
421n, 460n
cirurgia plástica de, 384
peso de, 146, 152, 268, 269, 279, 448n
modelos a seguir, 21, 37, 96, 113, 218, 291,
406
masculinos vs. femininos, 52, 92, 249
moeda, beleza como, 39, 40
Moi, Daniel Arap, 352
Molloy, John, 71-73, 429n, 430n
monogamia feminina, 30
Monuments and Maidens [Monumentos e
donzelas] (Warner), 92, 432n
More Than Just a Pretty Face [Mais do que só
um rostinho bonito] (Rees), 142, 438n
Morgan, Elaine, 29, 423n, 441n
Morgan, Elizabeth, 235, 445n
mortes:
decorrente de cirurgia estética, 343,
344, 350, 369, 376, 377, 379, 380,
456n, 457n
decorrente de cirurgia sexual, 351

no parto, 153, 317
por anorexia, 19, 265, 266, 299, 301
Ritos da Beleza e, 141
motoristas de ônibus, 79
movimento das mulheres, v. feminismo,
34, 37-39, 50, 87, 110, 111, 134, 136,
209, 269, 270, 273, 302, 303, 305, 312,
317, 390, 406
Ms. (revista), 57, 123, 240-243, 364, 436n,
445n, 446n
MTV, 239, 240, 445n
Mulher Profissional, 101
Murkovsky, Charles A., 265

National Airlines, 58
Naudé, Beyers, 374
Nazi Doctors, The [Médicos nazistas] (Lifton), 341, 454n, 459n
nazistas, 382, 459n
Negoda, Natalya, 122, 436
negros, identidade dos, 126
Neimark, Jill, 380, 459n
Never Too Thin [Nunca magra demais]
(Seid), 265, 427n, 433n, 437n, 438n,
446n, 448n, 461n
New England Journal of Medicine, 281,
447n, 450n
New Woman, 118, 124, 147, 437n, 450n,
458n
New York Times Magazine, 72, 440n, 451n,
457n
New York Times, 21, 23, 106, 142, 167, 174,
178, 200, 201, 262, 266, 307, 311, 329,
331, 337, 339, 344, 377, 378, 422n, 423n,
428n, 429n, 434n, 438n-440n, 443n,
446n, 449n, 453n, 454n, 459n
publicidade no, 337
New York Woman, 84, 124, 431n, 437n
Newcastle, duquesa de, 42, 424n
Newsweek, 15, 55, 108, 421n, 436n, 439n,
451n, 453n, 457n, 458n

ÍNDICE REMISSIVO

Newton, Helmut, 197
norte da África, alimentos no, 276, 277
Northanger, A abadia de (Austen), 95, 432*n*
Nova York, Academia de Arte de, 142
Nova York, Departamento de Trânsito de, 204
Nova York, Tribunal de Recursos dos Direitos Humanos do Estado de, 55
nudez, 67, 70, 198, 199, 201, 349, 401, 413
masculina vs. feminina, 204, 205
Nuremberg, Código de, 341, 342, 344, 455*n*

O'Connor, Sinéad, 245
Oakley, Ann, 43, 100, 328, 422*n*, 425*n*, 432*n*, 452*n*, 460*n*
obediência, obsessão com o peso e, 272
obesidade, demografia da, 142
obscenidade, 198, 203, 204, 237, 373, 389
Observer (Londres), 196, 431*n*, 435*n*, 441*n*, 445*n*
Obsessão (Chernin), 144, 274
ódio a si mesma, 26, 103, 112, 127, 128, 141, 145, 171, 236, 243, 269, 271, 272
cirurgia estética e, 220, 336
peso e, 281
Orbach, Susie, 274, 278, 288, 302, 448*n*, 449*n*
Organização Mundial de Saúde (OMS), 340, 352
Organização Nacional pelas Mulheres [National Organization for Women (NOW)], 46
orgasmo, 193, 194, 198, 215, 253, 291, 330, 352, 354, 390, 391, 442*n*
Orifícios, Sociedade Cirúrgica dos, 355
Outra Mulher, 77, 411, 412
ovários:
remoção dos, 354, 355, 449*n*, 458*n*
visões vitorianas sobre os, 321, 328

padrão duplo:
apetite e, 145, 194
da aparência, 60-63
médico, 345, 346
para a saúde, 333
"padrões próximos à perfeição", 56
pais, 19, 150, 212, 235, 239, 246, 278, 298, 305, 306, 308, 456*n*
Países Baixos, 362
abuso sexual nos, 233
ocupação alemã dos, 283, 284
Paquistão:
alimentos no, 276
donas de casa no, 43
parto, 89, 127, 246, 259, 317, 320, 322, 324, 328, 335, 367, 368, 385, 400
morte e, 153
pecado original, 143-145
peeling químico, 343, 346, 369, 457*n*
pênis, 203, 204, 223-225, 350, 351, 355
penteados, 21, 66, 394, 423*n*
Penthouse, 121, 204, 445*n*
perfeição, 57, 100, 108, 140, 164, 198, 235, 290, 294, 385, 390, 404
peso, perda de, 22, 132, 231, 270, 285, 337, 347, 376, 386, 438*n*, 450*n*, 461*n*
como objetivo feminino, 147, 150, 151, 270
como sentença legal, 56
das mulheres vs. dos homens, 141
feminismo e, 268, 269, 273, 285, 286, 302, 303
v. também dietas, adoção de dietas; transtornos alimentares
Picasso, Pablo, 254, 446*n*
Piercy, Marge, 118
Plath, Sylvia, 361, 458*n*
Playboy, 121-123, 195, 196, 198, 203, 218, 237, 239, 269, 356, 445*n*
pobreza, de idosas, 86, 191
poder, estrutura do poder:
acesso de imigrantes ao, 41, 42

beleza como, 75

masculinidade do, 305

mito da beleza usado para prejudicar o acesso das mulheres ao, 39-48

subjetividade da beleza e, 61

v. também qualificação da beleza profissional

poligamia masculina, 29

Política Nacional para Empresas de Mulheres [National Women's Business Enterprise Policy], 58

política:

amor e, 209

da perda de peso, 272, 273

do mito da beleza, 26, 27, 34, 35, 40

Polivy, J., 273, 448*n*

Pomeroy, Sarah B., 276, 448*n*, 452*n*

pornografia, 17-19, 26, 35, 83, 111, 121, 123, 196, 198, 200-203, 205, 207, 208, 211, 216-219, 232, 244, 259, 308, 355, 358, 421*n*, 424*n*, 434*n*, 435*n*, 436*n*, 442*n*, 445*n*

história de Cavett sobre, 308

v. também pornografia da beleza

Pornography and the Sex Crisis [A pornografia e a crise do sexo] (Cole), 203, 441*n*, 445*n*

Positively Beautiful [Positivamente linda], 149, 439*n*

Poutney Clinic, 344, 380, 381

"Preços astronômicos" (Wells), 178, 440*n*

primatas, comportamento sexual de, 30, 441*n*

Private Eye, 96, 432*n*

professores, 76, 81, 117, 164, 256, 293, 294, 405, 407

profissões de grande visibilidade, 49, 68

Projeto P, da Polícia de Ontário, 204

Prometeu, mito de, 95

prostitutas, 32, 74, 81, 107, 117, 202, 217

protestantismo, 137

psicologia das mulheres, QBP e, 78, 84-86

Psychology Today, 358, 429*n*, 430*n*

publicidade, 27, 327, 396, 397, 398, 434*n*, 436*n*

da cirurgia estética, 336, 337, 359

nas revistas femininas, 97-102, 112-128

Ritos da Beleza e a, 151, 156, 160-162, 166, 167

sexo na, 194-196

punição, sexo e, 352

purificação, ciclo de, 147, 150, 152

Pyke, Magnus, 284, 449*n*, 450*n*

QBP, *v.* qualificação de beleza profissional

QOBF (qualificação ocupacional de boa-fé), 49, 56

QOG (qualificação ocupacional genuína), 49

quadrinhos, sexo nos, 95, 199, 201, 365

qualificação da beleza profissional (QBP), 48-91, 396

antecedentes da, 54-63

consequências sociais da, 78-91

culpa e, 50-52

mentiras vitais e, 50

revistas femininas e, 109, 110

sustentação jurídica da, 63-77

telejornalismo e, 58-63

Quênia, 426*n*

clitoridectomia no, 352, 380

trabalho no, 44

Rabidue versus Osceola Refining Co., 83

Radiance, 235, 272, 376, 444*n*, 454*n*, 457*n*

Redbook, 70, 110, 428*n*

Reed, Evelyn, 29, 423*n*

Rees, Thomas D., 142, 344, 346, 353, 369, 371, 438*n*

Reino Unido, *v.* Grã-Bretanha

relacionamento entre homens e mulheres, 31, 34, 35, 92

ÍNDICE REMISSIVO

autoimagem da mulher e, 246-253
cirurgia do seio e, 357
telejornalismo e, 58, 59
"Relatório da Conferência Internacional das Nações Unidas para a Década das Mulheres", 43
Relatório Hite sobre a sexualidade feminina (Hite), 175
religião, 27, 130-192, 437n-441n
  declínio na influência da, 134-136
  Deusa, 30
  feminilização da, 137, 138
  solidariedade e, 136
  v. também Ritos da Beleza
religiões matriarcais, 30
Re-Making Love [Recriando o amor] (Ehrenreich, Hess e Jacobs), 210, 442n
Renascimento, 154
renda:
  calorias e, 286
  despesas de manutenção da beleza e, 84, 85
  dos homens vs. das mulheres, 78-80
  papéis femininos dominantes e, 81, 82
Retin–A, 157, 165, 346, 372, 431n, 454n
Retrato do artista quando jovem (Joyce), 95
revistas femininas, 96-129, 265, 267, 433n
  alterações nos papéis sociais e, 97-100
  censura e, 117-129
  como clubes, 113-115
  como empresas, 118-120
  concorrência visual e, 121, 128
  cultura de massa e, 109-111
  fantasia do mito da beleza e, 108, 109
  feminismo e, 103-111
  Guerras Mundiais e, 100
  importância política das, 111, 112
  ocupações pacíficas, 108, 109
  publicidade nas, 97-104, 111-128, 435n-437n

solidariedade e, 116-118
surgimento das, 97
Revolução Industrial:
  beleza antes da, 31
  mito da beleza e, 27, 31-32, 39, 137
  trabalho feminino antes da, 42
Rich, Adrienne, 227, 367, 458n
Ritos da Beleza, 130-192
  alimentos e, 144-147
  Catolicismo medieval comparado com, 132-134, 149, 152
  ciclo de purificação e, 147-152
  efeitos sociais de, 189-192
  estrutura dos, 139-192
  história da Criação e, 139-143
  luz e, 154-158
  memento mori e, 153-154
  pecado original e, 143-144
  sistema de castas e, 131
  vendas da seita e, 158-189
rituais femininos, 116, 400
Roddick, Anita, 164, 439n
Rodin, Judith, 272
Roe versus *Wade,* 197
Roma helênica, 276
Romênia, 177
Rômulo, leis de, 318
Roosevelt, Eleanor, 109
Rossetti, Christina, 313
rosto, criação do próprio, 151, 334
roupas,
  assédio e, 63, 67, 68, 70, 429n
  dos homens, 73, 74
Russell, Diana, 232, 234, 439n, 443n, 444n

sadomasoquismo da beleza, 194,195, 199, 200, 203
Sarler, Carol, 123
Sarton, May, 156
Saúde e Segurança do Trabalho, Lei de (1970), 372, 459n

O MITO DA BELEZA

saúde, 322-329
  imagem do corpo e, 331-335
  reclassificação institucionalizada da, 329-331
  nos homens vs. nas mulheres, 333
Sawyer, Diane, 61, 427n
Scherr, Raquel, 309, 451n
Schlafly, Phyllis, 220
Schmidt, M., 66
Scientific American, 280, 449n
Scott, Steve, 348
Screw, 217
secretárias, 54
Seeing Through Clothes [Vendo através das roupas] (Hollander), 268, 448n
Seid, Roberta Pollack, 104, 132, 265, 281, 284, 285, 427n, 433n, 437n, 439n, 446n-450n, 458n, 461n
Seio Oficial, 357
seios, 202-204, 274
  diferenças nos, 355-358
  erotização da cirurgia nos, 355
seios, cirurgia para redução dos, 343
seitas:
  iniciação em, 148-149
  perda de peso, 263, 269
  Ritos da Beleza e, 132, 133, 158-189
seleção natural, 29
Self Magazine, 164, 349, 458n
Seneca Falls, convenção de, 105
Serviço de Estatísticas Trabalhistas, 80
Serviço de Orientação Cirúrgica, 344
Sex and the Single Girl [O sexo e a jovem solteira] (Brown), 54, 426n
Sexo, mentiras e videoteipe (filme), 245
sexuais, fantasias, 35, 206, 219, 280, 281
sexual, assédio, 289, 428n
  cartazes com mulheres atraentes como, 52
  culpar-se pelo, 70
  trabalho e, 63-67, 70, 71, 76, 83, 84, 171

sexual, assimetria na educação, 222, 223
sexual, capacidade, das mulheres, 194
sexual, cirurgia, 345, 348, 352
sexual, discriminação:
  audiências e decisões sobre, 55-57, 63-68
  processo de Craft e, 59-64, 427n
  QOBF ou QOG e, 49, 56
Sexual, Lei da Discriminação (1975), 50, 426n
sexual, relação, orgasmo na, 214, 215
sexual, revolução, 27, 145, 194, 213, 215, 223, 238
sexual, seleção, 29, 422n
sexualidade, comportamento sexual, 193-260, 391, 392, 401, 402, 441n-446n
  anorexia e, 289
  beleza e, 220-221, 246-253
  dor e, 317-319
  dos animais, 30, 194, 441n
  dos jovens, 237-246
  gordura e, 268, 279-281
  pornografia da beleza e, 194-208, 212-223
  punição e, 317-319
  repressão da, feminina, 226-236
  Ritos da Beleza e, 144-147, 176
  trabalho e, 54, 72-75
Sexuality of Organization, The [A sexualidade da organização] (Sheppard), 69, 71, 427n
She, 111, 353, 369, 454n, 457n
Sheppard, Deborah L., 69, 70, 429n
Shiseido, 161, 164, 329
Shoemaker, mina, 83, 431n
Showalter, Elaine, 148, 321, 322, 354, 361, 376, 439n, 452n, 458n, 459n
Sidel, Ruth, 51, 80, 85, 424n-426n, 430n, 431n, 440n, 460n
silicone, 15, 17, 18, 208, 346, 349, 350, 453n, 456n
sindicatos de trabalhadores, 80, 83

ÍNDICE REMISSIVO

Siskel, Gene, 200, 441*n*
Sisley versus *Britannia Security Systems,* 67, 428*n*
sistema de castas, beleza e, 131, 409, 415
sistema econômico:
    menor remuneração para mulheres e, 37, 43-45
    mito da beleza e, 30, 36-38, 90-91
    trabalho não remunerado e, 43
Snowball versus *Gardner Merchant, Ltd.,* 67, 428*n*
Sociedade Americana de Cirurgia Plástica e Restauradora [American Society of Plastic and Reconstructive Surgery [ASPRS]], 343, 453*n*, 457*n*, 458*n*
Sociedade Britânica dos Funcionários Públicos, 83, 429*n*
Soderbergh, Steven, 245
Sólon, 318
solteiras, 47, 54, 145, 173, 318
Solução dos Sete Quilos, 270, 271, 273
sonho norte-americano, a beleza e o, 50, 51, 426*n*
Sontag, Susan, 319, 452*n*
South Dakota, University of, 242
Spare Rib, 203, 442*n*
spas e clínicas, 147, 150, 151, 168, 177, 283, 322, 337, 346, 457*n*
Spender, Dale, 158, 439*n*
Spenser, Edmund, 93
St. Cloud State University, estudo da, 242
St. Cross versus *Playboy Club of New York,* 55, 427*n*
St. Cross, Margarita, 55-57, 64
Stein, Gertrude, 254, 446*n*
Steinem, Gloria, 57, 106, 123, 124, 237, 427*n*, 436*n*, 437*n*, 445*n*, 458*n*
Stevens, juiz, 62
Stock, Wendy, 207, 442*n*
Stone, Lucy, 28, 37, 421*n*
Strathclyde Regional Council versus *Porcelli,* 83, 428*n*

Stuart, Richard, 149
sucesso:
    definição feminina de, 212
    vestir-se para, 70-73
Sudão, sexo no, 193
Suécia:
    assédio sexual na, 70
    pornografia na, 121, 203, 435*n*
    trabalhadoras na, 40
    transtornos alimentares na, 267, 447*n*
    violência sexual na, 233, 444*n*
Sugiyama, "Sam", 164, 439*n*
Sullivan, Jack, 200, 419, 441*n*
Suprema Corte, EUA, 197, 317
Swept Away [Enlevadas] (Cassell), 232, 443*n*
Symington-Brown, Dr., 353, 458*n*

Tamini versus *Howard Johnson Company, Inc.,* 65, 428*n*
Tatler, 196
Taylor, Debbie, 193, 205, 206, 235, 425*n*, 435*n*, 440*n*, 441*n*, 449*n*, 460*n*
Taylor, Lou, 104, 433*n*
tecnologia:
    como instrumento de controle, 32-34, 162
    corpo feminino e, 383-387
    emprego feminino e, 47
telejornalismo, mulheres no, 58, 59
televisão, exportação do mito da beleza e, 122
Terceiro Mundo, distribuição de alimentos no, 276, 277
Tess dos D'Urbervilles (Hardy), 96
teto todo seu, Um (Woolf), 264, 287
Texier, Catherine, 245
The Woman's Dress for Success Book [Como a mulher deve se vestir para ter sucesso] (Molloy), 71, 429*n*
Time, 55, 61, 119, 203, 265, 303, 423*n*, 427*n*, 434*n*, 436*n*, 441*n*

Tong, Rosemarie, 83, 426n, 427n, 431n, 440n
Tostesen, Daniel C., 329, 453n
trabalhadores no setor de alimentação, 81
trabalho de parto, 153, 367
trabalho doméstico, donas de casa, 43, 44, 97-103
   culto à domesticidade e, 33, 34
   divisão do trabalho e, 43, 44,
trabalho,
   baixa remuneração das mulheres e, 37, 42, 43, 78-84
   das mulheres *vs.* dos homens, 40-45
   discriminação no emprego e, 27, 40
   Guerras Mundiais e, 98-100
   mães e, 47
   profissionais, mulheres, e, 45, 57
   progresso na carreira e, 86, 87, 430n
   QBP e, *v.* qualificação de beleza profissional
   qualidades da funcionária ideal e, 47, 48
   valor das mulheres baseado no, 32
   visão vitoriana do, 33
trabalho voluntário, 43, 98, 425
transformador, mito da beleza como, 39, 40
Tribunal Trabalhista de Recursos, 66
tripla jornada, 46, 48
Turquia, alimentos na, 276
Twiggy, 268, 269, 448n

UCLA [University of California — Los Angeles], pesquisa da, 240, 243, 431n, 440n, 446n
União Soviética:
   feminismo na, 122, 123
   revistas femininas na, 123
   transtornos alimentares na, 267
Igreja da Unificação, 180, 184, 186, 187
UNICEF, 352
uniformes, 65, 67, 71-74, 78, 172, 284, 415
USA Today, 66

Vassar College, 97, 308
vendedoras, 159, 160
   vendas de seitas e, 158, 159
Venus Syndrome, The [A síndrome de Vênus] (Chandris), 327, 453n
Vida e amores de uma mulher demônio, (Weldon), 354
vigilância sobre as mulheres, 148, 149, 182, 190, 384, 439n
Vigilantes do Peso, 117, 149, 184, 440n
Vinson, Mechelle, 64, 68, 428n
violência, 316-387, 451n-461n
   eugenia e, 381-383
   saúde e, 322-328
   sexo e,; *v. também* estupro; sadomasoquismo da beleza
virgindade, "bela", 31
vitorianismo, 214, 319
   clitoridectomia e, 352
   esfera isolada e, 33
   feminismo e, 37, 38
   histeria feminina e, 288, 319
   religiosidade feminina e, 138
   revistas femininas e, 97
Viz, 201
Vogue, 23, 84, 104, 110, 178, 196, 197, 268, 328, 408, 431n, 448n, 459n
von Wangenheim, Chris, 196
voz diferente, Uma (Gilligan), 135, 437n
"Women: A World Report" [Mulheres: um relatório mundial] (Taylor), 205

Walker, Alice, 218, 443n
Waring, Marilyn, 43, 46, 425n, 426n
Warner, Dr., 353
Warner, Marina, 92, 432n
Washington Star, 106
Wedderburn, Buddy, 164
Weldon, Fay, 95, 354, 432n, 458n
Wells, Linda, 174, 178, 440n, 451n
Werner, Bobby, 293

ÍNDICE REMISSIVO

Wilde, Oscar, 140, 438*n*
Wileman versus *Minilec Engineering Ltd.*,
    67, 428*n*
Wileman, Srta., 67, 68, 428*n*
Wilson, Elizabeth, 104, 433
Wilson, Sally, 140
Winfrey, Oprah, 354
Winship, Janice, 123, 432*n*, 434*n*, 436*n*
Winship, Thomas, 119, 434*n*
wodaabes, 30, 423*n*
Woman Hating [Ódio às mulheres]
    (Dworkin), 367, 458*n*
Woman, 123,
Wooley, O. W., 273, 421*n*
Wooley, S. C., 273, 421*n*

Woolf, Virginia, 28, 264, 287, 400, 446*n*,
    450*n*
Worldwatch Institute, 234
Wyden, Ron, 347, 348*n*

Xerox Corporation, 57, 427*n*

Yale Club, 305
Yale University, 80, 245, 451*n*
Yeats, William Butler, 251, 316, 446*n*
Yuspa, Stuart, 346, 454*n*

Zacharova, Natalia, 122
Zap, 201

A primeira edição deste livro foi publicada em 2018, ano em que se celebram 28 anos da fundação da Rosa dos Tempos, a primeira editora feminista brasileira.

O texto foi composto em Minion Pro, corpo 12/16. A impressão se deu sobre papel off-white pela Geográfica.